Knaur.

Knaur.

*Im Knaur Taschenbuch Verlag sind bereits folgende Bücher der Autorin erschienen:*
Die Goldhändlerin
Die Tatarin
Die Wanderhure
Die Kastellanin
Die Löwin

*Über dieses Buch:*
Italien in der Renaissance:
Die Rechte der Frauen werden durch die Kirche immer mehr eingeschränkt. Vor allem aber dürfen Frauen während der Messe das Wort nicht erheben und nicht singen. Für Giulia, die Tochter des Kapellmeisters Fassi aus Salerno, ist dies eine Qual, denn Singen ist ihr Leben. Als Ludovico Moloni, der Solosänger des Knabenchors ihres Vaters, kurz vor der Aufführung einer neuen Palstrina-Messe in den Stimmbruch kommt, verkleidet Fassi seine Tochter als Knaben und lässt sie einspringen. Ihr Auftritt wird ein voller Erfolg, und der Abt von Saletto macht Fassi den Vorschlag, den Knaben doch kastrieren zu lassen, um der Welt die herrliche Stimme zu erhalten. Fassi und Giulia fliehen, um eine Entdeckung zu verhindern, doch Fassi wittert nun Ruhm und Geld und will das Spiel fortsetzen …

*Zur Autorin:*
Iny Lorentz wurde in Köln geboren und hat in verschiedenen Berufen gearbeitet, bevor sie als Programmiererin in einer Münchner Versicherung begann, wo sie noch heute tätig ist. Seit den frühen achtziger Jahren hat sie mehrere Kurzgeschichten veröffentlicht, teilweise mit ihrem Mann Elmar Lorentz.
Besuchen Sie auch die Homepage der Autorin: www.iny-lorentz.de

Iny Lorentz

# Die Kastratin

Roman

Knaur Taschenbuch Verlag

**Besuchen Sie uns im Internet:**
**www.knaur.de**

Originalausgabe 2003

Redaktion: Regine Weisbrod
Umschlaggestaltung: ZERO Werbeagentur, München
Umschlagabbildung: FinePic, München
Satz: Ventura Publisher im Verlag
Druck und Bindung: Clausen & Bosse, Leck
Printed in Germany
ISBN-13: 978-3-426-62366-4
ISBN-10: 3-426-62366-8

14 16 15 13

# Erster Teil

•◆•

## *Die Verwandlung*

# I.

Ihre Wangen brannten von den Ohrfeigen ihrer Mutter, und in ihren Augen standen Tränen. Dennoch warf Giulia den Kopf in den Nacken und schob trotzig ihr Kinn vor. Nie, niemals würde sie verstehen, warum es Sünde sein sollte, die Lieder zu singen, die der Knabenchor oben in der Abtei fleißig einübte.
Meist war sie vorsichtig und sang nur, wenn sie sich allein wähnte oder ihr Vater es ausdrücklich erlaubte. An diesem Morgen jedoch waren ihr ein paar Takte jener wunderbaren Melodie über die Lippen gekommen, die sie beim letzten ihrer heimlichen Ausflüge erlauscht hatte und die seitdem wie ein Echo in ihrem Kopf widerhallte. Sie hatte geglaubt, niemand würde sie hören, da ihre Mutter schon seit Tagen krank im Bett lag. Zu ihrem Pech war die Mutter gerade hinter ihr aus der Tür getreten und hatte alles mit angehört.
Zur Strafe musste Giulia anstelle der Magd die Wäsche auf den Bleichanger tragen und dort ausbreiten. Der schwere Korb zerrte so an ihren Armen, dass sie ihn am liebsten fallen gelassen hätte. Doch sie dachte an das Strafgericht, das ihre Mutter auf sie niederprasseln lassen würde, und schleppte die Last, die für ein Mädchen von elf Jahren viel zu schwer war, weiter die schmale Treppengasse hinab, vorbei an den kleinen, aus Bruchsteinen errichteten Häusern, aus denen es sauer roch.
Sie sehnte Assumpta herbei, die die Wäsche gern selbst zum Bleichanger getragen hätte. Mehr als einmal hatte die alte Magd ihrer Mutter Vorhaltungen gemacht, weil diese ihrem Kind viel zu schwere Lasten aufbürdete. Die Mutter war jedoch der Meinung, sie könne ihrer Tochter nur mit harter Arbeit das Singen

abgewöhnen und sie auf den Pfad der Tugend zurückführen. Giulia verstand ihre Mutter nicht, denn sie fühlte sich so unschuldig wie ein Engel im Himmel. Was konnte sie dafür, dass die Lieder, die die Chorknaben so mühsam einstudierten, in ihrem Gedächtnis haften blieben, selbst wenn sie sie nur ein einziges Mal gehört hatte?

Als sie die Piazza Vendetti erreichte, drehte sie sich um und blickte sehnsüchtig zum Kloster des heiligen Ippolito hoch, das majestätisch auf dem mit Olivenbäumen bewachsenen Hügel thronte. Es war ihr, als könne sie die Stimmen der Sängerknaben vernehmen, die um diese Stunde dort oben probten. Am liebsten wäre sie auf der Stelle hochgelaufen, hätte sich in ihr Versteck bei dem kleinen Fenster gedrückt und den Übungen zugehört. Unwillkürlich fragte sie sich, ob schon das Belauschen der Sänger eine Sünde war.

Nach kurzer Überlegung tat sie den Gedanken ab. Die Chorknaben von Saletto sangen jeden Sonntag in der Kirche, und da musste sie ihnen ja zuhören. Die sonntäglichen Lieder hätte sie alle im Schlaf singen können, so langweilten sie sie. Viel interessanter war es, zu verfolgen, wie die Jungen die neue Messe einstudierten, die sie am Festtag des Namenspatrons singen sollten. Giulia träumte sogar schon von den ersten Strophen des Soloparts, den Ludovico vortragen würde, und sie ertappte sich auch jetzt wieder dabei, wie sie die ersten Takte vor sich hin summte.

Sofort presste sie die Lippen zusammen und sah sich um. Es gab genügend Nachbarinnen, die ihrer Mutter hinterbringen würden, dass sie nicht die Kinderlieder trällerte, die Mädchen wie ihr gerade noch erlaubt waren, sondern wieder jene Melodien von sich gab, die nur von Knaben und Männern zum allerhöchsten Ruhme Gottes intoniert werden durften.

»Es ist eine Gemeinheit, dass ich ein Mädchen und kein Junge bin«, schimpfte sie leise vor sich hin. »Immer heißt es, das schickt sich nicht, und jenes darfst du nicht ...« Wütend stapfte

sie weiter, bis das Gewicht des Korbes sie zwang, ihn auf einem Mauervorsprung abzusetzen.
In dem Moment tauchte die alte Nachbarin Lodrina neben ihr auf. Mit ihrer schwarzen Witwenkleidung und ihren nickenden Bewegungen ähnelte sie einem Raben, zumal ihre Nase wie ein scharfer Schnabel vorstieß. Sie grüßte Giulia mit hinterhältiger Freundlichkeit und entblößte dabei ihre gelben Zahnstummel.
»Du bringst das Leinen zum Bleichen? Das ist aber brav von dir.«
»Ich muss mich sputen, Lodrina. Ich bin schon spät dran.« Giulia holte tief Luft, hob den Korb an und schleppte ihn schnell weiter, bevor die Frau ihr ein Gespräch aufdrängen konnte. Sie mochte Lodrina nicht, denn die Alte schlich sich oft lautlos an sie heran, und wenn sie Giulia singen hörte, verpetzte sie sie bei ihrer Mutter. Die beiden waren sich einig, dass ein Mädchen, das heilige Lieder sang, gegen Gottes Gebot verstieß. Lodrina hatte Giulia schon vor aller Leute Ohren als Hexe beschimpft und behauptet, eines Tages würde sie wegen ihres Gesangs auf dem Scheiterhaufen verbrannt werden und auf ewig im Feuer der Hölle schmoren. Seitdem träumte Giulia nachts von Flammen, die sie verzehrten, und wachte oft weinend auf.
Sie schüttelte sich, um die Bilder aus ihren Albträumen zu verscheuchen, die auch jetzt wieder in ihr aufstiegen, zwängte sich durch die kleine Pforte in der Stadtmauer und eilte zu dem Anger, den die Frauen der kleinen Stadt zum Bleichen der Wäsche nutzten. Zu ihrem Pech waren die besten Stellen bereits belegt, und sie musste bis zum Fuß des Burgbergs hochsteigen, um genügend freien Platz zu finden.
Die Burg und das Kloster waren die beiden Pole, zwischen denen sich das Leben in Saletto abspielte. Oben in der Burg, die längst keine Befestigung mehr war, sondern ein prunkvoller Palast, residierte Graf Gisiberto Corrabialli als weltlicher Herr der Stadt und ihrer Bewohner. Über die Seelen der Menschen aber

wachten die Mönche des Klosters im Auftrag des Abtes Francesco della Rocca.
Während Giulia mit einer flinken Bewegung das erste Laken aufschlug und ausbreitete, versuchte sie, sich die Gesichter der beiden Männer vorzustellen, mit denen ihr Leben so eng verflochten war. Sie konnte sich nicht so recht an sie erinnern. Das mochte daran liegen, dass die beiden Herren höchstens ein- oder zweimal im Jahr nach Saletto kamen. Die meiste Zeit weilten sie in Rom, wo sie ehrenvolle Aufgaben am Hofe des Heiligen Vaters zu erfüllen hatten. Giulias Vater Girolamo Fassi, der Graf Gisiberto als Kapellmeister und Hofkomponist diente, sah seinen Herrn auch nicht häufiger als die anderen. Zu seinem Kummer musste er in Saletto bleiben und war als Pater Lorenzos Korepetitor für die Gesangsausbildung des klösterlichen Knabenchors mitverantwortlich.
Die ersten Lieder hatte Giulia von ihrem Vater gelernt, kaum dass sie laufen konnte, und schon mit fünf Jahren hatten ihr die einfachen Kinder- und Volksweisen nicht mehr gereicht. So hatte sie begonnen, die weitaus komplizierteren Gesänge der Chorknaben nachzuahmen. Zunächst hatten die Erwachsenen sich darüber amüsiert und sie sogar noch angefeuert. Bald aber verbot die Mutter ihr jeglichen Gesang und zankte sich mit dem Vater, wenn dieser ihr erlaubte, weltliche Lieder vorzutragen.
Giulia brachte es nicht fertig, der Mutter zu gehorchen. Es war, als ersticke sie, wenn sie nicht singen konnte. Vorsichtig sah sie sich um und stellte erfreut fest, dass sie allein war. Jetzt konnte sie den Tönen, die sich in ihrer Kehle ballten, freien Lauf lassen. Der Solopart der neuen Messe war einfach wundervoll. Sie hatte die Strophen erst einmal gehört, als Ludovico, der vielgerühmte Solosänger des Knabenchors, sie Pater Lorenzo vortrug, war sich jedoch sicher, dass sie sie mindestens ebenso gut singen konnte wie dieser grobe Lümmel.
Selbstvergessen ließ Giulia Strophe für Strophe aus ihrer Kehle

aufsteigen. Es war, als bildeten die Töne eine Leiter zum Himmel, auf der sie mit der Leichtigkeit eines Engels hinaufsteigen konnte. Sie war so vertieft, dass sie den Jungen gar nicht wahrnahm, der mit einem Chorhemd der Sängerknaben bekleidet vom Kloster herabstieg und eben zur Mühle abbiegen wollte. Als er Giulias Stimme vernahm, blieb er stehen, zog die Stirn kraus und ballte die Fäuste. Dann huschte ein verschlagener Ausdruck über sein pausbäckiges Gesicht. Leise schlich er zum Bach, holte eine Hand voll Schlamm heraus und schleuderte ihn Giulia ins Gesicht.

Sie brach mitten in einem Triller ab, spie den Dreck aus und hörte den Jungen hämisch lachen. »Ludovico, das wirst du bereuen!« Sie bückte sich nach einem Stein.

Der Junge warf eine zweite Hand voll nach ihr. Giulia wich aus und schrie entsetzt auf, denn der Schmutzbatzen war auf dem besten Laken ihrer Mutter gelandet. Für einen Moment schwankte sie zwischen dem Wunsch, es dem Knaben heimzuzahlen, und der Pflicht, den Dreck auszuwaschen, bevor er eintrocknen konnte. Sie dachte an die Schläge, die sie bekommen würde, wenn sie mit dem schmutzigen Laken heimkam, raffte das Tuch an sich und eilte zum Bach hinab, ohne Ludovico eines weiteren Blickes zu würdigen.

Der Junge kam ihr nach und sah hämisch grinsend zu, wie sie sich abmühte. »Du hast eine Stimme wie ein Reibeisen, Giulia. Kein Wunder, dass Frauen keine heiligen Lieder singen dürfen. Was du da tust, ist eine ganz schwere Sünde. Pater Lorenzo sagt, dass der heilige Apostel Paulus den Frauen verboten hat, zu singen. Weiber müssen in der Kirche den Mund halten. Das hat er an die Korinther geschrieben, so steht es in der Heiligen Schrift. Du solltest mir dankbar sein, dass ich dich davon abgehalten habe, weiter gegen Gottes Gebot zu verstoßen.«

Wütend musterte Giulia ihren Peiniger. Ludovico war der einzige einheimische Knabe, der die Gnade erlangt hatte, in den

Chor von Saletto einzutreten. Die anderen Sängerknaben waren von Pater Lorenzo ausgewählt worden, der im Auftrag des Abtes in ganz Umbrien nach den besten Stimmen gesucht hatte. Da Ludovico aus Saletto stammte, war er so etwas wie der Liebling des Grafen, und das nutzte er weidlich aus. Er verhöhnte die anderen Kinder, verprügelte die Kleineren und streckte den Älteren die Zunge heraus, weil er genau wusste, dass es niemand wagen durfte, ihm etwas anzutun. Ein Hieb mit der Reitgerte Graf Gisibertos war das Geringste, was derjenige zu erwarten hatte, der Hand an Ludovico legte. Giulia hatte mehr als einmal miterlebt, wie der Graf jemand züchtigte, und war froh, nicht mit einem Stein nach dem Burschen geworfen zu haben. Wenn Gisiberto Corrabialli zuschlug, machte er keinen Unterschied, ob er einen Mann, eine Frau oder ein Kind vor sich hatte.

Ihr Quälgeist war nicht abzuschütteln. Ludovico grub eine weitere Hand voll Schlamm aus dem Bach und drohte ihr damit. »Eigentlich sollte ich deine gesamte Bleichwäsche dreckig machen, weil du es gewagt hast, mein Lied mit deiner jämmerlichen Stimme nachzuahmen. Bitte mich auf Knien um Verzeihung, sonst tue ich es wirklich.«

Giulia merkte, dass es ihm ernst war, und versteifte sich. Dieser Erpressung würde sie nicht nachgeben, und wenn sie zu Hause noch so viele Schläge einstecken musste.

Ludovico begriff, dass er Giulia so nicht beikommen konnte, und blickte unschlüssig auf den Schlamm in seiner Hand. Es machte zwar Spaß, Giulias Wäsche zu beschmutzen und sich über die Strafe zu freuen, die sie zu Hause erwarten würde, doch es war keine richtige Befriedigung für ihn, da ihm das Schauspiel entgehen würde. Er betrachtete ihre feste, kleine Gestalt und leckte sich die Lippen. Diesem Weiberrock würde er beibringen, was es hieß, sich mit ihm anzulegen.

Bei dem Gedanken an das, was Giulia unter ihrem Kittel hatte, verspürte er ein leichtes Ziehen in der Lendengegend, das ihn

auch schon ein paarmal überkommen hatte, als er mit anderen Chorknaben heimlich nackt im Teich geplanscht hatte. Er schnaufte kräftig durch und verzog das Gesicht zu einer Grimasse. »Ich weiß etwas Besseres. Komm mit mir ins Gebüsch und zieh deinen Kittel aus. Ich will sehen, wie du darunter aussiehst. Du darfst auch mein Glied sehen und es in die Hand nehmen. Wenn du das tust, lasse ich deine Wäsche in Ruhe.«
In seiner Stimme klang ein kratzender Unterton, der Giulia in den Ohren wehtat. Sie war so empört, dass sie kaum darauf achtete. Es war schon mehr als ungehörig, wenn ein Junge einem Mädchen unter den Rock schaute. Von ihr zu verlangen, sich auszuziehen, war eine große Sünde, sicher eine viel größere als das Nachsingen kirchlicher Lieder. »Bitte, mach die Wäsche ruhig schmutzig. Ich werde meiner Mutter sagen, dass du es getan hast, und sie wird es deiner Mutter erzählen.«
Giulia fühlte sich bei weitem nicht so mutig, wie sie sich gab. Sie hoffte, Ludovico wusste nicht, dass ihre Mutter krank war und das Haus kaum mehr verließ. Sicher würde sie den weiten Weg bis zur Mühle nicht mehr zurücklegen können, um sich bei der Müllerin über deren Sohn zu beschweren, sondern kurzerhand ihr, Giulia, die Schuld an allem geben und sie bestrafen.
Zu ihrer Erleichterung wusste Ludovico tatsächlich nicht Bescheid. Er kaute auf seinen Lippen herum und dachte an seine Mutter, die sich im Gegensatz zum Vater nicht von der hohen Ehre beeindrucken ließ, die der Graf ihm erwiesen hatte. Wenn sie der Ansicht war, dass er ein paar Ohrfeigen verdient hatte, würde sie sie ihm zukommen lassen. »Du bist ein gottloses Miststück! Eine Hexe, die auf dem Scheiterhaufen verbrannt werden sollte.« Er zeigte Giulia in hilfloser Wut die Fäuste, drehte sich um und stapfte davon.
Nach ein paar Schritten bemerkte er, dass seine Hände voller Schlamm waren, und wischte sie sich unwillkürlich an seinem Chorhemd ab. Dann begriff er, was er getan hatte, und fluchte,

wie er es von den Fuhrknechten gehört hatte. Pater Lorenzo war mindestens ebenso streng wie seine Mutter. Er würde ihn nicht ohrfeigen oder mit der Rute züchtigen, sondern zu einigen Tagen Stubenarrest verdonnern. Das war viel schlimmer als die Rute, weil er dann auf das gute Essen verzichten musste, das seine Mutter kochte. Für die Sängerknaben im Kloster gab es nur zwei karge Mahlzeiten am Tag, damit sie nicht so schnell wuchsen und in den Stimmbruch kamen. »Und das alles wegen diesem Luder Giulia«, schimpfte er und ärgerte sich über den Trotz des Mädchens. Er hätte wirklich gerne gesehen, wie sie unter dem Kittel aussah.

Giulia wusch unterdessen das Laken, ohne den Fleck ganz beseitigen zu können. Schließlich gab sie es auf, trug das Leintuch wieder zur Bleichwiese und breitete es neben den anderen aus. Sie konnte nur hoffen, dass die Mutter es nicht sofort bemerkte. Während sie mit dem leeren Korb in die Stadt zurückkehrte, vergaß sie die Wäsche und dachte an die Messe, die die Chorknaben im Kloster probten. Giovanni da Palestrina, der Komponist und Chorleiter des Papstes, hatte sie extra für das Fest des heiligen Ippolito komponiert. Wie es hieß, hatte ihm Abt Francesco etliche hundert Dukaten dafür zahlen müssen. Giulias Vater hatte es ihr erzählt und gesagt, sie sei jeden Denaro davon wert. Giulia stimmte ihm innerlich zu, und die Tatsache, dass so ein nichtswürdiger Bengel wie Ludovico die Solostimme singen durfte, ärgerte sie maßlos. »Mir unter den Kittel schauen wollen!« Die Forderung erbitterte sie immer noch. Am liebsten hätte sie sich bei ihren Eltern beschwert, doch das durfte sie nicht wagen. Ihre Mutter kam sonst noch auf die Idee, die Müllerin zu sich zu bitten und ihr zu sagen, dass ihr Sohn Giulia nachstellte. Mütter hatten eine seltsame Art, Ehen zu stiften. Giulia war noch zu jung für eine Heirat. Aber spätestens in zwei, drei Jahren würde ihre Mutter nach einem Erfolg versprechenden Freier Ausschau halten und hätte ganz sicher nichts dagegen, wenn sie mühelos einen Müllersohn erhielt, der zudem hoch in der Gunst des Grafen stand. Wieder einmal bedauerte Giulia, nur ein Mädchen zu sein.

## II.

Als Giulia nach Hause kam, war ihr Vater bereits vom Kloster zurückgekehrt. Er lächelte ihr freundlich zu, so dass sie schon Hoffnung schöpfte. Da aber drang die keifende Stimme ihrer Mutter aus der Schlafkammer. »Giulia, bist du das? Wo bist du so lange gewesen? Du hättest längst hier sein sollen. Sicher hast du wieder getrödelt.«

»Ich habe nicht getrödelt!« Giulia verfluchte Ludovico, weil sie um seinetwillen das Laken noch einmal hatte waschen müssen. Ihre Mutter gab sich mit dieser Antwort jedoch nicht zufrieden, sondern schimpfte in einem fort. Giulia kniff die Lippen zusammen, um keine ungehörige Antwort zu geben. So dumm, faul, halsstarrig und ungeschickt, wie ihr die Mutter es vorwarf, war sie nicht.

Ihr Vater schien derselben Ansicht zu sein, denn er legte ihr die Hand auf die Schulter und warf ihr einen aufmunternden Blick zu. »Geh jetzt in den Garten und hilf Beppo bei der Arbeit«, riet er ihr, um sie aus der Nähe seiner tobenden Frau zu bringen. Giulia nickte und glitt blitzschnell die Treppe hinab.

Girolamo Fassi blickte ihr nach, bis sie mit der Hacke über der Schulter das Haus verließ, und trat dann in die Schlafkammer, um nach seiner Frau zu sehen. Unter der Tür kam ihm Assumpta entgegen. Die Magd war noch keine vierzig Jahre alt, wirkte aber bereits alt und grau. Zusammen mit ihrem Ehemann Beppo bildete sie das ganze Gesinde, das er sich leisten konnte. »Es geht ihr wieder schlechter«, raunte sie ihm zu.

Fassi nickte verbittert. Das hatte er in den letzten Wochen

schon zu oft gehört. Er blieb hinter der Türe stehen und starrte in den abgedunkelten Raum. Es war so düster, dass er seine Frau nur als unbestimmbaren Schatten im Bett wahrnehmen konnte. Seufzend ging er zum Fenster und zog die Vorhänge beiseite.
Maria Fassi kreischte auf. »Was tust du? Du weißt doch, dass ich das Licht nicht vertragen kann.«
Girolamo drehte sich zu ihr um und musterte sie schweigend. Sie war hager geworden. Ihre Gesichtshaut spannte sich über den Knochen, und ihre dünnen, schon grau werdenden Haare klebten an ihrem Kopf. Nichts erinnerte mehr an das lebensfrohe Mädchen, das er vor zwanzig Jahren geheiratet hatte. Der Vater das jetzigen Grafen von Saletto hatte die Ehe mit der Tochter eines begabten Hofsängers gestiftet, wohl in der Hoffnung, dadurch ähnlich gute Chorknaben zu erhalten, wie Fassi selbst einer gewesen war. Mit einem bitteren Geschmack im Mund dachte er daran, dass jetzt nicht ein Sohn von ihm, sondern der Müllersohn Ludovico der Liebling des neuen Grafen war.
Da er nicht sofort antwortete, fuhr seine Frau ihn an. »Was ist los? Hat dir mein Anblick die Sprache verschlagen?«
»Du sollst dich doch nicht aufregen, Maria.« Er wusste selbst nicht mehr, wie oft er diesen Satz an einem Tag aussprach. Geholfen hatten seine Worte bis jetzt noch nie. Auch diesmal reagierte seine Frau gereizt und wiederholte all die Vorwürfe, mit denen sie ihn schon seit Jahren überschüttete. Er kannte sie alle auswendig und zählte mit, bis Maria auf ihre einzige Tochter zu schimpfen begann. »Du bist schuld, dass Giulia so bockig und verstockt ist. Hättest du sie nicht als kleines Kind mit ins Kloster genommen, obwohl einem weiblichen Wesen verboten ist, es zu betreten, hätte sie niemals diesen unheiligen Wahn entwickelt, es den Engelsstimmen des Chores gleichtun zu wollen.« Mit dieser Anklage beendete sie ihren Redeschwall und blickte giftig zwischen den Laken hervor. »Ich habe Giulia nicht mit ins

Kloster genommen. Als kleines Kind ist sie mir ein paarmal nachgelaufen, bis der Bruder Kastellan sie schließlich zu mir brachte. Außerdem hat sie nur den Probenraum betreten, der zum Internat der Knaben gehört und nicht innerhalb des eigentlichen Klostertrakts liegt.« Fassi hatte ihr das schon oft erklärt und tat es eigentlich nur noch aus Gewohnheit, denn er wusste, dass er genauso gut der Wand hätte predigen können. »Giulia ist eine Plage Gottes. Warum hat ausgerechnet sie überlebt, während mein kleiner Pierino so früh sterben musste?« Maria Fassi brach in haltloses Schluchzen aus.
Ihr Mann war froh, das Mädchen weggeschickt zu haben, denn die bösen Worte seiner Frau würden ihr gewiss sehr wehtun. Er fragte sich jedoch, wie oft seine Frau ihre Anschuldigungen in Giulias Gegenwart vorgebracht haben mochte. Auch er trauerte um seinen Sohn, der vor mehreren Monaten im Alter von sieben Jahren verstorben war. Zwei Wochen darauf war seine Frau zu früh mit einem tot geborenen Kind niedergekommen, und seitdem kränkelte sie. Vor allem aber machte sie Giulia den Vorwurf, als einziges Mädchen, das sie je geboren hatte, noch zu leben, während sieben Knaben entweder tot zur Welt gekommen oder jung gestorben waren.
Maria Fassi streckte den Arm aus und krallte ihre Finger mit erstaunlicher Kraft in das Wams ihres Mannes. »Wenn mein Pierino noch leben würde, stände er jetzt in der Gunst des Grafen und nicht dieser unsägliche Müllersbalg! Dann würde Pierino heuer die Solostimme singen, und der Graf würde dich reich entlohnen.«
Fassi schüttelte seufzend den Kopf. »Pierino wäre noch viel zu klein dafür. Aber im Chor hätte er schon mitsingen können.«
Seine Frau ließ sich jedoch nicht beirren. »Pierino hätte die Solostimme gesungen und dir die Gunst des Grafen erhalten. Aber so wissen wir nicht einmal, ob wir nächstes Jahr noch ein Dach über dem Kopf haben.«

»So schlimm ist es nun auch wieder nicht«, sagte Fassi schärfer als beabsichtigt.
»Und ob es das ist!«, höhnte seine Frau. »Wenn du wirklich in der Gunst des Grafen stehen würdest, käme heuer eine Messe von dir zur Aufführung und nicht die eines anderen. Außerdem hat mir Lodrina berichtet, dass der Graf plant, Ludovico im nächsten Jahr nach Rom mitzunehmen und ihn als Komponisten ausbilden zu lassen. Er wird ihm dann deinen Posten geben und dich wie einen Hund davonjagen.«
»Selbst wenn Ludovico das Talent dafür hätte, was er meiner Ansicht nach nicht hat, würde es Jahre dauern, bis er genug gelernt hat, um als Komponist und Kapellmeister wirken zu können.«
Während er noch versuchte, seine Frau zu beruhigen, spürte er Ärger wie bittere Galle in sich aufsteigen. Sie wusste genau, dass noch nie ein Werk von ihm bei einer Messe zu Ehren des heiligen Ippolito gespielt worden war. Er hätte ihr erklären können, dass ihm bisher weder ein Auftrag erteilt noch die Zeit zugestanden worden war, so etwas Langes und Kompliziertes wie eine gesungene Messe zu komponieren. Seine Frau stichelte weiter: »Ludovico reist nach Rom. Wann hat der Graf denn dich das letzte Mal dorthin mitgenommen?«
Für einen Moment stand Girolamo wie mit Eiswasser übergossen. Maria sprach da etwas an, das ihn selbst schon lange in der Seele schmerzte. Seit Jahren hatte ihn der Graf nicht mehr mit nach Rom oder wenigstens bis Perugia mitgenommen. Dabei hätte Fassi liebend gern seine kurze Bekanntschaft mit Giovanni da Palestrina, dem Komponisten der neuen Messe, vertieft und dessen neueste Werke studiert. Es war auch schon etliche Monate her, seit er dem Grafen eine seiner eigenen Kompositionen hatte vorspielen dürfen. Gisiberto Corrabialli hatte jedoch nur lauen Beifall gespendet und ihm auch die eigentlich fällige Entlohnung verweigert.
Fassi sah auf seine reizlose Frau herab, die ihm keine lebensfähi-

gen Söhne hatte gebären können, und hoffte unwillkürlich, bald von ihr erlöst zu sein. Er war noch jung genug, um mit einer anderen Frau kräftige, wohlgeratene Söhne in die Welt zu setzen. Ein Teil seiner Gedanken musste sich auf seinem Gesicht gespiegelt haben, denn seine Frau fuhr wild auf. »Du willst mich wohl loswerden, du Schuft. Aber noch ruft Gott mich nicht zu sich, obwohl es mir manchmal wie die Erlösung vorkommen würde.«
»Ich habe nichts dergleichen gedacht, Maria.« Der Schrecken über die Irrwege seiner eigenen Empfindungen ließ Fassis Stimme sanfter klingen als in den vergangenen Wochen.
Seine Frau beruhigte sich ein wenig und sah mit einem Mal hoffnungsvoller aus. »So Gott will, werde ich bald wieder gesund, und wir können doch noch den Sohn haben, den wir uns wünschen.«
»Das würde mich sehr freuen, Maria.« Girolamo legte seine Rechte auf die seiner Frau und drückte sie zärtlich. Er glaubte jedoch nicht mehr daran. Zu oft waren seine Erwartungen und Träume zerstoben. »Ich muss jetzt in meine Kammer, um den Unterricht für morgen vorzubereiten.« Abrupt ließ er die Hand seiner Frau los und wandte sich zum Gehen. »Du musst Giulia noch einmal deutlich sagen, dass sie nicht mehr zum Kloster laufen darf!«, rief sie ihm nach.
Fassi nickte ergeben und schloss die Tür hinter sich, erleichtert, das von Kampfer- und Kamilledüften erfüllte Zimmer verlassen zu können. Er vergaß den Auftrag seiner Frau jedoch nicht, sondern rief Giulia zu sich, als sie mit dem hageren, vornübergebeugten Beppo vom Garten zurückkam.
Neugierig schlüpfte sie in sein Zimmer. »Was gibt es, Vater?«
Fassi winkte sie zum Fenster und blickte sie ernst und, wie er hoffte, auch ein wenig vorwurfsvoll an. »Ich muss mit dir reden, Kind. In einem hat deine Mutter wirklich Recht: Es ist ungehörig, dass du dich zum Kloster hoch schleichst, um die Chorknaben zu belauschen. Du musst bedenken, dass du bald eine Frau

sein und einem Mann angehören wirst. Was du tust, ist nicht nur ungehörig, sondern eine große Sünde, denn du führst die frommen Patres zumindest im Geiste in Versuchung.«
Giulia hätte ihm erklären können, dass sie das Gelände des Klosters ja gar nicht betrat, sondern die Chorproben durch ein kleines Fenster belauschte, das auf den verwilderten Hang hinausging. Sie sagte sich jedoch, dass ihr Vater kaum einen Unterschied machen und sie mit ihrem Geständnis ein günstiges Versteck preisgeben würde. Daher nahm sie den Tadel mit unbewegter Miene hin.
Fassi starrte auf ihre trotzig vorgeschobene Unterlippe. »Hast du mich verstanden, Kind?«
Giulia nickte, sah ihrem Vater dabei aber nicht ins Gesicht. »Ich habe verstanden, Vater. Ich darf nicht ins Kloster zu den Patres gehen, da dies eine Sünde ist.« Sie betonte das ›ins Kloster gehen‹ ganz besonders und ließ dabei die Chorknaben völlig außer Acht. Auch wenn man zu Hause keinen Unterschied machen würde, so wollte sie vor Gott und dem Jesuskind keine Lüge aussprechen.
Zu ihrer Erleichterung gab sich ihr Vater mit diesem Versprechen zufrieden und wandte sich seinem Schreibpult zu. Er schien Giulias Anwesenheit vergessen zu haben, denn er runzelte die Stirn und zeichnete mit übertriebener Genauigkeit einige Noten auf Papier. Mit einem Mal sah er jedoch auf und lächelte ihr aufmunternd zu. »Ich habe ein neues Lied komponiert. Wenn du möchtest, darfst du es singen.«
»Gerne, Vater.« Giulia nahm das Notenblatt entgegen und stimmte die ersten Takte an. Die Melodie war recht hübsch, aber nachdem Giulia mittlerweile eine Palestrina-Messe kennen gelernt hatte, wurde ihr schlagartig klar, dass ihr Vater allerhöchstens ein mittelmäßiger Komponist war. Die Erkenntnis traf sie tief, denn sie liebte ihn und hätte ihn gerne als den besten und erfolgreichsten Musiker des Landes gesehen.

Ihr Vater hörte ihr lächelnd zu und klatschte in die Hände, als sie das Lied zu Ende gesungen hatte. »Wunderschön, Giulia. Wie du siehst, verbiete ich dir das Singen doch gar nicht. Ich will nur, dass du Lieder wählst, die sich für Mädchen und Frauen schicken.«

»So seichte Sachen wie das eben!« Giulia erschrak selbst über ihren heftigen Ausbruch und sah mit Tränen in den Augen, wie tief die Kritik ihren Vater traf. Für einen Augenblick hob er die Hand, als wolle er sie schlagen. Doch er riss ihr nur das Notenblatt aus der Hand und warf es in eine Ecke. »Du redest schon genau wie deine Mutter. Hat sie dich gegen mich aufgehetzt?« Fassis Stimme schwankte. Die Verzweiflung in seinem Blick zeigte Giulia, wie sehr er sich seiner Mittelmäßigkeit bewusst war. »Es tut mir Leid, Vater. Ich habe es nicht böse gemeint. Das Lied ist wirklich hübsch.« Giulia musste sich zu diesen Worten zwingen, denn sie schämte sich zu lügen.

Ihr Vater schenkte ihr ein müdes Nicken. »Ich werde es noch einmal überarbeiten. Vielleicht kannst du es später dem Grafen vorsingen, wenn er wieder in Saletto ist. Aber natürlich nur im privaten Kreis, sonst wäre es ungehörig.«

Giulia nickte gehorsam, wenn sie sich auch nicht vorstellen konnte, dass das Lied dem hohen Herrn gefallen würde. Dabei bemerkte sie den musternden, etwas enttäuscht wirkenden Blick ihres Vaters. Girolamo Fassi hatte gehofft, dass seine Tochter hübsch genug werden würde, um das Interesse des Grafen zu wecken, doch auch diese Hoffnung schien zu zerrinnen. Ihr Körperbau war zu stämmig, und ihre Schultern waren zu breit, um je die ätherische Eleganz jener Damen zu erreichen, die derzeit bei den hohen Herren in Mode waren. Gisiberto Corrabialli interessierte sich nicht für die Stimme einer Frau, sondern nur für ihr Aussehen. Giulia würde also kaum eine Chance haben, seine Aufmerksamkeit zu erregen.

In den vielen trüben Stunden hatte Girolamo Fassi sich oft damit getröstet, dass er die Gunst seines Herrn wieder gewänne, wenn seine Tochter dessen Mätresse würde. Seine Frau hätte sich über so einen sündhaften Vorschlag gewiss aufgeregt, aber ihn hätte ein solches Arrangement aller Sorgen und Nöte um sein Amt enthoben. Gott ist nicht gerecht, dachte er verbittert. Meine Söhne lässt er sterben, und die einzige Tochter gleicht eher einem Bauerntrampel, für den sich kein Herr von Stand interessieren wird.

Giulia wusste nicht, wie Unrecht ihr Vater ihr in Gedanken tat. Sie würde gewiss keine herausragende Schönheit werden, doch ein erfahrenerer Mann hätte erkennen können, dass sie sich zu einer hübschen, anziehenden Frau entwickeln konnte. Eine Weile stand sie still im Raum und hoffte, ihr Vater würde ihr noch einmal Gelegenheit geben, sich für ihre unpassende Bemerkung zu entschuldigen. Zudem brannten ihr einige Ideen auf der Seele, wie er sein Lied schwungvoller gestalten könnte. Sie merkte jedoch, dass ihm derzeit weder an ihrer Entschuldigung noch an ihrem Rat gelegen war. Gekränkt murmelte sie einen Abschiedsgruß und verließ das Zimmer.

Draußen traf sie die Magd, die eben den Korb mit der Bleichwäsche hereinschleppte. Giulia fasste sofort mit an und half ihr, den Korb abzusetzen. »Es tut mir Leid, Assumpta. Aber die Bleichwäsche hatte ich ganz vergessen.«

»Es ist ja nicht so schlimm, Kindchen. Du hast schon genug getan«, beruhigte die Dienerin sie und sah sie dann mit schief gelegtem Kopf an. »Das neue Laken war nicht ganz sauber. Dabei war ich mir sicher, es richtig ausgewaschen zu haben.«

Giulia nickte bedrückt. »Das war Ludovico. Er hat mit Dreck nach mir geworfen, weil ich gesungen habe.«

»Das war wohl wieder eines der Lieder aus dem Kloster, das du nicht singen solltest.«

Giulia senkte beschämt den Kopf. »Es ist mir einfach so über die Lippen gekommen. Weißt du, Assumpta, ich singe doch nicht

aus Bosheit. Es kommt von innen heraus, ohne dass ich etwas dafür kann.»Die Dienerin lächelte nachsichtig: »Du warst eben schon immer ein Singvögelchen. Ja, du hättest ein Junge sein sollen, anstelle des armen Pierino.«
Sie drückte Giulia kurz an ihre knochigen Rippen und strich ihr über das krause, schwarze Haar, das sich nur schwer in den Zöpfen bändigen ließ. »Bist schon ein armes Ding, mit einem Vater, der vor Angst halb umkommt, weil er fürchtet, die Gunst des Grafen zu verlieren, und einer Mutter, die mehr an ihr Seelenheil denkt, als es ihr und der ganzen Familie gut tut. Frau Maria vergisst ganz, dass nicht alle Freude gleichbedeutend mit Sünde sein muss. Wenn sie könnte, würde sie dir die Lippen zunähen lassen, damit kein Ton mehr aus deinem Schnäbelchen kommt. Ich weiß nicht, ob es wirklich eine Sünde ist, wenn eine Frau ein frommes Lied in der Kirche singt, aber eines weiß ich gewiss: Es ist eine weitaus größere Sünde, fremden Leuten die Wäsche schmutzig zu machen. Ludovico sollte sich was schämen.«
Mit diesen Worten packte Assumpta den Korb und stieg schwer atmend die schmale Treppe zum Dachgeschoss hoch. Auf halbem Weg drehte sie sich noch einmal zu Giulia um. »Ich werde das Laken bei der nächsten Wäsche wieder mitwaschen, damit deine Mutter nichts merkt.« Sie sagte es so leise, dass nur das Mädchen es verstand und es nicht in das Zimmer der Mutter dringen konnte. »Danke, Assumpta!« Giulia atmete sichtlich auf und nahm sich fest vor, weder ihrem Vater noch ihrer Mutter in den nächsten Tagen Anlass zur Sorge zu geben.

# III.

Es war fast, als wollte Giulias Mutter ihr mit aller Gewalt das Singen abgewöhnen, denn sie überhäufte ihre Tochter mit mehr Arbeit, als eine Elfjährige bewältigen konnte, und ließ sich von

Assumptas Einwänden nicht beirren. »Giulia ist kein Kind mehr. Sie muss lernen, die Verantwortung im Haushalt zu übernehmen. In ein paar Jahren wird sie heiraten. Ich will nicht, dass sie ihrem Mann und ihren Schwiegereltern Grund zur Klage gibt. Außerdem ist es meine Tochter und nicht die deine!« Maria Fassis Stimme klang bei diesen Worten so eisig, dass die Magd keinen Widerspruch mehr wagte.

Assumpta schlurfte hinaus, wo Giulia eben dabei war, mit zwei Ledereimern Wasser vom Brunnen ins Haus zu bringen. Die Arbeit musste dringend getan werden, da der Trog im Anbau bis auf einen Fingerbreit Wasser leer war. Doch das erschöpfte Kind tat ihr Leid. Als Giulia zum dritten Mal den Weg hochkam, nahm sie ihr die Eimer ab und schüttete den Inhalt selbst in den Trog. »Den Rest des Wassers trage ich herein. Du kannst unterdessen das Schüsselchen mit Samen zu Beppo in den Garten bringen. Er hat es vorhin vergessen«, raunte sie dem Mädchen zu.

Über Giulias verschwitztes Gesicht glitt ein Lächeln der Erleichterung. Sie ergriff die kleine Schüssel, huschte zur Türe hinaus und lief die Treppengasse hinab zum Tor. Kurz darauf erreichte sie das kleine Stück Land, das der Graf ihrem Vater überlassen hatte. Beppo war gerade dabei, die Erde umzugraben.

Als er sie kommen sah, richtete er sich seufzend auf und wischte sich den Schweiß von der Stirn. »Hast du mir was zum Trinken mitgebracht?«

Giulia tat es Leid, ihn enttäuschen zu müssen. »Leider nein, nur den Samen, den du vergessen hattest. Aber ich könnte für dich zum Brunnen laufen, wenn du einen Krug oder Becher hier hast.«

Der alte Gärtner dachte einen Augenblick nach und schlurfte dann zu der kleinen Hütte, die er aus alten Brettern zusammengezimmert hatte. Als er zurückkam, schwenkte er einen bauchi-

gen Krug. »Der müsste gehen, Giulia. Aber du musst ihn gut ausspülen. Er ist nämlich arg staubig.«
Giulia nahm das Gefäß und rannte wie ein Wiesel davon. Als sie nach kurzer Zeit mit dem vollen Krug zurückkehrte, war Beppo schon dabei, den Samen zu streuen. Er nahm den Krug, ließ etwas Wasser über seine Unterarme rieseln und benetzte sich die Stirn, bevor er trank. »Das muss man tun, um sich abzukühlen. Es ist nämlich nicht gut, wenn man erhitzt trinkt«, erklärte er Giulia mit ernster Stimme. Da er ihr diesen Vortrag mindestens fünfmal im Jahr hielt, lächelte das Mädchen nachsichtig und fragte ihn, ob er noch etwas benötigen würde. »Nein, du kannst wieder nach Hause gehen. Sag meiner Alten, dass ich heute besonders viel Hunger habe.« Auch dies war ein Ritual, das Beppo gern wiederholte.
Giulia versprach es, ging aber noch einmal an den Gemüsebeeten entlang, bevor sie in die Stadt zurückkehrte. Unterwegs drängte es sie plötzlich mit aller Macht, den ersten Teil der Palestrina-Messe zu singen. Sie presste die Kiefer ganz fest zusammen, um diesen Wunsch zu bekämpfen. Als auch das nichts half, stimmte sie schließlich die kleine Melodie ihres Vaters an. Es war zwar kein gleichwertiger Ersatz, doch wenigstens konnte sie niemand schelten, wenn sie dieses Lied sang.
Als sie fertig war, wiederholte sie es und veränderte aus dem Gefühl heraus einige kurze Passagen. So wie sich das Lied jetzt anhörte, stellte es sie schon eher zufrieden als das Originalwerk ihres Vaters. Sie feilte noch ein wenig daran und sagte sich dann, dass auch ihr Vater es nicht besser hätte machen können.
Von dem Wunsch beseelt, ihm einen Gefallen zu tun, ging sie nicht sofort zu ihrer Mutter, sondern schlüpfte in die kleine Kammer, die ihr Vater als Arbeitszimmer nutzte. Hier stand nicht nur sein Pult, an dem er komponierte, sondern auch die Viola da Braccio, auf die er sehr stolz war. Giulia hatte ihren Vater schon mehrmals gebeten, sie auch das Spiel auf diesem

Instrument zu lehren, da sie die Laute und die Querflöte bereits beherrschte. Bisher hatte er sich mit dem Hinweis geweigert, dass dieses Instrument nicht in die Hände einer Frau gehöre. Giulia hoffte jedoch, ihn irgendwann umstimmen zu können. Vielleicht war er heute bereit, wenn sie ihm die Verbesserungen zu seiner Melodie vorsingen konnte.
Der Gedanke ließ sie nicht mehr los. Sie sah auf das leere Blatt, das auf dem Schreibpult lag, die angespitzte Schreibfeder und das verschlossene Tintenfass und fühlte sich geradezu magnetisch davon angezogen. Ihr Vater hatte ihr zwar beigebracht, wie man Noten las, sie jedoch niemals selbst welche aufschreiben lassen. Aber sie hatte ihm oft genug dabei zugesehen und glaubte, sie gut genug zu beherrschen, um die kleine Melodie zu skizzieren. Sie sang dabei einzelne Passagen mit, um die genaue Tonhöhe zu treffen, und war damit fast fertig, als ihre Mutter mit verzerrtem Gesicht die Tür aufriss und sie anschrie:
»Du ungehorsames, faules Stück! Du drückst dich vor der Arbeit, die ich dir aufgetragen habe, und schmierst überdies noch Vaters kostbares Papier voll!«
Giulia schüttelte empört den Kopf. »Nein, das tue ich nicht. Ich wollte nur schnell ein paar Verbesserungen an Vaters neuer Komposition notieren, die mir eingefallen sind.«
»Jetzt willst du nicht nur so singen, wie er als Chorknabe früher gesungen hat, sondern auch noch das Komponieren für ihn übernehmen! Bei Gottes Blut, du bist verderbt bis ins Mark.«
Mit diesen Worten entriss die Mutter ihr das Notenblatt und schlug es ihr heftig um die Ohren. »Da hast du dein Komponieren«, schrie sie wie von Sinnen. »Und jetzt Marsch an die Arbeit. Der Hühnerstall muss ausgemistet werden.«
»Aber das macht doch immer Beppo.« Giulia verzweifelter Ausruf konnte die Mutter jedoch nicht erweichen. »Heute machst du es«, erklärte sie kalt und schlurfte mit müden Schritten hi-

naus, so als hätte sie mit diesem Ausbruch ihre letzten Kräfte verbraucht.
Giulia sah ihrer Mutter nach und stampfte mit dem Fuß auf. Ihr ging es nicht um die Arbeit, die ihr eben aufgehalst worden war, sondern vor allem darum, dass ihr die Mutter nicht einmal mehr die geringste Freude gönnte. »Es wäre besser gewesen, ich wäre an Pierinos Stelle gestorben.« Tränen liefen ihr über die Wangen, während sie sich bemühte, das zerknüllte Notenblatt so weit zu glätten, dass ihr Vater es lesen konnte, und die Feder zu reinigen. Zu lange durfte sie sich nicht aufhalten, wenn sie mit dem Hühnerstall fertig werden wollte.
Sie holte Mistkratzer, Schaufel und Tragkorb und zwängte sich durch den schmalen Gang, der das Haus ihres Vaters von dem der Nachbarn trennte. Der Hühnerstall war klein und so niedrig, dass sie nur gebückt hineinschlüpfen konnte. Aus diesem Grund reinigte Beppo ihn auch nicht sehr häufig. Die fünf Hühner, die sie besaßen, flatterten wild mit den Flügeln und gackerten, als wolle sie ihnen an den Kragen. Zwei schlüpften sogar durch ihre Beine ins Freie. Giulia packte die Ausreißerinnen im letzten Augenblick an den Krallen und stopfte sie in den Stall zurück.
Sie hasste diese Arbeit, denn der Staub, der von dem getrockneten Hühnerkot aufstieg, kratzte in der Nase und setzte sich in die Kehle. Sie hustete sich beinahe die Lunge aus dem Leib und musste immer wieder heftig niesen. Damit erschreckte sie die Hühner, die aufgescheucht herumflatterten und damit noch mehr Staub aufwirbelten. Zuletzt band sich Giulia ihr Brusttuch vors Gesicht, um überhaupt noch Luft zu bekommen.
Sie schob die Hühner mit dem Kratzer beiseite und begann, den Mist in den Korb zu scharren. Der Korb war schließlich so schwer, dass sie ihn kaum aus dem Hühnerstall ziehen konnte. Schnell schloss sie die Stalltür und musterte zweifelnd die Last, die sie nun zu Beppo in den Garten bringen musste. Sie überleg-

te, mindestens die Hälfte auszuschütten und später hinabzutragen, doch dann würde der Staub bis ins Haus ziehen, und ihre Mutter hätte einen neuen Anlass, sie zu bestrafen.
Keuchend hob sie den Korb auf den Hackstock, schlüpfte in die beiden Tragriemen und stemmte sich hoch. Zunächst taumelte sie unter dem Gewicht. Doch dann stapfte sie den schmalen Gang nach vorne zur Straße und stieg die Treppengasse hinab, um den Dung zum Garten zu bringen.
Beppo schlug die Hände über dem Kopf zusammen und half ihr sofort, den Korb abzusetzen. »Bei der Heiligen Jungfrau und dem Jesuskind. Wie bist du nur auf den Gedanken gekommen, den Hühnerstall auszumisten?«
»Die Mutter hat es mir angeschafft.« Giulias Zähne knirschten dabei ebenso vor Anstrengung wie vor Wut.
Beppo schüttelte den Kopf und schalt sie liebevoll aus. »Der war doch viel zu schwer für dich. Damit hättest du dir einen Bruch heben können.«
Giulia schauderte es bei dem Gedanken. Lodrinas Ehemann hatte einen Bruch gehabt. Es war kein schöner Anblick gewesen, fast wie ein großes Geschwür, das aus dem Körper herausgebrochen war. Der Mann war vor einem Jahr gestorben, und es gab nicht wenige, die seinen Bruch dafür verantwortlich machten. Kleinlaut sah sie Beppo an. »Ich werde beim nächsten Mal weniger aufladen.«
»Das eine Mal war genug«, erklärte er streng. »Du wirst dich jetzt ausruhen. Den Rest des Stalls miste ich aus. Deine Mutter wird ja wohl kaum aus dem Haus herauskommen und nachsehen.«
Giulia lächelte dankbar. »Ich glaube, sie hat sich wieder hingelegt. Da wird sie es wohl nicht merken.«
»Hoffentlich bleibt sie im Bett, dann kann sie dich nicht so quälen.« Der alte Knecht lächelte Giulia zu und stupste sie an die Nase. »Geh zum Bach und wasch dir dein Gesicht. Du bist ja

ganz schmutzig und riechst nach Hühnern.« Während er sich aufmachte, um den Rest von Giulias Arbeit zu übernehmen, befolgte sie seinen Rat und lief zum Bach hinunter.
Als sie Gesicht, Hände und Füße gesäubert hatte, blickte sie unwillkürlich zum Kloster hoch. Es war jetzt die Stunde, in der die Chorknaben probten. Ihr juckte es plötzlich in den Zehen, hochzugehen und den Knaben zuzuhören. Durch Beppos Unterstützung hatte sie mindestens eine ganze Stunde frei. Forschend sah sie sich um. Außer ein paar Frauen, die weiter oben auf der Bleichwiese standen, ihre Laken einsammelten und dabei miteinander schwatzten, war niemand zu sehen.
Giulia klopfte ihren Kittel aus, lief zu dem Gebüsch, in das Ludovico sie hatte locken wollen, und schlich an dessen Rand entlang auf den Klostergarten zu, der ein Stück weiter oben am anderen Hang begann. Wo dieser wieder flacher wurde, hatten die frommen Fratres Gemüse und Beerensträucher gepflanzt. Darunter standen alte Olivenbäume, die in der Nacht wie drohende Gespenster wirkten, wie Giulia sich nur allzu gut erinnerte. Heute war jedoch ein sonniger Tag, und die Olivenbäume schienen dem Mädchen mit ihren im sanften Wind wiegenden Zweigen aufmunternd zuzuwinken. Giulia schlüpfte von Baum zu Baum und achtete dabei darauf, dass man sie vom Kloster aus nicht sah.
Kurze Zeit später erreichte sie den Gemüsegarten, stieg über die kleine Mauer, die diesen vom Olivenhain trennte, und schlich in der Deckung etlicher ausufernder Johannisbeerbüsche auf die Außenwand des Klosters zu. Dort, wo der verwilderte Steilhang begann, gab es in Kniehöhe ein winziges Fenster, durch das der in den Gewölben liegende Probenraum der Chorknaben belüftet wurde. Hier schallten die Stimmen so wunderbar heraus, dass Giulia meist die Welt um sich vergaß. Heute war es allerdings ganz still, so dass sie im ersten Moment enttäuscht annahm, die Übungsstunde wäre bereits zu Ende. Doch einen

Augenblick später klang der Gesang der Knaben süß und hingebungsvoll zu ihr hinauf.
Giulia kauerte sich eng an die Wand und lauschte ergriffen. Dieses vielstimmig gesungene Stück der Messe war wirklich wunderschön. Sie hatte es schon mehrfach gehört und in ihrer Stimmlage imitiert. Ihr größtes Interesse galt jedoch dem Solopart. Sie hörte das engelsgleiche Halleluja des Chores und wartete auf Ludovicos Einsatz. Wie immer begann er einen Hauch zu spät. Giulia stellte sich vor, wie Pater Lorenzo und ihr Vater jetzt die Köpfe schütteln würden, und konnte sich ein Grinsen nicht verkneifen. Dann aber merkte sie auf.
Irgendetwas stimmte heute mit Ludovicos Stimme nicht. Schon beim dritten Ton klang sie unsauber. Giulia dachte an das schmutzige Laken und lächelte böse, als sich noch weitere Unreinheiten in seinen Vortrag mischten. Es waren keine großen Ausrutscher, manchmal weniger als ein Hauch. Auf sie wirkten sie aber wie winzige Kratzer auf einem polierten Edelstein. Nun war sie mehr denn je davon überzeugt, besser singen zu können als der von allen so hoch gelobte Ludovico, und empfand die Welt als ungerecht.
Giulia wusste nicht, wie lange sie im Schatten der Mauer gesessen und dem Gesang der Chorknaben gelauscht hatte. Der Klang der Glocke von San Ippolito rief sie schließlich wieder in die Gegenwart zurück. Die Sänger wiederholten jetzt nur noch einzelne Teile der Messe, an deren Vortrag ihre Lehrer noch etwas auszusetzen hatten. Für Giulia wurde es nun langweilig, und sie huschte davon. Als sie auf Umwegen die Bleichwiese erreichte und von dort ins Städtchen zurückkehren wollte, stimmte sie unwillkürlich den ersten Teil von Ludovicos Sologesang an.
Erschrocken schlug sie sich auf den Mund und sah sich um. Die Frauen, die vorhin noch hier gewesen waren, hatten inzwischen ihre Wäsche zusammengepackt und waren nach Saletto zu-

rückgekehrt. Da sonst niemand hier war, schien die Gelegenheit günstig. Giulia zog sich in ein Gebüsch hinter ein paar Felsnadeln zurück, die neben dem Olivenhain aufragten, und stimmte mit verhaltener Stimme die Melodie der Messe an. Je länger sie sang, umso voller wurde ihre Stimme, bis sie schließlich mit aller Inbrunst erscholl.

## IV.

Pater Lorenzo hatte die Chorknaben in ihre Kammern zurückgeschickt und war mit Girolamo Fassi in den Klostergarten hinausgegangen, um noch etwas mit ihm zu besprechen. Eine Weile schlenderten sie schweigend unter den Spalierobstbäumen dahin. Dann seufzte der Chorleiter wie unter einer schweren Last. »Heute hat mir Ludovicos Vortrag nicht sonderlich gut gefallen. Einige seiner Töne kamen nicht völlig rein, und er lag auch ein paarmal arg daneben. Ich fürchte, es war ein schwerer Fehler, ihm den Solopart anzuvertrauen.«

Fassi zuckte wie unter einem Peitschenhieb zusammen. »Das will ich nicht hoffen. Wir hatten doch keine andere Wahl, da Graf Gisiberto diese Gunst für seinen Liebling erbeten hatte und Abt Francesco ihm den Gefallen erweisen wollte.«

»Wenn Ludovico bei der Messe versagt, werden die beiden es nicht ausbaden müssen. Geht es schief, werden sie sich vor ihren hochgeborenen Gästen mit unserer Unfähigkeit als Chorleiter herausreden und uns für ihre Blamage hart bestrafen.«

Giulias Vater lachte nervös auf. »Ich wage es erst gar nicht, an diesen Fall zu denken, sondern klammere mich fest an die Hoffnung, durch die neue Messe wieder in der Gunst des Grafen zu steigen. Bei Gott, wir werden halb Umbrien und etliche hohe Herren aus Rom als Zuhörer haben. Da darf nichts schief gehen.«

»Ihr habt wirklich hart für den Erfolg gearbeitet, Meister Girolamo. Der Chor ist ein wahrer Ohrenschmaus. Jetzt hängt alles von Ludovicos Solopartie ab. Wenn er keine auffälligen Fehler macht, wird der Graf mit uns zufrieden sein. Natürlich werde ich ihm und dem Abt gegenüber herausstreichen, mit welcher Inbrunst und mit welchem Eifer Ihr Euch für die diesjährige Messe eingesetzt habt.«
Nun war es an Fassi, tief zu seufzen. »Es wäre schön, wenn sich der Graf meiner erinnern würde. Es ist kein gutes Leben derzeit. Der Sohn, in den ich so viel Hoffnung setzte, ist gestorben, meine Frau krank und zänkisch geworden, und meine Tochter Giulia ...«
Er brach ab, weil er eigentlich nicht wusste, was er seiner Tochter vorzuwerfen hatte. Sie war zwar zu einem guten Teil für die Spannungen zwischen ihm und seiner Frau verantwortlich, doch dies durfte er nicht ihr alleine anlasten.
Während er ein paar Augenblicke lang stumm neben Pater Lorenzo herschritt, beneidete er die Mönche des Klosters. Sie lebten mit sich und der Welt in Frieden, hatten ihre Aufgaben, mit der sie sich Verdienste im Jenseits erwarben, und für Essen und Trinken war reichlich gesorgt. Auf einmal geriet er in Versuchung, sein bisheriges Leben einfach hinzuwerfen und den Pater zu bitten, ihn beim Eintritt in das Kloster behilflich zu sein. Dann rief er sich zur Ordnung. Er durfte weder Maria noch Giulia im Stich lassen, auch wenn er die Last seiner Verantwortung wie einen Mühlstein um den Hals empfand.
Bei diesem Gedanken stöhnte er auf. »Wir sind armselige Kreaturen, die mit unzerreißbaren Banden an ihr Schicksal gekettet sind.«
Pater Lorenzo sah ihn für einen Moment irritiert an, nickte dann aber zustimmend. »Ja, so ist es, Meister Girolamo. Gott in seiner großen Güte hat jedem von uns sein Schicksal zugewiesen. Einige wenige wie der Papst oder unser Graf erhalten be-

reits in diesem Leben ihren Lohn. Wir gemeinen Sterblichen aber müssen warten, bis der Herr uns zu sich ruft. Im Paradies wirst du dereinst vor Gisiberto Corrabialli keinen Bückling mehr machen müssen, sondern er wird dich an seine Brust ziehen und dich seinen Bruder nennen.«

Pater Lorenzo hatte die Hände vor der Brust gefaltet und sprach voller Inbrunst, während er seinen Blick zum Himmel erhob. Fassi konnte dieser Vision jedoch keinen Glauben schenken. Graf Gisiberto war nicht der Mensch, der ihn wie einen Bruder behandeln würde, auch nicht im Jenseits. Und selbst wenn es so wäre, würde er selbst mit der Mütze in der Hand vor dem Grafen stehen und immer noch vor ihm zittern.

Mühsam schüttelte Fassi diese Vorstellung ab. »Reden wir lieber von anderen Dingen als vom Tod und was danach kommen kann. Wisst Ihr bereits, welche Gäste zum Fest des heiligen Ippolito erwartet werden?«

»Soviel ich gehört habe, wird es ein illustrer Kreis sein. Kardinal Pietro Francesco Ferreri hat sein Erscheinen ebenso angekündigt wie Ippolito Farnese und Ippolito della Rovere, der Neffe des Herzogs von Urbino. Beide stehen übrigens bei Seiner Heiligkeit im höchsten Ansehen und werden sicher bald mit dem Purpur der Kardinäle ausgezeichnet. Ihre Familien besitzen ja Geld genug, um ihnen diese Würden kaufen zu können.«

In Pater Lorenzos Stimme schwang ein gewisser Ärger darüber, dass ausgerechnet jene kirchlichen Würdenträger, die besonders dazu berufen waren, Gottes Wort zu bewahren, ihre Titel für Geld kaufen konnten, anstatt sich durch Leistung und Hingabe hochzudienen.

Fassi achtete nicht auf den Stimmungsumschwung des Paters, sondern begleitete die Aufzählung der Würdenträger mit weiteren Seufzern und wiederholte mehrmals seine Hoffnung, Ludovico möge sie nicht blamieren. Unterdessen hatten sie das Ende

des Klostergartens erreicht und wollten schon umkehren. Da erscholl im Olivenhain eine klare, reine Stimme, die eben den schwierigsten Teil des Soloparts der Messe sang.
Pater Lorenzo blieb stehen, hielt die Hand ans Ohr und lauschte einen Moment. »Ludovico hat sich unsere Kritik von vorhin wohl zu Herzen genommen und übt jetzt für sich allein. Wenn er am Festtag so singt wie eben, können wir uns beide gratulieren, Meister Girolamo.« Fassi wurde mit einem Mal so bleich wie ein Leintuch, denn er hatte Giulias Stimme erkannt. Am liebsten wäre er zu ihr gelaufen, um sie zum Schweigen zu bringen, musste jedoch vermeiden, dass der Pater begriff, dass es nicht Ludovico war, der da sang.
Mit einem missglückten Auflachen drehte er sich um und wollte zum Kloster zurückkehren. »Ich schlage vor, den Sänger in Ruhe üben lassen. Außerdem muss ich nach Hause.«
Pater Lorenzo hielt ihn fest. »Aber nicht doch. Wenn wir den Hügel hinabgehen und Ihr die Stadt durch das untere Tor betretet, habt Ihr einen kürzeren Weg, als wenn Ihr über das Kloster nach Hause zurückkehrt.« Mit diesen Worten öffnete er die kleine Pforte, die den Garten vom Olivenhain trennte, und winkte Fassi energisch, ihm zu folgen.
Giulias Vater suchte verzweifelt nach einem Ausweg, doch es war schon zu spät. Der Pater lief in einer für einen Ordensmann fast unschicklichen Eile in den Olivenhain hinab, blieb unten stehen und lauschte erneut, um herauszufinden, wo sich der Sänger aufhielt. Schließlich deutete er mit dem Zeigefinger auf ein Gebüsch und näherte sich ihm dann auf Zehenspitzen. Als er Giulia entdeckte, die sich hingebungsvoll auf ihren Gesang konzentrierte, blieb er stocksteif stehen. »Potz Blitz. Das ist doch Eure Tochter, Meister Girolamo. Wie kann das sein? Das grenzt ja an Hexerei!«
Giulia brach mitten im Wort ab, schrie auf und starrte den Pater entsetzt an. Dann rannte sie davon, als wäre der Teufel mit allen

Höllendämonen hinter ihr her. Nach wenigen Schritten hatte ihr Vater sie eingeholt.
Er hielt sie fest, gab ihr einige schallende Ohrfeigen und schüttelte sie wütend durch. »Wie oft habe ich dir schon verboten, ins Kloster zu gehen und den Chor zu belauschen. Aber auf diesem Ohr bist du wohl taub!«
Giulia hatte das Gefühl, die Schläge würden ihr gleich den Kopf von den Schultern reißen. Wie eine Welle breitete sich der Schmerz von ihrer Wange über den ganzen Körper aus und kroch bis in ihre Fingerspitzen und Zehen. »Ich war doch nicht im Kloster«, würgte sie mühsam hervor. »Nur im Garten.«
Ihr Vater kommentierte diese Aussage mit der nächsten Ohrfeige. »Das ist gelogen. Man kann die Chorknaben im Garten gar nicht hören.«
Giulia wimmerte vor Schmerz. »Doch, das kann ich. Da gibt es ein kleines Fenster bei den Johannisbeersträuchern, bei dem man alles mithören kann, was im Probenraum geschieht.«
»Du lügst!«, schrie ihr Vater sie an und wollte wieder zuschlagen. Pater Lorenzo fiel ihm in den Arm. »Das Mädchen sagt die Wahrheit. Ich kenne das Fenster. In meinen ersten Jahren in San Ippolito habe ich oft dort gesessen, um dem Gesang der Chorknaben zu lauschen, unter denen auch Ihr Euch befandet. Um der Gesänge willen habe ich sogar meine Arbeit vernachlässigt, bis der ehrwürdige Abt Jacopo di Riezzi mich schließlich mit der Leitung des Chores beauftragt und meine vorherigen Pflichten einem meiner Mitbrüder übertragen hat.«
Es war eine hübsche Geschichte, die Pater Lorenzo gerne erzählte. Sie stimmte aber nur zum Teil, denn er war bereits als Musikfachmann in das Kloster eingetreten, um den damaligen Chorleiter zu unterstützen. Doch er hatte Fassis Aufmerksamkeit damit erst einmal von Giulia abgelenkt.
Das Mädchen stand wie ein Häuflein Elend vor den beiden Männern und schniefte verzweifelt. So zornig hatte sie ihren Vater

noch nie erlebt. Als er ihren Blick sah, machte er Anstalten, sie erneut zu schlagen, doch Pater Lorenzos umfangreiche Gestalt schob sich wie ein schützender Wall vor sie. »Du bist also die kleine Nachtigall, die wir eben gehört haben. Ich muss sagen, dein Vater hat dich gut ausgebildet.« Zweifel lag in seiner Stimme.
Fassi protestierte vehement. »Ich habe Giulia die Messe nicht beigebracht. Das müsst Ihr mir glauben, ehrwürdiger Vater. Meine Tochter hat sie vom Zuhören gelernt, weil sie sich immer wieder zum Kloster hoch geschlichen hat, um die Proben zu belauschen.«
Fassi war vor Angst halb wahnsinnig, denn wenn der Chorleiter annahm, dass er einem weiblichen Wesen das sakrale Musikwerk beigebracht hatte, und ihn deswegen beim Abt oder beim Bischof anzeigte, war alles aus. Er würde nicht nur seine Stellung verlieren, sondern einem Prozess beim Kirchengericht entgegensehen, wo nur selten jemand freigesprochen wurde.
Der Pater achtete nicht auf seinen Korepetitor, sondern musterte Giulia streng. »Stimmt das, was dein Vater sagt?«
Das Mädchen nickte unter Tränen.
Pater Lorenzo rieb sich die Nasenspitze mit Daumen und Zeigefinger und dachte kurz nach. »Wir haben das Kyrie eleison heute zum ersten Mal so geprobt, wie Meister Palestrina es vorgeschrieben hat. Wenn du die Wahrheit sagst, müsstest du es mir vorsingen können.«
Fassi wehrte erschrocken ab. »Ehrwürdiger Vater. Ihr könnt doch nicht wollen, dass sie ein Stück aus der Messe singt.«
»Mich interessiert, ob sie es wirklich von selbst gelernt hat oder ob Ihr mir einen Bären aufbinden wollt.«
Obwohl die Stimme des Mönchs sanft klang, lag ein Unterton darin, bei dem es Giulias Vater kalt über den Rücken lief. Jetzt begann er zu hoffen, dass seine Tochter das schwierige Stück tatsächlich singen konnte. »Du hast gehört, was der ehrwürdige Vater gesagt hat. Trage uns das Kyrie eleison vor.«

Das Mädchen sah zweifelnd von einem zum anderen, merkte aber, dass es den beiden Männern ernst war, und begann mit zitternder Stimme zu singen. Zunächst traf sie keinen Ton richtig. Pater Lorenzo wollte schon verächtlich abwinken und warf Giulias Vater einen strafenden Blick zu. Doch dann hatte Giulia sich gefasst. Sie vergaß die Anwesenheit des Paters und ihres Vaters und gab sich voll und ganz der Musik hin.

Pater Lorenzo trat einen Schritt zurück und starrte das Mädchen ungläubig an. Als sie endete, schüttelte er wild den Kopf. »Wäre es kein Lied zur Lobpreisung des Herrn, das mit Sicherheit kein Dämon der Hölle lehrt, würde ich sagen, das ist Hexerei.«

Fassi zuckte zusammen, als er dieses Wort zum zweiten Mal hörte. »Da ist nichts Unnatürliches dabei, ehrwürdiger Vater. Giulia konnte sich schon als Kind jede Melodie merken, die sie einmal gehört hat. Damals waren es allerdings nur Lieder, die einem Mädchen anstanden, und nicht die neue Messe des großen Palestrina. Ich verspreche Euch, sie für ihre Anmaßung zu bestrafen.«

Pater Lorenzo winkte lachend ab. »Ihr habt sie bereits im heißen Zorn geschlagen. Setzt dieser Sünde nicht noch eine weitere hinzu, indem Ihr erneut die Hand gegen sie erhebt.« Er strich Giulia über die Wange und lächelte ihr zu. »Geh jetzt nach Hause, mein Kind. Ach ja, als Strafe, dass du den Garten des Klosters betreten hast, was du als Mädchen nicht tun solltest, wirst du zwanzig Paternoster beten.«

Giulia war froh, dem Pater und ihrem Vater entkommen zu können, und lief eilig den Hang hinab. Pater Lorenzo sah ihr nach, bis sie zwischen den Häusern verschwunden war, und drehte sich dann zu Fassi um. »Es ist wirklich bedauerlich, dass Eure Tochter kein Knabe ist, Meister Girolamo. Sie wäre eine Zierde für unseren Chor.«

Er hielt kurz inne und schüttelte seufzend den Kopf. »Gott verleiht seine Gaben an die Menschen oft in einer Weise, die von uns Sterblichen nicht zu verstehen ist. Deine Tochter überschüttet er mit diesem großen Talent, obwohl es ihr höchstens Unglück bringen kann, während er es anderen, die es dringend nötig hätten, bedauerlicherweise vorenthält.«
»Ich bitte Euch, ja, ich flehe Euch an, über das Ganze zu schweigen!« Giulias Vater hielt nun die Angst in den Klauen, er und seine Tochter könnten der Hexerei bezichtigt werden, denn er erinnerte sich allzu gut daran, dass die alte Lodrina Giulia schon mehrmals bezichtigt hatte, eine Hexe zu sein. Aber zum Glück hatte bisher noch niemand auf sie gehört.
Pater Lorenzo hob in einer beruhigenden Geste die Hände. »Seid unbesorgt, Meister Girolamo. Bei mir ist dieses kleine Geheimnis sicher. Ihr solltet jedoch in Zukunft darauf achten, dass sich Eure Tochter nur noch mit den Melodien beschäftigt, die sich für eine Frau geziemen.«
»Ich werde darauf achten, ehrwürdiger Vater.« Fassi versuchte, seine Unsicherheit zu verbergen, denn er wusste genau, dass er dieses Versprechen nicht würde halten können, ohne Giulia vierundzwanzig Stunden am Tag in einen dunklen Keller zu sperren. Selbst darin würde sie noch singen, dessen war er sich sicher.
Pater Lorenzo merkte nichts von seinen Gewissensqualen. »Was habt Ihr eigentlich mit Eurer Tochter vor?«
Fassi blickte unwillkürlich zur Burg hoch, sagte sich jedoch, dass er dem frommen Mann wohl kaum von seinen Träumen berichten konnte, Giulia dem Grafen als Mätresse anzudienen. Umständlich schnäuzte er sich, um Zeit zum Nachdenken gewinnen, und zuckte dann hilflos mit den Schultern. »Ich wollte sie mit Graf Gisibertos Protektion als Gesellschafterin bei einer Dame von Stand unterbringen. Sie könnte dieser auf der Laute vorspielen und ihr heitere Weisen vorsingen. Meine Frau Maria

hingegen würde sie am liebsten mit dem Nächstbesten verheiraten, sobald sie mannbar geworden ist.«
Pater Lorenzo wiegte den Kopf. »Was für eine Verschwendung für dieses außergewöhnliche Talent.«

## V.

Giulia war wütend auf sich selbst und auf ihren Vater, gleichzeitig fühlte sie sich hilflos und ausgeliefert. Wäre sie ein Junge, würde man ihr all das erlauben, was man ihr verbot und für das man sie schlug, und man wäre sogar stolz auf sie. Sie ärgerte sich, so unvorsichtig gewesen zu sein und beim Olivenhain gesungen zu haben. Damit hatte sie jede Möglichkeit verloren, den Proben des Chores zu lauschen. Am meisten aber erschütterte sie die Reaktion ihres Vaters. Er hatte ihr bis heute höchstens mal einen Klaps versetzt, der nicht sonderlich wehgetan hatte. Aber jetzt schmerzte ihr Kopf bis in den Nacken, und um ihre Augen bildeten sich dunkle Ringe. Beim Olivenhain hatte sie ihren Vater nicht wiedererkannt, geradeso, als wäre ein böser Geist in ihn gefahren und hätte ihn in einen Dämon aus ihren Albträumen verwandelt.
Ihr Zorn war so groß, dass sie als Erstes in das Zimmer ihres Vaters stürmte, dort die mühsam vor ihrer Mutter gerettete Notenschrift packte, sie in die Küche trug und in die Glut der Herdstelle warf. Mit einer gewissen Befriedigung sah sie zu, wie das Papier sich zuerst wellte, dann an mehreren Stellen braun wurde und zuletzt Feuer fing. Sie hatte ihrem Vater helfen wollen, damit er mit seiner Melodie das Gefallen des Grafen fand. Doch jetzt war es ihr egal, ob er sich blamierte oder nicht. »Giulia, bist du es?«, hörte sie die Mutter mit klagender Stimme rufen. Für einen Augenblick überlegte sie, sich nicht zu melden. Doch dann schob sie ihr Kinn vor und eilte in das Zimmer ihrer Mutter.

Maria Fassi saß schweißdurchnässt in ihrem Bett und atmete schwer. »Mir geht es nicht gut. Hole Assumpta. Und dann lauf zu Dottore Bramontone, damit er mir Arznei schickt.«
Angesichts des schlechten Zustands ihrer Mutter vergaß Giulia ihren Zorn und rannte los. Sie fand Assumpta hinter dem Haus beim Hühnerfüttern. »Komm schnell zu Mama. Sie ist sehr krank und verlangt nach dir. Ich laufe inzwischen zum Doktor.«
»Der wird auch nicht mehr tun, als unverständliche Sprüche murmeln und ihr einen grässlichen Trank verschreiben. Aber hol ihn trotzdem, wenn es deine Mutter beruhigt.« Assumpta hielt nicht viel von den Fähigkeiten des einzigen Arztes, der in Saletto praktizierte, und machte keinen Hehl daraus.
Als Girolamo Fassi wenig später nach Hause kam, fand er neben seiner Frau und dem Dienerpaar auch den Arzt Alcide Bramontone vor, der eben ein Schwefelstäbchen verbrannte, um die krank machenden Dünste zu vertreiben. Bei Fassis Anblick verzog sich sein langes Pferdegesicht zu einer bedenklichen Miene. »Ihr kommt in einer schlechten Stunde, Meister Girolamo. Euer Weib ist schwer krank.«
»Das ist sie ja schon seit etlichen Wochen.« Fassis Miene verriet, dass er den Arzt für das lange Leiden seiner Frau und die jetzige Verschlechterung ihres Zustands verantwortlich machte.
Bramontone ließ sich nicht provozieren, sondern verharrte in seiner überlegenen Pose und erging sich in einer Reihe lateinischer Ausdrücke, die Fassi nur zum Teil verstand. Schließlich holte er ein Glasfläschchen aus einer Tasche seines dunklen Talars und schwenkte es vor Fassis Gesicht. »Diese Arznei habe ich nach einem alten Rezept des weisen Aristoteles gemischt. Sie vertreibt den Tod von jeder Schwelle.« Mit hochmütiger Miene befahl er Assumpta, ihm einen Becher mit Wasser zu bringen, in den er mehrere Tropfen der Flüssigkeit fallen ließ. Er schüttelte den Becher, um die Arznei mit dem Wasser zu vermischen, und reichte ihn der Kranken.

Maria Fassi trank das Gebräu unter heftigen Hustenanfällen, bis das Glas leer war, und blickte hoffnungsvoll zu dem Arzt auf. »Gott segne Euch, Dottore. Ich glaube, jetzt geht es mir schon viel besser.«
»Das will ich doch hoffen«, sagte der Arzt salbungsvoll. Er drückte Assumpta die Flasche in die Hand und erklärte ihr, dass sie der Kranken dreimal am Tag zehn Tropfen in Wasser verdünnt geben sollte. Dann wandte er sich an Giulias Vater: »Ich belästige Euch nur ungern, Meister Girolamo. Aber Ihr seid mir bereits das Honorar für meinen letzten Besuch schuldig geblieben.«
Fassi hob abwehrend die Hände. »Ich gebe es Euch, sobald der Graf wieder in Saletto weilt und mir mein Gehalt zukommen lässt.«
Da Gisiberto Corrabiallis Verwalter sich mit dem Auszahlen der Lohngelder reichlich Zeit ließ und zudem einen Teil der Gelder für sich behielt, war Girolamo Fassis Börse in letzter Zeit schmal geworden. Bramontones verächtlicher Blick traf ihn wie ein Schlag, und er sagte sich, dass seine Frau den Arzt wohl noch brauchen werde. Daher schlurfte er in seine Studienkammer und holte das Leinensäckchen mit seiner eisernen Reserve aus dem Versteck hervor. Während er die Münzen für den Arzt abzählte, hoffte er, dass Maria bald gesunden oder von ihrem Leiden erlöst werden würde.
Bramontone kontrollierte die Summe gewissenhaft und reichte eine Münze, deren Gewicht ihm als zu gering erschien, zurück. »Gebt mir lieber ein anderes Dreiscudistück.« Zufrieden steckte der Arzt das Geld ein und wandte sich zum Gehen. In der Tür blieb er noch einmal stehen und hob belehrend den Zeigefinger. »Ihr solltet in den nächsten Tagen das Bett Eures Weibes meiden, Fassi. Die bösen Dünste könnten sich sonst während des Schlafes an Euch heften und in Eure Lungen dringen, so dass auch Ihr krank werdet.«

Giulias Vater wusste, dass in Perugia und Rom Ärzte praktizierten, die andere Ursachen als böse Dünste für Krankheiten verantwortlich machten. Doch in gewisser Weise war Saletto von Rom ebenso weit entfernt wie vom Mond. Nur hohe Herren wie Graf Gisiberto oder der Abt sowie deren auserwählte Begleiter waren in der Lage, in jene Städte zu reisen. Als Gisibertos Vater noch lebte, hatte auch Girolamo Fassi zu den Glücklichen gezählt, die mit ihm nach Rom reisen durften. Doch der neue Graf hielt von seiner Begleitung ebenso wenig wie von seiner Musik.
Am Abend ging es Maria Fassi erneut schlechter. Assumpta flößte ihr auf Fassis Drängen die Medizin des Arztes ein. Doch sie blieb wirkungslos. Da Fassi sich nicht zu helfen wusste, erklärte die Magd sich schließlich bereit, bei der Kranken zu wachen. Erleichtert zog er sich in sein Kämmerchen zurück und arbeitete im trüben Licht einer Talgfunzel an seiner Melodie. Er sah zuletzt jedoch selbst ein, dass er mit dem Ergebnis kaum Eindruck auf den jungen Grafen machen würde.
Giulia sorgte sich ebenfalls wegen des schlechten Zustands ihrer Mutter, doch ihre Hilflosigkeit und die Tatsache, dass der Vater sich fast den ganzen Tag im Kloster aufhielt, schenkten ihr eine ungewohnt friedliche Zeit ohne Schimpfen, Ärger und Streit. So fiel es ihr leicht, ihre Pflichten im Haushalt zu erledigen und Assumpta bei der Pflege der kranken Mutter zu unterstützen. Zum Singen war ihr jedoch nicht zumute, wenngleich sie die Proben des Chors schmerzlich vermisste.

## VI.

Maria Fassi ging es immer schlechter. Sie wälzte sich in wirren Fieberträumen und schrie oft so laut, dass die Nachbarinnen gelaufen kamen. Während ihrer wachen Stunden rief sie laut jam-

mernd nach ihrem Mann, um ihn sofort wieder mit wilden Anschuldigungen zu überfallen. Es wurde so schlimm, dass Girolamo Fassi es nicht mehr zu Hause aushielt. Dabei war es weniger die Schuld seiner Frau, dass er keinen Schlaf mehr fand, als die Furcht vor dem, was mit ihm passieren mochte, wenn die Aufführung der Palestrina-Messe den Abt und den Grafen nicht zufrieden stellte. Schließlich bat er Pater Lorenzo, ihm eine unbenützte Zelle im Kloster zur Verfügung zu stellen, in der er bis zum Festtag wohnen wollte.
Seine ganze Sorge galt jetzt dem Chor, und bald sehnte er dessen große Stunde ebenso sehr herbei, wie er sich vor der Rückkehr des Grafen fürchtete. Dessen Verwalter hatte ihm mitgeteilt, dass er nicht mehr für die musikalische Unterhaltung der Gäste während ihres Aufenthalts in der Burg verantwortlich war. Gisiberto Corrabialli hatte in Rom einen neuen Kapellmeister in seine Dienste genommen und diesem die Leitung der Lustbarkeiten übertragen.
Für Fassi hatte damit sein schlimmster Albtraum Gestalt angenommen, denn von diesem Tag an gehörte er auch offiziell nicht mehr zu dem engeren Gefolge des Grafen, sondern war nur noch einer von dessen vielen kleinen Angestellten, die froh sein durften, wenn sie genug Lohn erhielten, um überleben zu können. Ein paar Tage lang klammerte er sich noch an die Hoffnung, ein Erfolg der Palestrina-Messe würde den Grafen dazu bringen, ihn wieder in Gnaden aufzunehmen und ihm einen anderen, gut dotierten Posten zu geben. Doch dann zeichnete sich das nächste Verhängnis am Horizont ab.
Der Chor war mittlerweile so gut einstudiert, wie es bei den Fähigkeiten der Knaben möglich war. Ludovico jedoch machte ihnen von Tag zu Tag mehr Sorgen. Der Junge schien allmählich jedes Gefühl für die Musik zu verlieren. Waren es zuerst nur Nuancen, die Girolamo Fassi und Pater Lorenzo gestört hatten, wurde es nun von Probe zu Probe schlimmer. Zuletzt

lag der Junge bis zu einer halben Oktave neben dem geforderten Ton.
Angesichts des nahenden Festes vermehrten sich auch Pater Lorenzos Sorgenfalten. Schon trafen die ersten Gäste auf der Burg ein, und Graf Gisibertos Ankunft war für einen der nächsten Tage angekündigt. Am Abend vor seiner Ankunft hatten Pater Lorenzo und Girolamo Fassi die Chorknaben früh zu Bett geschickt und saßen im leeren Probenraum bei einem Glas Wein zusammen. Verzweifelt versuchten sie, einen Ausweg zu finden, um dem drohenden Unheil zu entgehen.
Pater Lorenzo hatte den Kopf auf die Hände gestützt, so als hätte sein Hals keine Kraft mehr, ihn zu tragen. »Ich wage es kaum zu sagen, doch wie es aussieht, kommt Ludovico zur Unzeit in den Stimmbruch.«
Fassi nickte mit düsterer Miene. »Es war ein Fehler, keinen zweiten Chorknaben als Sänger des Soloparts auszubilden. Vielleicht kann Luca in den verbleibenden Tagen den Solopart lernen.«
»Nein, nicht Luca. Sein Stimmumfang reicht einfach nicht aus. Ich habe eher an Ambrogio gedacht. Er ist der Einzige, dessen Stimme an die von Ludovico heranreicht.«
Fassi winkte entmutigt ab. »Dafür braucht er von allen Chorknaben am längsten, sich einen Text einzuprägen. Ich bezweifle, dass er in der verbleibenden Zeit in der Lage ist, auch nur die Hälfte seines Parts zu lernen.«
Pater Lorenzo stimmte ihm bedrückt zu. »Es ist zum Verzweifeln. Keiner der Knaben hat das Talent, Ludovicos Aufgabe zu übernehmen. Wir können nur hoffen, dass sich seine Stimme bis zum Festtag wieder bessert. Ich mag mir erst gar nicht vorstellen, was geschieht, wenn wir ausgerechnet mit einer Messe scheitern, die Meister Giovanni da Palestrina extra für unser Kloster geschrieben hat.«
Fassi stieß einen Jammerlaut aus, wie ihn selbst seine Frau nicht

über die Lippen gebracht hätte. »Graf Gisiberto wird mich zum Krüppel peitschen und davonjagen wie einen räudigen Hund. Mein Weib und meine Tochter werden betteln müssen.«

»Nein, nein! So beruhigt Euch doch, Meister Girolamo. Noch ist es nicht so weit. Mir ist gerade etwas eingefallen. Ich habe von einer Medizin gehört, die den Klang einer Stimme verbessert und den Stimmbruch hinauszögert. Das Rezept müsste der Bruder Apotheker besitzen. Ich werde gleich zu ihm gehen und ihn bitten, sie mir zu mischen. Zum Glück habe ich Ludovico befohlen, im Kloster zu bleiben. So kann er sie heute Nacht noch trinken. Ihr werdet sehen, es wird doch noch alles gut.«

So optimistisch, wie er sich gab, fühlte Pater Lorenzo sich nicht. Er wollte den völlig verzweifelten Fassi jedoch nicht noch mehr ängstigen. So gab er ihm den Rat, noch ein Glas Rotwein zu trinken und sich dann hinzulegen, während er sich um die Medizin kümmern wollte. Aufmunternd klopfte er ihm auf die Schultern und verließ mit schweren Schritten das Zimmer. Der für die Klosterapotheke zuständige Mönch hatte sich bereits in seine Zelle zurückgezogen, öffnete Pater Lorenzo jedoch sofort die Tür und erklärte sich bereit, ihm das Mittel zu mischen. »Ich wollte dir schon vorschlagen, Ludovico diesen Saft zu verabreichen, Bruder, auch wenn seine Wirkung nur begrenzt ist und zu häufiges Einnehmen der Stimme schadet«, erklärte er, als er in der Apotheke die ersten Zutaten im Mörser zerrieb. »Ich komme öfter an die Tür des Probenraums und lausche. Dabei habe ich ebenfalls bemerkt, dass der Junge allmählich in den Stimmbruch kommt.«

Pater Lorenzo hob die Hände wie zum Gebet. »Ich hoffe, die Medizin hilft, sonst brauchen wir ein Wunder, um den Zorn unseres Abtes zu überstehen.«

Als er endlich die Phiole in der Hand hielt, nahm er sich kaum die Zeit, dem Bruder Apotheker zu danken. In unziemlicher Hast eilte er durch die düsteren Korridore des Klosters in den

Trakt, in dem die Chorknaben untergebracht waren. Bevor er den Schlafsaal betrat, löschte er seine Öllampe und stellte sie auf einen Wandsims. Da der Mond hell durch die hohen, schmalen Fenster des Saales schien, glaubte er, Ludovico finden zu können, ohne die anderen Knaben aufzuwecken.

Als er Ludovicos Bett erreichte, fand er es leer. Pater Lorenzo spürte, wie er vor Aufregung zitterte. Wenn der Junge entgegen seines ausdrücklichen Verbots das Kloster verlassen hatte und zur väterlichen Mühle gelaufen war, würde es für den Saft zu spät sein. Dann sagte er sich, dass Ludovico wahrscheinlich nur zum Abtritt gegangen war. Während er noch überlegte, ob er auf ihn warten oder ihm folgen sollte, schweifte sein Blick über die anderen Betten. In den meisten schliefen die Knaben ruhig dem Morgen entgegen. Ambrogios Bett war jedoch ebenfalls leer.

Von einem unguten Gefühl getrieben verließ Pater Lorenzo den Schlafsaal durch die Tür, die auf den Gang zum Probenraum führte. Rechts und links davon gab es noch ein paar kleinere Kammern, in denen die Chorgewänder der Knaben und die Musikinstrumente aufbewahrt wurden. Der Mönch brauchte nicht lange zu suchen. Durch die halb offene Tür eines Zimmers sah er im Schein des Mondes zwei eng aneinander gedrängte Körper, von denen der eine still stand, während der andere sich im heftigen Rhythmus hin und her bewegte.

Fassungslos stieß der Pater die Tür auf. Die beiden Knaben erstarrten vor Schreck. Ambrogio stand nach vorne gebeugt, das Hemd bis zur Taille hochgezogen, und reckte dem nackt hinter ihm stehenden Ludovico sein Hinterteil entgegen. Dieser hatte seinen Mitschüler bei den Hüften gepackt und sah dem Chorleiter nun angstvoll entgegen. Da es dem Pater zunächst die Sprache verschlagen hatte, fasste Ludovico sich schnell wieder. Ein anbiederndes Lächeln huschte über sein Gesicht, und er präsentierte dem Pater sein immer noch aufgerichtetes Glied. »Wenn

Ihr wollt, könnt Ihr uns beide haben, ehrwürdiger Vater. Wir sagen auch nichts.« Dem Pater stockte bei diesem unglaublichen Angebot schier der Atem. »Du bist bis in den Grund deines Herzens hinein verderbt, Ludovico. Bei Jesu Blut, wie konntet ihr beide es nur wagen, in diesen heiligen Hallen die Todsünde der Sodomie zu begehen?«

»Sodomie?« Ambrogio starrte den Pater entsetzt an, so als ginge ihm jetzt erst auf, was er getan hatte, während Ludovico sich nach einer Fluchtmöglichkeit umsah. Der Müllersohn erinnerte sich nur allzu deutlich daran, dass sein Vater und einige Nachbarn sich lang und breit über die Bestrafung eines Sodomiten in einer Nachbarstadt unterhalten hatten. Man hatte den Mann zuerst bis aufs Blut ausgepeitscht und ihm dann eine glühende Eisenstange durch den After in den Darm gestoßen, bis er unter schrecklichen Qualen gestorben war.

Pater Lorenzo hielt den Jungen, der sich an ihm vorbeidrängen wollte, fest und stieß ihn gegen die Wand. »Es ist ungeheuerlich. Du sollst zu Gottes Ruhme in der Basilika San Ippolito singen und beschmutzt dich vorher wie ein Heide mit dem Kot des Darmes, in den du gestochen hast, als wäre es die Öffnung einer Frau.«

Ambrogio begann zu heulen. »Ich wusste doch nicht, dass es eine Sünde ist. Ludovico hat gesagt, ich soll mitkommen, weil er mir etwas zeigen wolle.«

Ludovico schrie wild auf. »Das ist nicht wahr! Ambrogio ist schuld. Er wollte, dass ich es tue. Ich wusste doch auch nicht, dass es eine Sünde ist.« Seine Stimme überschlug sich bei den ersten Worten, wurde plötzlich so tief, dass der Knabe vor sich selbst erschrak, und endete dann mit einem kieksenden Laut. Es war, als hätte dieser Akt widernatürlicher Sexualität Ludovicos Stimmbruch endgültig zum Durchbruch verholfen.

In diesem Augenblick begriff Pater Lorenzo, dass keine Medizin der Welt dem Knaben die Fähigkeit verleihen würde, am Fest-

tag zu singen, und er lachte bitter auf. Solange Ludovico als Sänger des Soloparts unentbehrlich war, hätte der Abt die Sünde der beiden Jungen nur als lässlichen Streich angesehen, aber nun braute sich das Unheil auch über dem Liebling des Grafen zusammen. Auch wenn der Pater einem bitteren Ende seiner Karriere als Chorleiter und Mann der Kirche entgegensah, war er froh, dass der Knabe seiner Bestrafung nicht entgehen würde. Niemand, der mit der Sünde der Sodomie behaftet war, durfte in den geheiligten Räumen von San Ippolito zum Ruhme Gottes singen. Das war ja noch viel schlimmer, als wenn eine Frau ihre Stimme zum Ruhme Gottes erheben würde.
Bei diesem Gedanken holte er tief Luft. In seinem Kopf formte sich eine Idee, verschwommen zunächst, aber mehr als verlockend. Plötzlich waren Ambrogio und Ludovico nur mehr Störenfriede für ihn, die er schnellstens loswerden musste. »Ambrogio, du kehrst jetzt in den Schlafsaal zurück und betest zwanzig Ave-Maria, bevor du dich hinlegst. Ich werde mich morgen mit dir befassen. Du aber, der du nicht warten konntest, bis du ein Mann bist und Gott dir in seiner Gnade ein Weib gibt, kommst mit mir.« Er packte Ludovico mit der einen Hand am Genick, griff mit der anderen nach dessen Hemd und schleppte ihn umbarmherzig mit sich.
Als er ihn zu der engen Treppe zerrte, die in die Kellergewölbe hinabführte, begehrte Ludovico auf. »Wenn Ihr mich schlagt, sage ich es dem Grafen.« Die Drohung verfehlte jedoch ihre Wirkung. Pater Lorenzo brachte ihn in den Klosterkarzer und stieß ihn in eine der Zellen. »Hier bleibst du, bis über dich entschieden wird«, erklärte er grimmig und schob den Riegel vor.
Ludovicos Proteste ignorierend kehrte er in den Probenraum zurück, in dem Girolamo Fassi eben dem Inhalt des Weinkrugs den Garaus gemacht hatte. Lachend ging er auf ihn zu und packte ihn bei der Schulter. »Fasst Mut, Meister Girolamo. Ich weiß jetzt, wie wir aus allen Schwierigkeiten herauskommen können.«

# VII.

Mitten in der Nacht wurde Giulia wachgerüttelt. Sie schreckte hoch, sah ihren Vater über ihr Bett gebeugt stehen und hob halb noch in einem bösen Traum gefangen die Arme, um sich vor Schlägen zu schützen. Ein Talglicht beleuchtete sein verzerrtes Gesicht mit weit aufgerissenen, flackernden Augen. Fassis Stimme zitterte und klang heiser vor Erregung, doch er schob ihre Arme beiseite und strich ihr sanft über das schweißnasse Haar. »Du brauchst keine Angst haben, mein Kind. Bitte steh auf und ziehe dich an. Aber sei ganz leise, damit du Mutter nicht weckst.«

Giulia schlüpfte in ihren Kittel und folgte ihrem Vater in die Studierkammer. Dort saß Pater Lorenzo und sah ihr mit einem taxierenden Blick entgegen.

Er winkte ihrem Vater, die Tür zu verschließen, und hob den Zeigefinger, als wolle er sie tadeln. Seine Stimme war so leise, dass sie ihn kaum verstand. »Giulia, was wir dir jetzt sagen, muss absolut geheim bleiben. Unser aller Wohlergehen hängt davon ab. Können wir uns auf dich verlassen?«

Giulia warf ihm einen bangen Blick zu. »Ja, Pater. Ich verspreche es Euch beim Herzen Jesu.« Das schien ihr feierlich genug zu sein. Im nächsten Augenblick presste sie die Hände vor den Mund, um nicht aufzuschreien. »Du wirst an Ludovicos Stelle die Messe singen«, erklärte der Pater ihr übergangslos. »Er ist in den Stimmbruch geraten. Außerdem habe ich ihn ..., aber das geht dich nichts an.«

Giulia starrte ihn ungläubig an. »Was soll ich? Pater, bitte, macht Euch nicht noch über mich lustig.«

Der Pater sah sie ernst, ja fast traurig an. »Mir ist nicht zum Spaßen zumute, mein Kind. Du musst den Solopart der Messe singen. Natürlich wirst du nicht als Mädchen auftreten, sondern in der Verkleidung eines Chorknaben. Wir werden dir das Haar

abschneiden und dich so zurechtmachen, dass dich niemand erkennt.«
Giulia presste die Hände auf die Wangen. »Das geht nicht. Ludovico wird mich erkennen, denn er hat mich schon singen gehört. Außerdem ist es einer Frau oder einem Mädchen bei Leibesstrafe verboten, in der Kirche zu singen. Dafür kommt man ins Feuer und dann in die Hölle.«
»Um Ludovico brauchst du dir keine Gedanken zu machen. Der sitzt im Klosterkarzer und kommt bestimmt nicht vor dem Festtag frei. Und was die Sünde betrifft, bin ich gerne bereit, sie auf meine Schultern zu laden. Sie sind ja auch viel breiter als die deinen.« Der Pater lächelte dem Mädchen zu und streichelte ihr übers Haar. »Giulia, es ist wichtig, dass du für uns singst. Sonst kommt es zu einer Katastrophe, die mich mein Ansehen im Kloster und, was noch viel schlimmer ist, deinen Vater die Stellung beim Grafen kosten wird.«
Fassi nickte heftig und packte seine Tochter bei den Schultern. »Du musst tun, was der Pater sagt. Sonst verlieren wir das Haus und müssen als Bettler über die Landstraßen ziehen. Denk doch an deine kranke Mutter. Wir hätten kein Geld mehr, um den Arzt zu bezahlen, und auch keines für Essen und ein Dach über dem Kopf.«
Giulia wand sich unter Fassis schmerzhaftem Griff. »Aber es geht nicht, Vater. Ich beherrsche den Solopart noch lange nicht vollständig. Bisher habe ich immer nur einzelne Passagen singen können, und ich konnte seit jenem Tag am Ölbaumhain die Jungen nicht mehr belauschen.«
Der Pater löste Fassis Hände und strich ihr über die tränennasse Wange. »Du wirst den Rest schon lernen, Giulia. Schließlich bist du ein kluges und braves Mädchen.«
Fassi schlug die Arme um sich, als friere er trotz der schwülen Hitze. »Pater Lorenzo hat Recht. Du wirst es schaffen. Wir werden in der alten Zehntscheuer des Klosters üben. Das ist

weit genug weg von der Stadt, so dass uns niemand hören kann. Wenn doch jemand vorbeikommt, sagen wir einfach, du seiest ein fremder Chorknabe, den Pater Lorenzo und ich heimlich als Ersatz für Ludovico ausbilden.«
Giulia hätte noch ein Dutzend Einwände bringen können, doch ihre Zunge war wie gelähmt. Gleichzeitig verspürte sie ein inneres Vibrieren. Wenn es wahr war, was der Pater sagte, wenn sie nicht gleich aufwachte und merkte, dass sie nur geträumt hatte, so war ihr größter Wunsch dabei, in Erfüllung zu gehen. Zumindest einmal würde sie vor allen Leuten die Lieder singen dürfen, die in ihrem Herzen schwangen. Das war ein Wunder, ein Geschenk des Himmels, welches sie wohl für den Rest ihres Lebens wunschlos glücklich machen würde. »Ich werde singen.« Sie senkte den Kopf um abzuwarten, ob der schöne Traum nun zu Ende war, riss ihn aber wieder hoch, als sie die Schere sah, die der Pater plötzlich in der Hand hielt. »Du musst ab sofort wie ein Junge aussehen«, sagte er und befahl ihr, sich vor ihm auf den Klappstuhl zu setzen, den ihr Vater hinter der Truhe hervorzog.
Als Giulia zögerte, fuhr ihr Vater sie leise, aber scharf an. »Stell dich nicht so an. Setz dich hin und halt still!«
Zitternd gehorchte sie und schloss die Augen, als die Schere gnadenlos durch ihre langen, dicht gelockten Haare fuhr. Eine halbe Stunde später war die Verwandlung komplett. Giulia steckte in einem Chorhemd, das der Pater mitgebracht hatte, und spürte ein kaltes Gefühl im Nacken. Als sie sich mit den Händen an den Kopf fuhr, stellte sie entsetzt fest, dass ihr Haar so kurz war, dass sie es gerade noch mit den Fingerspitzen fassen konnte.
Während Pater Lorenzo zufrieden sein Werk betrachtete, öffnete sich mit einem Mal die Türe und Maria Fassi stand auf der Schwelle. Sie war bleich wie der Tod, und ihre Augen glänzten fiebrig. Als sie Giulia sah, stieß sie einen gellenden Schrei aus.

»Bei der Muttergottes! Girolamo, was hast du getan? Bist du jetzt völlig von Sinnen?«
»Maria, bitte, reg dich nicht auf«, flehte Fassi sie an. »Es ist alles in Ordnung, glaube mir. Der Pater wollte es so.«
Pater Lorenzo sprang ihm sofort bei. »Lasst es Euch erklären, gute Frau. Es gilt, ein gutes Werk zu tun. Ludovico, unser Solosänger, hat plötzlich den Stimmbruch bekommen, und es gibt keinen Knaben weit und breit, der seinen Part übernehmen könnte. Nur Eure Tochter hat die Fähigkeit, ihn zu ersetzen.«
Maria Fassi wich entsetzt vor ihm zurück und schlug das Kreuzzeichen. »Ihr seid kein Mönch Gottes, sondern ein Diener des Satans, Pater, sonst hättet Ihr niemals so einen Vorschlag gemacht. Und du, Girolamo, wirst in der Hölle schmoren, weil du dich mit einem Dämon verbündet hast und das Seelenheil deiner Tochter für ein Lied opferst.«
Fassi ging auf sie zu und wollte sie in den Arm nehmen. »Bitte, Maria, hör mir zu. Es geht nicht einfach um ein Lied. Wenn die Messe ein Fehlschlag wird, kostet es mich meine Stellung beim Grafen. Dann sind wir nur noch heimatlose Bettler.«
»Geld bedeutet dir also mehr als die unsterbliche Seele deines Kindes.« Maria Fassi schluchzte wild auf, wehrte ihn ab und stolperte auf Giulia zu. Doch ehe sie sie erreichte, sackte sie ohne einen Laut in sich zusammen und fiel zu Boden. Fassi griff sofort nach ihr und versuchte, sie aufzurichten. »Es ist sinnlos, Meister Girolamo. Eure Frau ist ohnmächtig geworden«, sagte der Pater und zuckte zusammen, als plötzlich im Flur Schritte erklangen. Einen Moment später steckte die Magd den Kopf zur Türe herein und starrte neugierig auf die ungewöhnliche Szene. »Hat jemand nach mir gerufen? Ich glaubte, meinen Namen gehört zu haben.«
Fassi deutete mit dem Kopf auf seine Frau. »Maria ist ohnmächtig geworden, Assumpta. Hilf mir bitte, sie ins Bett zu bringen.«
Pater Lorenzo hatte sich vor Giulia geschoben, um sie vor den

Blicken der alten Frau zu verbergen. Doch Assumpta hatte das Mädchen bereits gesehen und schlug das Kreuzzeichen. »Bei der Jungfrau Maria, was ist denn hier passiert?«

»Sei still, altes Weib«, fuhr der Pater sie an. »Du tust am besten so, als hättest du nichts gesehen. Unser Leben hängt davon ab.« Er überlegte einen Augenblick und wandte sich dann Fassi zu. »Es ist das Beste, wenn Ihr mit Giulia schon zur Zehntscheuer vorgeht. Ich helfe inzwischen der Dienerin, Euer Weib in ihre Kammer zu bringen. Und ich werde Assumpta davon überzeugen, dass sie unter allen Umständen den Mund zu halten hat.«

Die Magd funkelte ihn wütend an. »Das versteht sich von selbst. Wenn es um unsere Kleine geht, schweige ich wie ein Grab.« Offensichtlich hatte sie sofort erfasst, um was es hier ging, denn sie nickte Giulia aufmunternd zu und schlang dann die Arme um die Bewusstlose. Als sie Maria Fassi mit Hilfe des Paters ins Bett gebracht hatte, trat sie ans Fenster, sah zu den Sternen hoch und faltete die Hände zum Gebet. Stumm flehte sie die Jungfrau Maria an, Giulia zu beschützen.

## VIII.

Die alte Zehntscheuer des Klosters war ein großes, aus Feldsteinen erbautes Gebäude, das fast eine Meile vor der Stadt neben einer halb verfallenen Kapelle und nicht weit von den verfallenen Resten einiger anderer Gebäude stand. Hier hatte es früher einen Gutshof gegeben, der von marodierenden Soldaten niedergebrannt worden war. Wie viele andere Bewohner Salettos fürchtete auch Giulia sich vor diesem Ort, an dem, wie es hieß, noch immer die Geister der ermordeten Bewohner umgingen. Ihr Vater setzte sich ohne weitere Diskussion über ihre Bedenken hinweg und zog sie kurzerhand an den verkohlten Grundmauern vorbei zur Scheuer. Der Schlüssel drehte sich

ganz leicht im Schloss, so als sei es kürzlich noch geölt worden, aber das Innere wirkte, so weit die kleine Laterne reichte, staubig und seit langem ungenutzt.
Fassi stellte die Laterne auf ein altes Fass und sah Giulia auffordernd an. »Hier können wir proben, so viel wir wollen. Wir müssen uns sputen, denn die Zeit wird knapp.«
Giulia nickte beklommen. »Ja, ich weiß. Wir haben noch genau vier Tage.«
»Deshalb werden wir sofort beginnen.« Obwohl Girolamo Fassi übernächtigt und leicht angetrunken war, verdrängte er sein Bedürfnis nach Schlaf und forderte Giulia auf, den Beginn der Messe vorzutragen. Sie übten bis zum Sonnenaufgang und hätten immer noch weitergemacht, wenn sie nicht von festen Schritten aufgeschreckt worden wären. Es war jedoch nur Pater Lorenzo, der ihnen einen großen Korb mit Lebensmitteln und einige Decken brachte. Als er Fassi und Giulia begrüßte, wirkte er sehr besorgt. »Eure Frau ist leider noch immer ohnmächtig, Meister Girolamo. Assumpta kümmert sich um sie. Es hat sie allerdings nicht davon abgehalten, diese guten Sachen für Euch einzupacken.« Mit diesen Worten holte er Schafskäse, Oliven und Brot aus dem Korb und breitete sie auf dem Fass aus.
Fassi schüttelte abwehrend den Kopf. »Ich habe keinen Hunger.«
Der Pater sah ihn tadelnd an. »Ihr müsst essen, und Giulia auch. Sonst werdet Ihr das Ganze nicht durchstehen. Denkt bitte auch daran, dass der Graf heute mit dem größten Teil seiner Gäste ankommt. Ihr werdet zur Begrüßung erscheinen müssen.«
Fassi ließ den Kopf sinken. »Wird der neue Kapellmeister dabei sein?«
Er schien jedoch keine Antwort hören zu wollen, denn er forderte Giulia barsch auf, etwas zu essen, damit sie danach weiterüben könnten. »Und überfordert das Kind nicht«, mahnte der

Pater. »Ich denke, es sollte nach dem Frühstück eine Weile schlafen.«
Fassi winkte unmutig ab. »Ich weiß genau, was ich Giulia zumuten kann.«

## IX.

In den Tagen bis zum Fest des heiligen Ippolito lernte Giulia, dass es ein Leichtes war, einzelne Pasagen der Messe zu singen. Das gesamte, mehrstündige Werk forderte ihr jedoch alles ab. Ihr Vater schien nie zufrieden zu sein, denn er kritisierte sie oft und so scharf, dass sie mehrmals in Tränen ausbrach. Es war, als sei Girolamo Fassi von dem Willen besessen, die Palestrina-Messe mit allen Mitteln zu seinem Erfolg zu machen.
Während der Tage in der Zehntscheuer durfte Giulia auch nicht nach Hause zurückkehren, sondern musste in dem alten Stroh schlafen. Ihr graute vor den Ratten, die in der Nacht so nahe an sie herankamen, dass sie manchmal eines der Fellbündel im Schlaf berührte. Eine von ihnen biss sogar zu. Der Schmerz und das zornige Fiepen ließen Giulia hochschrecken. Den Rest der Nacht verbrachte sie dann zusammengekauert auf dem Fass und wartete vor Kälte zitternd auf ihren Vater.
Fassi zeigte wenig Verständnis für die Klagen seiner Tochter. Er verarztete den Rattenbiss und befahl ihr barsch, weiterzuüben. Aber sie brachte vor Müdigkeit und Erschöpfung keinen Ton heraus. Das überzeugte ihn dann doch. Er nahm sie in die Arme und versprach ihr, in den nächsten Nächten bei ihr zu bleiben und sie vor den Ratten zu beschützen. Dann flößte er ihr etwas Wein ein und ließ sie noch ein paar Stunden schlafen.
Am Morgen des Festes kam Assumpta aus der Stadt und brachte Giulia ein sauberes Unterhemd mit. Sie warf Fassi aus der Zehntscheuer und begann, das Mädchen von Kopf bis Fuß ab-

zuwaschen. Giulia war nicht gerade begeistert, aber Assumpta ließ nicht locker. »Wir wollen doch nicht, dass du schmutzig vor den Altar trittst!« Etwas leiser setzte sie hinzu, dass sie Walnusssaft dabei habe, um dem Mädchen das Aussehen eines Bauernjungen zu geben, der sich viel im Freien aufhält.
Giulia klammerte sich zitternd an die alte Magd. »Assumpta, ich habe Angst. Ich habe noch nie mit dem Chor zusammen gesungen.«
Assumpta kniete vor ihr nieder und streichelte sie sanft. »Es gibt immer ein erstes Mal, mein Schäfchen. Du kannst doch so wunderbar singen, und die Muttergottes wird dir gewiss beistehen. Es wird alles gut werden, glaube mir.«
Giulia beruhigte sich jedoch erst, als sie ihr versprach, bei ihr zu bleiben, bis ihr Vater sie abholte und zur Kirche brachte.

## X.

Francesco della Rocca, der Abt von San Ippolito oder vielmehr der Inhaber der Pfründe, kam nur selten nach Saletto, sondern ließ sich durch einen Koadjutor vertreten. Wenn er auftauchte, war er ein gestrenger Herr, der keinen Fehler durchgehen ließ. Heute aber fand er an den Vorbereitungen für das jährliche Patronatsfest nichts auszusetzen. Die meisten der hochwohlgeborenen Gäste zogen die Bequemlichkeit des Grafenpalasts den kahlen Klostermauern vor, so dass nicht er, sondern Gisiberto Corrabialli für ihren Unterhalt zu sorgen hatte. Dennoch galt er nach außen hin als Gastgeber. Das war sehr wichtig, denn della Rocca wollte in der kirchlichen Hierarchie noch weiter aufsteigen.
Daher war er sehr froh, dass Kardinal Pietro Ferreri nach Saletto gekommen war. Er hatte ihm zwar die Feierlichkeiten recht farbig geschildert, aber nicht geglaubt, dass der Kardinal sich

wirklich zu der Reise entschließen würde. Auch Ippolito della Rovere war pünktlich erschienen. Für ihn war es fast schon zur Pflicht geworden, an seinem Namenstag hierher zu reisen. Das galt auch für Ippolito Farnese, der bisher immer einer der Ersten gewesen war. Aber diesmal hatte sich der frisch ernannte Kardinal so viel Zeit gelassen, dass della Rocca schon nervös geworden war. Aber auch er beehrte nun das Fest mit seinem neuen Glanz.
»Es wird Zeit, dass ich mir eine zweite, ertragreiche Pfründe besorge«, dachte della Rocca, während er im vollen Ornat durch die Klosterkirche schritt, um sich draußen auf dem Vorplatz von dem staunenden Volk bewundern zu lassen. Einige Mönche drückten sich scheu an ihm vorüber. Der Abt grüßte sie freundlich und amüsierte sich insgeheim über ihre aufstrahlenden Mienen. Schon früh hatte er gelernt, dass ein angenehmes Wort oder eine Schmeichelei der schnellste Weg in die Herzen der Menschen ist.
Während er durch das Kirchenschiff schritt, bewunderte er kurz den herrlich geschmückten Altaraufsatz, der die Madonna mit dem Jesuskind, San Ippolito und die heilige Clarissa darstellte. Der Altaraufsatz war ein Werk Masaccios und zusammen mit den beiden Gemälden, die die Apostel Petrus und Paulus darstellten und von Raffael und Botticelli stammten, der ganze Stolz der Abtei. Die beiden Apostel galten auch als Symbol für die Zugehörigkeit der Abtei und der Grafschaft Saletto zum Patrimonium Petri.
Frühere Äbte hatten die Kunstwerke für die Kirche anfertigen lassen. Della Rocca wusste, dass von ihm erwartet wurde, die Klosterkirche weiter auszuschmücken. Deshalb würde er bei seinen Freunden in Rom nachfragen, von welchem der jungen Künstler zu erwarten war, dass er einmal zu den Großen seiner Zunft gehören würde. Von diesem würde er zu einem geringen Preis ein Bild oder eine Statue erwerben, für die man ihn in wenigen Jahren mit Lob überschütten würde.

Della Rocca erwartete auch heute großen Beifall für die Messe. Schließlich hatte es ihn eine größere Summe gekostet, Giovanni da Palestrina zu diesem Werk zu bewegen. Wenn der einflussreiche Kardinal Ferreri in Gegenwart Seiner Heiligkeit Papst Julius III. einige anerkennende Worte fallen ließ, hatte diese Ausgabe sich mehr als gelohnt. Mit diesem Gedanken trat er ins Freie und erschien damit just zur rechten Zeit auf dem festlich geschmückten Vorplatz, um seine erlesenen Gäste begrüßen zu können. Kardinal Ferreri und die übrigen Würdenträger kamen selbstverständlich nicht zu Fuß, sondern ließen sich in prunkvollen Sänften von der Burg herübertragen.
Als Erster stieg Gisiberto Corrabialli aus einer Sänfte, die über und über mit Stierköpfen und Hellebarden, dem Wappenzeichen der Grafen von Saletto, bestickt war. Die Kleidung des Herrn entlockte della Rocca ein Schmunzeln. Der Graf trug nämlich hautenge gelbrot gestreifte Hosen mit einer lächerlich großen Schamkapsel aus durchbrochener goldgelber Seide. Sein Wams bestand aus hellblauem Samt und war an den Seiten mehrfach geschlitzt, so dass man das tiefrote Seidenfutter durchscheinen sah. Die Pluderärmel waren von giftgrüner Farbe, ebenfalls geschlitzt und hellrot unterfüttert und dabei so gestärkt, dass Corrabialli seine Arme seitwärts halten musste, um den Stoff nicht zu verknittern.
Della Rocca deutete eine leichte Verbeugung vor dem Grafen an und wandte sich dann dem Kardinal zu. »Willkommen in meiner bescheidenen Pfründe, Euer Eminenz.«
»Wirklich bescheiden, was den Wohnkomfort betrifft«, tadelte Ferreri ihn mit leicht gekräuselter Nase. Offensichtlich hatte auch das gräfliche Schloss nicht seinem Geschmack entsprochen. »Ich habe in meinen Diözesen Ivrea und Vercelli als Erstes die Wohngebäude abreißen und neu errichten lassen.«
»Ihr könnt die kleine, armselige Abtei von Saletto doch nicht mit diesen mächtigen Bischofssitzen vergleichen.« Della Rocca

warf in gespieltem Entsetzen die Arme hoch. Zufrieden bemerkte er, dass die Schmeichelei bei dem Kardinal verfing. Ferreri winkte ihm gönnerhaft zu, bevor er in die Kirche trat.
Della Roccas Aufmerksamkeit galt unterdessen den anderen Gästen. Er begrüßte den Kardinal Ippolito Farnese vor seinem Namensvetter Ippolito della Rovere, dem diese Würde noch bevorstand, mit genau abgestufter, überschwänglicher Freude, und wandte sich dann Graf Gisiberto und den weniger wichtigen Besuchern zu. Erst, als er seine Begrüßungspflichten erfüllt hatte, erlaubte er sich, sein Augenmerk auf die Frauen zu richten, die der Graf mitgebracht hatte. Sein erfahrener Blick sagte ihm, dass Corrabialli Edelkurtisanen erster Güte zur Zerstreuung der Gäste hatte kommen lassen. Ihre Gewänder prangten vor Samt und Seide, und das Futter der geschlitzten Kleider war erlesen und so hauchdünn, dass die seidenen Unterröcke hindurchschimmerten.
Eine groß gewachsene Kurtisane mit ebenmäßigem Gesicht und roten, zu einer kunstvollen Frisur aufgetürmten Haaren trat auf della Rocca zu und knickste. »Ich bin Mirandola aus Parma. Graf Gisiberto schwärmte mir so von Euren Kenntnissen und Eurem Ruhm vor, dass ich mich glücklich schätze, Euch persönlich kennen lernen zu dürfen.«
»Nicht glücklicher als ich, da ich Euch kennen lernen darf.« Della Roccas Blick schweifte einen Augenblick über ihre eher üppige Gestalt, die ebenso wie ihre Haarfarbe genau seinem Geschmack entsprach, reichte ihr den Arm und führte sie in die Kirche. Kardinal Ferreri hatte bereits auf dem prunkvollsten der vorne aufgestellten Polsterstühle Platz genommen und musterte das Innere des Kirchenschiffs mit Kennermiene. »Der Altar stammt von Masaccio und die Gemälde dort sind von Botticelli und Raffael, den ich persönlich sehr schätze. Della Rocca, ich muss sagen, ich beneide Euch fast.«
Der Abt hob in einer scheinbar hilflosen Geste die Hände. »Es

wäre mir eine Freude, Euch diesen Raffael als Geschenk anzubieten, doch leider verbieten es mir die Statuten des Klosters.«

»Schade. Aber es ist vielleicht auch besser so. In meinen Kirchen wäre es nur ein Raffael unter vielen, während er hier einmalig ist.« Ferreri lächelte ihm huldvoll zu und zeigte auf eine Gruppe von Knaben in weißen Chorhemden und roten Krägen. »Das sind wohl die berühmten Sängerknaben Eurer Abtei.«

»Ja, das sind die Lerchen von San Ippolito«, antwortete della Rocca mit sichtlichem Stolz. Er verneigte sich leicht vor Kardinal Farnese, dessen Wohlwollen er irgendwann gewiss auch brauchen konnte, hob kurz die Hand zu einer grüßenden Geste für die Knaben und ließ sich dann vorsichtig auf seinen Stuhl nieder, um sein Gewand nicht aus der Fasson zu bringen.

Etwas abseits von den anderen Chorknaben stand der Solosänger, ein kleiner untersetzter Bursche, der mit seinem dunklen Teint wie ein tumber Bauernjunge aussah. Della Rocca fand, dass der Knabe reichlich verstört wirkte, und unterdrückte eine nervöse Handbewegung. Wenn der kleine Bengel die Messe nicht durchstand, würden es einige Leute bis an ihr Lebensende bedauern. Aber dann beruhigte er sich. Der Chorleiter galt als erfahrener, sehr zuverlässiger Mann, der wusste, was er tat.

Della Rocca hatte erst am Abend zuvor erfahren, dass der eingeplante Sänger des Soloparts, der Schützling des Grafen, zur Unzeit in den Stimmbruch geraten und zudem in einer äußerst delikaten Situation mit einem anderen Chorknaben angetroffen worden war. Das spielte dem Abt in die Hände, denn jetzt, wo Graf Gisiberto nicht mehr vor allen anderen Gästen mit seinem Liebling angeben konnte, würde ihm der gesamte Ruhm dieser Uraufführung bleiben.

Della Rocca winkte Pater Lorenzo und dessen Famulus Fassi

grüßend kurz zu und widmete sich dann wieder seiner schönen Begleiterin. »Ich hoffe, die Messe ist nach Eurem Geschmack, Mirandola. Die Lerchen von San Ippolito werden weithin als bester Knabenchor gerühmt.«
Sie konnte ihm nicht mehr antworten, denn der Prediger, den della Rocca aus Rom mitgebracht hatte, trat an den Altar und leitete die Messe ein.

## XI.

Giulia konnte später nicht mehr sagen, wie sie und ihr Vater in die Kirche gekommen waren, so nervös war sie. Pater Lorenzo beruhigte sie mit sanften Worten und stellte sie kurz den anderen Chorknaben vor. Deren Gesichter spiegelten von Neugier bis Abneigung alle erdenklichen Gefühle wider. Vor allem ein Junge, den Pater Lorenzo Ambrogio nannte, funkelte sie feindselig an. Giulia konnte nur vermuten, dass er sich vor Neid zerfraß.
Damit hatte sie Recht. Da Ambrogio neben Ludovico die beste Stimme des ganzen Chores besaß, wäre er seines Erachtens der gegebene Ersatz für den Solopart gewesen. Nun fühlte er sich übergangen und war überzeugt, dass er wegen der Sache mit Ludovico nicht an die Reihe gekommen war. Da er Pater Lorenzo nicht persönlich angiften konnte, hatte er beschlossen, den von diesem herbeigeschafften Solosänger zu hassen.
Auf dem Weg zum Chorgestühl kam er an einem Bildnis der Madonna vorbei und sah ihre Augen auf sich gerichtet. Voller Schuldgefühle dachte er daran, dass er sich in sündhafter Weise für Ludovico bereitgestellt hatte, und fürchtete sich plötzlich, hier in der Kirche zu singen. Er bat die Muttergottes in Gedanken um Verzeihung und flehte sie an, ihn bei dieser Messe nicht zu verlassen.

Giulia betete ebenfalls zur Madonna. Sie wusste noch immer nicht, wie ihr geschehen war. Einesteils war ihr, als träume sie nur, hier singen zu dürfen. Auf der anderen Seite aber schnürte ihr die Angst, zu versagen, beinahe die Kehle zu. Ludovico hatte den Text und die Melodie wochenlang eingeübt, während sie nur wenige Tage Zeit dazu gehabt hatte. Sie sah zu Pater Lorenzo hinüber, der ihr aufmunternd zulächelte und auf die Stelle zeigte, an der sie stehen sollte.
Während der neue Prediger das Eingangsgebet sprach und die Menschen an das segensreiche Wirken des Namenspatrons der Abtei erinnerte, sah Giulia sich staunend um. Unter dem üppigen Blumenschmuck, den vielfarbenen Girlanden und den Tuchdraperien im Hintergrund wirkte das Innere der Kirche viel heller als sonst. Dazu mochten auch die bunten Gewänder der vielen Gäste beitragen, die wie der Abt auf gepolsterten Stühlen saßen.
Um sie alle unterzubringen, hatte man die vordersten Bankreihen entfernen müssen. Auch die Mönche waren aus ihrem angestammten Chorgestühl vertrieben worden und hatten mit gewöhnlichen Bänken vorlieb nehmen müssen. So gab es nur ein paar Sitzplätze für die angesehensten Bürger der Stadt und ihre Frauen. Selbst der heute sehr mürrisch dreinschauende Müller, Ludovicos Vater, und der Arzt Bramontone mussten ganz hinten neben dem Eingang stehen bleiben. Die alte Lodrina, die als Amme des jetzigen Grafen etliche Vorrechte genoss, durfte jedoch recht weit vorne neben dem Vorsteher der Bäckerzunft sitzen.
Als Giulia sie erkannte, drehte sie ihr im ersten Moment aus Angst vor Entdeckung den Rücken zu. Erst ein mahnendes Räuspern ihres Vaters brachte sie dazu, sich normal hinzustellen. Sie versteifte sich und hoffte verzweifelt, dass die Alte sie so, wie sie aussah, nicht erkennen würde. Dann erinnerte sie sich daran, dass Lodrina sehr schlechte Augen hatte. Nun wurde sie

ruhiger und bekam gerade noch rechtzeitig mit, dass der Priester seine Rede mit dem Segen beendete und dabei die Arme zum Himmel erhob.
Das war das Zeichen für ihren Einsatz. Giulia öffnete den Mund, und wie von selbst perlten die Töne glockenrein von ihren Lippen. Die nächsten Stunden erlebte sie wie im Rausch. Obwohl sie nie zuvor mit dem Chor von San Ippolito geprobt hatte, sang sie den Solopart der Palestrina-Messe, als hätte sie ihn tausendfach geübt.
Kardinal Ferreri saß schräg auf seinem Stuhl, das Kinn auf die Hand gestützt, und lauschte dem Gesang mit entrückter Miene. Der Kardinal Farnese hatte sich vorgebeugt, als könne er so besser hören, und der Abt, der zwischen ihnen saß, vergaß sogar die schöne Kurtisane hinter ihm, die eine Hand auf seiner Schulter ruhen ließ. Della Rocca war es, als wäre ein Engel vom Himmel gestiegen, um seine Messe zu ehren, und als das letzte Amen verklang, sprang er auf und applaudierte stürmisch. »Wundervoll! Wundervoll! Meinen Glückwunsch, Pater Lorenzo. Niemand wird diese Messe je schöner zu Gehör bekommen als wir an diesem gesegneten Tag.«
»Dem schließe ich mich vorbehaltlos an«, stimmten ihm die beiden Kardinäle beinahe einstimmig zu. Auch die anderen Gäste lobten die Aufführung in den höchsten Tönen. Della Rocca sonnte sich in ihrer Bewunderung, als hätte er die Musik für diese Messe persönlich komponiert. Viele Glückwünsche später erinnerte er sich der eigentlich zu Rühmenden und rief die Chorknaben zu sich.
Während die anderen Knaben zwar etwas scheu, aber doch neugierig nach vorne eilten, blieb Giulia unsicher stehen. Erst ein energischer Wink della Roccas brachte sie dazu, ihren Platz zu verlassen. »Ihr habt wie die Engel gesungen«, lobte der Abt die Kinder. »Dafür habt ihr eine Belohnung verdient.«
Er strich allen kurz über das Haar und blickte in erwartungsvol-

le Augen. Dann befahl er ihnen, ihn zu begleiten, und führte sie mit flatternden Gewändern wie ein Huhn seine Küken auf den freien Platz unterhalb des Klosters, wo bereits die Jahrmarktsbuden aufgebaut worden waren.
Vor einem Stand mit Süßigkeiten blieb della Rocca stehen, griff mit beiden Händen in einen Korb voller kandierter Früchte und reichte Giulia und den Knaben je eine davon. Während sein Diener bei der alten Standfrau bezahlte, scheuchte der Abt die Chorknaben mit einer wedelnden Handbewegung zu Pater Lorenzo zurück und wandte sich wieder seinen Gästen zu. »Ich bin jedes Mal erstaunt, welche Nachtigallen in meinem Kloster heranwachsen.«
»Ich muss zugeben, selbst den Chor von Sankt Peter in Rom nicht herrlicher singen gehört zu haben«, erklärte Ferreri mit sichtlicher Anerkennung, stellte dann aber klar, dass dies vor allem ein Verdienst des hiesigen Solosängers gewesen sei, und Kardinal Farnese, dem offensichtlich an der Gunst seines Amtsbruders gelegen war, stimmte ihm nachdrücklich zu. Giulia war unterdessen zu Pater Lorenzo zurückgekehrt und zupfte ihn an der Kutte. »Was soll ich jetzt tun?«
Der Pater warf einen kurzen Blick in die Runde, ob jemand zuhören konnte, und zog das Mädchen zwei Schritte beiseite. »Geh zu deinem Vater und verlasse mit ihm das Fest. Jetzt, wo der Trubel des Jahrmarkts beginnt, fällt es am wenigsten auf.«
Giulia nickte und verschwand zwischen den Verkaufsbuden des Marktes. Pater Lorenzo wartete, bis sie zwischen den Buden verschwunden war, und überließ dann die übrigen Chorknaben der Obhut eines anderen Mönches. Nun wollte er aus della Roccas Mund hören, wie dem Abt die diesjährige Messe gefallen hatte.
Der Abt war so in sein Gespräch mit den beiden Kardinälen vertieft, dass er Pater Lorenzo erst nach einer ganzen Weile wahrnahm. Mit einem freundlichen Lächeln wandte er sich zu ihm

um und klopfte ihm auf die Schulter. »Ihr habt Großes geleistet, Bruder. Ich werde Maestro da Palestrina von dem Triumph berichten, den Ihr ihm bereitet habt. Doch sagt mir, wer war dieser Solosänger? Der Knabe muss unbedingt kastriert werden, damit diese herrliche Stimme zum Ruhme Gottes bewahrt wird.«
Kardinal Ferreri und Kardinal Ippolito Farnese stimmten in die Forderung ein und bestärkten ihn noch. Pater Lorenzo fühlte plötzlich eine würgende Hand an seiner Kehle. »Ich weiß nicht, Euer Ehren. Ich kenne den Knaben kaum. Meister Girolamo Fassi hat ...« Der Pater begriff im letzten Moment, dass er kurz davor war, sich und Giulia zu verraten, und riss sich zusammen. »Meister Fassi hat diesen Knaben aufgetrieben. Es ist der Sohn eines alten Studiengefährten von ihm. Ich weiß nicht, ob dieser einer solchen Operation zustimmen wird. Wie es heißt, soll es sich um seinen einzigen Sohn handeln.« Pater Lorenzo hoffte, mit dieser Erklärung della Rocca von dieser Idee abbringen zu können.
So schnell gab der Abt sich jedoch nicht geschlagen. Er winkte den Diener heran, der seine Börse bei sich trug, forderte ihm das ganze Geld ab und reichte es Pater Lorenzo. »Gebt dies dem Vater des Knaben als Dank und gleichzeitig als Ansporn dafür, die Hoden seines Sohnes zum höheren Ruhme Gottes zu opfern. Wenn das geschehen ist und der Knabe den Eingriff unbeschadet überstanden hat, werdet Ihr mich benachrichtigen. Ich werde ihn dann zur weiteren Ausbildung nach Rom bringen.«
Pater Lorenzo starrte auf die Börse, als hätte der Abt ihm eine Giftschlange in die Hände gelegt. »Ich schließe mich dem Wunsch unseres guten Freundes an«, sagte Kardinal Ferreri und ließ Pater Lorenzo von seinem Leibdiener einen mit Golddukaten gefüllten Beutel reichen. Da wollte auch Kardinal Farnese nicht zurückstehen, und die übrigen Gäste folgten dem Beispiel der hohen Würdenträger. Bald türmten sich reich bestickte Stoffbörsen und einfache Lederbeutel in den Händen des

Chorleiters, so dass er sich ein Körbchen geben lassen musste. Das füllten nun die Kurtisanen bis zum Rand mit kleineren Münzen, denn sie wussten, dass Graf Gisiberto es ihnen doppelt und dreifach zurückgeben würde. »Wenn dies kein Anreiz für den Vater des Knaben darstellt, Gott dieses kleine Opfer zu bringen, würde es mich sehr wundern.« Della Rocca lächelte Pater Lorenzo aufmunternd zu, bevor er sich wieder seinen Gästen widmete und sie zu der Aufführung einer bekannten Gauklertruppe führte.

Pater Lorenzo nutzte die Gelegenheit, sich zurückzuziehen. Im ersten Augenblick wusste er nicht, was er tun sollte, doch dann schlug er den Weg in die Stadt zum Haus der Fassi ein.

## XII.

Als Girolamo Fassi mit der in einen weiten Kapuzenmantel gehüllten Giulia durch die Eingangstür seines Hauses trat, kam ihnen Assumpta mit wachsbleichem Gesicht entgegen. »Meister Fassi«, sagte sie mit stockender Stimme. »Es hat Gott gefallen, Euer Weib vor weniger als einer Stunde zu sich zu rufen.«

Diese Nachricht war zu viel für Giulias überreizte Nerven. Sie schlug die Hände vors Gesicht und begann hemmungslos zu schluchzen. Ihr Vater erstarrte schier zu einer Salzsäule. Er blickte Assumpta an, als wolle er sie anflehen, ihre Worte zurückzunehmen. Dann schüttelte er sich, schob die Magd zur Seite und stürzte ins Zimmer seiner Frau. Einen Augenblick später drang ein Schrei heraus wie von einem waidwunden Tier.

»Egal, was in den letzten Wochen auch geschehen ist. Er hat sie doch geliebt.« Assumptas Worte waren mehr für sich als für Giulia bestimmt.

Das Mädchen sah erschrocken zu ihr auf. »Wenn ich gewusst hätte, dass es meiner Mutter das Herz bricht, hätte ich nie und

nimmer gesungen. Sie hatte Angst davor, dass es mich mein Seelenheil kostet, und bestimmt auch davor, dass man mich erkennt und als Hexe anklagt. Das hat sie in den Tod getrieben. Ach, Assumpta, ich fühle mich so furchtbar schlecht. Ich habe nicht einmal mehr Abschied von ihr nehmen können.«
Vergebens kämpfte Giulia gegen die Tränen, die ihr in Strömen über die Wangen liefen. Sie drehte sich um und wollte ins Freie hinausstürzen, um mit sich und ihrem Kummer allein zu sein. Assumpta hielt sie im letzten Moment zurück. »Um Gottes Willen, bleib hier! Wenn dich jemand so sieht und dich erkennt, ist es aus. Dann wird auch dein Vater furchtbar bestraft.«
Giulia stockte mitten in der Bewegung und kehrte mit hängenden Schultern zu Assumpta zurück. Die Magd zog sie an sich und hielt sie fest in ihren Armen. »Ihre letzten Gedanken galten dir, mein Kleines, das kannst du mir glauben. Du hast ihren Segen ebenso empfangen, als wärst du in ihren letzten Minuten bei ihr gewesen.« Es war zwar nur ein schwacher Trost, doch Giulia wurde es etwas leichter ums Herz. Trotzdem liefen ihr die Tränen noch lange in Bächen über das Gesicht, während ihr Vater ein Zimmer weiter am Bett seiner toten Frau kniete und mit seinem Schicksal haderte.
In diese düstere Stimmung platzte ein sehr aufgeregter Pater Lorenzo. Er starrte die schluchzende Giulia im Vorraum an und hörte Fassis Klagen gegen die Grausamkeit Gottes aus dem Zimmer herausdringen. Mit einer seltsamen Scheu legte er das Körbchen mit dem Geld auf einem Bord ab, trat neben Giulias Vater und legte ihm die Hand auf die Schulter. »Reißt Euch jetzt zusammen, Meister Fassi. Ich bringe schlechte Nachricht.«
Dieser sah mit wehem Blick zu ihm auf. »Maria ist tot.«
»Gott sei ihrer armen Seele gnädig.« Pater Lorenzo schlug das Kreuzzeichen und beugte sich dann vor, um der Toten die Augen zuzudrücken. Danach atmete er schwer durch und blickte Fassi beschwörend an. »Es ist schon recht, wenn Ihr um Euer

Weib trauert, Meister Girolamo. Doch tut es nur ganz still und lasst Eurem Schmerz zu einer anderen Zeit freie Bahn. Jetzt muss Euer Bestreben den Lebenden gelten, und nicht der Toten.«
Fassi sah ihn verständnislos an. »Wie meint Ihr das?«
»Die herrliche Stimme Eurer Tochter hat leider zu großes Aufsehen erregt. Der Abt, die beiden Kardinäle und die anderen Gäste flossen schier über vor Bewunderung.«
»Dann habt Ihr ja erreicht, was Ihr wolltest, ehrwürdiger Vater«, erwiderte Fassi in einem Ton, als würde ihn das alles nicht das Geringste angehen.
Pater Lorenzo merkte, dass er deutlicher werden musste. »Della Rocca war so begeistert, dass er den Knaben, der den Solopart sang, kastrieren lassen will, um seine Stimme der Kirche zu erhalten.«
Fassi starrte ihn zunächst mit großen Augen an und lachte dann bitter auf. »Giulia ist doch ein Mädchen!«
»Das wissen wir beide, nicht aber der Abt und seine erlauchten Gäste. Für sie ist Giulia ein Knabe, und sie werden alles daransetzen, ihrer habhaft zu werden. Was dann geschehen würde, muss ich Euch nicht sagen. Deswegen müsst Ihr mit Giulia umgehend die Stadt verlassen und Euch in den nächsten Wochen versteckt halten.«
Es fiel Pater Lorenzo nicht leicht, diesen Vorschlag zu machen, doch es war seiner Ansicht nach die einzige Möglichkeit, die Suche nach dem Sängerknaben im Sand verlaufen zu lassen und dem Kloster einen Skandal zu ersparen, der seine Kreise bis nach Rom in die Umgebung des Papstes ziehen würde.
Fassi schüttelte wild den Kopf. »Das ist unmöglich. Ich kann Maria nicht einfach wie einen toten Hund zurücklassen. Wer würde sonst für ihre Beerdigung sorgen? Und wie sollte ich auch weggehen können? Der Graf schuldet mir das Gehalt von mehreren Monaten, und was ich noch hatte, musste ich dem Arzt

geben. Ihr findet derzeit keinen einzigen Denaro in meinem Haus.«
Pater Lorenzo nahm das Körbchen mit den Geldbörsen vom Bord und reichte es Fassi. »Das Geld hat man mir für den Vater des Knaben gegeben, um ihn für den Plan des Abtes zu gewinnen. Ich habe es nicht gezählt, aber es dürfte eine größere Summe sein, als die meisten in dieser Stadt in ihrem ganzen Leben verdienen können. Damit könnt Ihr unbesorgt verreisen und Euch so lange in der Fremde aufhalten, bis Gras über die Sache gewachsen ist.«
Fassi sah die Münzen mit todwunden Augen an. »Und mein Weib? Soll es einfach hier so liegen bleiben?«
»Ich werde Maria ein Begräbnis zuteil werden lassen, dessen Ihr Euch nicht schämen müsst«, versprach Pater Lorenzo. »Den Nachbarn werde ich erklären, dass sie kurz nach Eurer Abreise starb. Assumpta müsst Ihr mitnehmen, denn sie könnte sich verplappern.«
Fassi teilte diese Ansicht nicht, besaß jedoch nicht mehr die Kraft, sich gegen Pater Lorenzos Drängen zu wehren. »Dann wird Beppo auch mitkommen müssen. Assumpta wird ihren Mann nie allein zurücklassen.«
»Tut, was Ihr für richtig haltet, doch tut es schnell«, flehte ihn der Pater an. »Ich muss jetzt wieder zum Kloster zurück und mich unter die Feiernden mischen. Später werde ich zurückkehren und den Tod Eurer Frau entdecken. Bis zu diesem Augenblick müsst Ihr bereits mehrere Meilen weit gekommen sein.«
Assumpta packte Fassis Ärmel. »Der Pater hat Recht. Es geht um Giulia. Wenn man entdeckt, dass sie es war, die gesungen hat ...« Sie ließ den Rest des Satzes ungesagt, doch Fassi verstand sie auch so. »Glaubst du, dass es mir besser ergehen würde? Ich könnte von Glück sagen, wenn man mich vierteilt oder rädert, anstatt mich auf einem Scheiterhaufen zu verbrennen.«
»Man sollte die Folgen seines Tuns immer vorher bedenken«,

erwiderte die Magd kurz angebunden und stapfte aus dem Zimmer, um ihren Mann zu holen, damit er ihr beim Packen half.
Fassi erhob sich und wog das Körbchen unschlüssig in der Hand. Schließlich öffnete er eine der Geldbörsen und ließ die goldenen Dukaten einen nach dem anderen auf das Bett fallen. In dem Moment hatte er den Tod seiner Frau vergessen. Allein in dieser einen Börse war mehr Geld, als er in einem halben Jahrzehnt beim Grafen verdiente. Er versuchte zu schätzen, wie viel es insgesamt war, vermochte es aber nicht zu erraten. »Ich hoffe, dieses Geld vermag Euren Schmerz über den Tod Eurer Frau etwas zu mildern.« Pater Lorenzo hatte sich unter der Tür noch einmal umgedreht, um seinem scheidenden Korepetitor noch ein letztes Wort des Trostes zu sagen. Doch als er den gierigen Ausdruck in Fassis Augen sah, drehte er sich seufzend um und verließ mit einem knappen Gruß das Haus.
Die nächsten Stunden wurden für den Pater zu einer einzigen Qual, denn er musste aller Welt ein fröhliches Gesicht zeigen, Dutzende Glückwünsche entgegennehmen und an etlichen, für seinen Geschmack viel zu ausgelassenen oder gar schlüpfrigen Gesprächen teilnehmen.
Später am Abend bat er die alte Lodrina in Fassis Namen, sich während dessen Abwesenheit um seine Frau zu kümmern, und schleppte sie zu Fassis Haus, wo sie nur noch eine Tote vorfanden.

# Zweiter Teil

•◆•

## *Mantua*

# I.

Das Treppenhaus war düster und schmutzig und stank nach saurem Kohl und ungeleerten Nachttöpfen. Giulia zuckte zurück, als ihr Vater sie auf die schmale, steile Stiege zuschob, aber er blieb unbarmherzig und zwang sie weiterzugehen. Das Herz schlug ihr bis zum Hals, und an ihren Beinen schienen schwere Gewichte zu zerren, die jeden Schritt zur Qual werden ließen. Sie konnte noch immer nicht begreifen, warum der Vater ihr dies antun wollte. Betteln hatte keinen Sinn, denn in den fünf Jahren, die seit ihrer Flucht aus Saletto vergangen waren, war ihr Vater kein einziges Mal auf ihre Wünsche eingegangen.

In der ersten Zeit hatte sie gehofft, sie würden bald nach Hause zurückkehren, und sie war so naiv gewesen zu glauben, sie müsse sich nur die Haare lang wachsen lassen, um sich wieder in ein Mädchen verwandeln zu können. Ihr Vater aber hatte immer die Angst vor einer Entdeckung vorgeschoben und damit seine Weigerung begründet, in die Heimat zurückzukehren. Auch hatte sie von Anfang an Knabenkleidung tragen müssen, und Assumpta hatte den Befehl bekommen, ihre Locken regelmäßig zu stutzen. Da Giulia es nicht gewagt hatte, mit anderen Jungen zu spielen, war sie überall als Außenseiter angesehen und oft schlecht behandelt worden.

Zum Glück waren sie nie lange genug an einem Ort geblieben, um allzu viel Aufsehen zu erregen. Ihr Vater hatte in so rascher Folge den Wohnsitz gewechselt, dass sie sich die Namen der Orte kaum hatte merken können. Die Gegend um Saletto aber hatte er gemieden wie der Teufel das Weihwasser, und ihre fle-

hentlichen Bitten, wenigstens einmal das Grab ihrer Mutter besuchen zu dürfen, waren unbeachtet verhallt.
Giulia wusste selbst heute noch nicht zu sagen, ob ihr Vater bereits an jenem letzten Abend in Saletto den für sie so fatalen Entschluss gefasst hatte oder ob ihm die Idee erst später gekommen war. Er hatte zwar immer wieder davon gesprochen, sich einen neuen Gönner zu suchen, der ihn als Kapellmeister einstellen würde, sich in Wahrheit jedoch nie ernsthaft darum bemüht. Wenn sie ihn darauf angesprochen und ihn gebeten hatte, ihnen endlich wieder ein richtiges Zuhause zu verschaffen, hatte er behauptet, dazu fehlten ihm die notwendigen Zeugnisse und Empfehlungsschreiben. Oft war er mit Beppo, der seit den Ereignissen in Saletto völlig in sich gekehrt war, auf Reisen gegangen und hatte sie und Assumpta in irgendeiner schäbigen Herberge zurückgelassen.
Wenn er von einer dieser Reisen zurückkehrte, brachte er stets eine Reihe neuer Lieder für sie mit und achtete streng darauf, dass sie sie singen lernte. Im Lauf der Jahre hatte er ihr Talent geschult und sie so gründlich ausgebildet, wie er es vermochte. Nun sollten die Mühen der letzten Jahre seiner Meinung nach endlich Früchte tragen. Dazu musste noch ein einziges Hindernis überwunden werden, welches Giulia jedoch unüberwindbar erschien. Gleich würde der Schwindel entdeckt werden, und dann …
Giulia wagte nicht, an die Folgen einer Entdeckung zu denken, die ihr Vater unnötigerweise immer wieder ausgemalt hatte. Die Angst saß ihr wie ein dicker Knoten im Bauch, und ihre Augen waren so verschleiert, dass sie kaum noch etwas sehen konnte. Als sie stolperte, packte ihr Vater sie am Arm, bewahrte sie davor, die Treppe hinabzustürzen, und funkelte sie zornig an. »Reiß dich zusammen, Giulio!« Seine Stimme klang leise, aber sehr scharf. »Denke daran, was Assumpta auf meine Anordnung mit dir gemacht hat. Also sei ganz vorsichtig. Wenn das

Ding abfällt oder zerbricht, ehe wir die Begutachtung hinter uns haben, brennen wir beide. Hast du mich verstanden?«

Sie biss sich auf die Lippen, um kein böses Wort darüber schlüpfen zu lassen. Seit ihrer Flucht war der Name Giulia kein einziges Mal mehr über seine Lippen gekommen. Er nannte sie stets Giulio und schien vergessen zu haben, dass ihm je eine Tochter geboren worden war. Was Assumptas Werk betraf, konnte Giulia kaum an etwas anderes denken. Die Dienerin hatte ihr nämlich mit Harz einen winzigen Penis aus Wachs an die bei einem Jungen vorgesehene Stelle geklebt. Es ziepte bei jedem Schritt und war so störend, dass sie kaum richtig gehen konnte. Alles in ihr schrie danach, ihren Vater anzuflehen, sein Vorhaben fahren zu lassen, doch ihr Mund blieb verschlossen. Jedes Wort wäre sinnlos gewesen. So folgte sie ihrem Vater bis unter das Dach, wo unter der Schräge eine kleine Tür zum Vorschein kam.

Fassi klopfte daran, zuerst eher verhalten, und als sich nicht sofort etwas tat, um einiges fester, bis eine mürrische Stimme ihnen antwortete. »Ja, ja, ich komm ja schon!«

Kurz darauf wurde die Tür geöffnet, und ein alter, hagerer Mann in einer Priestersoutane steckte den Kopf heraus.

Girolamo Fassi verbeugte sich schwungvoll. »Guten Tag, Hochwürden. Mein Name ist Girolamo Casamonte. Ich habe mein Erscheinen angekündigt.«

Giulia verzog das Gesicht, als sie den falschen Namen hörte. Irgendwie war mit dem Namenswechsel, den ihr Vater mit Hilfe gefälschter Papiere vorgenommen hatte, die letzte Verbindung zu ihrer Kindheit in Saletto zerschnitten worden. Sie fand, ihr Vater hätte besser einige Empfehlungsschreiben für sich fälschen sollen, um eine Stellung zu erhalten. Doch alles, was sie dazu gesagt hatte, war von ihrem Vater mit Vorwürfen, Klagen oder Spott zurückgewiesen worden.

Sie folgte ihrem Vater und dem Priester in den unbehaglichsten

Raum, den sie je betreten hatte. Innen war es so dunkel, dass man kaum das Gesicht seines Gegenübers erkennen konnte, geschweige denn die spärliche Möblierung, die sich nur durch noch dunklere Schattierungen in der vorherrschenden Finsternis verriet. Ein winziges Fenster in der Dachschräge ließ kaum Licht herein. Darunter stand ein Tisch mit einem Stuhl, dem bereits ein Bein fehlte, und daneben an der glatten Wand standen ein paar Bücher auf einem primitiv geschreinerten Bord. Der Strohsack in der anderen Ecke verriet sich und sein ehrwürdiges Alter durch den Geruch, und die Tatsache, dass es auch noch eine Truhe gab, stellte Giulias Schienbein schmerzhaft fest.
Als der Priester neben dem Fenster stehen blieb, konnte sie sehen, wie schmutzig seine Soutane war. An seiner Nase hing ein Tropfen, der nach einer Weile herabfiel und sofort einem neuen Platz machte.
Der Priester zeigte mit dem dürren Zeigefinger seiner rechten Hand auf Giulia und sah Fassi beinahe angewidert an. »Ist dies der Knabe, um den es geht?«
Giulia fand seine Stimme unangenehm knarzend.
Ihr Vater nickte eifrig, verbeugte sich noch mehrmals und zog ein Blatt Papier unter seinem Wams hervor. »Das ist mein Sohn Giulio. Hier habe ich die Bestätigung des Barbiers und Chirurgen Francesco, genannt Dellarino aus Rocca, der die nötige Operation durchgeführt hat.« Er wollte dem Priester das gefälschte Attest reichen, doch dieser achtete nicht darauf.
Giulia fand den Humor ihres Vaters etwas arg derb, denn er hatte den Namen des Abtes von San Ippolito di Saletto verballhornt und ihm dem nicht existierenden Barbier verliehen, der einen ebenfalls nicht existierenden Knaben namens Giulio Casamonte kastriert hatte.
Der Priester setzte sich auf seinen Stuhl und balancierte dabei geschickt das fehlende Bein aus. »Wie seid Ihr eigentlich auf mich gekommen, Signore Casamonte? Schließlich ist bekannt,

dass ich nicht gerade als Freund des Verschneidens von Knaben gelte. Wenn Gott gewollt hätte, dass es Kastraten gibt, hätte er sie selbst geschaffen und dieses Werk nicht den Messern irgendwelcher Stümper überlassen.«

Diese Aussage ließ Giulia den Priester beinahe sympathisch werden. Ihr Vater hingegen schluckte sichtlich und schien fieberhaft nach einer Antwort zu suchen. »Wir sind fremd in Mantua, Don Giantolo, und wurden von unserem Herbergswirt, dem braven Toldino Bandi, an Euch verwiesen. Wir sind auf die Bestätigung eines angesehenen Kirchenmanns angewiesen, damit Giulio zu Ehren Gottes singen kann.«

Der Priester murmelte etwas, was weder Giulia noch ihr Vater richtig verstanden, und warf ihr einen mitleidigen Blick zu. »Da es nun einmal geschehen ist, will ich es für euch tun. Zieh dich aus, mein Junge.«

Giulia versteifte vor Entsetzen. Wenn sie sich jetzt entkleidete, würde Don Giantolo ihren Busen sehen, den Assumpta mit einem breiten Leinenstreifen flach gebunden hatte. Warum hatte ihr Vater sie nicht vor einem Jahr zu einem Priester bringen können, als sie oben herum noch halbwegs flach gewesen war?, fuhr es ihr durch den Kopf.

Ihr Vater bemerkte ihre Verwirrung und versetzte ihr einen Rippenstoß. »Los, Giulio, zieh deine Hose herunter!«

Zitternd vor Scham gehorchte das Mädchen. Sie wandte den beiden Männern dabei den Rücken zu, stöhnte aber dann unter dem harten Griff auf, mit dem ihr Vater sie wieder herumdrehte. Sein Gesicht wirkte bis aufs Äußerste angespannt, und seine flackernden Augen sogen sich an ihrem nackten Unterkörper fest. Fast hoffte Giulia, der Priester würde den Betrug bemerken, so sehr ekelte sie sich in diesem Moment vor ihrem Vater. Don Giantolo warf jedoch nur einen kurzen Blick auf das verschrumpelte Ding, das Assumpta ihr angeklebt hatte, und bemerkte zutreffenderweise, dass die Hoden fehlen würden.

»Möge Gott gnädiger mit dir sein, als dein Vater es war, mein Sohn«, sagte er freundlich und forderte sie auf, sich wieder anzuziehen. Dann wandte er sich ab, um ein Pergament für die Bescheinigung hervorzukramen.
Giulia zog die Hose so rasch hoch, dass der künstliche Penis abriss. Es tat fürchterlich weh, doch war der Schmerz harmlos gegen die Qualen, in denen ihre Seele sich wand. Kurz darauf war der Priester fertig und reichte Girolamo Fassi-Casamonte das begehrte Schreiben.
Giulias Vater warf einen kurzen Blick darauf und steckte es mit triumphierender Miene ein. Mit dieser Bestätigung konnte er seine Tochter in jeder Kirche der katholischen Christenheit als Kastratensänger auftreten lassen. Es hatte ihn viel Mühe gekostet, einen Priester zu finden, dem er das Mädchen als angeblich verschnittenen Knaben unterschieben konnte. Don Giantolo war nicht nur halb blind, sondern sah es auch als Sünde an, einen Knaben zu berühren, selbst wenn es ein Kastrat war. Andere Priester hätten hingegen ihr Geschlecht abgetastet, um die Kastrationsnarbe zu begutachten. »Ich danke Euch, ehrwürdiger Vater«, erklärte er zufrieden. »Ihr habt damit den Herzenswunsch meines seligen Weibes erfüllt, die unseren Sohn zur Ehre Gottes in den geweihten Kirchen singen hören wollte.«
Giulia kniff die Lippen zusammen, als ihre Mutter so leichthin verleumdet wurde. Sie singen zu hören, wäre das Letzte gewesen, was sich Maria Fassi gewünscht hätte. Ihrem Vater schien die Lüge nicht das Geringste auszumachen. Er zog seine Börse und reichte dem Priester gönnerhaft mehrere Scudi.
Don Giantolo starrte indigniert auf die Silbermünzen und schüttelte heftig den Kopf. »Für so etwas nehme ich kein Geld!« Es sah schon aus, als wollte er seine Besucher unhöflich rasch verabschieden, doch da wandte er sich noch einmal an Giulia. »Bevor du gehst, will ich doch hören, ob deine Stimme dieses Opfer wert war. Singe das Ave-Maria.«

Fassi-Casamonte gab seiner Tochter einen aufmunternden Stoß. »Mache dem ehrwürdigen Vater die Freude.«
Giulia schluckte und versuchte, ihre schwirrenden Gedanken so weit zu beruhigen, dass sie sich an den Text und die Melodie des Gebetes erinnern konnte. Es dauerte einige Augenblicke, bis sie sich weit genug gefangen hatte. Ihr Vater wurde schon sichtlich nervös, während der Priester ihr begütigend zulächelte. Mit einem Mal wich der Klumpen in ihrem Hals, und sie holte tief Luft. Eigentlich hatte sie nicht laut singen wollen, doch nun wurde das Zimmer zu eng für die süßen, eindringlichen Töne.
Don Giantolo schien den Klang ihrer Stimme in sich aufsaugen zu wollen, so andächtig lauschte er. Als sie endete, räusperte er sich ein paarmal, ehe er zum Sprechen ansetzte. »Deine Stimme ist wirklich göttlich, mein Sohn.«
Er rang die Hände, als müsse er mit sich selbst einen Kampf ausfechten. Dann sah er Giulias Vater beinahe entschuldigend an. »Wenn Ihr mir wirklich danken wollt, so lasst Euren Sohn an diesem Sonntag in meiner Kirche die Messe singen.«
»Aber selbstverständlich, Hochwürden.« Fassi-Casamonte war sichtlich erleichtert, so billig davongekommen zu sein. Er verabschiedete sich überschwänglich von Don Giantolo und verließ den düsteren Raum wie auf Schwingen. Giulias Bewegungen glichen dagegen denen einer hölzernen Kinderpuppe, und so fühlte sie sich auch.

## *II.*

Als sie in die Herberge zurückkehrten, in der sie derzeit wohnten, stürzte Giulia auf ihr Zimmer und warf sich weinend aufs Bett. Assumpta folgte ihr, schloss die Türe hinter sich ab und setzte sich neben sie. »Was hast du denn, mein Kleines?«

Giulia starrte die Dienerin mit weit aufgerissenen Augen an. »Es war so ekelhaft, so entwürdigend!«
Assumpta sah sie entsetzt an. »Hat der Priester Verdacht geschöpft?«
»Nein, nein. Er hat ja kaum hingesehen. Ich meine nicht ihn, sondern Vater. Als ich mich ausziehen musste, hat er meine Nacktheit so seltsam angestarrt, dass es mich vor ihm grauste.«
Assumpta sog scharf die Luft ein. »Seine Blicke folgen dir schon, seit du zur Frau erblüht bist, mein Kind. Dein Vater ist ja früher oft auf Reisen gegangen, und Beppo musste ihn als Kammerdiener begleiten. Dabei hat mein Alter so einiges mitbekommen und es mir treu und brav weitererzählt. Dein Vater ist unterwegs regelmäßig in gewisse Häuser gegangen, um sich mit käuflichen Frauen zu vergnügen. Bei ihnen hat er della Roccas Geld mit vollen Händen ausgegeben. Nun ist seine Kasse so gut wie leer, und er kann sich noch nicht einmal mehr eine billige Straßendirne leisten. Ein böser Dämon muss ihm wohl ins Ohr geflüstert haben, dass du ja eine mannbare Frau bist, und seitdem hegt er sehr schlechte Gedanken.«
Giulia konnte kaum fassen, was ihr die Dienerin erzählte. Hilflos sah sie sich in der kleinen, engen Kammer um, in der gerade genug Platz für das Bett und ihre Kleidertruhe war. Die kahlen, schmucklosen Wände waren wohl einmal weiß gewesen, hatten sich im Lauf der Jahre jedoch braun und grau verfärbt. Der Putz bröckelte, und an einigen Stellen konnte man schon den nackten Stein erkennen, aus dem das Haus erbaut worden war.
Früher hatten sie tatsächlich besser gewohnt als in der letzten Zeit. Nun wunderte sich Giulia nicht mehr, warum ihr Vater sie unbedingt auftreten lassen wollte, obwohl sie mit ihren gerade mal sechzehn Jahren noch als Knabe gelten konnte. Im diesem Augenblick wünschte sie selbst, genug Geld verdienen zu können, damit ihr Vater wieder zu den Kurtisanen gehen konnte und sie mit seinen aufdringlichen Blicken verschonte.

Assumpta drückte Giulia an sich. »Es ist eine große Sünde, wenn ein Vater seine Tochter mit lüsternen Gedanken verfolgt. Du brauchst aber keine Angst zu haben, mein Kätzchen. Sollte Messer Girolamo es tatsächlich wagen, dir zu nahe zu treten, werde ich dich und deine Tugend mit meinem Besen verteidigen.«

Giulia küsste die Frau, die ihr als einzige Freundin und Vertraute geblieben war, auf die Wange und drückte sie ihrerseits fest an sich. »Du bist so gut, Assumpta. Wenn ich dich nicht hätte, wäre ich todunglücklich.«

Assumpta tätschelte ihr den Arm. »Wenn ich dich nicht hätte, wäre mein Leben ohne Sinn. Ruhe dich jetzt aus, mein Kätzchen, damit sich deine armen Nerven wieder beruhigen können. Ich gehe jetzt nach unten und sehe zu, ob ich in dieser Kaschemme einen Becher heißer Milch für dich auftreiben kann.«

Über Giulias Gesicht huschte ein kleines Lächeln. »Danke, Assumpta. Das ist lieb von dir. Übrigens – ich soll am Sonntag die Messe in der Kirche Santa Maria Maddalena singen.«

Assumptas Miene drückte deutlich aus, was sie von ihrem Dienstherrn hielt. »Dann hat dein Vater ja erreicht, was er wollte. Bei Gott, ein richtiger Mann würde selbst arbeiten, um Geld zu verdienen, und nicht sein einziges Kind einem Leben aussetzen, in dem ihm ständig der Scheiterhaufen droht.«

Trotz des kaum überwundenen Schreckens und der Abscheu, die immer noch in ihr schwang, fieberte Giulia ihrem Auftritt in Don Giantolos Kirche entgegen. Die Musik war zum Mittelpunkt ihres Lebens geworden und stellte die einzige Freude dar, die ihr seit ihrer Flucht aus Saletto geblieben war. Wenn sie sang, schwebte sie in anderen Sphären, in einem Himmel, den ihr niemand nehmen konnte. Sie vergaß dann ihren Kummer, ihre Ängste und ihre gesamte Umgebung.

Als sie und ihr Vater am Sonntag die Sakristei der Kirche betraten, wartete Don Giantolo mit den Mitgliedern seines Chores auf sie. Es handelte sich um biedere Männer, die mit ihrem Handwerkszeug oder dem Federkiel in der Hand mehr anfangen konnten als mit Notenblättern und Musikinstrumenten. Sie waren sichtlich nervös, mit einem professionellen Sänger und dazu noch mit einem Kastraten zusammen auftreten zu müssen.

Abschätzige Blicke streiften Giulia, die an diesem Tag zum ersten Mal das prächtige Gewand trug, das ihr Vater für solche Anlässe hatte anfertigen lassen. Sie zupfte unsicher an den schneeweiß gefütterten Pluderärmeln ihres himmelblauen Wamses und zog es nach vorne, um ihren Busen noch besser zu kaschieren. Es war eigentlich unnötig, denn Assumpta hatte ihr die Brust wieder so geschickt flach geschnürt, dass die Binde sie nicht beim Luftholen behinderte und doch die zunehmende Fülle verbarg. Die Angst vor der Entlarvung saß jedoch wie ein Dämon in Giulias Nacken.

Es wurde jedoch bei weitem nicht so schlimm, wie sie befürchtet hatte. Die von Don Giantolo ausgesuchten Lieder waren einfach, und Giulia kannte sie alle. Als sie ihren Platz im Chorgestühl einnahm, wurde ihr klar, dass der Priester die Mitwirkung eines »berühmten Kastratensängers« bei der heutigen Messe fleißig in seiner Gemeinde verbreitet hatte. Die Kirche war brechend voll von Menschen, die nichts anderes zu tun hatten, als sie mit aufgerissenen Augen und weit geöffneten Mündern anzustarren.

Plötzlich bekam Giulia es wieder mit der Angst zu tun. Am liebsten wäre sie aufgesprungen und davongerannt. Um sich zu beruhigen, schloss sie die Augen, versuchte, die Menschenmasse um sich zu vergessen, und konzentrierte sich auf ihren ersten Text. Als sie sich wieder in der Gewalt hatte, hob sie ihren Blick über die Menschen hinweg und betrachtete das karge Kirchenschiff von Santa Maria Maddalena. Es war wirklich eine Kirche der Armen, der bis auf einen recht hübschen Altaraufsatz jegli-

cher Schmuck fehlte. Giulia blickte auf das lebensecht erscheinende Abbild der Madonna mit dem Jesuskind, die von der heiligen Maria Magdalena und der heiligen Anna flankiert wurden, und sprach ein kurzes, lautloses Gebet.
Aufflackernde Unruhe im Kirchenschiff rief sie wieder in die Gegenwart zurück. Sie sah Don Giantolo vor den Altar treten. In dem sauberen Priesterornat wirkte er nicht mehr wie ein schmuddeliger, alter Mann, sondern wie der ehrwürdige Vater einer gläubigen Gemeinde. Noch während sich Giulia über diese Verwandlung wunderte, schlug der Organist die ersten Töne an, und sie glitt tief in die Welt der Musik hinein.

## *III.*

Paolo Gonzaga warf einen gehetzten Blick nach hinten und nahm erleichtert wahr, dass er seine Verfolger zunächst einmal abgehängt hatte. Vorsichtig schlich er weiter und behielt dabei jede Ecke und jede Einmündung im Auge. Seine Erziehung und die langjährige Gewohnheit halfen ihm, nach außen hin völlig ruhig und gelassen zu wirken. In seinem Inneren aber tobte ein Sturm.
Die Falle, die ihm der Goldschmied Baldassare Pollai gestellt hatte, war so plump gewesen wie nur irgendeine, und doch war er in seiner Sorglosigkeit wie ein Gimpel hineingetappt. Seine Leidenschaft für Pollais Ehefrau Leticia hatte ihn anscheinend mit völliger Blindheit geschlagen. Es war eine lange, interessante Jagd gewesen, bis er die Dame so weit hatte, dass er ihr seine Liebe gestehen konnte, und es hatte beinahe sein ganzes Können erfordert, sie zu einem geheimen Stelldichein zu überreden. Aber an ihrer Stelle war ein als Leticia verkleideter Bursche erschienen.
Paolo wusste nicht, ob Leticia ihn an ihren Ehemann verraten

hatte oder ob dieser von selbst auf den Nebenbuhler aufmerksam geworden war. Es blieb sich im Grunde auch gleich. Statt Leticias inniger Umarmungen hatte er einige rüde Hiebe einstecken müssen und noch von Glück sagen können, dass der Dolch des Kerls ihn verfehlt hatte. Die Angst musste wirklich Flügel verleihen, dachte Paolo mit einem ärgerlichen Auflachen. Sonst wäre er den anderen, von Pollai auf ihn angesetzten Meuchelmördern, nicht so rasch entkommen. Seine Haut war unversehrt, was er von seinem Stolz jedoch nicht sagen konnte.
Es ärgerte ihn maßlos, dass ein einfacher Bürger mit einem nahen Verwandten des regierenden Herzogs ein solches Schauspiel aufzuführen gewagt hatte. Gleichzeitig war ihm klar, dass die Sache noch lange nicht ausgestanden war. Pollai würde gewiss ein Riesengeschrei anstimmen und ihn vor aller Welt bloßstellen. Sein erlauchter Vetter, Guglielmo der Bucklige, würde diese Eskapade vielleicht noch mit einem amüsierten Lächeln zur Kenntnis nehmen. Es graute ihm jedoch vor dem, was seine Mutter und deren sittenstrenge Schwester Coelia dazu sagen würden. Da sein Vater vollständig unter dem Einfluss der beiden Frauen stand, war zu befürchten, dass er seine Drohung, ihn bei einem weiteren Skandal ins Ausland zu schicken, in die Tat umsetzen würde. Dann würde er, immerhin ein Gonzaga, sein Leben jenseits der Grenzen Italiens fortan als kaiserlicher Offizier oder spanischer Seemann fristen müssen.
Während Paolo gegen seine düsteren Gedanken ankämpfte, sah er sich um und versuchte herauszufinden, wo er sich eigentlich befand. Auf seiner Flucht war er in einen ihm fremden Teil der Stadt geraten. Enge, verwinkelte Gassen mit schmalen, schmucklosen Gebäuden, deren Verputz abbröckelte und von deren Balkonen sich Wäscheleinen von Haus zu Haus spannten, zeigten ihm, dass er sich in eines der ärmeren Viertel von Mantua verlaufen hatte.
Er schätzte, dass er sich nordwärts halten musste, um nach

Hause zu kommen, und kehrte um. Doch nach wenigen Schritten sah er ein paar seiner Verfolger aus einer Seitengasse herauskommen. Die Kerle hatten ihre Suche nach ihm noch immer nicht aufgegeben. Paolo seufzte enttäuscht und verbarg sich im Portalbereich einer Kirche. Dem Gesang nach, der aus dem Inneren heraus drang, fand eben die Morgenmesse statt.
Paolo grinste freudlos und trat ein. Pollais Leute würden ihn wohl kaum in einer Kirche vermuten. Es waren so viele Menschen anwesend, dass er sich ganz dünn machen musste, um sich an der Wand entlang zu zwängen. Das war nur gut für ihn, denn wenn einer seiner Verfolger den Kopf hineinsteckte, würde er ihn in der Masse wohl kaum entdecken können. Sollten sie Verdacht schöpfen und ihm draußen vor der Kirche auflauern, würden ihm die Kirchgänger genügend Deckung geben, um ungesehen zu verschwinden.
Er nahm sein Barett ab, bekreuzigte sich und benetzte die Stirn mit Weihwasser, bevor er hinter einer Säule stehen blieb, damit er vom Eingang aus nicht mehr gesehen werden konnte. Sein Blick flog forschend über die Gemeinde, ob nicht vielleicht eine Frau anwesend war, die kennen zu lernen sich für ihn lohnte. Dabei streifte er auch kurz die Männer mit ihren biederen Handwerkergesichtern auf dem Chorgestühl und bemerkte verwundert einen jungen Burschen, der in seiner prächtigen Kleidung ebenso wenig hierher passte wie ein Pfau in einen der Hinterhöfe dieser Gasse.
Im selben Augenblick öffnete der Bursche den Mund und begann zu singen. Paolo vergaß seine Verfolger und alle Frauen der Welt, so fasziniert hörte er ihm zu. Der Sänger besaß eine Stimme, wie man sie unter Tausenden von Menschen nur einmal fand. Jetzt erst begriff Paolo, dass er einen Kastraten vor sich hatte. Flüchtig bemitleidete er den hübschen jungen Burschen, wusste jetzt aber, wie er den Unmut seiner Tante Coelia besänftigen konnte.

## IV.

Giulia war so in ihren Gesang vertieft, dass sie beinahe das letzte Amen Don Giantolos überhörte. Erst als ihr Vater sie an der Schulter fasste und ihr zuraunte, sich zusammenzunehmen, wurde sie sich wieder ihrer Umgebung bewusst. Sie sah die bewundernden Blicke der Chorsänger auf sich gerichtet und fühlte die Begeisterung der Menschen in der Kirche mehr, als sie sie hörte.
In dem Moment wurde ihr klar, dass der Kastratensänger Giulio Casamonte gerade den ersten Schritt in ein neues Leben getan hatte. Nun würde nichts mehr so sein, wie es früher war. Aus Giulia war endgültig Giulio geworden. Obwohl sie stolz auf ihre Leistung war, schmerzte dieser Gedanke. Sie drehte sich Hilfe suchend zu ihrem Vater um, doch der trat eben mit stolzgeschwellter Brust auf Don Giantolo zu, um dessen überschwängliches Lob entgegenzunehmen.
Mit einem Mal fühlte Giulia den Wunsch, allein zu sein. Halb blind vor Tränen schritt sie auf das Portal zu, ohne auf die Frauen zu achten, die ihr beinahe ehrfurchtsvoll Platz machten. Ein Mann mittleren Alters, der sich ohne Rücksicht durch die Menge nach vorne drängte, rannte sie beinahe um. Um nicht zu stürzen, hielt Giulia sich an seinem flatternden Ärmel fest. Doch anstatt sich bei ihr zu entschuldigen, spie der Mann aus und stieß sie so heftig von sich, dass sie gegen eine Säule prallte. »Fass mich nicht an, du ekelhafte Missgeburt!«
Der rüde Ausbruch schockiere Giulia so, dass sie am liebsten vor Scham in den Boden gesunken wäre. Sie hatte schon gehört, dass viele Leute Kastraten verachteten und sie für besonders widerliche und unnatürliche Geschöpfe hielten. Doch sie selbst war noch nie wegen ihrer angeblichen Unvollkommenheit schlecht behandelt worden. Mit einem Mal hatte sie Angst,

alleine auf die Straße zu treten, und sah sich zum zweiten Mal nach ihrem Vater um.
Sie fand ihn im Gespräch mit einem jungen, gut gekleideten Mann, der sich zwischen den einfachen Leuten ausnahm wie ein Goldfasan unter Rebhühnern.
Fassi-Casamonte, der sich ebenfalls suchend umsah, winkte Giulia herrisch an seine Seite. »Darf ich dir den Edelmann Paolo Gonzaga vorstellen, einen Vetter Herzog Guglielmos? Herr Paolo würde sich freuen, wenn du seiner Einladung folgen und heute Abend im Haus seines Vaters, des ehrenwerten Batista Gonzaga, singen würdest.«
Paolo begrüßte Giulia mit gedrechselter Höflichkeit und deutete sogar eine Verbeugung an. »Es soll eine Überraschung für meine Tante Coelia werden, Signore Casamonte. Sie liebt die Musik heiß und innig und zeigt eine Vorliebe für schöne Stimmen. Sie wäre gewiss überglücklich, Eurem Vortrag in privatem Kreis lauschen zu dürfen.«
Er lächelte ihr dabei so warm und freundlich zu, dass sie ihren Schreck über den vorangegangenen Zwischenfall wie ein schmutziges Hemd abstreifte. Der Blick des jungen Mannes schien sie regelrecht zu streicheln und löste ein seltsam prickelndes Gefühl in ihr aus. Es war nicht unangenehm, verwirrte sie jedoch und brachte sie in Verlegenheit. Sie fragte sich, ob es das war, was Frauen an Männern anzog, wusste jedoch keine Antwort darauf.
Ihr Vater hatte nichts von dem Aufruhr ihrer Gefühle bemerkt. Er dienerte vor dem jungen Adligen, pries ›Giulios‹ Fähigkeiten in höchsten Tönen und versicherte seinem Gegenüber, dass er seine Einladung nicht bereuen würde. Wie ihm war auch Giulia klar, dass ihr nichts Besseres hätte passieren können, als bereits bei ihrem ersten öffentlichen Auftritt die Aufmerksamkeit eines Mitglieds der herrschenden Familie auf sich zu lenken. So blieb ihr trotz eines unguten Ge-

fühls nichts anderes übrig, als die Zusage ihres Vaters zu bestätigen.
Sie verbeugte sich zierlich, wie ihr Vater es ihr beigebracht hatte. »Ich fühle mich geehrt, Euer Gnaden.«
Paolo nickte erfreut und unterdrückte ein triumphierendes Grinsen. In seinen Gedanken formten sich ein paar Ideen, die diesen halben Mann betrafen. Giulio Casamonte würde ihm gewiss nicht nur an diesem Abend nützlich sein.
Er verabschiedete sich höflicher, als es bei diesen Plebejern notwendig war, und wandte seine Aufmerksamkeit dem Portal zu. Da die ersten Gläubigen das Kirchenschiff bereits verließen, musste er sich beeilen, wenn er unbemerkt ins Freie schlüpfen wollte.
»Also dann, bis heute Abend in der Via Coletta«, rief er Giulia und deren Vater zu und schloss sich einer größeren Gruppe von Männern an, die durch das Portal hinausschlenderte und sich dabei über den jungen Kastraten unterhielt. Casamonte wurde in höchsten Tönen gelobt, so dass Paolo das Gefühl hatte, sehr klug gehandelt zu haben. Ganz gleich, welche Gerüchte seine Familie bereits erreicht haben mochten, – einem Sänger mit dieser begnadeten Stimme würde auch Tante Coelias Zorn nicht lange standhalten.
Als Paolo sicher war, seine Verfolger endgültig abgehängt zu haben, begab er sich auf geradem Weg nach Hause. Zu seiner Erleichterung waren bei seiner Rückkehr weder seine Mutter noch deren Schwester anwesend. Da jedoch die Mittagszeit kurz bevorstand, lief er auf sein Zimmer, um sich zum Essen umzuziehen.
Die Enttäuschung über das missglückte Rendezvous und die Wut über den Goldschmied nagten immer noch an ihm, dennoch brachte er es fertig, bei seinem Eintritt in den Speisesaal gute Laune zu versprühen. Er begrüßte seine Mutter mit einem Kuss und verneigte sich tief vor seinem Vater. Batista Gonzaga

seufzte gequält auf und musterte seinen Sprössling mit unverkennbarer Missbilligung. Dies und der strafende Blick seiner Mutter verrieten Paolo, dass die Gerüchteküche bereits heftig brodelte.

Sein Vater klopfte auch sofort auf den Busch. »Wie ich hörte, hast du das Haus heute schon sehr früh verlassen.«

Paolo lächelte ihm zu und begrüßte seine Tante, die gerade den Raum betrat. »Das ist richtig. Ich habe die Morgenmesse in der Kirche … äh … Ach ja, Santa Maria Maddalena hieß sie! Ja, da habe ich die Messe besucht.«

Sein Vater starrte ihn ungläubig an. »Du willst doch nicht etwa behaupten, du wärst heute extra wegen der Morgenmesse eher aufgestanden. Santa Maria Maddalena, was ist das eigentlich für eine Kirche? Von der habe ich noch nie gehört.«

»Keine aus einem besseren Viertel«, klärte ihn Paolo zuvorkommend auf. »Ich bin auch nur deswegen hingegangen, weil ich hörte, dass dort ein neuer Kastrat mit einer göttlichen Stimme die Messe singen sollte. Ihr werdet mir hoffentlich verzeihen, doch ich habe ihn für heute Abend eingeladen. Tante Coelia, ich wollte dir damit eine Freude machen, aber auch gerne wissen, was du zu dieser Stimme sagst.«

Seine Mutter seufzte tief auf. »Wenn wir dir nur Glauben schenken könnten, mein Sohn.« Dann sah sie auf und fixierte Paolo mit einem strengen Blick. »Wir haben etwas ganz anderes gehört. Man trug uns zu, dass du dem Eheweib eines braven Bürgers in schamloser Weise den Hof gemacht hast. Es hieß, du hättest in dieser Nacht sogar versucht, sie zu entführen.«

Paolo warf in gespielter Entrüstung die Arme hoch. »Gewiss nicht in der Kirche Santa Maria Maddalena, Mutter. Ich kann dir nur sagen, dass kein wahres Wort an diesem Gerücht dran ist. Offensichtlich bin ich das Opfer einer verabscheuungswürdigen Verleumdung geworden und kann nur hoffen, dass der Auftritt des jungen Kastraten mit seiner wunder-

schönen Stimme Euch von meiner Aufrichtigkeit überzeugen kann.«
Batista Gonzaga sah alles andere als überzeugt aus. Er musterte Paolo streng und verzog das Gesicht. »So viel Begeisterung für einen Kastraten? Das ist ja ein ganz neuer Zug an dir, mein Sohn. Sollte sich dein Geschmack in letzter Zeit so stark gewandelt haben?«
Giudetta Gonzaga klopfte mit ihrem Fächer energisch auf den Tisch. »Ich bitte dich, solche geschmacklosen Bemerkungen zu unterlassen, Batista. Unser Sohn mag vielleicht kein Idealbild der Tugend sein. Er wird sich jedoch sicher nicht zu solch einer unaussprechlichen Verirrung hinreißen lassen und um die Gunst eines Verschnittenen buhlen. Wir wollen ihm zugestehen, dass er heute wirklich nur ausgegangen ist, um uns eine Freude zu machen. Natürlich werden wir den Kastratensänger empfangen, nicht wahr, Coelia?«
Paolo lächelte seine Tante erwartungsvoll an, wohl wissend, dass am Ende ihr Urteil entscheidend sein würde. Ihre kühle Miene verriet ihm, dass sie noch lange nicht besänftigt war. Sie murmelte jedoch nur etwas Unverständliches, stimmte schließlich ihrer Schwester mit einem knappen Nicken zu und lenkte das Gespräch auf ein anderes Thema.
Paolo war erleichtert. Er hatte schon befürchtet, sich bis zum Abend Vorwürfe anhören zu müssen. Doch wie es schien, war es ihm gelungen, zumindest seine Mutter zu überzeugen. Sein Vater und seine Tante wirkten noch etwas misstrauisch, wollten aber abwarten, ob seine Behauptung der Wahrheit entsprach, ehe sie die Drohungen wahr machten, die sie vor einigen Wochen anlässlich einer anderen ärgerlichen Sache gegen ihn ausgesprochen hatten.

# V.

Giulia kehrte als Opfer widerstrebender Gefühle in ihre Herberge zurück. Ihre Gedanken drehten sich noch immer um den freundlichen, jungen Edelmann, der so großen Eindruck auf sie gemacht hatte. Sie konnte sich noch genau an den Klang seiner Stimme erinnern, ebenso an seine Augen und die Form seines Mundes, und sie freute sich schon darauf, ihn am Abend wiederzusehen.

Assumpta bemerkte sofort, dass etwas Ungewöhnliches vorgefallen war. »Hattest du Erfolg mit der Messe?«

Giulia nickte strahlend. »Es war wirklich wunderschön, obwohl die Kirche sehr ärmlich wirkte und der Chor besser in eine kleine Dorfkapelle gepasst hätte.«

»Es heißt nicht umsonst, dass ein Diamant unter Glasscherben am hellsten strahlt.« Assumpta nickte erfreut, war aber immer noch nicht ganz mit Giulias Antwort zufrieden. »Verschweigst du mir nicht etwas?«

Giulia lachte beinahe übermütig. »Ach, Assumpta, du merkst auch alles. Stell dir vor, wir sind in das Haus des Herrn Batista Gonzaga geladen worden. Ich soll schon heute Abend dort singen.«

Assumpta starrte sie ungläubig an. »Batista Gonzaga? Soviel ich gehört habe, gibt es einen Onkel zweiten Grades des regierenden Herzogs von Mantua, der so heißt. Wenn das dein Auftraggeber ist, dann hättest du auf Anhieb Zutritt zu den höchsten Kreisen der Stadt gefunden.«

»Ein junger Herr hat uns angesprochen, der von sich behauptet hat, er sei ein Vetter Herzogs Guglielmos. Er sah wirklich hoheitsvoll aus und hat mich gebeten, im Palazzo seines Vaters zu singen.«

Assumpta war sichtlich beeindruckt, verwandelte sich aber sofort wieder in die Dienerin, die ihre Augen überall hat. »Dann zieh sofort deine Kleidung aus, damit ich sie ausbürsten kann. Wenn du Erfolg haben willst, musst du heute Abend einen besonders guten Eindruck machen.«

»Dafür muss ich besonders gut singen«, wandte Giulia lächelnd ein. Dann musste sie wieder an Paolo Gonzaga denken und spürte, wie sie rot wurde. Sofort schalt sie sich eine Närrin. Für den jungen Mann war sie ein Kastrat, ein Wesen, an dem er nur wegen seines Gesangs interessiert war, aber kein Mensch aus Fleisch und Blut. Irgendwie schmerzte sie dieser Gedanke.

Gleichzeitig war sie jedoch auch froh um die Kluft, die ihre Maskerade zwischen ihr und dem faszinierenden jungen Edelmann schuf. Sie durfte sich nicht von ihren Gefühlen leiten lassen. Schließlich hatte sie sich viele Jahre lang darauf vorbereitet, als Kastrat aufzutreten, um ganz für ihren Gesang und die Musik leben zu können. Wenn sie sich Paolo als Mädchen zu erkennen geben würde, gäbe es ohnehin kein dauerhaftes Glück für sie an seiner Seite, dafür war der Standesunterschied zwischen einem Verwandten des Herzogs von Mantua und der Tochter eines ehemaligen Kapellmeisters einfach zu groß.

Als Giulia bemerkte, wohin ihre Gedanken sich versteigen wollten, fragte sie sich beklommen, ob sie in Zukunft jeder gut aussehende junge Mann so in Verwirrung stürzen würde. Für einen Augenblick überlegte sie, Assumpta um Rat zu fragen. Doch sie wollte der alten Frau nicht noch mehr Sorgen bereiten und schämte sich auch für ihren Gefühlsüberschwang.

Um sich abzulenken, nahm sie einige Notenblätter zur Hand und ging die Lieder noch einmal durch, die sie am Abend vortragen wollte. Es war ein längerer Choral dabei, der große Ansprüche an ihre Stimme stellte. Er stammte von Baldassare Donato, dem Maestro di Capella von San Marco in Venedig. Giulia schätzte diesen Komponisten bei weitem nicht so sehr wie Giovanni da Palestrina. Da Donato jedoch sehr berühmt war, gehörte es zum guten Ton, wenigstens eines seiner Werke im Re-

pertoire zu haben. Gerade sie, die erst am Anfang ihrer Karriere stand, konnte es sich nicht leisten, darauf zu verzichten.
Die Konzentration auf die Notenblätter half Giulia, ihre Gedanken wieder unter Kontrolle zu bringen. Nach einem leichten Mittagessen, das Assumpta gegen den erbitterten Widerstand der Herbergswirtin selbst zubereitet hatte, legte sie sich ein wenig hin und stand am Abend erfrischt auf. Assumpta half ihr beim Ankleiden und achtete darauf, dass das sorgfältig gebügelte Gewand nicht zerknitterte. Nachdem sie zum Schluss noch ein wenig an Giulias Wams herumgezupft und ihr die Schamkapsel der Hose zurechtgerückt hatte, trat sie zufrieden zurück. »Viel Glück, Kleines«, wünschte sie ihr noch, bevor sie sie entließ.
Während Giulia ihre Ruhe wiedergefunden hatte, schwirrte ihr Vater wie ein nervöses Huhn um sie herum und überschüttete sie mit völlig überflüssigen und oft auch widersprüchlichen Ratschlägen. »Du weißt, dass dieser Auftritt über deine Zukunft entscheiden kann. Wenn deine Stimme Herrn Paolos Verwandten gefällt, bedeutet dies unseren Eintritt in die bessere Gesellschaft Mantuas. Dann wird man uns Börsen mit Goldmünzen überreichen und nicht nur silberne Scudis oder Sestinos«, wiederholte er mehrmals.
Giulia konnte nur nicken und war schließlich froh, als sie den Palazzo Batista Gonzagas erreichten. Es war ein imponierendes Gebäude mit einer von einer Säulengalerie überdachten Frontseite und einer breiten, von Löwen flankierten Treppe, die zum Hauptportal hochführte.
Girolamo Fassi-Casamonte überlegte kurz, ob er hochsteigen und den bronzenen Türklopfer betätigen sollte, entschied sich aber dagegen. Wäre Giulia bereits ein berühmter Kastratensänger, hätte er es vielleicht gewagt. So aber bog er in die Gasse ein, die zur Rückseite des Palazzos führte, und blieb vor dem Dienstboteneingang stehen. Auf sein Klopfen öffnete ein Lakai

in bunter Livree die Tür und musterte ihn hochmütig. »Was willst du, Mann?«
»Ich bin Meister Casamonte und das ist mein Sohn Giulio. Herr Paolo Gonzaga hat uns für heute Abend zu sich bestellt.«
Der Türsteher sah ihn ungläubig an, zuckte aber dann mit den Schultern. »Ich werde die Herrschaft fragen, ob dem so ist.« Mit diesen Worten schloss er die Tür vor Fassis Nase und blieb etliche Zeit aus. Als er wiederkam, wirkte er um einiges beflissener. »Die Dame Coelia wünscht, Euren Sohn in ihrem Salon zu sehen.« Er trat beiseite, um Giulia eintreten zu lassen, und machte Anstalten, ihrem Vater die Tür vor der Nase zuzuschlagen. Dann aber winkte er ihn herein und wies ihn an, auf der Holzbank in der Pförtnerloge Platz zu nehmen. »Die Einladung galt nicht für Euch. Also werdet Ihr hier auf Euren Sohn warten.« Fassi-Casamonte protestierte vehement, doch der Lakai beachtete ihn nicht weiter. Das war wohl gut so, denn Giulias Vater war die Angst, seine Tochter würde sich ohne ihn blamieren oder gar sich verraten, im Gesicht geschrieben. Doch ihm blieb nichts anderes übrig, als in der Kammer neben der Tür zu warten, während ein anderer Diener Giulia zu den Herrschaften führte.
Giulia war nicht weniger erschrocken als ihr Vater und sah sich Hilfe suchend nach ihm um. Bisher war sie noch nie auf sich allein gestellt gewesen und fürchtete daher das Schlimmste. Am liebsten wäre sie davongelaufen und hätte sich in ihrem Bett verkrochen. Doch der Diener führte sie mit starrem Gesicht durch eine verwirrende Fülle von Gängen und Treppen und über Galerien, von denen aus man in grüne Innenhöfe mit Springbrunnen und allerlei seltsamen Statuen schauen konnte. Schließlich öffnete er eine eher bescheiden wirkende Tür und rief einem anderen Lakaien etwas zu. Gleich darauf erschien Paolo Gonzaga, der sie sofort mit strahlendster Miene empfing. »Ich freue mich, dass Ihr meiner Einladung gefolgt seid«, rief er hörbar erfreut

aus. »Kommt, tretet ein. Ich möchte Euch meine Eltern, den ehrenwerten Herrn Batista Gonzaga, meine Mutter Giudetta und natürlich meine Tante Coelia Morri vorstellen.«
Giulia blickte in drei Gesichter, die sie kritisch musterten, und fürchtete im ersten Moment, man hätte sie als Mädchen erkannt. Paolos Vater klopfte unruhig mit dem Fuß auf den Boden und zog bei ihrem Anblick die Stirn in nachdenkliche Falten, während der Blick seiner Frau eher kalt und ablehnend auf ihr ruhte. Am wenigsten abweisend erschien ihr die Tante, obwohl sie eine Ehrfurcht gebietende Erscheinung war.
Die Dame winkte ihr, näher zu treten, und wies sie an, sich vor das große Wandgemälde zu stellen, das Federico, den Vater des jetzigen Herzogs Guglielmo, in der Rüstung eines römischen Imperators zeigte. Giulia gehorchte und sah sich dabei staunend um. Der Raum war größer als das ganze Haus, in dem sie aufgewachsen war, enthielt aber nur einige gepolsterte Stühle und einen Tisch mit feiner Intarsienarbeit.
Coelia Morri verzog ihr hageres Gesicht zu einem Lächeln, das Giulia an eine giftige Natter denken ließ. »Nun werden wir sehen, ob Ihr so ein guter Sänger seid, wie mein nichtsnutziger Neffe behauptet.«
Das klang nicht gerade ermunternd. Giulia nahm allen Mut zusammen und verbeugte sich vor der Frau. »Es ist mir eine große Ehre, vor Euren erlauchten Ohren meine Kunst zum Besten geben zu dürfen, und ich hoffe, Euer Wohlgefallen zu erlangen.«
Sie sprach in dem feinen Florentiner Dialekt, den ihr Vater für den Umgang mit höher gestellten Persönlichkeiten als unabdingbar erachtete. Er hatte sich große Mühe gegeben, ihn selbst zu lernen und ihn ihr beizubringen. Zufrieden stellte Giulia fest, dass ihre Worte Eindruck machten, und erklärte, dass sie mit dem Ave-Maria beginnen würde.
Batista Gonzaga und die beiden Frauen wirkten zunächst noch sehr skeptisch, doch das änderte sich bereits bei der ersten Stro-

phe. Nach dem gesungenen Gebet klang schon etwas zögerlicher Beifall auf. Giulia bedankte sich mit einer übertriebenen Verbeugung und stimmte anschließend Baldassare Donatos Choral an. Das Werk forderte ihr alles Können ab, war aber auch die beste Methode, sich der Anziehung des lächelnd am Stuhl seiner Tante lehnenden Paolo Gonzaga zu entziehen. Es gelang ihr besser als erwartet, und sie spürte trotz der herrschenden Anspannung im Raum ungeheure Freude, vor Publikum singen zu dürfen. Davon hatte sie in Saletto immer geträumt, und in den schlimmen Jahren danach war ihr diese Aussicht stets wie ein Licht in stockfinsterer Nacht erschienen.
Als Giulia mit einem letzten, klaren Ton endete, war die Begeisterung der Zuhörer nicht zu übersehen. Batista Gonzaga klopfte seinem Sohn anerkennend auf die Schulter, und seine Frau atmete sichtlich auf, als hätte sich eben ein schlimmer Verdacht verflüchtigt. Die Dame Coelia erhob sich sogar von ihrem Stuhl und reichte Giulia die Hand zum Kuss. »Es hat uns ausgezeichnet gefallen. Heute habe ich keine Zeit mehr, um weitere Proben deiner Kunst zu hören. Doch du wirst am Sonntag in unserer Familienkirche die Messe singen.«
»Mit dem größten Vergnügen.« Giulia verbeugte sich dankbar und bemerkte dabei, dass Paolo ihr zuzwinkerte. »Es handelt sich um die Kirche des heiligen Paolo, meines Namenspatrons«, erklärte er ihr. »Das ist ein weitaus besserer Rahmen für Eure Kunst als die Vorstadtkirche, in der Ihr heute Morgen gesungen habt.«
Paolo wandte sich an seinen Vater und fragte ihn, ob er nicht auch unter der Woche Verwendung für den jungen Kastraten hätte. »Allein von den Auftritten in Kirchen kann ein Sänger wie Giulio Casamonte wohl kaum standesgemäß leben.«
Batista Gonzaga überlegte kurz und winkte Giulia näher. »Hinterlasse beim Pförtner deine Adresse, damit ich jemand zu dir schicken kann, wenn du benötigt werden solltest.«

Es klang eher wie eine Konzession an seinen Sohn. Giulia wusste daher nicht so recht, was sie von diesem halben Versprechen halten sollte. Angesichts der strengen Probe, der man sie unterworfen hatte und die sie glücklich überstanden zu haben schien, war ihr das jedoch auch nicht so wichtig. Für einen Augenblick fragte sie sich, ob sie nun um Lohn für ihre Dienste bitten durfte, wusste aber nicht, wie sie das anfangen sollte. Zu ihrem Glück rief Coelia Morri ihre Kammerfrau und wies sie an, Giulia eine bestickte Seidenbörse zu überreichen.
Giulia verbeugte sich noch einmal vor den Herrschaften und folgte dem Diener, der geräuschlos in den Raum getreten war und ihr mit einer schroffen Geste befahl, ihm zu folgen. Er brachte sie zu der Pforte, an der ihr Vater schon ungeduldig auf sie wartete, und zeigte ihnen deutlich, dass er froh war, die ungebetenen Gäste wieder loszuwerden. Kaum hatte sich die schwere Tür hinter ihnen geschlossen, ließ Girolamo Casamonte seinem Unmut freien Lauf. »So ein hochnäsiges, unfreundliches Pack. Wie kann eine so vornehme Familie wie die Gonzagas sich so etwas nur als Dienstboten halten? Ich musste die ganze Zeit wie ein lästiger Bittsteller in einer winzigen, dunklen Kammer warten, und man hat mir nicht einmal eine Erfrischung gereicht.«
Giulia erinnerte sich daran, die beiden Gonzagas und die Damen trinken gesehen zu haben. Doch man hatte ihr nicht einmal ein Glas Wasser angeboten, wie es die Höflichkeit eigentlich erfordert hätte. Ihr Vater schimpfte unterdessen weiter. »Hat man dir wenigstens Geld gegeben, oder waren die Herrschaften auch darüber erhaben?«
Giulia reichte ihm eilig die Börse. Er wog sie prüfend in der Hand, da es bereits zu dunkel war, um die Münzen zählen zu können, und brummte nur etwas vor sich hin. Das Zählen holte er später in der Herberge nach und war danach sichtlich erleichtert. »Knauserig waren die Leute nicht. Du wirst dich jedoch arg anstrengen müssen, wenn du genug verdienen willst.«

Die unverhohlene Gier ihres Vaters stimmte Giulia traurig, und es kränkte sie, kein Wort des Lobes von ihm zu hören. Er hatte sich nicht einmal dafür interessiert, wie es ihr bei den hohen Herrschaften ergangen war. Als er nicht nachließ, an seiner Behandlung im Hause Gonzaga herumzumäkeln, fiel ihr etwas ein, was seinen Gedanken eine andere Richtung geben konnte. »Ich vergaß, dir zu sagen, dass ich am nächsten Sonntag in der Kirche San Paolo singen werde.«
Girolamo Casamontes mürrischer Gesichtsausdruck wich einer Miene des Triumphs. »Ich weiß gar nicht, warum du so betreten dreinschaust, Giulio. Habe ich dir nicht gesagt, dass die Gonzagas uns den Eintritt in die vornehme Welt öffnen werden? Es freut mich, dass du meine Lehren beherzigt und das nächste Engagement an Land gezogen hast. Du wirst sehen, Mantua wird uns genau den Erfolg bringen, den ich mir von dieser Stadt erhofft habe.«
Giulia klärte ihn nicht darüber auf, dass sie selbst gar nichts zu dem neuen Engagement beigetragen hatte. Es hätte ihn nur zu Vorwürfen gereizt. Stattdessen ließ sie ihre beiden Auftritte noch einmal an ihrem innern Auge vorbeiziehen und spürte eine wilde Vorfreude, bald schon wieder singen zu dürfen. Ihr war egal, wie viel Geld sie dabei verdiente. Hauptsache, es war genug, um davon leben zu können. Für sie zählten allein der Beifall und die Begeisterung ihrer Zuhörer. Damit waren die armen Leute in Don Giantolos Kirche allerdings viel freigebiger gewesen als Batista Gonzagas Familie. Doch wenn sie auf Dauer Erfolg haben wollte, musste sie die vornehme Gesellschaft überzeugen.

# VI.

Am nächsten Tag verschwand Giulias Vater bereits vormittags und war bis zum Abend nicht zurückgekehrt. Giulia hatte die freie Zeit genutzt, um das letzte der neuen Lieder einzustudieren, die ihr der Vater besorgt hatte. Langsam wurde es Zeit, dass er sich bei Komponisten hier in Mantua umsah, auch wenn diese sich ihre Noten recht teuer bezahlen ließen.

Kurz vor der Dämmerung klopfte es an ihre Zimmertür. Als Giulia öffnete, stand die Wirtsmagd davor und zeigte aufgeregt nach unten. »Unten im Schankraum steht ein Lakai, der Euch sprechen will«, flüsterte sie fast ehrfurchtsvoll. »Mich?«, fragte Giulia erstaunt. Dann erinnerte sie sich an die Vereinbarung mit Messer Batista Gonzaga und musste erst einmal tief durchatmen. »Oh, ja! Ich weiß schon. Geh und sage ihm, ich käme gleich.«

Sie rückte sich vor dem kleinen Spiegel die Weste zurecht, fuhr sich noch einmal über die Haare und stieg dann scheinbar gelassen die Treppe hinab. Die Gaststube war um diese Tageszeit bereits ziemlich voll, doch Giulia brauchte nicht lange zu suchen. Neben der Theke stand ein Diener in Livree und betrachtete naserümpfend die Gäste, die ihn ihrerseits ungeniert anstarrten.

Giulia trat auf ihn zu. »Du willst mich sprechen?«

»Ihr seid Signore Casamonte?« Der Mann schien verblüfft zu sein, einen so jungen Menschen vor sich zu sehen. »Ich bin der Sänger Giulio Casamonte.« Giulia wunderte sich selbst, wie leicht ihr diese Bezeichnung über die Lippen glitt. »Mein Herr, der ehrenwerte Cesare Rioli wünscht, dass Ihr bei seinem heutigen Abendempfang singt. Ich soll Euch zu ihm geleiten. Beeilt Euch bitte, denn mein Herr wartet nicht gerne.«

Dem Lakai gefiel es offensichtlich wenig, dass Giulia ihn wie einen Bediensteten behandelte, während er sich ihr gegenüber der gebotenen Höflichkeit befleißigen musste. Ein Kastrat schien in

seinen Augen noch unter dem Bäcker und der Frau vom Blumenmarkt zu rangieren, welche seinen Herrn belieferten und dabei Kratzfüße vor dem gehobenen Personal vollführten.
Giulia freute sich über die Einladung, war aber von der Schnelligkeit, mit der sich ihr Auftritt bei den Gonzagas herumgesprochen hatte, mehr als überrascht. Der Name Rioli sagte ihr nichts. Der Wappenadler auf der Livree des Dieners wies jedoch darauf hin, dass sein Herr entweder aus sehr altem Adel stammen musste oder aus sehr jungem. Der Reichsadler war lange nicht mehr verliehen worden, bis Kaiser Ferdinand in Wien begonnen hatte, Adligen, die sich große Verdienste für ihn und das Reich erworben hatten, zu gestatten, ihn im Wappen zu führen. So oder so hatte Giulia es mit einer sehr vornehmen Familie zu tun.
Bisher war sie gewohnt gewesen, sich ihre Schritte von ihrem Vater vorschreiben zu lassen. Daher wollte sie den Lakaien schon bitten, auf dessen Rückkehr zu warten. Sie wusste jedoch nicht, wie lange ihr Vater noch ausbleiben würde, und musste die Entscheidung selbst treffen. In dem Moment fielen ihr Dutzende Geschichten über Entführungen, Morde und andere Verbrechen ein, die mit einer solchen Einladung begonnen haben mochten. Ihr Vater hatte ihr deswegen auch verboten, allein auszugehen. Doch wenn sie diesen Auftrag ausschlug, konnte es der letzte gewesen sein, den sie erhielt. Sie mochte sich gar nicht erst auszumalen, was ihr Vater in dem Fall mit ihr anstellen würde. »Ich ziehe mich um. Du kannst derweil hier unten auf mich warten«, erklärte sie dem Boten mit fester Stimme und eilte nach oben. Als Erstes klopfte sie an die Kammer, in der Assumpta und Beppo untergebracht waren. Das Dienerpaar hockte nebeneinander auf dem einzigen Möbel in der düsteren Stube, einem großen Strohsack. Assumpta kämpfte mit einem Faden, den sie bei dem schlechten Licht nicht mehr durchs Nadelöhr brachte, während Beppo mürrisch gegen die Wand starrte. Als sie Giulia sahen, standen beide sofort auf.

Assumpta sah sie besorgt an. »Gibt es etwas Besonderes?«
Giulia nickte. »Ein Lakai hat eben die Einladung zu einer Abendgesellschaft gebracht, auf der ich singen soll. Da mein Vater noch nicht zurück ist, muss Beppo mich begleiten.«
Die mürrische Miene des Dieners verlor sich in Sekundenschnelle. Er griff in seine Hosentasche, holte ein großes Klappmesser hervor und versuchte, so grimmig wie möglich auszusehen. »Wenn jemand frech werden will, werde ich ihn damit kitzeln.«
Assumpta lachte auf und schüttelte nachsichtig den Kopf. »Spiel du nur mit deinem Messer herum. Aber pass auf, dass du dich nicht selbst schneidest. Ich gehe mit Giulia auf ihr Zimmer und helfe ihr, sich anzukleiden.«
Keine Viertelstunde später steckte Giulia in ihrem besten Gewand. Beppo besaß jedoch nichts weiter als seinen grauen Bauernkittel. Als sie die Schankstube betraten, warf der Lakai ihm einen verächtlichen Blick zu und bat Giulia, ihm zu folgen.
Ihr Weg führte in einen ihnen noch unbekannten Teil der Stadt. Der Palazzo der Familie Rioli war etwas kleiner als Batista Gonzagas Domizil und wies auch keine so protzige Fassade auf. Die Bemalung und das in Stein gehauene Rankenwerk gefielen Giulia jedoch besser als die steifen Arkaden des Gonzagahauses. Auch hier musste sie das Gebäude durch den Dienstboteneingang betreten. Der Lakai übergab sie einem anderen Diener, der ihr sehr von oben herab bedeutete, ihm zu folgen. Beppo wollte mitgehen, doch da hob ihr Führer gebieterisch die Hand. »Dein Platz ist dort neben der Tür, Mann.«
»Wie der eines Hundes. Nun gut, in gewisser Weise bin ich auch einer, nämlich Giulio Casamontes Wachhund.« Fast hätte Beppo Giulia gesagt, verbesserte sich aber früh genug, um keinen Verdacht zu erregen. Während Giulia zu den Herrschaften geführt wurde, setzte er sich mit dem Rücken zur Wand neben die Tür und stellte sich auf eine längere Wartezeit ein.

Der Erste, der Giulia an der Tür zum Festsaal entgegenkam, war Paolo Gonzaga. Er begrüßte sie wie einen guten alten Bekannten und winkte dem Diener, sich zu entfernen. »Ich freue mich, Euch zu sehen, Signore Casamonte, obwohl ich sagen muss, dass ich an Eurem Kommen nicht ganz unschuldig bin. Immerhin habe ich den verehrten Rioli auf Euch aufmerksam gemacht«, erklärte er ihr und zwinkerte ihr verschwörerisch zu.

Giulia senkte den Kopf, um ihre Verwirrung zu verbergen. »Ich danke Euch von Herzen für Eure Hilfe.«

»Das habe ich gerne getan. Aber ich muss gestehen, es geschah nicht ganz ohne Hintergedanken.« Paolo zog ein zusammengefaltetes Stück Papier hervor und reichte es Giulia. Es war nicht größer als ihr Handteller. »Gebt dieses Brieflein Isabella Brazzone, der Nichte unseres Gastgebers, und sagt ihr, dass sie mir ihre Antwort über Euch zukommen lassen soll. Ich kann mich ihr nicht nähern, ohne dass sich sämtliche Klatschbasen von Mantua die Mäuler zerreißen. Als Kastrat gebt Ihr jedoch keinen Anlass zu irgendwelchen falschen Verdächtigungen.«

Giulia bekam einen Anfall von Eifersucht. »Ist sie Eure Geliebte?«

»Sie ist meine Angebetete, meine Göttin, mein Augenstern.« Paolos schwärmerischer Ausbruch stieß Giulia ab, und sie überlegte, ob sie seine Bitte ablehnen sollte, entschied sich aber dagegen. Sie war Paolo einen Gefallen schuldig und durfte ihn nicht vor den Kopf stoßen. Außerdem war es Isabella Brazzones Entscheidung, ob sie auf das heimliche Werben eines jungen Mannes eingehen oder ihm einen Korb geben wollte.

Sie schob das Billett in ihren Ärmel und trat in den ganz in Grün und Gold gehaltenen Saal, der ebenso wie der Salon im Palazzo Gonzaga nur sehr spärlich möbliert war. Als sie sich kurz umsah, war Paolo verschwunden. Zu ihrem eigenen Erstaunen amüsierte Giulia sich darüber. Da sie seine Liebespost überge-

ben sollte, wollte er natürlich nicht mit ihr gesehen werden. Der Gedanke daran half ihr, ihre innere Ruhe wiederzufinden.
Da sie nicht angemeldet worden war, beachtete sie zunächst niemand. Die meisten Gäste scharten sich um einen jungen Edelmann in einem schon leicht abgeschabten, grünen Wams und ausgebleichten, roten Hosen, der ein freches Chanson zum Besten gab. Giulia hörte ihm aufmerksam zu und fand, dass er eine recht angenehme Stimme besaß, die sich jedoch durch keinen großen Tonumfang auszeichnete. Für seine anzüglichen, ja fast bösartigen Liedverse reichte es jedoch. Sie hoffte, man würde nichts Ähnliches von ihr fordern, denn so frivole Texte gehörten nicht zu ihrem Repertoire.
Als der junge Sänger seinen Vortrag mit einem letzten Akkord auf seiner Laute beendete und sich Beifall heischend verbeugte, schob sich ein Mann mittleren Alters nach vorne, den Giulia seinem Auftreten nach für den Gastgeber des Festes hielt. »Dein Vortrag war ja recht hübsch, Vincenzo. Aber ich fürchte, in meinem Hause war er fehl am Platz. So etwas gehört eher in die Spelunken, in denen du dich sonst herumzutreiben pflegst. Ich hoffe, du wirst dir das nächste Mal besser überlegen, was du in guter Gesellschaft zum Besten gibst.«
»Der Bischof von Neri wird deine Verse wohl kaum zu würdigen wissen, nachdem du seine Vorliebe für junge Ministranten so offen dargelegt hast«, spöttelte Paolo, der wie ein Schatten hereingekommen war und jetzt so tat, als habe er den Saal nie verlassen.
Unwillkürlich verglich Giulia die beiden jungen Männer miteinander. In seiner prächtigen Kleidung, die heute aus einem nachtblauen Wams und silberfarbenen Hosen bestand, sah Paolo sehr beeindruckend aus, und er besaß auch das hübschere Gesicht. Vincenzo aber imponierte ihr auf andere Weise. Seine Kleidung zeigte deutlich, dass er in verbesserungswürdigen Verhältnissen lebte. Seine blauen Augen strahlten jedoch einen un-

gebrochenen Optimismus aus, und sein schmales Gesicht mit der leicht gebogenen Nase wirkte amüsiert. Er fuhr sich mit seiner behandschuhten Rechten durch das lockige, dunkelblonde Haar und verbeugte sich beinahe spöttisch vor dem Gastgeber. »Ich bedauere sehr, dass Euch mein Lied so missfallen hat, Don Cesare, und bitte Euch deshalb um Verzeihung.« Das war eine glatte Lüge, denn er sah alles andere als geknickt aus.
»Es hat mir nicht direkt missfallen. Das Dumme ist nur, dass es schon morgen die Gassenjungen auf den Straßen grölen werden. Der ehrwürdige Bischof wird darüber nicht sehr erfreut sein.«
»Er wird vor Wut platzen«, warf ein anderer Mann lachend ein. »Mit diesem Streich hast du dir keine Freunde gemacht, mein lieber Vincenzo. Wenn du einem guten Rat zugänglich bist, solltest du Mantua auf schnellstem Weg verlassen. Sonst kommt der Bischof womöglich noch auf die Idee, dich von seinen Lakaien auspeitschen zu lassen.«
Vincenzo warf herausfordernd den Kopf in den Nacken und stemmte eine Hand in die Hüfte. »Sie sollen nur kommen und es versuchen!«
Der Hausherr zuckte mit den Schultern und fand, er habe sich lange genug mit dem jungen Mann abgegeben. Daher löste er sich von der Gruppe und sah sich suchend um. Als er Giulia entdeckte, trat er auf sie zu und musterte sie zweifelnd. »Seid Ihr der Kastratensänger Casamonte?«
»So wird es behauptet.« Giulia verneigte sich und kämpfte dabei erneut mit der Angst vor einer Entdeckung.
»Ich habe gehört, dass Eure Stimme geeignet sein soll, mein Fest zu verschönern. Nun gebe ich Euch die Gelegenheit, es mir und meinen Gästen zu beweisen. Wenn es stimmt, soll es Euer Schaden nicht sein.« Cesare Rioli fasste sie am Arm und drehte sie einmal um ihre Achse, damit alle seine Gäste sie sehen konnten. Mittlerweile waren auch zwei Frauen eingetreten und nahmen auf Stühlen im Hintergrund Platz. Eine davon war mittleren

Alters und trug ein quittengelbes Kleid, das weder ihrer Figur noch ihrem Teint besonders schmeichelte. Sie hatte jedoch wundervolle, rotblonde Haare, die zu einer kunstvollen Frisur aufgetürmt waren, und ein angenehmes Gesicht. Bei ihrer Begleiterin handelte es sich um ein Mädchen von höchstens achtzehn Jahren, das mit seinem cremefarbenen Kleid und dem weißen Seidenhäubchen noch recht kindlich und unerfahren wirkte.

Im ersten Augenblick wusste Giulia nicht zu sagen, wer von den beiden Paolos Angebetete war. Ihr Gastgeber half ihr jedoch unwissentlich aus diesem Dilemma. »Meine Schwester Fabiola Brazzone und ihre Tochter Isabella«, stellte er ihr die Frauen vor.

Giulia deutete eine Verbeugung an und fragte sich, wie sie Isabella unbemerkt das Briefchen zustecken konnte. Im Augenblick ging es nicht, denn ihr Gastgeber bat seine Freunde um Aufmerksamkeit. »Signori, ich freue mich, nach dem, sagen wir ruhig, etwas gepfefferten Beitrag unseres verehrten Vincenzo de la Torre nun einen Kunstgenuss besonderer Güte ankündigen zu können. Es singt der zwar noch junge, aber bereits sehr bekannte Kastrat Giulio Casamonte.«

Giulia schloss für einen Moment die Augen, um ihre zitternden Nerven zu beruhigen. Sie hörte, wie ihr Gastgeber beiseite trat und es im Saal ruhig wurde. Nur vereinzelt war noch ein Räuspern zu hören. Im letzten Augenblick stieß sie die Reihenfolge der Lieder um, die sie singen wollte, und begann mit einem fröhlichen Chanson, dessen Melodie ein wenig der eben gehörten entsprach, ohne jedoch dessen bissige Schärfe zu besitzen.

Freundlicher Beifall ertönte, als sie damit fertig war. Cesare Rioli nickte mit dem Kopf, als müsse er sich selbst bestätigen, mit ihrem Engagement keinen Fehler begangen zu haben. Auch die beiden Damen klatschten in die Hände. Giulia verbeugte sich noch einmal in ihre Richtung.

Rioli sprach unterdessen kurz mit einem seiner Gäste und kam dann auf Giulia zu. »Hättet Ihr vielleicht die Güte, jenen berühmten Choral von Constanzo Porta zu singen, den dieser im letzten Jahr für den Kastraten von San Marco geschrieben hat?«
Giulia begriff, dass er sie damit auf die Probe stellen wollte. Sie kannte das Werk und hatte es auch schon eingeübt. Allerdings war sie sich nicht sicher, ob sie es auf Anhieb fehlerfrei zum Besten geben konnte. Ein Zurückweichen war jedoch unmöglich. Daher wandte sie sich mit freundlicher Miene an ihren Gastgeber. »Ich bin Euch gerne zu Diensten.« Da sie sich bis jetzt wesentlich mehr mit kirchlicher Musik befasst hatte als mit weltlichen Themen, gelang es ihr, das Werk des berühmten Franziskanermönchs ohne einen falschen Ton vorzutragen.
Diesmal füllte der Applaus den Saal mindestens ebenso wie ihre Stimme. Rioli überschlug sich fast vor Lob, und auch die meisten Anwesenden priesen Giulias Stimme. Nur Vincenzo de la Torre schloss sich dem allgemeinen Jubel nicht an. Er kam auf Giulia zu und schüttelte missbilligend den Kopf. »Ihr habt ja recht hübsch gesungen, Signore Casamonte. Aber ich habe diesen Choral schon von dem großen Belloni gehört, und da klang es doch ein ganzes Stück besser. Ihr müsstet es eine Tonlage höher, also viel fraulicher singen und vor allem nicht so hektisch. Ich fürchte, Euch fehlt noch ein ganzes Stück gediegener Ausbildung.«
Giulia war im ersten Augenblick über diese Kritik empört und wollte auffahren. Doch da trat Cesare Rioli an ihre Seite und unterbrach den scharfzüngigen Kritiker. »Vincenzo, es reicht. Es war schon schlimm genug, sich deine Lästerungen gegen den Bischof von Neri anhören zu müssen. Ich lasse jedoch nicht zu, dass du meine Gäste unter meinem Dach beleidigst.«
»Ist ein Kastrat ein Gast oder jemand, der für sein Honorar eine Leistung zu erbringen hat?«, fragte Vincenzo barsch.
»Das ist nicht deine Sache und nicht dein Geld. Ich habe genug

von deinem Benehmen und wäre dir dankbar, wenn du jetzt mein Haus verlassen würdest, ehe du unter meinem Dach noch weitere Leute kränkst.« Rioli hielt seine Stimme in der Gewalt, so dass nur wenige der Umstehenden Zeuge dieser Abkanzlung wurden.

Vincenzo drehte sich achselzuckend um und strebte dem Ausgang zu. Da fasste Paolo Gonzaga ihn am Ärmel und sah den Gastgeber kopfschüttelnd an. »Ihr seid zu streng mit unserem Freund Vincenzo, Don Cesare. Nur wegen eines Spottverses setzt man doch kein Mitglied der Familie de la Torre vor die Tür.« Er hatte so laut gesprochen, dass ein paar andere junge Männer die Köpfe hoben und nach vorne drängten, um sich ebenfalls für Vincenzo zu verwenden.

Giulia war für einen Augenblick vergessen. Neugierig verfolgte sie das Streitgespräch und bekam mit, wie Paolo ihr mit seinen Blicken ein Zeichen gab. Jetzt begriff sie, dass er diese Ablenkung in Szene gesetzt hatte, um ihr den Weg zu Isabella zu ebnen. Sie verließ den Kreis der Diskutierenden und trat auf die junge Dame zu. Da sich deren Mutter mit einem älteren Mann im Ordenskleid der Franziskaner unterhielt, war es für sie ein Leichtes, sich unbemerkt vor Isabella zu verbeugen und ihr das Billett in die Hand zu drücken. »Es ist eine Botschaft von Paolo Gonzaga. Ihr sollt ihm über mich Eure Antwort zukommen lassen.« Obwohl sie flüsterte, hatte sie das Gefühl, so laut zu reden, dass es alle hören konnten. Schnell entfernte sie sich wieder aus Isabellas Nähe und schloss sich der Gruppe an, die immer noch erregt debattierte.

Einige ältere Gäste hatten sich auf Riolis Seite geschlagen und kritisierten wortgewaltig die Aufsässigkeit der heutigen Jugend, die vor nichts und niemandem mehr Halt machte. Unterstützt von seinen Freunden verteidigte Paolo jedoch geschickt Vincenzos Standpunkt und warf mit sichtlichem Vergnügen immer neue Gründe ein, die für diesen sprachen. Es war schließlich

Vincenzo selbst, der allem ein Ende bereitete, indem er erklärte, er sei nun genug beleidigt worden, und ohne Gruß verschwand. Rioli atmete sichtlich auf und bat seine Gäste zu Tisch. Giulia fühlte jetzt ebenfalls Durst, und sie hätte gerne etwas zu sich genommen. Auf sie erstreckte sich die Einladung jedoch nicht. Irgendwie hatte Vincenzo Recht, dachte sie mit einer gewissen Bitterkeit. Sie war nicht als Gast hierher geholt worden, sondern als eine Person, die eine Leistung zu erbringen hatte. Sie war kurz davor, Cesare Rioli wegen ihrer Gage anzusprechen, als dieser sich zu ihr herumdrehte. »Ich bin sehr zufrieden mit Euch, Casamonte. Mein Intendant wird Euch bezahlen. Sollte ich wieder das Bedürfnis empfinden, Eurer Stimme zu lauschen, werde ich es Euch wissen lassen.«
Giulia begriff, dass sie gehen konnte, und verbeugte sich höflich, obwohl ihr eher zum Weinen zumute war. Rioli hatte sich jedoch schon abgewandt und folgte seinen Gästen in das Speisezimmer, aus dem verführerische Düfte herausdrangen. Giulia hörte ihren Magen knurren und hatte nur noch den Wunsch, so schnell wie möglich in ihre Unterkunft zu kommen. »Einen Moment bitte.« Isabella sah sich hastig um und huschte auf Giulia zu. »Sagt Paolo, dass er mich morgen früh um acht in der Kapelle San Vitale erwarten soll.«
Giulia verbeugte sich wortlos. Diese vornehmen Festlichkeiten schienen ihr um ein Vielfaches anstrengender zu sein als eine gesungene Messe in der Kirche. Als sie den Diener vor der Tür bitten wollte, sie zum Intendanten zu bringen, tauchte Paolo lautlos neben ihr auf und bedeutete dem Lakaien, sich zu entfernen. »Nun, was hat Isabella gesagt?«
»Morgen früh um acht in der Kapelle San Vitale«, flüsterte Giulia ihm zu. »Jetzt müsst Ihr mir aber zeigen, wo ich den Intendanten finde.«
Paolo grinste und wies auf eine Tür, vor der ein Mann in einem rostfarbenen Wams und dunkelbraunen Strumpfhosen auf sie

wartete. Als Giulia auf ihn zukam, streckte er ihr mit zwei Fingern einen Lederbeutel entgegen und ließ ihn in ihre Hand fallen. Er hatte seine Miene recht gut in der Gewalt, aber Giulia spürte seinen Abscheu.

Giulia hatte schon mehrfach erlebt, dass Männer jede Berührung mit ihr vermieden, und fragte sich nach dem Grund. Selbst Paolo, der bis jetzt am freundlichsten zu ihr gewesen war, hatte sie noch kein einziges Mal angefasst. Sie war sich jedoch sicher, dass er am nächsten Morgen bei Isabella Brazzone weitaus weniger zurückhaltend sein würde. Der Gedanke an die Zärtlichkeiten, die diese beiden miteinander tauschen mochten, tat ihr weh. Sie sagte sich, dass sie sich nicht verrückt machen durfte, und beschloss, nicht mehr an den jungen Adligen zu denken. Das gelang ihr recht gut, denn auf dem Heimweg dachte sie mehr an Vincenzo de la Torre und dessen Kritik als an Paolo. Wenn sie ehrlich war, musste sie zugeben, dass sie den Porta-Choral zwar korrekt, aber ohne große Innigkeit vorgetragen hatte. Doch besser hatte ihr Vater es sie nicht gelehrt. Also würde sie selbst an sich arbeiten müssen.

Als Giulia und Beppo in die Herberge zurückkamen, saß Girolamo Casamonte brütend an einem Tisch in der Schankstube und trank Wein aus einem Tonbecher. Bei ihrem Anblick atmete er sichtlich auf. »Was habe ich da gehört? Du bist tatsächlich zu einem Festabend gerufen worden? Ich hoffe, es hat sich gelohnt.«

Er riss Giulia die Börse aus der Hand und wollte sie sofort öffnen. Giulia sah, dass er angetrunken und daher noch unbeherrschter war als sonst. Sie legte die Hand auf den Beutel. »Nicht hier in der Gaststube, Vater. Oder willst du alle Leute darauf aufmerksam machen? Es wäre doch schade, wenn das Geld gestohlen würde.«

Ihr Vater steckte den Beutel zu sich und rief nach frischem Wein. Giulia wechselte einen kurzen Blick mit Beppo. Der verstand, dass er nun auf seinen Herrn aufpassen sollte, und ließ sich ihm gegenüber auf der Bank nieder. Giulia wünschte ihrem Vater noch eine gute Nacht und stieg erschöpft die Treppe hoch. Jetzt dachte sie nur noch an ihr Bett.

## VII.

Der Festabend bei Cesare Rioli blieb nicht die einzige Einladung. Es war, als wollte sich jedes der vornehmen Häuser von Mantua wenigstens an einem Abend mit der Stimme des jungen Kastraten schmücken, der wie aus dem Nichts in der Stadt aufgetaucht war und besonders die Herzen der älteren Damen rührte. Giulia traf bei den Einladungen beinahe jedes Mal auf Paolo Gonzaga, der sie deutlich fühlen ließ, dass er sich für ihren Entdecker und Förderer hielt.

Lieber als Gonzaga hätte sie Vincenzo de la Torre wiedergesehen, um mit ihm über ihren Gesang und besonders über den berühmten Belloni zu sprechen, denn bisher hatte sie noch keinen echten Kastraten kennen gelernt. Doch Vincenzo tauchte nirgends mehr auf. Sie genierte sich, nach ihm zu fragen, und so erfuhr sie erst später durch Zufall, dass er Mantua längst verlassen hatte. Sie empfand es ein wenig als Verlust, denn außer ihrem Vater gab es niemand, mit dem sie über Musik reden konnte. Doch Girolamo Casamonte hatte sich nie sonderlich für andere Künstler interessiert und wusste nicht viel über sie zu berichten. Daher musste Giulia allein mit ihrer Unsicherheit und den launenhaft wechselnden Anforderungen ihrer Auftraggeber fertig werden.

Die feine Gesellschaft Mantuas war bemüht, sich in der Attraktivität der jeweiligen Festlichkeiten gegenseitig zu übertreffen. Auch Paolos Eltern und seine Tante machten hier keine Ausnahme. Coelia Morri galt als große Musikliebhaberin und tat alles, um diesen Ruf zu festigen. Für sie war es selbstverständlich, dass Giulio Casamonte bei den Abendgesellschaften im Palazzo ihres Schwagers auftrat. Für ihr nächstes Fest hatte sie sich jedoch etwas Besonderes ausgedacht.

Als Giulia an diesem Morgen in Batista Gonzagas Haus gerufen wurde, warteten dort außer dessen Schwägerin vier Männer unterschiedlichen Alters auf sie. Obwohl der Älteste die doppelte Lebensspanne des Jüngsten übertraf, waren alle übertrieben modisch gekleidet und prunkten mit einer Fülle von Farben, so dass Giulia sich nun wie ein Rebhuhn unter Fasanen vorkam. Sie unterhielten sich eifrig mit der Gastgeberin und ignorierten Giulia, bis Coelia Morri sie ansprach. »Willkommen, Casamonte. Darf ich Euch die Herrn Grinzoni, Arelli, Cuscio und Zampa vorstellen? Jeder von ihnen ist ein Mitglied der herzoglichen Hofkapelle und ein großer Sänger.«

Giulia verbeugte sich pflichtschuldig. Ihre höfliche Geste wurde von den Herren jedoch nur mit einem äußerst knappen Kopfnicken beantwortet. »Das ist also dieser Kastrat, der mit uns singen soll«, warf einer der vier, von dem Giulia annahm, dass es Arelli war, mit einer dröhnenden Bassstimme ein.

Coelia Morri lächelte zufrieden. »Ihr sagt es, Signore. Dies ist Casamonte, der Mantua in den letzten Monaten wie im Sturm erobert hat.«

Der Sänger zuckte verächtlich mit den Schultern. »Am Hofe des Herzogs hat man aber bis jetzt noch nichts von ihm gehört.«

»Nun, man weiß, dass unser Verwandter Guglielmo manchmal, sagen wir ruhig, ein wenig eigenbrötlerisch lebt. Das liegt wohl an seiner körperlichen Beeinträchtigung.« Coelia Morri spielte damit auf den Buckel des Herzogs an und unterstrich gleichzeitig ihre Verwandtschaft mit dem Herzog, um den sichtlich widerstrebenden Sängern zu imponieren. Deren Mienen wurden auch sofort dienstbeflissener.

Grinzoni verbeugte sich tief. »Wir sind selbstverständlich bereit, uns diesen Verschnittenen einmal anzuhören.«
»Allerdings werden wir uns erst danach entscheiden, ob wir Eurem Wunsch entsprechen können«, schränkte Zampa diese halbe Zusage sofort wieder ein.
Giulia hatte noch nie so ein hochmütiges Pack erlebt wie diese vier. Sie taten so, als wären sie die Krone der Sangeskunst und sie, Giulio Casamonte, ein Wurm, der sich anmaßte, neben ihnen stehen zu wollen. Dabei war es Coelia Morris Wille, der sie hier zusammengerufen hatte, und nicht der ihre.
Sie sah ihre Gastgeberin fragend an. Diese winkte begütigend und wies auf ein Album mit Notenblättern, das vor ihr auf einem kleinen Tisch lag. »Ich wünsche, dass dieser fünfstimmige Choral zum Namenstag meines Bruders von Euch gesungen wird. Mein Verwandter, der Herzog, wird zwar nicht persönlich erscheinen, hat mir jedoch jede Hilfe zugesagt.«
Die Sänger wussten nicht, ob dies der Wahrheit entsprach, da Guglielmo Gonzaga seinen Verwandten wenig Neigung entgegenbrachte. Andererseits war er ein großer Kunstliebhaber und konnte Coelia Morri durchaus seine Unterstützung versprochen haben. Zudem würde die Dame sich nicht lumpen lassen. Der Herzog war zu seinen Angestellten selten großzügig, und so konnten sie es sich nicht leisten, einen guten Nebenverdienst leichter Hand auszuschlagen. Es gefiel ihnen zwar nicht, mit einem Kastraten singen zu müssen, der die Aufmerksamkeit der Gäste gewiss auf sich ziehen würde, aber sie mussten wohl gute Miene zu diesem Spiel machen.
Der Tenor Cuscio lächelte böse vor sich hin. Dieser Missgeburt konnte man ja schon bei den Proben das Leben zur Hölle machen, dachte er und nickte seinen Kollegen aufmunternd zu. »Wir fühlen uns geehrt, Signora. Wenn Ihr erlaubt, würden wir drei Übungstage vorschlagen, da wir uns erst ein Bild von dem Können dieses Kastraten machen müssen.«

»Drei Proben?«, fragte Arelli verwundert.
Cuscio zwinkerte ihm verschwörerisch zu. »Darunter geht es nun einmal nicht. Oder wollt Ihr Euch wegen des Verschnittenen blamieren? Denkt doch nur, wenn so etwas Seiner Gnaden, dem Herzog zu Ohren kommt.«
Zampa schien nicht zu erkennen, auf was sein Kollege hinauswollte. »Der kümmert sich doch kaum um das Geschwätz in der Stadt.«
»Verdammt, sei nicht so begriffsstutzig«, raunte Cuscio ihm zu. »Wir werden dieses Kerlchen, das nie ein Mann werden wird, bei den Proben so fertig machen, dass es nicht in der Lage sein wird, bei dem Fest mit uns zu singen.«
»Du hast einen klugen Kopf auf den Schultern, Silvio«, lobte ihn sein Freund.
Auch wenn Giulia trotz ihres außergewöhnlich scharfen Gehörs zu weit abseits stand, um etwas von dem Geflüster aufzuschnappen, so begriff sie deutlich, dass die vier Hofsänger ihr feindselig gesinnt waren. Ihr gefielen die Blicke nicht, mit denen die vier sie bedachten, doch sie konnte Coelia Morris Auftrag nicht ablehnen, ohne sie und ihre ganze Familie zu beleidigen. »Ich fühle mich sehr geehrt«, sagte sie zu der Frau und fand, dass sie selten eine schlimmere Lüge ausgesprochen hatte.
Wie schlimm es werden sollte, wurde ihr am nächsten Tag beinahe schmerzhaft klar, als sie sich mit den Sängern in einem Raum des Palazzos zur Probe traf. Coelia Morri war nicht anwesend, und die vier Sänger ließen ihrem Unmut freien Lauf.
»Da kommt ja die Missgeburt«, wurde Giulia von Arelli begrüßt.
Zampa lachte höhnisch. »Na, wie fühlt man sich, wenn man zwischen den Beinen ein hübsches Stück leichter geworden ist?«
»Ein hübsches Stück. Ich würde sagen, das ist das entscheidende Stück«, krähte der Tenor Cuscio fröhlich hinaus.
Giulia sah sie freundlich lächelnd an und grüßte mit einer knap-

pen Verbeugung. »Es macht die Stimme reiner und sorgt dafür, dass einem keine schlechten Säfte zu Kopf steigen.«
Sie hatte auf den ersten Blick erkannt, dass sie sich von den vier Männern nicht einschüchtern lassen durfte. Die verärgerten Gesichter zeigten ihr, dass die erste Runde an sie gegangen war. Doch den Mienen nach schienen die vier bereits zu überlegen, wie sie ihren Feind das nächste Mal besser treffen konnten.
Giulia wollte sich durch die unfreundliche Haltung der Hofsänger nicht aus der Fassung bringen lassen. Daher nahm sie die Notenblätter zur Hand und studierte die ersten Zeilen. Der Choral stammte von Constanzo Festa, dem Komponisten des Tedeums, und stellte an alle Sänger die höchsten Anforderungen. Es war bereits ein älteres Werk, das ihr Vater in seiner Jugend studiert und nun an sie weitergegeben hatte. Nach kurzer Zeit bemerkte Giulia mit einer leichten Schadenfreude, dass die vier sich mit dem Choral bei weitem nicht so leicht taten wie sie.
Trotzdem wurde die Probe für sie zur Qual. Die Hofsänger verhehlten weder ihre Verachtung für einen Kastraten noch ihren Neid wegen der größeren Spannbreite seiner Stimme und behandelten sie wie einen Aussätzigen.
Daher war Giulia froh, als sie die letzte Probe hinter sich gebracht hatte und nur noch der Abend der Aufführung vor ihr lag. Hier spielten die Sänger den letzten Trumpf aus, den sie im Ärmel hatten. Dank ihrer guten Einnahmen konnten sie sich in einer Art und Weise kleiden, die Giulias azurblaues Wams stumpf und ärmlich erscheinen ließ. Sie bemerkte es sofort, unterdrückte jedoch ihren Ärger und nahm sich vor, sich durch nichts beeinflussen zu lassen. Sie brachte es fertig, die Hofsänger mit freundlicher Miene zu begrüßen und einen leichtfüßigen Diener vor Coelia Morri und dem Gastgeber zu machen.
An diesem Abend mied Paolo Gonzaga ihre Gegenwart so auffällig, dass Giulia sich wunderte. Sie wusste nicht, dass er seinen aufmerksamen Eltern keinen neuen Anlass zur Besorgnis geben

wollte. Auch wenn Batista und Giudetta Gonzaga ihren Sohn wegen seiner häufigen Liebesaffären heftig schalten, so war das noch irgendwie mit Gott und der Kirche zu vereinbaren. Immerhin hatten ja auch große Männer wie die Könige David und Salomon nicht vor den Ehefrauen anderer Männer Halt gemacht. Der Verdacht, Paolo könne sich so weit verirren, einen Kastraten zu begehren, so hübsch er auch sein mochte, hätte sie zum sofortigen Handeln gezwungen. Paolo wollte jedoch weder zu den Soldaten noch für ein paar Jahre in ein Kloster gesteckt werden, wie es sein Vater ihm wieder einmal in einem Anflug heftigsten Zorns angedroht hatte.
Jetzt, wo er mit dem Kastraten Casamonte einen Postillon d'Amour gewonnen hatte, der über jeden Verdacht erhaben mit den Töchtern und Gattinnen seiner Gastgeber verkehren konnte, wollte er das Leben in vollen Zügen genießen. Mittlerweile war er die Affäre mit Isabella Brazzone leid geworden, zumal die junge Frau immer öfters von Heirat sprach. Doch dafür besaß sie weder die Verbindungen noch die Mitgift, die ihn zufrieden stellen hätten können. Also musste er sich ein neues Opfer suchen.
Während die Gäste seines Vaters gespannt auf den angekündigten Choral warteten, dachte Paolo darüber nach, welche Tochter oder Ehefrau dieser Herrschaften für ihn in Frage kam. Während er noch die Schönheiten ringsum musterte, winkte seine Tante ihn zu sich und erwies ihm die Ehre, sich auf den Stuhl zu ihrer Rechten setzen zu dürfen. »Nun, ich bin gespannt, wie die Sänger mit Casamonte harmonieren werden«, raunte Coelia Morri ihm zu.
Paolo deutete lachend auf die fünf Sänger. »Ich hoffe, besser als in der Kleidung. Mein Gott, der arme Casamonte wirkt gegen diese Pfauen ja so schlicht wie eine Taube.«
»Pfauen und Tauben sind ein schlechter Vergleich, denn beide sind keine guten Sänger«, wandte seine Tante ein. »Nun ja, wer

weiß, vielleicht entpuppt sich Casamonte als Nachtigall unter Lerchen. Ich würde es ihm vergönnen.«
Zu mehr kam sie jedoch nicht, denn Grinzoni verbeugte sich und forderte ihre Aufmerksamkeit.
Grinzoni besaß einen Bariton von großer Klangfülle, der hier im Salon besonders gut zum Tragen kam. Als schließlich seine Freunde nacheinander in den Choral einstimmten, beglückwünschten die meisten Gäste Coelia Morri zu ihrem Entschluss, die Hofsänger des Herzogs für diesen besonderen Abend zu engagieren. Alle waren jedoch darauf gespannt, wie sich der junge Kastrat unter diesen erfahrenen Künstlern behaupten würde. Die meisten kannten Casamonte bereits oder hatten von ihm gehört. Doch kaum einer traute ihm zu, hier zu brillieren.
Giulia wusste, sie würde an diesem Abend alles geben müssen, und sie war dazu bereit. Neidlos akzeptierte sie die Fertigkeiten der anderen Sänger, ohne sich davon ins Bockshorn jagen zu lassen. Als ihr Einsatz kam, trat sie vor und ließ ihre Stimme erklingen.
Die Anwesenden starrten sie mit weit aufgerissenen Augen an. Keiner konnte sich erinnern, Casamonte je so gut singen gehört zu haben. Die vier Hofsänger hatten sich bereits geärgert, weil es ihnen misslungen war, den Kastraten von der Teilnahme an dem Konzert abzuhalten. Jetzt verschlug ihnen der Neid beinahe die Stimmen. Nur mühsam gelang es ihnen, den Choral ohne große Probleme durchzustehen, und am Ende mussten sie erleben, dass die Glückwünsche, welche Coelia Morri und andere Gäste aussprachen, beinahe ausschließlich Casamonte galten. Die vier Männer verneigten sich mit steifen Rücken vor den Gastgebern und verließen zornglühend den Palazzo.

# VIII.

Giulia war viel zu erschöpft, um ihren Triumph genießen zu können. Zudem begann sie sich andere Sorgen zu machen, denn schon am nächsten Abend kam Paolo auf sie zu und forderte sie auf, einer jungen Frau eine Nachricht von ihm zu übergeben. Sie fand keine Gelegenheit, ihn zu fragen, ob Isabella Brazzone seine Avancen abgewiesen hatte, nahm es aber als gegeben an und überbrachte sein Billett einer üppigen Rothaarigen, die keine Ähnlichkeit mit der kindhaften Isabella aufwies.

Als Paolo sie nur vier Tage später bat, wieder einer anderen Frau ein Brieflein zu überreichen, musste sie sich eingestehen, dass es mit seiner Moral wohl nicht zum Besten stand. Sie nahm sich vor, ihm in der nächsten Zeit aus dem Weg zu gehen, um nicht die Helfershelferin bei seinen sündhaften Abenteuern spielen zu müssen. Es lag ihr schon schwer genug auf der Seele, dass sie bei der Beichte in Don Giantolos Kirche ihr Geheimnis und all seine Folgen für sich behalten musste. Doch es gelang ihr nicht, die Begegnung mit Paolo zu vermeiden, denn er war beinahe in allen Häusern, in die sie gerufen wurde, zu Gast.

Zwischen dem Bestreben, ihre Auftraggeber zufrieden zu stellen, und ihrer Angst vor Entdeckung hin und her gerissen, brauchte Giulia ihre ganze Nervenkraft, um ihre Auftritte durchzustehen. Tagsüber fand sie kaum zur Ruhe, da sie sich immer sorgfältig auf die Abende vorbereitete, und des Nachts, wenn sie in ihrem Bett lag, durchlebte sie regelmäßig qualvolle Albträume.

In einem sah sie sich selbst im Chorgestühl stehen und singen, während ein Junge, der dem Solosänger Ludovico Moloni aus Saletto glich, ihr zuschrie, sie sei ein Mädchen und müsse für diese Sünde als Hexe verbrannt werden. Oft wurde dieser Traum so beängstigend stark, dass sie die Flammen des Scheiterhaufens um sich auflodern sah und die sengende Hitze sich schon in ihre Haut hineinfraß, während die Menschen ringsum

Hexe! Hexe! schrien und der Teufel bereits nach ihrer Seele griff. Zuletzt ging das Schreckensszenario sogar so weit, dass sie die glühenden Zangen der Höllendämonen in ihrem Leib zu spüren glaubte.
Giulia hatte sich schon den ganzen Tag über nicht wohl gefühlt und den Auftritt am Abend nur mit letzter Kraft durchgehalten. Aber nachdem sie aus diesem Albtraum hochgeschreckt war, wagte sie es nicht mehr einzuschlafen. Sie lauschte den lauten Stimmen der Zecher, die aus der Schankstube heraufdrangen, und wünschte sich, wieder zu Hause in Saletto zu sein, wo das Leben trotz mancher Schwierigkeiten und Kümmernisse noch schöne Tage für sie gehabt hatte. Als es um sie herum still wurde, übermannte sie doch noch ein unruhiger, von wirren Traumbildern geplagter Schlaf.
Am Morgen fühlte sie sich dann wie zerschlagen. Gleichzeitig spürte sie eine unangenehme Feuchtigkeit an ihren Schenkeln. Sie schreckte hoch, schlug die Decke beiseite und starrte mit wachsendem Entsetzen auf ihr blutverschmiertes Hemd. Sie musste nicht einmal aufstehen, um zu wissen, dass auch das Laken große, rote Flecken aufwies. Es war nicht ihre erste Monatsblutung, doch bisher hatte sie noch nie die Zeit dafür übersehen. Für einige Augenblicke war Giulia wie gelähmt. Jetzt ist es aus, schoss es ihr durch den Kopf. Jetzt würden alle erfahren, dass sie eine Schwindlerin war, und sie vor das Kirchengericht schleppen. In ihrem Kopf hallte noch das grauenhafte Geschrei aus ihrem Albtraum nach, und sie glaubte den Teufel schon lachen zu hören. Es dauerte eine Weile, bis sie sich so weit beruhigt hatte, dass sie aus dem Bett steigen und an die Wand klopfen konnte, hinter der Assumptas und Beppos Zimmer lag.
Die Dienerin kam sofort herüber. Wenn sie sich wunderte, warum Giulia ihr erst die Tür öffnete, nachdem sie ihre Stimme vernommen hatte, so zeigte sie es nicht. Sie blieb mitten im Raum stehen, stemmte die Arme in die Hüften und blickte kopfschüt-

telnd auf die Bescherung. Als Giulia zu weinen begann, nahm sie sie in die Arme und versuchte, sie zu trösten. »Es tut mir Leid, Kätzchen, aber ich habe auch nicht daran gedacht, dass es bei dir schon wieder so weit ist. Ich hole dir jetzt Wasser, damit du dich waschen kannst, und frische Binden. Schließe aber hinter mir zu, damit die neugierige Wirtsmagd nicht hereinplatzt.«

Giulia nickte und wies dabei auf das befleckte Laken. »Das da werden wir nicht verbergen können.«

»Und ob wir das können«, antwortete Assumpta kämpferisch. Sie trat neben das Bett und zog das Laken mit einem raschen Griff ab. Danach prüfte sie die Oberdecke, ob diese ebenfalls etwas abbekommen hatte, und streckte zuletzt die Hand aus. »Gib mir dein Hemd. Ich werde es auftrennen und Binden daraus machen, da ich es nicht waschen kann, ohne Aufsehen zu erregen. In dieses enge Ding passe ich nämlich wirklich nicht mehr hinein.«

»Was willst du tun?«, fragte Giulia verwirrt. »Dein Laken mit dem meinen vertauschen. Sollen die Wirtsleute ruhig glauben, ich hätte meine Tage. Ich muss nur aufpassen, dass sie nichts merken, wenn es bei mir so weit ist. Es wäre doch arg auffällig, wenn ich innerhalb von zwei Wochen ebenso oft bluten würde.« Sie lächelte Giulia aufmunternd zu und verließ dann das Zimmer.

Giulia schob den Riegel vor und wartete direkt neben der Tür, bis Assumpta zurückkehrte. Für ihre überreizten Nerven blieb die alte Dienerin viel zu lange aus, und sie begann zu frieren. Schließlich klopfte es, und Assumpta bat leise, ihr aufzumachen. Sie stellte ihr ein kleines Holzschaff hin und reichte ihr einen Lappen. »Das Wasser ist leider kalt.«

»Ich werde nicht daran sterben. Zu Hause in Saletto hatten wir meist auch nur kaltes Wasser.«

Während das Mädchen sich wusch, überzog die Dienerin das Bett neu und legte ihr Tagesgewand und die Kleidung für den abendlichen Auftritt bereit. Zuletzt nahm sie das Schaff und den mittlerweile gefärbten Lappen und brachte beides heimlich in ihr Zimmer. Kurze Zeit später hörte Giulia sie die Treppe hinabsteigen und mit der Wirtin reden. Sekunden später scholl deren keifende Stimme hoch. »Was? Du hast eines meiner besten Laken ruiniert? Du bist eine alte Schlampe, die besser unter den Brücken schlafen sollte. Aber ich sage dir, ich werde deinem feinen Herrn das Laken auf die Rechnung schreiben.«

Es dauerte eine ganze Weile, bis die Wirtin ihre Schimpfkanonade beendete und Assumpta aus ihren Klauen entließ. Giulia schüttelte sich bei den ordinären Ausdrücken, welche die alte Vettel dabei verwendete, und schämte sich fürchterlich, weil Assumpta ihretwegen so gescholten wurde. Gleichzeitig war sie ihrer Dienerin dankbar für die Rettung aus dieser mehr als brenzligen Situation. Der heutige Tag hatte ihr gezeigt, dass sie an mehr denken musste als immer nur an das nächste Engagement. In Gedanken zählte sie vier Wochen hinzu und fand heraus, dass sie am Festtag des heiligen Gennaro wieder Acht geben musste. Sie beschloss, sich noch einmal herzlich bei Assumpta zu bedanken und ihr den Termin ihrer nächsten Blutung zu nennen, damit sie in Zukunft beide darauf achten konnten.

Für einen Augenblick kam ihr ihr Vater in den Sinn. Wahrscheinlich ahnte er noch nicht einmal, was er ihr mit dieser schrecklichen Maskerade angetan hatte. Aber selbst wenn sie es ihm sagte, würde es ihn nicht interessieren. In gewisser Weise erkannte sie ihn kaum wieder. Er hatte keine Ähnlichkeit mehr mit dem zwar armen, aber fröhlichen Kapellmeister des Grafen von Saletto. Jetzt gierte er in einer Weise nach dem von ihr verdienten Geld, dass es sie anwiderte. Sie konnte ihn einfach nicht mehr so achten wie früher und war deswegen sehr traurig. Irgendwie aber hoffte sie immer noch, dass jene glückliche Zeit, in denen sie ein Herz und eine Seele gewesen waren, eines Tages zurückkommen würde.

# IX.

Giulia fühlte sich wegen ihrer Periode so schlecht, dass sie am liebsten in ihrem Zimmer geblieben wäre. Doch ausgerechnet für heute hatte man sie als Hauptattraktion zu einem großen Fest bestellt. Es sollte so ähnlich wie jenes bei Cesare Rioli verlaufen. Einige Edelleute würden auf der Laute und der Flöte spielen und selbstverfasste Lieder zum Besten geben, bevor sie selbst als Hauptattraktion in Erscheinung treten würde. Im Normalfall liebte Giulia solche Veranstaltungen, da sie dabei eine Zeit lang im Hintergrund bleiben und die anderen beobachten konnte. Heute hätte sie jedoch liebend gerne darauf verzichtet.

Da die Feier in einem wenige Meilen vor der Stadt gelegenen Landhaus stattfand, schickte ihr Auftraggeber großzügigerweise einen vierspännigen Wagen, der sie und ihren Vater am späten Nachmittag abholte. Girolamo Casamonte verschlang den wappengeschmückten Kutschenschlag und die livrierten Diener mit den Augen und warf sich in die Brust, als wäre er fast schon ebenso bedeutend wie Graf Gisiberto von Saletto.

Bei der Ankunft auf dem Gut erwartete ihn jedoch eine herbe Enttäuschung, denn man wies ihm kurzerhand die Kammer eines Stallknechts an, während Giulia in die Gesellschaftsräume geführt wurde. Sie hatte sich mittlerweile daran gewöhnt, allein aufzutreten, und ihre Unsicherheit größtenteils abgelegt. Ein gewisses Lampenfieber konnte sie jedoch auch heute nicht verbergen. Da sie sich schmutzig und unrein fühlte, war sie diesmal froh um den Abstand, den die Männer ihr gegenüber einhielten.

Der Hausherr, ein kleiner, dicklicher Kaufmann, der sich Titel und Wappen wohl mehr erkauft als verdient hatte, begrüßte sie jovial und stellte ihr seine Nichte und seine beiden Töchter vor. Die drei Mädchen sahen in ihren dunkelblauen, lindgrünen und karmesinroten Roben sehr hübsch aus. Giulia wunderte sich

fast, dass Paolo sie heute nicht darum bat, den Postillon d'Amour für ihn zu spielen, und sah sich nach ihm um. Er stand mit düster brütendem Gesichtsausdruck etwas abseits von den übrigen Gästen und schien den Fußboden zu betrachten.
Giulia hatte jedoch keine Zeit, sich Gedanken zu machen, welche Sorgen Paolo plagen mochten, denn eine der jungen Frauen setzte sich jetzt vor ein Virginal und schlug prüfend die Tasten an, während die beiden anderen Laute und Viola zur Hand nahmen. Giulia hatte bis jetzt noch keine Frau gesehen, die vor anderen Leuten musizierte. Aber sie hatte schon davon gehört, dass einige Damen aus hohen Adelshäusern im Familienkreis Instrumente spielen und recht hübsch singen sollten. Dennoch wunderte sie sich darüber, dass die Töchter und die Nichte ihres heutigen Gastgebers fremden Menschen ihre Kunst vorführen wollten. Gleichzeitig stiegen wieder die alten Ängste in ihr auf. Wenn die drei Damen wirklich singen sollten, musste doch der eine oder andere der Gäste ihre eigene Stimme als die einer Frau erkennen.
Sie schob sich in den Hintergrund, kühlte ihre heiße Stirn an einer Marmorsäule und suchte verzweifelt nach einem Ausweg. Vielleicht sollte sie sich mit einer Erkältung, einem rauen Hals heraus reden, überlegte sie, als die drei jungen Damen ihren Vortrag begannen. Sie spielten wirklich ausgezeichnet und hatten samtweiche, schmeichelnde Stimmen. Giulia merkte jedoch sofort, dass sie eine Art von Musik vortrugen, die für ihre wenig geschulten Kehlen geeignet war. In diesem Augenblick war sie ihrem Vater für das harte Training dankbar, durch das ihre Stimme immer und immer wieder geschliffen worden war. Keine der drei Frauen hätte es vermocht, die Solostimme in einer Palestrina-Messe zu singen, geschweige denn den Choral von Porta.
Um einiges ruhiger geworden, vermochte Giulia den Sängerinnen nach ihrem Vortrag berechtigten Beifall zu spenden. Als

man sie dann selbst bat, die Gäste zu unterhalten, trat sie mit einem verbindlichen Lächeln auf die Virginalspielerin zu. »Buon giorno, Signorina. Erlaubt mir eine Frage. Kennt Ihr das Lied von Albert und Mirabelle, das aus der Feder von Nicolas Gombert stammt?«

Die junge Frau nickte erfreut. »Si, Signore Casamonte. Wenn Ihr es wünscht, werde ich meine Dienerin schicken, damit sie mir die Noten holt.«

Während sie auf die Noten warteten, trat Paolo Gonzaga nach vorne. »Wollt Ihr das Lied in seiner Originalsprache oder auf Italienisch singen, Signore Casamonte?«

Giulia sah in seinen Augen ein eigenartiges Licht flackern. Sie konnte sich nicht vorstellen, weshalb ausgerechnet er auf die Idee kam, ihre Sprachkenntnisse zu erforschen. Doch wenn er glaubte, sie würde einen Rückzieher machen, sollte er sich täuschen. Sie hatte von ihrem Vater ein halbwegs brauchbares Latein und etliche französische Wörter und Ausdrücke gelernt. Es reichte zwar nicht aus, ihr unbekannte französische Texte zu lesen. Dieses Chanson gehörte jedoch zu ihren Lieblingsliedern, und sie hatte ihren Vater vor einem Jahr so lange bedrängt, bis er ihr einen französischen Studenten in die Herberge gebracht hatte, in der sie damals wohnten, damit sie es auch in Gomberts Muttersprache lernen konnte.

Jetzt war sie froh darüber. Gab ihr ihre damalige Hartnäckigkeit doch die Möglichkeit, den Zuhörern etwas Besonderes zu bieten. Auf Paolo Gonzagas Frage ging sie gar nicht erst ein. Sie würde sie durch ihren Vortrag beantworten. Ungeduldig wartete sie, bis die Dienerin die Noten gebracht hatte und die Virginalspielerin bereit war. Da sie sich so weit wie möglich von den drei Sängerinnen abheben wollte, setzte sie alle ihre Fähigkeiten ein. Trotz ihrer Konzentration nahm sie die Verwunderung und die Zustimmung ihrer Zuhörer wahr und wunderte sich über Gonzagas eher zufriedenes als erstauntes Gesicht. Sie be-

gnügte sich jedoch nicht damit, den französischen Text vorzutragen, sondern forderte, als der Beifall abgeklungen war, ihre Begleiterin auf, noch einmal von vorne zu beginnen. Diesmal sang sie das Lied auf Italienisch und rief damit die Gäste zu wahren Begeisterungsstürmen hin.
Als die letzten Takte verklungen waren, klatschte ihr Auftraggeber frenetisch und ließ alle wissen, dass Giulio Casamonte einfach unvergleichlich sei.
In dem Moment packte Giulia der Übermut. Aus dem Augenwinkel heraus sah sie, dass sich Paolo Gonzaga von einem Diener ein volles Glas Wein reichen ließ. Als er es zum Mund führte, stimmte sie einen hellen, durchdringenden Ton an. Die Menschen in ihrer Nähe verzogen erschrocken die Gesichter, und im selben Augenblick zerbarst das Glas in Paolo Gonzagas Hand in tausend Stücke.
Giulia war während ihrer Ausbildung durch Zufall darauf gekommen, wie man Gläser durch einen besonders hohen Ton zerspringen lassen kann, und hatte dies noch ein paarmal geübt, ohne es jedoch bisher vor Publikum zu zeigen. Heute hatte Paolo sie herausgefordert und nun die Rechnung dafür erhalten.
Der junge Gonzaga starrte auf den Rest des Glases, den er noch immer in der Hand hielt, während ihm ein Diener die Weinspritzer von seinem magentafarbenen Wams tupfte. Auch ihr Gastgeber sah entgeistert auf die Bescherung und schien nicht zu wissen, was er sagen sollte. »Ihr hättet warten sollen, bis das Glas leer ist. So wurde Herrn Paolos Kleidung ruiniert«, tadelte er Giulia schließlich sanft.
Paolo Gonzaga hob mit einem kurzen, scharfen Lachen die Hand. »Es ist nicht der Rede wert, Signore Mareschi. Das Wams entspricht ohnehin nicht mehr ganz der herrschenden Mode, und ich wollte mir schon einige neue Gewänder nach spanischer Art anfertigen lassen.«
»Bist du sicher, dass spanische Kleidung jetzt in Mode

kommt?«, rief ein junger Mann, der das besondere Privileg genoss, Paolo Gonzaga duzen zu dürfen.
Paolo nickte und reichte einem um ihn herumwieselnden Diener den Rest des Glases. »Ich bin mir so sicher, dass ich meinen Schneider schon beauftragt habe, sich Modekupfer aus Madrid kommen zu lassen und mir einige Entwürfe vorzulegen.«
Er wandte sich Giulia mit einem Lächeln zu, das mehr wie ein Zähneblecken wirkte. »Auch Ihr, Signore Casamonte, solltet Euch nach spanischer Art kleiden, wenn Ihr auf der Höhe der Mode bleiben wollt.«
»Ich werde Euren Rat in Erwägung ziehen.« Giulias Antwort fiel recht kühl aus, da er ihren kleinen Triumph mit seinem Gerede über Mode verwässert hatte. Dennoch wurde ihr Auftritt ein voller Erfolg, denn der Gastgeber ließ ihr mehr als die vereinbarte Summe auszahlen. Als sie wieder in der Kutsche saß, die sie nach Mantua zurückbrachte, sah sie recht zufrieden zu, wie ihr Vater die Scudis zählte. Diesmal fand auch Girolamo Casamonte wenig an dem Aufenthalt auszusetzen. Die Dienerschaft hatte ihn nämlich mit Wein und einem guten Essen versorgt und dabei Giulios Künste überschwänglich gelobt. Mehrmals versicherte er ihr, jetzt habe sie endlich ihren Weg gemacht, und er begann, ihrer beider Zukunft in rosaroten Farben auszumalen.

## X.

Da immer wieder Boten aus herrschaftlichen Häusern erschienen, um Giulio Casamonte aufzusuchen, empfand Girolamo Casamonte ihre jetzige Herberge als nicht mehr standesgemäß. Er beschloss daher, in eine vornehmere Unterkunft umzuziehen, und machte sich auf die Suche. Das Goldene Lamm in der Via Aperta erschien ihm am besten geeignet. Da er nichts

von seinem Entschluss hatte verlauten lassen, wurde Giulia eines Morgens von seiner Aufforderung überrascht, ihre Sachen zu packen und die schäbige Herberge zu verlassen.
Sie war nicht unglücklich darüber, denn die Wirtin war ihr mit ihrer Neugier langsam auf die Nerven gegangen. Auch Assumpta atmete erleichtert auf. Sie hatte mit der Wirtin und ihrem Personal manch harten Strauß ausfechten müssen, um Giulia gut versorgen zu können, und war zuletzt sogar schon angegiftet worden, wenn sie nur das Haus betrat.
Die Zimmer im Goldenen Lamm waren groß und luftig und besaßen neben bequemen Betten und einem geräumigen Schrank sogar noch einen Tisch und einen Stuhl, so dass Giulia sich nicht mehr auf die Bettkante setzen musste, wenn sie Noten lernen wollte. Assumpta und Beppo schlugen nach einem Blick in ihr eigenes Zimmer ein übers andere Mal vor Staunen die Hände über dem Kopf zusammen, denn so vornehm hatten sie noch nie gewohnt, wie sie fast ehrfürchtig zugaben.
Giulia war hingegen nicht ganz so glücklich über diese Pracht und wandte sich besorgt an ihren Vater. »Ist das Lamm nicht viel zu teuer für uns?«
Girolamo Casamonte winkte lachend ab. »Nicht die Spur. Mit dem Geld, das du mit dem Singen verdienst, könnten wir uns sogar eine eigene Wohnung in einem der Häuser hier leisten. Ich ziehe aber diese Herberge vor, weil man hier nur die Treppe hinabsteigen muss, um Essen und Wein zu erhalten.«
»Wenn ich kochen würde, käme eine eigene Wohnung uns viel billiger«, erklärte Assumpta eifrig. Girolamo Casamonte hob abwehrend die Hände. »Der Koch des Goldenen Lamms ist für seine Künste berühmt. Hier kommen selbst die angesehensten Leute her, um zu speisen. Warum soll ich Bauernmus essen, wenn ich gebratene Kapaune und gefüllte Karpfen haben kann?«
Mit diesen Worten überließ er es Giulia und dem Dienerpaar,

die Kisten und Truhen auszupacken und ihre drei Zimmer wohnlich einzurichten, und stieg ins Erdgeschoss hinab, wo es mehrere Gasträume gab, die selbst einem verwöhnten Besucher viele Annehmlichkeiten boten.
Giulia hörte ihren Vater nach Wein rufen und zuckte mit den Schultern. Ihr gefiel es nicht, dass er so viel trank, doch sie konnte ihn nicht daran hindern. Sie hoffte nur, dass er auch im Rausch seine Zunge in der Gewalt hatte und nicht aus Versehen ausposaunte, dass sie kein richtiger Kastrat, sondern eine junge Frau war.
Assumpta, der sie ihr Leid klagte, zog sie an sich und beruhigte sie leise. »Mach dir da mal keine Sorgen, mein Kätzchen. Dein Vater hat längst vergessen, dass du als Mädchen geboren wurdest. Außerdem liebt er das Geld noch mehr als den Wein und wird sicher nicht seine einzige Einnahmequelle aufs Spiel setzen.«
Giulia konnte nur hoffen, dass die Dienerin Recht behielt. Im Moment sprudelten die Einnahmen recht munter, und sie konnte ihrem Vater fast jeden Tag einen vollen Beutel überreichen. Auch wenn nicht alle ihre Auftraggeber mit Gold bezahlten, so verdiente sie mit einem einzigen Auftritt mehr als ein einfacher Handwerker in einem ganzen Jahr.
Ihr Vater war so zufrieden wie schon lange nicht mehr. Er kümmerte sich jedoch kaum noch um sie, sondern ging allein aus oder saß in einem der Privatsalons des Gasthauses, um Wein zu trinken. Giulia ärgerte sich nicht wenig darüber. Vincenzo de la Torres Kritik nagte noch immer an ihr, und sie spürte selbst, dass sie sich noch weiter ausbilden musste, wenn ihre Stimme mit der eines Belloni oder eines anderen berühmten Kastratensängers konkurrieren sollte.
Da ihre Geduld schwand, vergaß sie den ihrem Vater gegenüber gebotenen Respekt und machte ihm massive Vorhaltungen. Dieser reagierte jedoch völlig verständnislos. Alles, was er selbst

konnte, hatte er ihr beigebracht, und er war der festen Überzeugung, dass es vollkommen ausreichte. Geblendet von der vornehmen Welt, die er am Rande mitbekam, zog er aus einigen Bemerkungen Giulias seine eigenen Schlüsse und fand, dass seine äußere Erscheinung einer kräftigen Auffrischung durch Kleider nach neuester Mode bedurfte. Dabei wollte er auch Giulias Aussehen verbessern, denn ein Giulio Casamonte konnte unmöglich immer im selben Wams auftreten, ohne dass man in höheren Kreisen die Nasen rümpfte.
Wie sehr sich ihr Vater bereits daran gewöhnt hatte, sie als Kastraten zu sehen, erkannte Giulia, als er eines Morgens an ihre Tür klopfte und mit einem kleinen, dienernden Männlein im Schlepptau hereinplatzte.
Da Giulia ihre Brüste unverschnürt unter ihrem Hemd trug, wandte sie den beiden Männern sofort den Rücken zu. Am liebsten hätte sie ihren Vater gefragt, ob er von allen guten Geistern verlassen war. Ihr Schrecken nahm noch zu, als Girolamo Casamonte seinen Begleiter vorstellte. »Das ist Signore Sarto, der beste Schneider der Stadt. Ich habe ihn rufen lassen, damit er uns Kleider nach neuester spanischer Mode anfertigt. Er wird jetzt bei dir Maß nehmen.«
Jedes Wort, das sich über Giulias Lippen drängen wollte, wäre eine Sünde gegen das Gebot gewesen, Vater und Mutter zu ehren, und hätte sie zudem verraten. Mit letzter Beherrschung machte sie eine müde Handbewegung und gähnte ausführlich. »Ich fühle mich noch zu unausgeschlafen, um jemand an mir herumhantieren zu lassen. Geh doch mit dem Schneider in dein Zimmer, damit er bei dir das Maß nehmen kann. Ach ja, rufe mir bitte vorher noch Assumpta herbei, damit sie mir den Morgentrunk bringt.«
Ihr Vater wollte auffahren, als ihm endlich einfiel, dass er gerade dabei war, eine schreckliche Dummheit zu begehen. Er fasste Meister Sarto am Arm und zog ihn zur Tür hinaus. »Mein

Sohn hat Recht. Ihr fangt besser bei mir an. Als Vater steht mir schließlich dieses Vorrecht zu.«
Kurze Zeit, nachdem die beiden Männer gegangen waren, kam Assumpta mit ärgerlicher Miene herein und tippte sich mehrfach an die Stirn. »Dein Vater ist wohl verrückt geworden. Einen wildfremden Mann hierher zu schleppen, ohne dass wir entsprechende Vorbereitungen treffen konnten, und dann noch einen Schneider. Er fordert das Schicksal wirklich mit Gewalt heraus.«
Giulias betroffene Miene ließ sie jedoch verstummen. Sie holte den breiten Leinwandstreifen aus dem Schrank, mit dem sie Giulias Busen flach zu pressen pflegte, und forderte das Mädchen auf, das Hemd über den Kopf zu ziehen. Für einen Augenblick musterte sie Giulias wohlgeformte, aber zum Glück noch nicht allzu üppigen Brüste, und schüttelte den Kopf. »Es ist eine Schande, Gottes Werk verbergen zu müssen.«
Giulia begann zu kichern. »Aber, aber, Assumpta! Soll ich etwa mit offenem Hemd herumlaufen?«
Assumpta winkte ärgerlich ab. »Du weißt schon, wie ich es meine. Dürftest du ein normales Leben führen, würde dir jetzt die Schneiderin ein neues Kleid und eine hübsche Bluse anpassen. Stattdessen lässt dich dein Vater als eine unnatürliche Kreatur herumlaufen, die von den Gassenjungen verspottet und von den höheren Herrschaften wie ein Spielzeug herumgereicht wird. Es ist eine Sünde vor Gott und eine Schande.«
»Ganz so schlimm ist es nun auch nicht, Assumpta«, versuchte Giulia den Ausbruch der Magd zu dämpfen.
»Es ist gegen Gottes Gebot, und ich darf es noch nicht einmal beichten. Nun, ich hoffe, dass dein Vater eines Tages zur Vernunft kommt und diesem Spuk ein Ende bereitet.«
Giulia hätte sie am liebsten gefragt, wovon sie dann leben sollten, aber sie schwieg. Assumpta murmelte noch etwas vor sich hin, atmete mehrmals kräftig durch und machte sich ans Werk. Da

sie dem Schneider keinen Anlass zu einem Verdacht geben durfte, schnürte sie den Busen diesmal so fest, dass Giulia kaum noch Luft holen konnte. Das Mädchen protestierte heftig, doch die alte Frau ließ sich nicht beirren. »Besser für ein paar Minuten Schmerzen, als von einem windigen Schneider entlarvt zu werden, wo du doch sogar Don Giantolo täuschen konntest«, erklärte sie mit Nachdruck und befestigte das Ende des Leinenstreifens mit einer kleinen Nadel. Nachdem sie noch ein wenig daran gezupft und Giulia das Hemd übergezogen hatte, nickte sie zufrieden. »So müsste es gehen. Du musst nur darauf Acht geben, dass der Mann dich nicht zu sehr anfasst.«
Giulia zog unbehaglich die Schultern hoch. »Es wäre vielleicht besser, du würdest mir das Maß nehmen und es Signore Sarto in die Feder diktieren.«
»Damit er dann wirklich Verdacht schöpft? Nein, mein Kätzchen, wir schlagen diesem Schneider schon ein Schnippchen, verlass dich drauf.«
Giulia teilte Assumptas Optimismus nicht, war dann aber doch erleichtert, als Meister Sarto sein Werk mit größter Zurückhaltung begann. Anscheinend hatte ihr Vater ihm mitgeteilt, dass es sich bei seinem Sohn um einen Kastraten handelte, denn er ließ die Stelle zwischen ihren Beinen absolut in Ruhe und berührte sie auch sonst nur, wenn es unumgänglich war. Giulia war trotzdem froh, als der Schneider wieder abgezogen war und sie sich von Assumpta von der straffen Binde um ihre Brust befreien lassen konnte. Kurz darauf suchte sie ihren Vater in dessen Zimmer auf. »Ich hoffe, du ziehst die Lehre aus dem heutigen Vorfall und verzichtest in Zukunft auf ähnlich überraschende Aktionen«, schalt sie ihn leise, aber durchaus scharf.
Girolamo Casamonte zuckte unter ihren Worten zusammen. »Entschuldige, mein Kind. Ich habe einfach nicht mehr daran gedacht.«
»Ich muss jeden Tag, jede Minute daran denken. Ich will nicht

auch noch auf dich aufpassen müssen.« Giulia blickte von oben auf ihren Vater herab, und für Augenblicke schienen ihre Rollen vertauscht zu sein. Jetzt war sie es, die befahl, während ihr Vater verwirrt auf den Boden starrte und nicht wusste, was er antworten sollte. Bisher war es stets umgekehrt gewesen. Doch nun fühlte Giulia, dass sich ihr Verhältnis zu ihrem Vater wandelte. Er war nicht mehr die allein entscheidende Instanz, der sie sich in allem fügen musste. Ihre Auftritte vor vielfachem Publikum hatten ihr eine Sicherheit verliehen, die ihm fremd und seinem Gesichtsausdruck zufolge auch ein wenig unheimlich war. »Ich habe dir ja gesagt, dass es mir Leid tut.« Er maulte wie ein kleiner Junge, dem man beim Stibitzen von Pfirsichen erwischt hatte.
Giulia ließ es dabei bewenden. Trotz aller Aufregungen um den Schneider freute sie sich, als Meister Sarto die bestellten Gewänder zur letzten Anprobe brachte. Er hatte so gute Arbeit geleistet, dass er die meisten Sachen gleich dalassen konnte. Nur Giulias Vater zeigte sich von dem für ihn gefertigten Wams enttäuscht und beauftragte den Schneider, es umzuändern.
Giulia hingegen war mit ihren neuen Kleidern sehr zufrieden und bestimmte ein grünes, mit silbernen Stickereien verziertes Wams und hellrote Hosen für ihren nächsten Auftritt. Da das neue Wams vorne nach spanischer Mode wie eine Gänsebrust gefertigt und entsprechend ausgestopft war, brauchte Assumpta ihre Brüste nicht mehr so flach zu schnüren wie früher. Sie bewunderte sich in ihrem kleinen Spiegel und fand, dass sie durchaus als hübscher junger Mann gelten konnte. Für eine Frau erschien ihr das Gesicht allerdings nicht ebenmäßig genug. Obwohl sie große, dunkelbraune Augen und lange, seidige Wimpern besaß, wirkte sie mit ihren kurzen Haaren und in der männlichen Kleidung seltsam zwischen den Geschlechtern stehend. Sie war gespannt, wie ihre vornehmen Bekannten und vor allem Paolo Gonzaga, der ja das Gerede über spanische Mode aufgebracht hatte, auf ihre Erscheinung reagieren würden.

# XI.

Obwohl es Paolo Gonzaga gelungen war, die Gerüchte über sich und Pollais Ehefrau Leticia unbeschadet zu überstehen, und er in der Zwischenzeit mehr als eine Schöne zu einem Stelldichein hatte überreden können, fraß die Schmach seiner Niederlage noch immer an ihm. Im ersten Zorn hätte er dem Goldschmied am liebsten aufgelauert und ihn mit dem Schwert aufgespießt. Sein Verstand sagte ihm jedoch, dass Herzog Guglielmo diesen Mord kaum gutheißen würde. Die Reaktion seiner Mutter und seiner Tante auf eine solche Tat mochte er sich nicht einmal vorstellen. Es widerstrebte Paolo jedoch, sich wie ein Hund mit eingekniffenem Schwanz in die Büsche schlagen zu müssen. Er sann nach, wie er Pollai am besten treffen konnte, und kam zu dem Ergebnis, dass es das Beste war, wenn er sich nochmals um Leticia kümmerte. Um Rache zu üben und seine Wut zu stillen, musste er den Goldschmied zum Hahnrei machen.

Der Zuträger, den er sich in der Stadt hielt, berichtete ihm, dass Leticia Pollai nur noch in Begleitung einer älteren Verwandten und mehrerer kräftiger Diener zur Heiligen Messe gehen durfte. In der übrigen Zeit wurde sie in Pollais Landhaus eingesperrt, das eine Meile vor der Stadt lag.

Paolo spann etliche Pläne, wie er Pollai und seine Leute überlisten und sich Leticia nähern konnte, verwarf sie jedoch bald wieder, denn der Goldschmied bewachte seine Frau gründlicher als die Schätze in seiner Werkstatt. Bei allem, was er tat, war er auf zuverlässige und vor allem verschwiegene Helfer angewiesen. Von den Bediensteten im Hause seines Vaters kam keiner in Frage, das wusste er aus leidvoller Erfahrung. So verfiel er auf eine Lösung, bei der außer ihm nur sein Protegé, der Kastrat Casamonte, eine Rolle spielte.

Der Sänger hatte sich in den letzten Tagen auffällig von ihm fern gehalten. Paolo nahm an, dass Casamonte verärgert war, weil er ihm bisher den Lohn für seine Dienste als Postillon d'Amour schuldig geblieben war. Da seine Börse nicht nur wegen seiner neuen Kleider durch Leere glänzte, konnte er diese Schuld erst begleichen, wenn sein Vater ihm das nächste Taschengeld zukommen ließ. Paolo fand es empörend, von den Launen seines alten Herrn abhängig zu sein. Die Alternative wäre jedoch gewesen, Mantua zu verlassen und sich um eine Stelle als Sekretär eines hohen Kirchenmanns oder als Offizier zu bemühen. An beidem war er nicht sonderlich interessiert, ganz abgesehen davon, dass ein solcher Schritt ihn daran hindern würde, Rache zu nehmen.

Als er an diesem Tag als letzter Gast zur Abendgesellschaft des Grafen von Alari erschien, sah er den jungen Kastraten in einem Gewand, das sich in Farbe und Schnitt kaum von einem seiner eigenen, neuen Kleidungsstücke unterschied. Giulio sah so prächtig aus wie ein Pfau, wenngleich er sich nach Paolos Ansicht nicht im Geringsten mit seiner eigenen Erscheinung messen konnte. Das wäre allerdings auch zu viel der Anmaßung gewesen, denn schließlich war Casamonte nur ein Kastrat, während er, Paolo, seiner Ansicht nach einen der feurigsten Hengste im Machtbereich seines Verwandten, des Herzogs von Mantua, darstellte. Aber für seinen Plan benötigte er diesen menschlichen Wallach. Mit diesem Gedanken im Hinterkopf und einem erfreuten Lächeln auf den Lippen trat er auf den Kastraten zu.

»Buon giorno, Signore Casamonte. Wie ich sehe, habt Ihr meinen Rat bezüglich der Mode befolgt.«

Da er sie direkt ansprach, war es für Giulia unmöglich, ihn zu ignorieren. »Gott zum Gruße, Messer Gonzaga. Ich bin Euch sehr dankbar für Eure Ratschläge, muss jedoch sagen, dass mir der spanische Schnitt bei Eurer Kleidung besser zusagt als bei der meinen. Welche Farbe habt Ihr heute gewählt? Ich würde Euer Wams elfenbeinfarben mit kupfernem Futter und Eure

Hosen blassblau nennen.« Dabei hielt sie nach ihrem Auftraggeber Ausschau, um Paolo verlassen zu können.
Dieser durchschaute jedoch ihre Absicht und blieb an ihrer Seite. »Erlaubt mir, kurz mit Euch zu sprechen.« Trotz seines sanften Tonfalls klang es wie ein Befehl.
Giulia blieb stehen und streckte die Hand in der Erwartung aus, er würde ihr eine Liebesbotschaft für eine der anwesenden Damen zustecken. Zu ihrer Verwunderung verschränkte er jedoch die Arme vor der Brust und sah sie so durchdringend an, dass sie schon zu fürchten begann, er habe ihre Maskerade durchschaut.
»Ich freue mich, dass Ihr so eifrig seid, Casamonte. Doch diesmal geht es nicht darum, ein Brieflein zu besorgen.«
»Was wollt Ihr denn sonst von mir?«, fragte sie mit aufsteigender Panik.
Paola Gonzaga wies auf die Menschen, die sich um sie herum drängten. »Erst einmal ein Gespräch und zwar in einer Umgebung, in der kein zur Unzeit vorbeikommender Gast etwas aufschnappt, was ihn nichts angeht.«
Giulia war jetzt überzeugt davon, Paolo wisse um ihr Geheimnis, und in ihrer Phantasie verwandelte er sich für einen Augenblick in den Henker, der die Fackel in das Reisig des Scheiterhaufens stieß. Verzweifelt fragte sie sich, was er für sein Schweigen verlangen würde. Was es auch immer war, es würde zu ihren Lasten gehen. Sie hatte mittlerweile genug über ihn erfahren, um ihn als gewissenlosen Schürzenjäger einzuordnen. Der Gedanke, ihm ihre Unschuld opfern zu müssen, erfüllte sie mit Abscheu. Doch wenn es kein anderes Mittel gab, um sich und ihren Vater zu retten, würde sie es bringen müssen. »Ihr könnt mich morgen im Goldenen Lamm aufsuchen«, schlug sie vor.
Paolo Gonzaga schüttelte den Kopf. »Ich will nicht in der Stadt mit Euch gesehen werden.«
Im ersten Augenblick empörte Giulia sich über diese Antwort. Er behandelte sie ja direkt, als wäre sie eine Aussätzige. Sie be-

zwang jedoch ihre aufgewühlten Gefühle und sah ihn so ruhig und gleichgültig an, wie es ihr möglich war. »Dann schlagt Ihr doch einen Treffpunkt vor.«
»Wie hieß die Kirche, in der ich Euch zuerst hörte? War es nicht Santa Maria Maddalena?«
Giulia bejahte. Paolo Gonzaga verzog angewidert die Lippen, als er an die ärmliche Kirche dachte. Mit ihren kahlen, düsteren Winkeln und den dunklen Säulengängen stellte sie jedoch einen idealen Treffpunkt dar. »Ich erwarte Euch dort morgen nach der Frühmesse. Zieht aber etwas Unauffälligeres an, damit Euch die Leute nicht schon von weitem erkennen.«
Damit wandte er sich ab, um einen anderen Gast zu grüßen, und ließ Giulia als Opfer widerstrebendster Gefühle zurück. Natürlich würde sie morgen am vereinbarten Treffpunkt sein, schon um Schlimmeres zu verhüten. Ihre Gedanken rasten. Es wäre wohl besser für sie gewesen, Paolo Gonzaga hätte sie niemals singen gehört, auch wenn sie dann immer noch ein unbedeutendes, als Junge verkleidetes Mädchen und nicht der gefeierte Kastratensänger Casamonte wäre und ihre Auftritte vor einem erlesenen Publikum und den Applaus, der sie dabei umrauschte, vermissen würde.
Inzwischen war ihr Auftraggeber, der Graf von Alari, auf sie aufmerksam geworden und unterbrach jäh ihre Gedanken. »Ich freue mich, dass Ihr gekommen seid, Messer Casamonte, und hoffe, Ihr werdet uns eine Kostprobe Eurer Kunst zeigen. Ich bitte Euch jedoch, dabei mein Kristall zu schonen.«
Mehrere Gäste, die es hörten, lachten über diesen Scherz. Giulias Blick suchte kurz nach Paolo Gonzaga, doch dieser hatte den Raum bereits verlassen. So folgte sie dem Gastgeber mit einem gezwungenen Lächeln in den großen Saal und hatte dabei das Gefühl, als ginge sie zu ihrer Hinrichtung und nicht zu ihrem nächsten Triumph. Sie sann aber auch über die Tatsache nach, dass Graf Alari sie mit einem Titel angesprochen hatte, der ei-

gentlich nur hohen Herrschaften gebührte, und seine Aufforderung, zu singen, in eine höfliche Bitte gekleidet hatte. Mit einem kleinen Gefühl des Stolzes schwor sie sich, sich von niemandem unterkriegen zu lassen, auch nicht von einem Paolo Gonzaga. Giulia war routiniert genug, um ihren Vortrag trotz ihrer tanzenden Gedanken mit der nötigen Spannung zu beginnen, und schon bald wurde sie wieder vom Rausch der Musik fortgetragen. Es dauerte eine ganze Weile, bis sie wieder zu sich kam und die erstaunten und begeisterten Gesichter ihrer Zuhörer auf sich gerichtet sah. »Bravissimo«, rief der Graf unter heftigem Händeklatschen. »Casamonte, ich habe Euch noch nie schöner singen hören.«

»Comte Alari hat Recht. Ihr wart nie besser«, stimmte Paolo Gonzaga ihm zu und wandte sich dann an einen etwas derb gebauten Mann in geckenhaft engen gelben Hosen und einem vielmals geschlitzten blauen Wams mit rotem Innenfutter. »Meint Ihr nicht auch, Messer Robaccio?«

Der Angesprochene errötete vor Freude, von einem Mitglied der herzoglichen Familie angesprochen zu werden, und nickte heftig. »Man konnte fast glauben, einen Engel des Herrn zu hören.«

»Der Stimme Casamontes kann so leicht niemand widerstehen, weder ein zorniger Vater noch eine gekränkte Ehefrau«, erklärte Paolo Gonzaga mit einem freundlichen Lächeln, ohne Robaccio dabei aus den Augen zu lassen. Der Mann war ein guter Bekannter Baldassare Pollais, aber nicht so gut mit dessen Verhältnissen vertraut, um über die Sache mit Leticia Bescheid zu wissen. Robaccio schien jedoch gehört zu haben, dass Pollai gewisse Probleme mit seiner jungen Frau hatte, denn er sah den Kastraten noch einmal nachdenklich an und wandte sich dann fragend an Paolo. »Glaubt ihr, dass Signore Casamonte auch bei kleineren Anlässen auftritt, zum Beispiel bei einer internen Familienfeier? Ein Freund von mir würde sich gewiss freuen, wenn der

Sänger seine Kunst vor dessen melancholisch gewordener Ehefrau zum Besten geben könnte.«
Paolos zuvorkommende Miene änderte sich um keinen Deut, doch er hatte das Gefühl, als wäre der Fisch dabei, seinen Köder zu schlucken. »Casamonte ist derzeit in Mantua sehr gefragt. Doch soviel ich weiß, singt er auch gerne vor nur einer Person. Er kann dabei nämlich besonders gut auf die Stimmungen und Grillen von Frauen eingehen.«
Robaccio starrte Paolo Gonzaga verwirrt an. »Ihr meint, nur die Frau und der Sänger allein? Das ist doch nicht schicklich.«
Paolo hatte jedoch auch für diesen Einwand die passende Antwort parat. »Besäße der junge Bursche noch etwas, was wir beide haben, wäre dies sicher der Fall. Doch so könnte nicht einmal Venus selbst ihn zur Liebe bewegen.«
»Stimmt, er ist ja ein Verschnittener.« Robaccio atmete erleichtert auf. »Auf alle Fälle besten Dank, Herr Paolo. Ihr habt einen Freund von mir soeben sehr geholfen.«
»Es war mir ein Vergnügen.« Paolo deutete eine Verbeugung an und verabschiedete sich von dem Mann, um nach Giulia zu suchen. Er fand sie zum Aufbruch bereit im Korridor stehen. »Einen Moment, Messer Casamonte. Haltet Euch bitte einen der nächsten Tage für ein kleines, privates Konzert frei.« Nach diesen Worten grüßte er und mischte sich wieder unter die Gäste. Giulia blickte ihm verwirrt nach und wusste nicht, was sie von all dem zu halten hatte.

## XII.

Giulia erschien am nächsten Morgen pünktlich in der Kirche der heiligen Maria Maddalena. Ihre Gedanken schwirrten wie gefangene Vögel in ihrem Kopf, so dass sie der Predigt Don Giantolos kaum folgen konnte. Immer wieder sah sie sich su-

chend unter den Besuchern der Messe um, ohne Paolo Gonzaga entdecken zu können. Als die Menschen die Kirche wieder verließen, glaubte sie schon, er wäre nicht gekommen. Doch plötzlich schob sich ein Mann in einem abgetragenen Kittel an ihre Seite. Erst als er sie unverschämt angrinste, erkannte sie den jungen Adligen. »Ich sehe, Ihr seid pünktlich«, begrüßte er sie und winkte sie in den Schatten einer Säule. Giulia achtete dabei kaum auf den kurzen Blick, den er mit einem jungen Burschen in einem arg bunten Wams und straff auf den Schenkeln sitzenden Hosen wechselte. Dieser lehnte sich jetzt so an die Säule, dass er das ganze Kirchenschiff im Blickfeld hatte und Paolo Gonzaga jeder Zeit warnen konnte.
Paolo war der Winkel, den er gewählt hatte, immer noch nicht sicher genug. So befahl er Giulia, ihm zu folgen, und stieg die Treppe zur Krypta hinunter. Dort war es so dunkel, dass Giulia ihn nur schemenhaft erkennen konnte. Ihr Herz klopfte bis zum Hals. Würde sie in diesem kalten, feuchten Gemäuer ihre Unschuld verlieren? Sie versuchte, sich zusammenzureißen, um dem Mann vor sich kein Schauspiel zu bieten. Außerdem war sie in gewisser Weise um die hier herrschende Dunkelheit froh. Wenn der Vetter Herzog Guglielmos sie hier zwingen wollte, sich ihm hinzugeben, brauchte sie wenigstens nicht auch noch den Triumph auf seinem Gesicht sehen.
Zu ihrer Verwunderung kam Paolo weder näher, noch berührte er sie, sondern ging erregt einige Schritte hin und her, bevor er zu sprechen begann. »Ich brauche Eure Hilfe, Casamonte.«
»Wenn es möglich ist, gerne.« Er schien sie also noch immer für einen Kastraten zu halten. Giulia musste an sich halten, um nicht zu laut aufzuatmen. In seiner Stimme schwang jedoch ein Ton, der ihr nicht gefiel. »Erinnert Ihr Euch noch an den Tag, an dem wir uns kennen lernten?«, fragte Gonzaga. Als sie es leise bestätigte, fuhr er fort. »Ich hatte damals ein Stelldichein mit einer schönen Frau. Ihr Ehemann war jedoch dahintergekommen

und ließ mir von einigen Schlagetots auflauern. Ich konnte von Glück sagen, mit heiler Haut davongekommen zu sein. Dafür muss der Kerl jetzt büßen.«

»Ihr seht mich etwas hilflos, Euer Gnaden. Wie könnte ich Euch bei einer solchen Sache behilflich sein?«

»Ihr seid der Schlüssel zu meiner Rache«, erwiderte Paolo Gonzaga kalt. »Bei meinem Feind hängt jetzt der Haussegen schief. Baldassare Pollai wird gewiss alles tun, um seine Frau wieder zu versöhnen. Ich habe einem seiner Bekannten geraten, ihr ein Privatkonzert mit Euch zu verschaffen. Wie ich Pollai kenne, wird er diesen Köder schnappen und bei Euch anfragen, ob Ihr dazu bereit seid. Ihr werdet es natürlich tun. Dringt aber darauf, dass niemand außer Euch und Leticia Pollai anwesend sein darf, auch kein Diener.«

Giulia verstand rein gar nichts mehr. »Das scheint mir kaum das geeignete Mittel zu sein, Eure Rache zu nehmen.«

Gonzagas Lachen ließ einen Schauer über ihren Rücken laufen, und seine nächsten Worte erfüllten sie mit Schrecken. »Ich werde an Eurer Stelle zu Leticia Pollai gehen und sie verführen. Erst wenn ihr Mann das Geweih des Hahnreis trägt, kann ich wieder in Ruhe schlafen.«

»Aber das wäre doch Ehebruch!«, rief Giulia entsetzt. Der Priester in Saletto hatte dies immer als eine der Todsünden bezeichnet, für die man unweigerlich in die Hölle kam.

Paolo Gonzaga lachte sie aus. »Was wollt Ihr? Ihr begeht ihn ja nicht.«

»Es ist trotzdem unmöglich. Ihr seid fast einen Kopf größer als ich und habt nicht meine Stimme. Selbst wenn Ihr mit der Frau allein wäret, erwarten die Menschen im Haus, Gesang zu hören.«

»Da habt Ihr Recht«, gab Gonzaga nachdenklich zu, wusste aber sofort eine Lösung. »Ihr werdet mich begleiten und an meiner Stelle singen. Ich werde Euch Pollais Leuten als meinen, sprich Euren Pagen vorstellen.«

»Das tue ich nicht. Ich versündige mich nicht gegen Gottes Gebote.« Giulia war mehr als entsetzt über diese Zumutung.
Gonzaga packte sie mit einem so harten Griff an der Schulter, dass sie vor Schmerzen aufstöhnte. »Du wirst tun, was ich von dir verlange, du lächerliche Missgeburt. Ich habe überhaupt erst dafür gesorgt, dass die Edlen Mantuas auf dich aufmerksam wurden und dich zu ihren Festen rufen. Glaube mir, es kostet mich nur ein Wort, dafür zu sorgen, dass dir alle Häuser bis vielleicht auf eine solche Armenkirche wie diese hier, in der du für Butterbrot singen müsstest, verschlossen bleiben. Hast du mich verstanden?« Er schüttelte Giulia dabei wie ein Büschel Stroh und stieß sie schließlich von sich.
Sie stolperte rückwärts über einen Fußschemel und stürzte zu Boden. Paolo Gonzaga ragte plötzlich wie ein Riese über ihr auf und bleckte seine Zähne, die weiß durch die Dunkelheit leuchteten. »Ich hoffe, du hast die Warnung begriffen. Hier in Mantua trauert niemand einem Fremden nach, der ein ewiges Bad im Mincio nimmt.«
Diese Drohung war mehr als deutlich. Das Erschreckende für Giulia daran war, dass Gonzaga es ernst meinte. Entweder sie half ihm, oder sie war ruiniert oder gar tot. Sie rappelte sich zitternd auf und verfluchte die Stunde, in der sie und ihr Vater Mantua betreten hatten. Es war wohl am besten, wenn sie die Stadt umgehend wieder verließen und woanders ihr Auskommen suchten. Insgeheim wusste sie jedoch, dass ihr Vater nicht darauf eingehen würde. Hier in Mantua floss das Geld ihnen geradezu in die Hände, und er würde diese Quelle nicht verlassen, ehe sie versiegte. An anderen Orten mussten sie sich erst wieder den Weg in die höhere Gesellschaft erkämpfen.
Nein, von ihrem Vater konnte sie keine Hilfe erwarten. Er würde ihr dasselbe sagen wie Gonzaga. Sie beging den Ehebruch ja nicht. Außerdem würde er sie darauf hinweisen, dass es immer besser war, sich an einen reichen oder einflussreichen Gönner zu

hängen. Und einen besseren Förderer als den Vetter eines Herzogs konnten sie kaum finden. Egal, von welcher Warte sie die Sache auch betrachtete, sie war Paolo Gonzaga ausgeliefert. Mit diesem bitteren Gefühl rappelte sie sich auf und rieb ihr schmerzendes Hinterteil.

Paolo Gonzaga wartete, bis sie wieder stand, und schubste sie auf die Treppe zu. Als sie wieder oben waren, deutete er auf den jungen Burschen, der nun scheinbar tief ins Gebet versunken in der Nähe des Eingangs zur Krypta stand. »Du wirst mir über Gaetano Bescheid geben. Versuche aber nicht, mich zu betrügen. Das haben schon ganz andere Kaliber als du halbe Portion vergeblich versucht.« Mit diesen Worten ließ er sie stehen und verließ die Kirche.

Gaetano schlenderte scheinbar achtlos an ihr vorbei und steckte, als er am Portal angekommen war, die Hände in die Hosentaschen. Giulia betete verzweifelt zur Heiligen Jungfrau, ihr einen Ausweg zu zeigen. In ihrem Innern wusste sie jedoch, dass es keinen gab.

Ihre Niedergeschlagenheit wuchs, als sie zur Herberge zurückkehrte und ihr Vater ihr freudestrahlend berichtete, dass der ehrenwerte Goldschmied Baldassare Pollai angefragt habe, ob der berühmte Kastratensänger exklusiv für seine von Melancholie geplagte Ehefrau singen könne. »Er hat dafür eine Gage geboten, die alles übertrifft, was du bisher in Mantua verdient hast«, setzte Girolamo Casamonte triumphierend hinzu.

Giulia atmete schwer. »Wann soll ich singen?«

»Ich habe den Donnerstag ausgemacht. Da steht nichts anderes an«, erklärte ihr Vater etwas verwundert über ihre mangelnde Begeisterung. »Pollai mag vielleicht kein Edelmann sein, aber er ist immerhin der Hofgoldschmied Herzog Guglielmos und ein schwerreicher Mann. Er wird uns gewiss bei den reichen Bürgern dieser Stadt einführen, so dass in den nächsten Wochen kein Mangel an Engagements herrschen wird.«

Giulia winkte müde ab. »Ich fühle mich ein wenig überanstrengt. Es ist nicht leicht, jeden Tag mein Bestes geben zu müssen. Außerdem bleiben dabei die dringend nötigen Proben auf der Strecke.«

Casamonte fand, dass seine Tochter in letzter Zeit etwas arg aufmüpfig wurde, wusste aber kein Mittel dagegen. Wenn er sie schlug, würde sie höchstens noch rebellischer werden und wirklich einige Auftritte ausfallen lassen. »Du wirst dich schon irgendwann einmal erholen können. Warte, bis dein Ruhm sich so gefestigt hat, dass wir zwischendurch Aufträge ohne Schaden für uns abweisen können. Dann verschaffe ich dir genügend Ruhepausen, glaub mir.« Mit diesem halbherzigen Versprechen ließ er sie stehen und kehrte in die Weinstube zurück, in der noch ein halber Krug vom besten Tropfen des Goldenen Lamms auf ihn wartete.

Giulia sah durch das Fenster Gaetano vor der Herberge hin und her schlendern und hätte ihm in einem Wutanfall am liebsten den Wasserkrug, der ihr unter die Hände kam, an den Kopf geworfen. Ihr war aber bewusst, dass sie damit auch nichts gewinnen konnte. Am besten war es, die unangenehmen Dinge bald zu erledigen. Aus diesem Grund verließ sie noch einmal das Haus und wartete, bis Gaetano herankam. »Du kannst deinem Herrn berichten, dass ich für den Donnerstag zu Pollai gerufen wurde«, raunte sie ihm im Vorbeigehen zu.

Gaetano zeigte mit keiner Miene, ob er sie verstanden hatte. Da er jedoch davonging, ohne sich noch einmal nach ihr umzusehen, nahm sie es an.

## XIII.

Die nächsten Tage waren für Giulia ein einziger Albtraum. Paolo Gonzaga hatte ihr schon am nächsten Tag über Gaetano zukommen lassen, welche Forderungen sie an Pollai zu stellen hatte. Dabei hatte er an alles gedacht. Die Zusammenkunft sollte nach Einbruch der Dunkelheit in einem einsam gelegenen Pavillon im Garten von Pollais Landhaus stattfinden, und niemand außer dessen Ehefrau durfte dabei anwesend sein. Giulia fragte sich nur, ob es ihrem Peiniger tatsächlich gelingen würde, sich dort als Kastratensänger einzuschleichen. Pollai kannte ihn persönlich und hätte schon mit Blindheit geschlagen sein müssen, um ihn nicht wiederzuerkennen. Einesteils hoffte sie, dass der Schwindel aufflog. Gleichzeitig aber fürchtete sie sich vor dem, was die Leute des Goldschmieds mit ihr anstellen mochten, wenn herauskam, dass sie die Gehilfin oder vielmehr der Gehilfe Paolo Gonzagas bei dessen perfiden Plan gewesen war.
Als Assumpta ihr die Ankunft der Sänfte meldete, die sie zu Pollais Villa bringen sollte, zog Giulia ihren Mantel enger um sich, damit die Dienerin nicht sah, dass sie heute nicht das prunkvolle Gewand trug, mit dem sie sonst zu ihren Auftritten ging, sondern ihr altes Reisewams, das sie bei ihrer Ankunft in Mantua getragen hatte. Sie eilte rasch die Treppe hinab und verließ das Goldene Lamm durch den Hintereingang. »Seid Ihr Signore Casamonte?«, fragte einer der vier Sänftenträger, wie seine Kameraden ein großer, grobschlächtiger Kerl, der sich nur dadurch von diesen unterschied, dass er sich gepflegter ausdrücken konnte. Als Giulia nickte, öffnete er den Schlag und ließ sie einsteigen. Im Schein der Lampe, die ein kleiner Junge trug, um den Sänftenträgern den Weg zu leuchten, sah sie Paolo in der Sänfte sitzen. Sie hatte Pollai in seinem Auftrag schreiben müssen, dass er sie nicht abzuholen zu lassen brauchte, weil sie selbst für ihren Transport zu seinem Haus sorgen würde.

Widerwillig musste sie zugeben, dass sich Gonzaga sorgfältig auf den heutigen Abend vorbereitet hatte. Er trug ein Gewand, das ihrer neuen Robe sehr ähnlich war, und hatte sein Gesicht so weiß geschminkt, dass es wie eine Maske wirkte. Seine Hände wirkten seltsam schlaff, und mit seinen ausgepolsterten Hüften und dem künstlichen Bauchansatz sah er wirklich wie eine Missgeburt aus. In dieser Ausstaffierung würden ihn sogar seine besten Freunde nicht erkennen.
»Na? Zufrieden?«, fragte er spöttisch, als sie mit ihrer Musterung fertig war und den Blick abwandte.
»Ihr habt Euch recht gut zurechtgemacht. Ich weiß nur nicht, ob Ihr Pollai mit Eurer Maske täuschen könnt. Eifersüchtige Ehemänner haben oft einen sehr scharfen Blick«, erwiderte Giulia so gelassen, wie es ihr möglich war.
»Du sprichst, als hättest du eine langjährige Erfahrung in diesen Dingen. Dabei kannst du kaum älter als achtzehn sein.«
Giulia war etwas über sechzehn, aber das konnte sie ihm kaum sagen und hüllte sich daher in Schweigen. Während die Sänftenträger ihre Last wieder aufnahmen und sie in ihrem eigentümlichen Trab, der die Sänfte kaum schaukeln ließ, durch die Straßen trugen, sprach Paolo Gonzaga mit der Zufriedenheit eines Mannes weiter, der nichts dem Zufall überlassen hatte. »Baldassare Pollai wird heute gar nicht anwesend sein. Ein guter Freund von mir hat ihn zu sich eingeladen. Pollai wird es wohl kaum ausschlagen, da er schon seit Monaten danach giert, mit meinem Freund ins Geschäft zu kommen.«
»Ihr seid ein Teufel«, entfuhr es Giulia unwillkürlich.
»Herzlichen Dank für das Kompliment.«
Giulia wusste nicht, ob er es ernst meinte oder sie nur verspotten wollte. Es waren die letzten Worte, die zwischen ihnen fielen, bis sie das etwa eine knappe Meile vor der Stadt gelegene Landhaus erreichten. Mehrere Bedienstete eilten mit Laternen heraus, um sie zu empfangen, und der Haushofmeister öffnet per-

sönlich den Vorhang der Sänfte. »Buon giorno, Messer Casamonte. Seid uns willkommen. Wir hoffen, Ihr könnt die Dame Leticia beruhigen. Sie war eben noch sehr aufgebracht und äußerte, Euch nicht sehen zu wollen.«
»Meinem Charme kann sich keine Frau entziehen«, antwortete Paolo Gonzaga mit unnatürlich hoher Stimme. Da er diese auch bei seinen nächsten Sätzen mühelos beibehielt, musste er lange geübt haben, fand Giulia, die wie ein Häuflein Elend hinter ihm ausstieg. »Mein Famulus und Page«, stellte Gonzaga sie vor. »Seine edelsten Teile wurden ebenfalls der Kunst geopfert, doch hielt seine Stimme später nicht, was man sich von ihr versprach. Nun steht er in meinen Diensten.«
Seine Frechheit empörte Giulia ebenso wie seine Schamlosigkeit. Er entließ jetzt die Sänftenträger mit dem Befehl, ihn eine Stunde nach Mitternacht wieder abzuholen. Dann wandte er sich an Pollais Haushofmeister und forderte ihn auf, sie zu der kranken Dame zu bringen. »Ihr seid also sicher, dass Ihr die Ehefrau meines Herrn von ihrer Melancholie heilen könnt?«, fragte dieser ebenso hoffend wie voller Zweifel. »Wenn nicht ich, dann kann es keiner«, erklärte Paolo Gonzaga selbstbewusst und ließ sich in das Gebäude führen.
Jetzt, wo Giulia ihn im Schein der Lampen sehen konnte, wirkte sein Aufzug noch grotesker. Selbst seine Mutter hätte ihn kaum mehr erkannt. Für Pollais Gesinde, das ihn höchstens mal aus der Ferne gesehen hatte, war es auf jedem Fall unmöglich, die Maskerade zu durchschauen. So blieb Giulia nur die Hoffnung, Leticia Pollai würde es ablehnen, mit dem Kastraten zusammenzutreffen. Im ersten Augenblick erschien es auch so, denn als man sie in ihre Gemächer führte, drehte die Dame ihnen den Rücken zu. Der Haushofmeister kümmerte sich nicht um den Unmut seiner Herrin, sondern schloss die Tür und ließ sie mit ihren ungebetenen Gästen allein. Damit gab er Paolo Gonzaga die Chance, auf die dieser gewartet hatte. »Eure Schönheit blendet

mich, edle Leticia. War es mir beim ersten Mal nicht vergönnt, mich daran zu erfreuen, soll mich diesmal niemand mehr daran hindern.« Er sprach zwar leise, aber mit normaler Stimme.
Leticia Pollai drehte sich zu ihm um und starrte ihn irritiert an. »Paolo? Seid Ihr das?«
Er legte sofort den Zeigefinger auf den Mund, um sie zum Schweigen zu bringen. »Wir sollten uns jetzt zum Pavillon begeben.« Es klang fast wie ein Befehl. Leticia Pollai erhob sich sofort, sah aber dann Giulia und wirkte verunsichert. »Wer ist das?«
»Der echte Kastrat Casamonte. Er wird uns mit seinem Gesang unterhalten und gleichzeitig schützen. Es wäre doch arg auffällig, wenn den ganzen Abend keine anderen Geräusche aus dem Pavillon dringen würden, als jene, die durch die Liebe verursacht werden. Casamonte wird außerdem Wache halten und uns warnen, falls uns doch jemand nachschnüffeln will.«
»Ihr seid so klug, Paolo.«
Es klang so bewundernd, dass Giulia der Frau am liebsten eine Ohrfeige gegeben hätte. Sie hielt sich aber im Zaum und nahm auf Paolos Zeichen die Lampe, um ihnen zu leuchten. Auf ihrem Weg zum Pavillon nahm sie mehrmals neugierige Gesichter wahr, doch in der Nähe des kleinen Bauwerks war niemand zu sehen.
Paolo ließ sie und Pollais Frau eintreten und schloss dann die Türe hinter ihnen ab. Giulia wollte schon die Lampe löschen, doch er verhinderte es mit einem raschen Griff. »Wir brauchen das Licht, um uns später wieder anziehen zu können. Außerdem will ich mich an Leticias Schönheit ergötzen.«
Die Frau kicherte bei diesen Worten und drehte ihm den Rücken zu, damit er die Haken ihres Kleides öffnen konnte. Giulia wünschte sich ans andere Ende der Welt. Sie stellte die Lampe auf einem Sims ab und versuchte, das tändelnde Paar zu ignorieren. Zuerst musterte sie das Innere des Pavillons, der mit mehr Prunk als Geschmack eingerichtet war.

Statuen von Faunen und Nymphen waren so vollständig vergoldet, als wolle Baldassare Pollai seine Gäste mit Nachdruck auf sein Gewerbe aufmerksam machen. Die Fenster waren mit goldenen Ranken und Rosen geschmückt, und die Kuppel des Baus zierte ein Gemälde, auf dem einer der drei Weisen aus dem Morgenland eben dem Jesuskind seine Gabe – natürlich Gold – überreichte. Das Gesicht des Weisen wirkte auf eine unschöne Art lebensecht, so dass Giulia vermutete, der eitle Goldschmied habe sich hier selbst abbilden lassen. Sie empfand das Nebeneinander von christlichen Motiven und nackten, heidnischen Figuren als grotesk. »Du sollst nicht Maulaffen feilhalten, sondern singen«, fuhr Paolo sie an.
Giulia zuckte zusammen und drehte sich zu ihm und Leticia Pollai um. Sie musste den Pavillon ziemlich lange betrachtet haben, denn die beiden standen nackt vor ihr. Leticia war etwas kleiner als sie, über ihrer zierlichen Taille wölbten sich volle Brüste. Ihr Gesicht war mehr rund als schmal, aber ebenmäßig und, wie Giulia fand, recht hübsch. Ihr langes, schwarzes Haar trug sie nun offen, so dass es weit über ihren Rücken fiel. Sie blickte Paolo aus ihren großen, dunklen Augen so anbetend an, als wäre er ihr Abgott, und fuhr mit ihrer Rechten über seine muskulöse, haarlose Brust und den straffen Bauch, bis sie herausfordernd auf seinem aufgerichteten Glied zu liegen kam. Als Giulia bemerkte, dass sie die beiden anstarrte, drehte sie sich erschrocken um und begann zu singen. Unwillkürlich stimmte sie dabei einen religiösen Choral an.
Paolo lachte auf. »Bravo, Casamonte, Ihr seid noch geschickter, als ich dachte. Bei solchen Liedern wird niemand vermuten, dass hier noch ganz andere Dinge vorgehen.«
Giulia hätte am liebsten den Choral abgebrochen und diesem Lüstling gesagt, was sie von ihm hielt. Doch sie hatte zu viel Angst, dass die Sache hier entdeckt wurde. So versuchte sie, sich voll und ganz in ihren Gesang zu flüchten, bis sie nichts mehr

um sich herum wahrnahm. Sonst gelang ihr dies immer recht schnell. Doch diesmal schien es, als würden Paolos erregtes Keuchen und die leise, vor Lust zitternde Stimme der Frau ihrem Geist Fesseln anlegen und ihre Sinne zwingen, Zeuge ihrer Sünde zu sein.

Giulia hatte noch nie Menschen bei der Liebe beobachtet, doch ganz unwissend war sie natürlich nicht. In dem kleinen, engen Häuschen damals in Saletto war es nicht ausgeblieben, dass sie Ohrenzeugin einiger Liebesakte ihrer Eltern geworden war. Einmal hatte sie sogar Assumpta und Beppo als eng aneinander gepresste, dunkle Gestalten im Anbau entdeckt und war erschrocken davongelaufen.

Was Paolo jedoch mit Leticia Pollai trieb, war nicht die sanfte, verständnisvolle Liebe zweier Eheleute, sondern ein hartes und brutales Niederzwingen der Frau. Giulia starrte auf die beiden verzerrten Schatten, die der flackernde Schein der Kerzen auf die Wand malte, und empfand nichts als Abscheu. Bei diesem Anblick war sie beinahe froh um ihre Rolle als geschlechtsloses Wesen. Leticia Pollai schien ganz anders zu empfinden, denn sie stöhnte und stieß immer wieder kleine, lustvolle Schreie aus.

Aus Angst, man könnte die beiden hören, sang Giulia immer lauter und betete dabei zur Jungfrau Maria, dass es bald vorbei sein würde. Als Paolo nach einem letzten, brünstigen Ächzen über der Frau zusammenbrach, dachte sie schon, die Angelegenheit sei damit zu Ende. Doch Paolo schien seine Rache an Baldassare Pollai gründlich auskosten zu wollen, denn er verlangte von Leticia, dass sie ihm noch ganz anders zu Willen war als ihrem Ehemann.

Obwohl Giulia ihnen den Rücken zuwandte, zeigten ihr die Schatten, die allgegenwärtig zu sein schienen, wie er die Frau mit nur geringer Überredung dazu brachte, ihm ihren Mund anzubieten, und sie schließlich auf jene Art nahm, wie es Männer miteinander trieben und die von den Priestern Sodomie genannt

und als eine der Todsünden bezeichnet wurde. Die Augen zu schließen wagte Giulia jedoch nicht, aus Angst, sie könne übersehen, wenn sich jemand dem Pavillon näherte.
»Wenn du willst, gehört Leticias Mund dir. Vielleicht empfindest du Freude daran«, bot Paolo ihr schließlich an.
Giulia prallte herum, um ihm ihren Abscheu ins Gesicht zu schleudern, und sah am Blick der Frau, dass diese auch dazu bereit war. Im letzten Augenblick bezwang sie ihren Zorn und presste die Zähne zusammen. Paolo winkte auffordernd. Doch als Giulia abwehrend den Kopf schüttelte, verzog er sein Gesicht zu einem mitleidig-boshaften Lächeln. »Dir hat man anscheinend besonders viel weggeschnitten. Ich kenne Kastraten, die sich diese Gelegenheit nicht entgehen lassen würden.«
Giulia erschrak. Wie es aussah, wusste sie noch viel weniger über Kastraten, als sie gedacht hatte, und fürchtete sich mehr denn je vor einer Entdeckung. In ihrer Verwirrung stimmte sie ein weiteres frommes Lied an. Kurz darauf war es vorbei. Paolo Gonzaga erhob sich sichtlich zufrieden und begann sich anzuziehen. Da Leticia Pollai mit geschlossenen Augen und entrückter Miene liegen blieb, gab er ihr einen Klaps auf den bloßen Hintern. »Steh auf und kleide dich an. Oder willst du, dass die Diener deines Mannes Stielaugen bekommen, wenn sie dich so sehen? Bist du etwa immer noch nicht ganz zufrieden gestellt?«
Leticia Pollai sprang erschrocken auf. »Du willst mich verlassen?«
»Was heißt wollen? Ich muss gehen. Oder möchtest du unbedingt erfahren, was dein Mann dazu sagt, wenn er uns in trauter Zweisamkeit findet?« Paolos Stimme klang wie das zufriedene Schnurren eines fetten, alten Katers. Er hatte heute bei Pollais Frau weitaus mehr erreicht, als er sich vor einigen Wochen hatte erträumen können. Nach diesem Tag trug der Goldschmied ein unsichtbares Geweih, das zu groß war, um noch durch ein Tor zu passen. Jetzt zählte nur noch seine eigene Sicherheit. Er

musste so schnell wie möglich von hier fort, denn Pollai konnte nun jeden Moment nach Hause zurückkehren, und es bestand die Gefahr, dass er sich den Kastraten selbst ansehen und anhören wollte. Er befahl Giulia, mit dem Gesang aufzuhören und ihm beim Ankleiden zu helfen.

Leticia Pollai presste sich nackt, wie sie war, an ihn. »Du kommst doch bald wieder, ja?«

Paolo Gonzaga versprach ihr alles, was sie hören wollte, denn er wusste, dass eine Frau, die sich verlassen glaubte, jede Vorsicht außer Acht ließ. Wenn sie jetzt zu schreien und zu toben anfing, waren die Diener ihres Mannes schneller da, als er laufen konnte. Er küsste sie daher zärtlich, streichelte ihr sanft über ihren Rücken und half ihr, sich anzuziehen.

Als er sowohl mit ihrem als auch mit seinem Aussehen zufrieden war, küsste er sie noch einmal und wies dann auf das Klingelband neben dem Bett. »Ruft jetzt Eure Zofe und sagt ihr, dass Casamontes Vorstellung für heute zu Ende ist.«

Leticia gehorchte ihm, doch sie schritt wie eine Traumwandlerin durchs Zimmer.

Wäre Paolo Gonzaga nur ein Diener oder ein einfacher Handwerker gewesen, hätte diese Frau, das fühlte Giulia instinktiv, ihn keines zweiten Blickes gewürdigt. Leticia Pollai benahm sich wie eine rossige Stute, die von einem möglichst hochrangigen Hengst beschält werden wollte. Treue und Glauben, wie sie nach den Lehren der Heiligen Kirche zwischen Eheleuten herrschen sollten, besaßen für sie keine Bedeutung. Giulia schüttelte sich innerlich über diese Verworfenheit und war froh, als die Zofe und ein Diener mit einer Laterne erschienen.

Nach einem kurzen, von heimlichen Ängsten beherrschten Abschied atmeten sowohl Giulia wie auch Paolo Gonzaga auf, als das Tor des Anwesens hinter ihnen geschlossen wurde. Die Sänftenträger warteten bereits auf sie, um sie in die Stadt zurückzubringen. Zu Giulias Erleichterung war Paolo Gonzaga zu erschöpft, um ein Gespräch beginnen zu können. Er reichte der Wache am Tor ein paar Münzen als Tribut für ihre nächtliche Rückkehr und ließ schließlich vor dem Goldenen Lamm halten. Bevor Giulia jedoch aus der Sänfte schlüpfen konnte, hielt er sie mit einem scharfen Wort auf und reichte ihr einen Beutel. »Nimm das als Dank dafür, dass du mir nicht nur zu meiner Rache, sondern auch zu einem mehr als befriedigenden Abend verholfen hast.«

Giulia starrte auf die Börse, als hätte er ihr einen giftigen Skorpion auf die Hand gelegt. Noch ehe sie etwas erwidern konnte, forderte Paolo Gonzaga sie auf zu gehen. »Es war ein anstrengender Abend, und ich will ins Bett. Bedanken kannst du dich später.«

Giulia gehorchte verwirrt und starrte der sich entfernenden Sänfte nach, bis die Schritte der Träger verklungen waren. Dann ging sie mit hängenden Schultern auf das Goldene Lamm zu und klopfte an die Pforte. Bis auf einen Stallknecht, der ihr öffnete, schien das ganze Haus schon in tiefem Schlaf zu liegen, so dass niemand sie aufhielt oder ihr Fragen stellte. Aufatmend schloss sie die Zimmertür hinter sich ab, kleidete sich hastig aus und warf sich aufs Bett. Der heiß ersehnte Schlaf stellte sich jedoch erst im Morgengrauen ein.

Giulia wachte erst spät am Vormittag auf, als der Lärm auf der Straße anschwoll, und hatte Mühe, sich aus den Krakenarmen wirrer Träume zu lösen. Als sie aufstand, fiel ihr Blick als Erstes auf den Beutel, den ihr Paolo Gonzaga gegeben hatte. Das Geld erschien ihr wie ein Judaslohn. Sie hatte es für ihre Beihilfe zu einer Todsünde erhalten. Giulia überlegte, ob sie in die Kirche gehen und das Ganze beichten sollte. Ihr graute jedoch davor, denn wenn sie sich selbst auch schuldlos fühlte, musste jeder Priester sie als Gesellin der Verworfenheit und Helferin des Teufels ansehen. Sie beschloss daher, still für sich zu beten und die Jungfrau Maria um Verzeihung anzuflehen.

Mit diesem Vorsatz begab sie sich in das Frühstückszimmer. Ihr Vater saß bereits auf einem gepolsterten Stuhl und trank Wein. Als er sie sah, sprang er auf, umarmte sie und zeigte ihr etliche Golddukaten, die auf dem Tisch lagen. »Dies ist der Dank Messer Pollais dafür, dass du seine Frau wie durch ein Wunder mit deinem Gesang von ihrer Schwermut geheilt hast. Er hat doppelt so viel gegeben wie vereinbart und zudem versprochen, uns bei seinen Freunden einzuführen.«
»Der arme, betrogene Mann«, flüsterte Giulia unter Tränen. Dann dachte sie an ihren Entschluss, die Jungfrau Maria um Verzeihung zu bitten, und nahm das Geld vom Tisch. Sie wollte es zusammen mit der Summe, die ihr Paolo Gonzaga gegeben hatte, in der Kirche Santa Maria Maddalena in den Opferstock legen. »Was soll das?«, fragte ihr Vater verwirrt.
Giulia wusste nicht so recht, wie sie es ihm erklären sollte. Doch wenn sie das Geld den Armen spenden wollte, musste er wissen, warum. Sie bat ihn daher, sich neben sie zu setzen, und berichtete ihm, durch welche Kur Pollais Ehefrau geheilt worden war. Sie wunderte sich, als er plötzlich schallend zu lachen begann, setzte aber hinzu, dass sie dieses Sündengeld nicht behalten, sondern in die Kirche Don Giantolos tragen wollte.
In diesem Augenblick verstummte sein Lachen jäh, und er starrte sie an, als könne er es nicht glauben. »Du bist verrückt. Ich denke nicht daran, das viele Geld in die Gosse zu werfen. Gib her.« Mit diesen Worten entwand er ihr die Goldstücke und Gonzagas Börse und steckte beides ein. Als er ihr entsetztes Gesicht sah, reichte er ihr zwei Barbonestücke. »Das wird wohl ausreichen, um dein Gewissen zu entlasten. Schade um das schöne Geld, aber ich will mal nicht so sein.«
Giulia sah in sein selbstzufriedenes, leicht aufgedunsenes Gesicht, das ihr mit einem Mal wie das eines Fremden erschien, und begriff, dass sie seit ihrer Flucht aus Saletto mehr verloren hatte als nur die Heimat. Sie hatte jetzt auch keinen Vater mehr.

# Dritter Teil

•◆•

## *Höhen und Tiefen*

# I.

Giulia musterte ihren Vater und fand, dass die zwei Jahre des Wohllebens in Mantua tiefe Spuren bei ihm hinterlassen hatten. Sein Leibesumfang hatte sich beträchtlich vermehrt, und sein einst eher hageres Gesicht zeigte deutliche Ansätze zu Hamsterbacken und Tränensäcken. Wie ein wohlhabender Händler trug er je zwei goldene Ringe an den Fingern seiner schlaff gewordenen Hände. Sein dunkelblaues Wams strotzte nur so vor Gold- und Silberstickereien und war mit rosenroter Seide ausgefüttert. Auch die gelbe Hose, die sich schon lächerlich eng um seine fett gewordenen Schenkel spannte, war aus den besten Stoffen gewirkt und wies eine so übertrieben große Schamkapsel auf, als besäße er das Gemächt eines Hengstes.
Wieder einmal wurde Giulia bewusst, wie fremd ihr der Mensch geworden war, den sie einmal geliebt und verehrt hatte. Er selbst schien ebenso zu empfinden, denn er kümmerte sich nicht mehr um sie und ihre Belange, sondern begnügte sich damit, die Börsen in Empfang zu nehmen, die sie ihm beinahe allmorgendlich auf den Tisch legte. Es war auch schon geraume Zeit her, dass er sie selbst zu ihren Konzerten begleitet hatte. Das war jetzt Beppos Aufgabe, obwohl der treue Alte den Bauernkittel mit einer prachtvoll aufgeputzten Livree hatte vertauschen müssen, in der er sich mehr als unbehaglich fühlte. Doch ihr zuliebe taten Beppo und seine Frau Assumpta alles, was in ihren Kräften stand. Giulia wollte sich nicht einmal vorstellen, was sie ohne diese beiden Menschen getan hätte.
Girolamo Casamonte, der seinen alten Namen Fassi längst vergessen hatte, wurde unter Giulias abschätzigem Blick sichtlich

unruhig. »Was ist denn los mit dir?«, fragte er mit der quengelnden Stimme eines kleinen Jungen, der sich bei seinem Lieblingsspiel gestört fühlt. In seinem Fall war es der Wein, der in einer großen Zinnkanne vor ihm auf dem Tisch stand und darauf wartete, in den zierlichen Pokal gefüllt zu werden, den Casamonte bereits in der Hand hielt.
»Ich muss mit dir reden.« Giulias Stimme klang schärfer als beabsichtigt, doch sie bedauerte es nicht.
»Was willst du denn? Wieder einmal ein paar Bussolas für Don Giantolos Opferstock?« Er griff ächzend unter sein Wams und holte seine Börse hervor.
Giulia hätte ihn am liebsten geohrfeigt. »Es geht mir nicht um ein paar Groschen, sondern um unsere Zukunft.«
»Wieso? Es steht doch alles zum Besten.« Casamonte verstand nicht, wieso seine Tochter sich Sorgen machte. Schließlich verging kaum ein Abend, an dem sie nicht zu einem Fest oder einem Konzert gerufen wurde und mit einer vollen Börse zurückkehrte. Daher winkte er ab und erklärte seiner Tochter, sie sähe alles viel zu schwarz.
Giulia fühlte sich ihrem Vater gegenüber so unendlich hilflos, aber sie wollte wenigstens versuchen, ihm einiges klar zu machen. »Ich weiß nicht, ob dir aufgefallen ist, dass ich in den letzten beiden Monaten nur noch vier Auftritte in herrschaftlichen Häusern hatte. Vor drei Monaten waren es noch neun und davor elf. Dich kümmert es ja nicht im Geringsten, ob die Börsen, die ich dir bringe, ein Wappen oder ein Zunftzeichen tragen. Doch ich merke deutlich, dass meine Zeit in Mantua abläuft. Vor einem Jahr musste ich Einladungen in die Häuser wohlhabender Kaufleute und Handwerksmeister noch ablehnen, so gefragt war ich. Doch heute würden wir ohne das Interesse der Bürgersleute schon am Hungertuch nagen.«
Giulia sah ihren Vater bittend an, doch er rührte sich nicht. Es war, als ginge ihn das alles nichts an. Wie es schien, wollte er der

Tatsache nicht ins Auge sehen, dass die adlige Gesellschaftsschicht, vor der Giulia zu Beginn ihres Aufenthalts in Mantua aufgetreten war, sie mittlerweile fast vollständig ignorierte und sie ihre Engagements jetzt vor allem bei den Standesgenossen des Goldschmieds Baldassare Pollai fand.

Obwohl seit Paolo Gonzagas üblem Streich viel Zeit vergangen war, tat es Giulia immer noch in der Seele weh, dass ausgerechnet der betrogene Pollai ihr den Weg zu seinen Freunden und Zunftgefährten geebnet hatte. Sie erinnerte sich auch noch deutlich an die Angst, die sie in den ersten Wochen danach ausgestanden hatte. Wenn Paolo mit seinem Erfolg bei Leticia Pollai geprahlt hätte, wäre es ihr wahrscheinlich schlimm ergangen. Doch zu ihrem Glück war er kurz nach den Ereignissen wegen einer anderen Sache bei Herzog Guglielmo in Ungnade gefallen und hatte Mantua eilig verlassen müssen. Soweit sie erfahren hatte, war er mittlerweile in spanische Dienste getreten und Offizier in Sizilien geworden. Sie schüttelte den Gedanken an ihren einstigen Gönner und späteren Peiniger ab und irritierte mit ihrer unbewussten Kopfbewegung ihren Vater. »Du wirst sehen, es kommt schon wieder alles in Ordnung, mein Kind. Immerhin hast du die erhoffte Einladung des Herzogs erhalten. Du darfst vorsingen und wirst den Posten des Hofkastraten erhalten.« Seine Miene verriet, dass er noch nicht einmal über Giulias Worte nachgedacht hatte. »Die Einladung haben noch zwei andere, zwei echte Kastraten erhalten.« Giulia erinnerte sich nur mit einem gewissen Schaudern an ihr erstes Zusammentreffen mit Giacomo Belloni, den sie den Unvergleichlichen nannten.

Der Kastrat war ein groteskes Geschöpf, nicht größer als sie selbst und dabei so feist, dass sein ausladendes Gesäß fast waagrecht nach hinten ragte. Am meisten hatte sie jedoch sein wogender, weit auseinander stehender Busen entsetzt, den er fast wie ein Standesmerkmal zur Schau stellte. Auch sein Gesicht hatte nichts Männliches mehr an sich, sondern ähnelte dem ei-

ner fetten Frau. Zuerst war Belloni ihr wie eine Kreatur erschienen, die sich ein krankes Gehirn erdacht haben musste. Doch in dem Augenblick, in dem sie zum ersten Mal seine klare, meisterlich geschulte Stimme vernahm, hatte sie alle seine körperlichen Beeinträchtigungen vergessen und tiefe Hochachtung vor ihm empfunden.
Belloni war es auch, der nun in den Kreisen des Mantueser Adels herumgereicht und bewundert wurde. Der zweite Kastrat, Sebaldi, der im Alter etwa zwischen dem über dreißigjährigen Belloni und ihr selbst stand, war ebenfalls ein gern gesehener Gast in den herrschaftlichen Salons, obwohl Giulia seine Stimme als eher mittelmäßig einstufte. Aber er verfügte über ein weitaus größeres Repertoire als sie, wobei er sich auch darin nicht mit Belloni messen konnte.
Erst als ihr Vater sich räusperte und den Weinkrug deutlich hörbar auf den Tisch zurückstellte, wurde sie sich seiner Gegenwart wieder bewusst. Er schien mit der Entwicklung vollkommen zufrieden zu sein und nahm Giulias Konkurrenten nicht ernst.
Giulia stemmte die Hände in die Hüften. »Begreifst du es denn nicht, Vater? Ich bin zwar zu dem Sängerwettstreit bei Hofe eingeladen worden, doch gewinnen kann ihn nur einer, und das werde nicht ich sein.«
Jetzt zuckte er doch etwas zusammen. »Das darfst du nicht sagen«, tadelte er sie. »Deine Stimme ist unvergleichlich.«
»Meine Stimme vielleicht, doch nicht meine Ausbildung. Wie oft habe ich dich gebeten, mir neue Noten und Lieder zu besorgen? Du hast ja nicht gehört, wie meine Zuhörer tuschelten, dass meine Vortragsspanne doch etwas arg eingeschränkt sei.« Diesmal wollte Giulia das Thema durchfechten, auch wenn sich ihr Vater wand ein glitschiger Aal. »Ich habe dir doch erst letzten Monat eine neue Kanzonette besorgt.« Girolamo Casamonte sah seine Tochter empört an. »Ja, von einem Jahrmarktsmusikanten, der im Vertrauen gesagt noch schlechter komponiert als

du.« Giulia war es nun gleichgültig, ob sie ihren Vater mit diesen Worten verletzte oder nicht. »Wenn ich so einen Schund vortrage, beschleunige ich nur meinen Abstieg. Jetzt steht den Mantuesen ein Belloni zur Verfügung, und auch Sebaldi hat schon angekündigt, länger bleiben zu wollen. Da wird sich bald kein Mensch mehr für mich interessieren.«

Da ihr Vater keine Antwort gab, sondern sich sehr betont mit seinem Weinkelch beschäftigte, wurde sie deutlicher. »Du hättest längst die Bekanntschaft der Komponisten am Hofe Herzog Guglielmos suchen und sie damit beauftragen müssen, einige Musikstücke für mich zu schreiben, wie der Herzog sie gerne hört. In diesem Fall hätte ich vielleicht eine Chance gehabt, den Wettstreit der Kastraten zu gewinnen.«

Girolamo Casamonte ließ sich auch durch diesen Einwand nicht aus der Ruhe bringen. Er trank einen Schluck Wein, bevor er sich wieder seiner Tochter zuwandte. »Warum hätte ich teures Geld für die Komponisten des Herzogs hinauswerfen sollen, wenn sie doch nach deinem Sieg umsonst für dich arbeiten müssen? Ach, Kind, du bist einfach nur überreizt und hast Lampenfieber. Aber das ist ganz normal. Du wirst sehen, sobald du vor dem Herzog stehst und singst, wird alles in Ordnung kommen.«

Giulia begriff, dass sie auch heute seinen Wall aus Wein und selbstzufriedener Eigenliebe nicht durchstoßen konnte. Vielleicht würde ein schnelles und schmerzhaftes Ende ihres Aufenthalts in Mantua seine Selbstgefälligkeit stören und ihn aufschrecken. Doch selbst hier hatte sie ihre Zweifel. Er würde die Schuld an ihrem Scheitern mit Sicherheit nicht bei sich suchen, sondern bei ihr. Dabei hatte sie getan, was sie konnte. Sie hatte sogar einige Lieder komponiert, um ihren Zuhörern einmal etwas Neues bieten zu können. Aber da ihr Vater sie niemals richtig in die Kunst des Komponierens eingewiesen hatte, war das Ergebnis nicht überzeugend. Die Stücke waren höchstens für

die Geburtstagsfeier einer Schneidersgattin geeignet. Vor dem Herzog konnte sie damit nicht bestehen.
Ihr Zorn wollte sie zwingen, ihrem Vater den Weinbecher aus der Hand zu schlagen und ihm einige sehr unangenehme Wahrheiten an den Kopf zu werfen. Doch in den Jahren, die sie als Kastrat verkleidet hier gelebt hatte, war ihr eine fast steinerne Ruhe zur zweiten Natur geworden. Nur dann, wenn sie sich immer und in jeder Lage beherrschte, konnte sie vor Entdeckung sicher sein.
Sie verließ ihren Vater ohne Gruß und kehrte in ihr Zimmer zurück. Obwohl sie die Zeit bis zu ihrem abendlichen Auftritt nutzte, um ihre Sicherheit bei einigen schwierigen Gesängen zu verbessern, war ihr mehr als bewusst, dass sie mit einem Giacomo Belloni zumindest jetzt noch nicht konkurrieren konnte. Wahrscheinlich würde sie auch noch Sebaldi den Vortritt lassen müssen.

## *II.*

Als sie auf den Palazzo Ducale zuschritt, spürte Giulia ihr Herz bis in den Hals klopfen. Beppo schien ebenfalls Angst vor dem Ausgang des Wettbewerbs zu haben, denn er schlich mit der Miene eines geprügelten Hundes hinter ihr her. Auch heute, an diesem so wichtigen Tag, hatte ihr Vater Giulia im Stich gelassen. Während er sich im Goldenen Lamm den Freuden der Küche und des Kellers hingab, musste sie sich der Konkurrenz der beiden Kastraten stellen, die der Herzog für diesen Wettstreit berufen hatte. Giulia wusste rein gar nichts über die musikalischen Vorlieben Guglielmo Gonzagas. Auch hier hatte ihr Vater, dem genügend Zeit geblieben wäre, um Erkundigungen einzuziehen, schmählich versagt.
Die Wachen am Tor in ihren prunkvollen Rüstungen und fe-

dergeschmückten Helmen missachteten ihre Ankunft in fast beleidigender Weise. Dafür trat ein kaum weniger prächtig gekleideter Lakai auf sie zu.
Giulia überreichte ihm die auf kunstvollem Büttenpapier geschriebene Einladung zum Wettstreit, auf der dreifach das herzogliche Siegel prangte. »Signore Casamonte.« Es war weniger eine Frage als eine Feststellung. Giulia nickte bejahend und überlegte, ob sie nun vergrätzt sein sollte, weil sie vom Messer Casamonte wieder zum einfachen Signore zurückgestuft worden war, lächelte dann jedoch innerlich über sich selbst. Wenn sie sich jetzt mit Nebensächlichkeiten aufhielt, könnte sie gleich nach Hause zurückkehren. Schließlich mochte ihr noch die Begegnung mit den vier arroganten Hofsängern bevorstehen, die versucht hatten, sie bei Coelia Morri hinauszuekeln. Für einen Moment wäre sie am liebsten umgekehrt, denn wenn sie den Wettbewerb wider Erwarten gewann, würde sie ständig mit den vier Herren zusammenarbeiten müssen, und das würde ihr das Leben schwer machen. Aber sie musste durchhalten, denn wenn sie kniff, verursachte sie einen kleinen Skandal, und niemand würde ihr hier in Mantua je noch ein Engagement anbieten.
»Wenn Ihr mir bitte folgen würdet.« Die Stimme des Dieners klang leicht ungeduldig, aber freundlich.
Er führte sie an der Vorderfront des mächtigen Baus entlang bis zu einer Seitenpforte und hielt ihr dort die Tür auf. Das Innere des Palasts verschlug Giulia beinahe den Atem. Sie hatte schon viel von der Pracht der herzoglichen Residenz gehört, sich aber nicht vorstellen können, wie aufwändig sie innen gestaltet war. Selbst im Dienertrakt, den sie zuerst passierte, waren Wände und Decken mit kunstvollen Bildern bemalt, und sie begegnete überall Statuen, die heidnische Helden und Götter oder christliche Heilige darstellten. Alle wirkten so lebensecht, als hätte ein böser Zauber Menschen in der Blüte ihres Lebens in Stein verwandelt. Giulia wunderte sich nicht wenig, denn viele der Ge-

stalten waren völlig nackt, sowohl Männer wie Frauen. Sogar einige Heilige, deren Legenden in Saletto schon den Kindern beigebracht wurden, unterschieden sich nur durch die Symbole ihres Märtyrertums von den heidnischen Götzen.

Der Diener führte Giulia in gemächlichem Tempo durch die Korridore und Hallen und blieb schließlich vor einem goldfunkelnden Portal stehen. Ein Mann, der weniger einem Lakai als einem Höfling glich, kam auf sie zu und forderte ihr die Einladung ab. Er warf einen kurzen Blick darauf und klatschte dann in die Hände. Die beiden Flügel des Tores schwangen wie von selbst auf, und Giulia blickte in einen eher kleinen, aber atemberaubend prachtvollen Raum. »Das ist die Camera degli Sposi«, raunte ihr ihr bisheriger Führer mit sichtlicher Ehrfurcht zu.

Giulia hatte schon etliche Leute von diesem Raum schwärmen hören, aber nie erwartet, ihn je betreten zu dürfen. Ihre Augen saugten sich förmlich an den herrlichen Fresken fest, welche die Herzöge aus dem Haus Gonzaga und deren Familienmitglieder in lebensechten Posen darstellten. Sie weilte lange genug in Mantua, um die meisten der dargestellten Herrscher zu erkennen. In früheren Zeiten waren die Gonzaga noch keine Herzöge gewesen, sondern hatten Mantua als Markgrafen der deutschen Kaiser regiert und sich oft mit den Adelshäusern nördlich der Alpen verschwägert. Giulia fiel das Bild ins Auge, welches den Markgrafen Ludovico, seine Gemahlin Barbara von Brandenburg, ihre Kinder und ihren Hofstaat darstellte, bei dem sogar der zwergenhafte Hofnarr nicht fehlte. Unwillkürlich dachte Giulia, dass der jetzige Herzog trotz eines entstellenden Buckels sogar in noch höhere Kreise eingeheiratet hatte. Seine Ehefrau war Prinzessin Eleonore, eine Tochter Kaiser Ferdinands und Schwester des derzeit regierenden Kaisers Maximilian II. Von ihr und ihrem Gemahl schien es noch kein Bild zu geben.

Während sie sich noch ganz selbstvergessen nach einem Abbild der kaiserlichen Dame umsah, vernahm sie ein tadelndes Räuspern und bemerkte erst in dem Moment, dass sie sich nicht allein in dem Raum befand. An der Schmalseite saß ein jüngerer Mann in prachtvoller, ganz in Gold und Weiß gehaltener Kleidung und einem Barett mit roten Reiherfedern auf dem Kopf tief in einem gepolsterten Sessel, den Arm auf die Lehne gestützt, und blickte nachdenklich in die Runde. Obwohl Giulia Herzog Guglielmo nur ein paarmal von weitem gesehen hatte und die nach vorne gezogene Lehne seinen Buckel verbarg, erkannte sie ihn sofort. Seine Gemahlin war leider nicht zu sehen. Dafür hatte einen Schritt hinter ihm eine ältere Dame Platz genommen, die sich mit einem dunklen, pelzbesetzten Überkleid gegen die Abendkühle schützte. Die schwarze Haube und der gleichfarbige Schleier deuteten darauf hin, dass es sich um eine adlige Witwe handelte.

Etwas seitwärts hinter dem Herzog standen drei Männer in weniger prunkvollen Kleidern. Die Musikinstrumente in ihren Händen wiesen sie als Gonzagas Hofmusiker und -komponisten aus. Das waren die Leute, deren Bekanntschaft ihr Vater hätte suchen müssen, auch wenn dabei das eine oder andere Dukatenstück in deren Hände gewandert wäre, dachte Giulia mit einer gewissen Bitterkeit. Sie folgte unwillkürlich den Blicken der drei Musiker und entdeckte ihre beiden Konkurrenten am anderen Ende des Raumes.

Belloni wirkte auch heute wie die Karikatur eines Menschen. Sein Gesicht strahlte jedoch eine sanfte Ruhe aus, die wohl niemanden in seiner Gegenwart unberührt lassen konnte. So, wie er sich gab, schien er sich seines Wertes und seines Könnens absolut sicher zu sein. Er protzte auch nicht mit seiner Kleidung, sondern trug ein eher schlicht gehaltenes graues Wams und graue Hosen. Das Barett, das er in Händen hielt, und die Feder, die es schmückte, waren im gleichen Farbton gehalten.

Im Gegensatz zu Belloni wirkte der zweite Kastrat wie ein Vulkan vor dem Ausbruch. Sebaldi sah man den Verschnittenen nicht auf Anhieb an. Er hatte ein scharf geschnittenes Gesicht, wohlgeformte, breite Schultern, schmale Hüften und lange, dünne Beine. Sein grünes Wams und die roten Hosen waren von übertrieben engem Schnitt, und die provozierend herausgeputzte Schamkapsel wirkte in Giulias Augen einfach lächerlich. Sie konnte sich des Gefühls nicht erwehren, dass Sebaldi verzweifelt versuchte, wie ein normaler Mann zu erscheinen. Vielleicht war er einer jener Kastraten, von denen Paolo Gonzaga behauptet hatte, sie würden noch ein gewisses Vergnügen bei Frauen empfinden. Bei dem Gedanken an ihren einstigen Peiniger sah sie sich rasch nach dem Herzog um. Zu ihrer Erleichterung gab es kaum eine Familienähnlichkeit zwischen ihm und Paolo.

Ein zweites Mal störte ein Räuspern sie auf. Ein anderer Höfling, den sie bis jetzt nicht wahrgenommen hatte, trat vor und winkte sie und die beiden Kastraten zu sich. »Seine durchlauchtigste Hoheit Guglielmo Gonzaga, Herzog von Mantua und Markgraf von Montferrat, erweist euch heute die Gnade, vor ihm singen zu dürfen. Der Beste von euch erhält den Lorbeer des Siegers, und es wird ihm erlaubt, als Kastratensänger dem Chor der Hofkapelle zu Mantua anzugehören.« Der Mann schwieg für einen Moment, um seine Worte wirken zu lassen. Dann fragte er: »Euch sind die Regeln bekannt?«

Obwohl Giulia und die beiden Kastraten nickten, setzte der Höfling seine Ansprache fort. »Jeder von euch wird drei Musikstücke vortragen, deren Gesamtdauer durch diese Sanduhr begrenzt wird.«

Er zeigte dabei auf ein kleines Tischen, das eben von zwei Dienern hereingetragen wurde. Darauf stand eine Sanduhr, die von einem kunstvoll gestalteten, goldenen Engel gehalten wurde. »Wer es wünscht, wird von den ehrengeachteten Musiciste der herzoglichen Kapelle begleitet werden«, setzte er hinzu.

Belloni schüttelte sofort den Kopf. »Ich verzichte darauf.«

Giulia gefiel der kurze Blick nicht, den die Musiker mit Sebaldi wechselten, daher verzichtete sie ebenfalls.
Sebaldi trat vor, verbeugte sich vor Guglielmo Gonzaga und beinahe ebenso tief vor den Musikern. »Mir wäre es eine Freude, seine durchlauchtigste Hoheit zusammen mit den ehrenwerten Herren Hofmusikern unterhalten zu können.«
Giulia sah Sebaldi an, dass er um jeden Preis zu gewinnen gedachte, und ertappte sich dabei, Belloni den Sieg zu wünschen.
Der Höfling ließ sich jetzt von einem Diener ein Körbchen aus Silberfiligran reichen, in dem drei goldene Medaillen lagen, und kam damit auf Belloni zu. »Ihr seid der älteste und bekannteste Kastrat, den Seine Durchlaucht eingeladen hat. Zieht bitte ein Los, um Euren Platz in der Reihenfolge zu bestimmen.«
Belloni tat es mit einer auffälligen Gleichgültigkeit, als sei es vollkommen unwichtig, wann er singen sollte. Er sah nicht einmal auf die Zahl, sondern lächelte Giulia aufmunternd zu. Sebaldi hingegen konnte seine Erregung kaum verbergen und hob das Goldplättchen sofort in die Höhe. »Ich habe die Zwei.«
»Ihr werdet also zwischen Euren Konkurrenten singen«, beschied ihn der Höfling und streckte Giulia das Körbchen entgegen. Sie nahm die verbliebene Münze heraus und sah auf die Zahl. Es war eine Eins. Sie musste also als Erste antreten. Das war nicht günstig für sie, da die beiden anderen ihren eigenen Vortrag mit der Brillanz ihrer Leistungen vergessen machen konnten. Da sie jedoch ohnehin nicht mit einem Sieg rechnete, ließ sie sich dadurch nicht entmutigen, sondern trat vor, verneigte sich vor dem Herzog und der Dame und nahm die Haltung ein, mit der sie ihre Auftritte einzuleiten pflegte.
Giulia hatte für diesen Wettbewerb ein Stück aus der Palestrina-Messe gewählt, da sie dieses Werk am besten beherrschte, sowie ihr geliebtes Chanson von Nicolas Gombert. Als Drittes wollte sie doch eine ihrer eigenen Kompositionen darbringen. Sie mochte dem erlesenen Geschmack des Herzogs vielleicht zu

schlicht erscheinen, war jedoch das einzige Lied, mit dem sie die gesamte Spannbreite ihrer Stimme zur Geltung bringen konnte. Sie sah, wie Guglielmo Gonzaga ein Handzeichen gab und sich die Camera degli Sposi mit Höflingen füllte. Als die Türen wieder geschlossen wurden, stimmte sie den ersten Ton an und ließ sich von der Kraft ihrer Musik davontragen.

Erst als sie ihr drittes Lied beendet hatte, erinnerte sie sich wieder an die Sanduhr und wusste im ersten Augenblick nicht, ob sie jetzt zu lange oder zu kurz gesungen hatte. Dem Beifall nach, den sie zu hören bekam, schien ihr Vortrag gefallen zu haben. Sie warf einen kurzen Blick auf den Herzog, der zwar nicht wie die anderen in die Hände klatschte, aber gnädig mit dem Kopf nickte. Die Dame neben ihm stützte nachdenklich die Wange auf ihre Hand und musterte sie mit einem schwer zu deutenden Blick. Auch die Musiker rührten keine Hand, sondern tuschelten in auffälliger Weise miteinander. Dafür klatschte Belloni ehrlich Beifall, während Sebaldi ein Gesicht zog, als hätte er soeben eine ganze Zitrone auf einmal verschluckt.

Giulia war erleichtert, es hinter sich gebracht zu haben, und zog sich ein paar Schritte zurück. An ihrer Stelle trat jetzt Sebaldi vor.

»Als Erstes werde ich das neueste Werk des ehrenwerten Messer Guantoni vortragen.« Sebaldi verbeugte sich dabei vor dem Ersten der Hofmusiker und bat ihn, die Melodie anzustimmen.

Als er zu singen begann, fand Giulia, dass er für einen Kastraten eine eher tiefe Stimme besaß. So ähnlich müsste Ludovico klingen, wenn er kastriert worden wäre. Erschrocken wehrte Giulia den Gedanken an den ehemaligen Solosänger des Knabenchors von San Ippolito ab, denn er erinnerte sie wieder an ihre ständigen Albträume und schien ihr an diesem Ort ein schlechtes Omen. Zu allem Überfluss entdeckte sie nun auch die vier Hofsänger im Hintergrund und hoffte, diese würden nicht zu Rate gezogen, wenn es um die Auswahl des Siegers ging.

Wie erwartet wählte Sebaldi auch als nächstes Lied das Werk

eines Hofkomponisten Herzog Guglielmos. Der Kastrat hatte sich anscheinend hervorragend auf diesen Wettbewerb vorbereitet und die wichtigen Verbindungen geknüpft, die ihr Vater so schmählich vernachlässigt hatte. Aus dem Geflüster hinter ihr entnahm Giulia, dass die Hofmusiker den Herzog beraten sollten, und stellte sich darauf ein, den letzten Platz zu belegen. Sie würde sich nur damit trösten können, dass sie mit ihrer Stimme allein nicht gegen gute Beziehungen bestehen konnte.
Auch das dritte Lied Sebaldis stammte von den Komponisten des Herzogs und zog nach seinem Ende die begeisterten Bravorufe der Musiker nach sich. Noch während der Hof Beifall spendete, trat Belloni nach vorne. Er machte dabei ein Gesicht, als ginge ihn das alles nichts an. Giulia hörte die spöttischen Bemerkungen einiger Höflinge, die sich über die groteske Gestalt lustig machten. Der Spott blieb ihnen jedoch im Halse stecken, als der Kastrat zu singen begann. Selbst Giulia musste zugeben, noch nie eine besser ausgebildete Stimme gehört zu haben.
Als Belloni schließlich sein letztes Lied beendet hatte, war es für Augenblicke so still im Raum, dass man den Lauf einer Spinne hätte hören können. Danach brandete der Beifall wie ein Orkan über den hässlichen, aber unvergleichlichen Künstler herein. Die trüben Gesichter, welche die drei Hofkomponisten und auch die vier Hofsänger machten, zeigten nicht nur Giulia, dass es nur einen Sieger geben konnte. Sebaldi, der nicht weit von ihr entfernt stand, stieß einen halblauten Fluch aus und knirschte mit den Zähnen. Giulia vergönnte ihm den Schlag, denn der Nichtmann war ihr so unsympathisch wie ein Steuereintreiber.
Der Höfling, der ihnen die Regeln des Wettstreites verkündet hatte, winkte Giulia und den beiden Kastraten, den Raum zu verlassen. »Ihr werdet gebeten, euch zurückzuziehen, damit das Urteil gefällt werden kann.«
Er sagte tatsächlich Urteil, als ständen sie vor Gericht, schoss es Giulia durch den Kopf. Sie hoffte, dass es bald vorbei sein würde

und sie wieder nach Hause gehen konnte, wenn man ihr Logis im Goldenen Lamm als solches bezeichnen konnte.
Während sie in einem Nebenraum auf die Entscheidung des Herzogs warteten, sonderte sich Sebaldi ab und tat so, als würde er die Gemälde an den Wänden betrachten. Belloni hingegen blieb neben Giulia stehen und legte ihr die Hand auf den Arm. »Ihr habt eine ausgezeichnete Stimme, Casamonte. Eine wirklich ausgezeichnete sogar«, erklärte er mit sichtlicher Anerkennung. Er schränkte sein Lob jedoch sofort wieder ein. »Man merkt Euch jedoch an, dass Ihr privat ausgebildet wurdet und nicht an einem der großen Konservatorien studiert habt. Euer Stil wirkt veraltet, und Eure Technik ist nicht besonders ausgefeilt. Ihr solltet in der nächsten Zeit etwas weniger auftreten, als vielmehr Euer Können vervollkommnen.«
Giulia nahm die in ihren Augen sehr treffende Analyse mit einer gewissen Überraschung zur Kenntnis. Ähnlich wie Belloni hatte sich schon vor mehreren Jahren ein junger Edelmann geäußert, von dem sie nur noch den Vornamen wusste. Doch selbst wenn sie das Urteil des Kastraten ihrem Vater weitergab, würde er ihr wohl kaum die Gelegenheit geben, sich weiterzubilden. Wenn sie nicht auftreten konnte, floss auch kein Geld, und darauf würde ihr Vater sich niemals einlassen. Ein Teil dieser bitteren Gedanken mussten sich auf ihrem Gesicht widerspiegeln, denn in Bellonis Miene zeichnete sich Mitleid ab. Bevor der Kastrat jedoch etwas sagen konnte, hatte sich Giulia wieder in der Gewalt.
»Ihr wart wirklich unvergleichlich, Messer Belloni. Ich wünsche Euch von ganzem Herzen den Sieg.«
Der Kastrat lächelte bitter. »Du tust es. Andere hingegen würden mich am liebsten auf dem Grunde des Mincio sehen.« Giulia brauchte seinem Blick nicht zu folgen, um zu wissen, dass er Sebaldi damit meinte. Sie ging jedoch nicht direkt darauf ein. »Ihr seid sehr freundlich zu mir, obwohl ich doch eine Konkurrenz für Euch sein könnte, wenn sich mein Können verbessert.«

»Ich tue es, weil Ihr die Stimme dazu habt, Casamonte, und weil Ihr mir sympathisch seid, fast wie ein Sohn, den ich niemals haben werde. Man hat uns in unserer Kindheit zu einem Opfer gezwungen, dem sich wohl keiner von uns beiden freiwillig unterzogen hätte. Oft, wenn ich eine schöne Frau vor mir sehe, frage ich mich, wie es wäre, ein Mann zu sein und sie besitzen zu können.« Er seufzte und schüttelte in schmerzvoller Entsagung den Kopf. »Es gibt nur eines, was uns unseren Verzicht halbwegs erträglich machen kann, und das sind Gold und Ansehen. Aber das ist kein vollwertiger Ersatz für unseren Verlust. Obwohl ich nun reich bin, wünsche ich mir oft, wie mein Vater mit geschwärztem Gesicht am Kohlenmeiler zu stehen und zu Hause ein strammes Weib zu wissen, das in der Nacht die Schenkel für mich öffnet, und statt des verdorrten Dingleins zwischen meinen Schenkeln einen mächtigen Riemen zu tragen, der sie vor Lust aufstöhnen lässt.«
Giulia schauderte, als sie die Zerrissenheit erkannte, unter der Belloni litt. War sie das Geheimnis seiner unvergleichlichen Stimme? Gleichzeitig schockierten sie seine unverblümten Worte. Dann erinnerte sie sich jedoch an etliche Gespräche unter Männern, denen sie als unfreiwillige Zuhörerin gefolgt war. Selbst adlige Herren priesen die Freuden des Bettes und die Stellen der Frauen, die ihnen Lust bereiteten, meist in sehr derben Ausdrücken, und von Assumpta hatte sie erfahren, dass sich Frauen, wenn sie unter sich waren, in diesen Dingen auch keine Zügel anlegten. Warum sollte es bei Kastraten, die ja alle das gleiche Schicksal trugen, anders sein? Während sie noch darüber nachsann, überhörte sie beinahe die nächste Frage Bellonis.
»Wie ich schon sagte, war mein Vater ein Köhler. Was war denn der Eure?«
Giulia rief sich energisch zur Ordnung und schenkte ihm ein Lächeln. »Mein Vater war Kapellmeister eines Adligen.«
»Und hat sich von seinem hochwohlgeborenen Herrn be-

schwatzen lassen, Euch zu beschneiden«, folgerte Belloni messerscharf. Er sah Giulia mit einem Blick an, der ihr in der Seele schmerzte. »Ihr besitzt eine eindringliche, ja fast magische Stimme, Casamonte. Nie habe ich meinen Verlust mehr gespürt als eben bei Eurem Gesang.«
Giulia erschrak. Instinktiv spürte sie, dass Belloni hinter ihr Geheimnis kommen würde, wenn ihre Bekanntschaft länger anhielt. Selbst jetzt fühlte sie sich unter seinem forschenden Blick nicht mehr sicher. Zu ihrem Glück erschien der Höfling Herzog Guglielmos und rief sie in die Camera degli Sposi zurück. Den verärgerten Gesichtern der Hofmusiker zufolge hatte ihr Favorit Sebaldi nicht gewonnen. Der Herzog wirkte auch jetzt eher wie ein unerschütterliches Bild denn wie ein lebender Mensch, während sich die Dame an seiner Seite zurückgezogen hatte. »Es ist der Wille Seiner allergnädigsten Durchlaucht, Euch sein Urteil mitteilen zu lassen«, erklärte der Höfling mit getragener Stimme. »Unerreichter Sieger und von der Gnadensonne Seiner durchlauchtigsten Herrlichkeit ausgezeichnet ist Giacomo Belloni, genannt der Unvergleichliche.«
Noch während der Höfling sprach, trat ein Diener vor und überreichte dem Sieger einen goldenen Lorbeerkranz und eine gut gefüllte Börse. Belloni verneigte sich etwas linkisch vor dem Herzog und wurde dann von dem Diener gebeten, ihm zu den Gemächern zu folgen, die er in Zukunft bewohnen würde. »Um den zweiten Platz gab es gewisse Differenzen, doch kam Seine Gnaden zu dem Schluss, dass er Giulio Casamonte gebührt.«
Noch während Giulia überrascht die Börse nahm, die ihr gereicht wurde, und sich vor dem Herzog verneigte, nahm sie die gekränkten Mienen der Hofmusiker und die verärgerten der vier Hofsänger wahr und begriff, dass Guglielmo Gonzaga sich über das Urteil seiner Angestellten hinweggesetzt hatte. Ein kurzer Blick auf Sebaldi zeigte ihr, dass er vor Wut und Enttäuschung beinahe platzte. Er nahm die Börse, die man ihm schließlich für

den dritten Platz reichte, mit der Arroganz eines sich verkannt fühlenden Genies entgegen und verließ mit einer gerade noch höflich zu nennenden Verbeugung den Raum.
Giulia begriff, dass auch sie verabschiedet war, neigte das Haupt vor Herzog Guglielmo und wollte Sebaldi folgen. An der Tür hielt sie eine Frau in der strengen, schwarzen Tracht einer Kammerfrau einer adligen Dame auf. »Signore Casamonte, meine Herrin, die Gräfinwitwe von Falena, wünscht Euch zu sprechen. Bitte kommt mit mir.«
Die Stimme der Frau klang weder besonders freundlich noch direkt feindselig, sondern eher taxierend. Giulia folgte ihr verwundert und wurde in eine Laubenpergola geführt, deren Dach und Wände von den sich bereits kupfern färbenden Blättern wilder Weinranken bedeckt waren. Die Dame, die sie erwartete, war niemand anders als die Witwe, die an der Seite des Herzogs dem Sängerwettstreit zugehört hatte. Sie hatte ihr Überkleid ausgezogen und saß nun in schwarzer Witwentracht auf einer Bank, um die wärmenden Strahlen der Herbstsonne zu genießen. Als sie Giulia auf sich zukommen sah, huschte der Anflug eines Lächelns über ihr Gesicht. »Ich freue mich, Euch zu sehen, Casamonte. Ihr habt zwar nicht den ersten Preis und den Dank Herzog Guglielmos errungen, doch auf mich hat Eure Stimme sehr großen Eindruck gemacht, sogar einen größeren als die des unvergleichlichen Belloni.«
Giulia begriff nicht, worauf die Gräfinwitwe hinauswollte. Daher verneigte sie sich sehr höflich. »Ich freue mich, dass mein Gesang Euch nicht missfallen hat.«
Das Lächeln der Dame wurde wärmer. »Euer Vortrag hat mir sogar ausgezeichnet gefallen, vor allem dieses letzte Lied, über das die Musiker des Herzogs zwar die Nase rümpften, das den Klang Eurer Stimme jedoch wie kein zweites zum Tragen brachte.«
»Erlaucht sind zu gütig.«

»Eure Stimme hat mir so gut gefallen, dass ich Euch bitte, über den Winter in meine Dienste zu treten.«
Dieses Angebot kam für Giulia so überraschend, dass sie erst einmal schluckte. Bevor sie antworten konnte, sprach die Gräfinwitwe bereits weiter. »Ich bin eine alte Frau, mein Kind, und im Winter, wenn der Wind kalt die Hänge des Apennin herabpfeift und die endlosen Nebel nicht weichen wollen, überkommen mich oft trübe Gedanken, die mir das Leben verbittern. Da keine Medizin in der Lage ist, diese melancholischen Stimmungen zu vertreiben, riet mir mein neuer Arzt, einen Sänger mit goldener Stimme in mein Schloss zu holen und die Kälte in meinem Herz von seinen Liedern vertreiben zu lassen. Aus diesem Grund hat mir Herzog Guglielmo auch gestattet, dem Wettstreit beizuwohnen. Als ich Euch hörte, wusste ich, dass Ihr dieser Sänger sein könnt.«
Giulia hätte am liebsten ›ja, ich trete in Eure Dienste‹ gerufen. Dieses Engagement war ein Geschenk des Himmels, es würde sie und ihren Vater vor dem unzweifelhaften Niedergang bewahren, der in Mantua auf sie wartete. Bis jetzt hatte sie nur eine einzige Einladung für die kommende Woche erhalten, da die Reichen und Edlen von Mantua die Entscheidung ihres Landesherrn hatten abwarten wollen. Jetzt würden sie sich alle um Belloni reißen, und da Sebaldi ebenfalls in der Stadt bleiben wollte, würde er ihr in den Bürgerhäusern Konkurrenz machen. Die Leute wollten neue Lieder hören, und damit konnte sie leider nicht aufwarten. »Ich fühle mich sehr geehrt. Doch leider bin ich nicht Herr meiner Entscheidungen, sondern auf den Willen meines Vaters angewiesen. Ich werde ihm von Euren Angebot berichten und hoffe, dass er ebenso wie ich geneigt ist, es anzunehmen.«
Giulia wusste, dass es nicht leicht sein würde, ihren Vater dazu zu bewegen, auf die Annehmlichkeiten einer Stadt wie Mantua zu verzichten, um den Winter in einer einsamen Burg in den

Bergen zu verbringen. Vielleicht war es sogar ganz unmöglich. Sie wollte es jedoch in jedem Fall versuchen. »Ich werde mich noch zwei Wochen hier in Mantua aufhalten. So lange habt Ihr und Euer Vater Zeit, euch zu entscheiden«, sagte die Gräfinwitwe und reichte ihr die Hand zum Kuss. »Vergesst nicht, dass Ihr das Werk eines guten Samariters tut, wenn Ihr mich begleitet.«

Giulia berührte mit ihren Lippen die welke Haut und verabschiedete sich. Nachdem sie Beppo im Pförtnerhaus abgeholt hatte, kehrte sie von widerstrebenden Gefühlen geplagt in das Goldene Lamm zurück.

## *III.*

Das Donnerwetter, das Giulia dort erwartete, war noch heftiger als befürchtet. Ihr Vater tobte vor Wut und beschimpfte sie so lautstark, dass man es im ganzen Viertel hören musste. Er nannte sie dumm, faul und unfähig und verwendete weitere Ausdrücke, die ebenso gemein wie kränkend waren. Im ersten Zorn hob er sogar die Hand, um sie zu schlagen.

Giulia fühlte sich an ihre letzten Wochen in Saletto erinnert, als ihre Mutter in ähnlicher Weise getobt hatte. Maria Fassi war krank gewesen und zudem aus Schmerz um ihre toten Söhne fast von Sinnen, während ihr Vater seit vielen Jahren von dem Geld lebte, das sie verdiente, und keinen Handschlag mehr für sie tat.

Die Verachtung, die sie für ihn empfand, musste sich auf ihrem Gesicht widergespiegelt haben, denn er senkte die Hand wieder, schenkte sich neuen Wein ein und grollte nur noch leise vor sich hin. »Die Gräfinwitwe von Falena bat mich, über den Winter in ihre Dienste zu treten. Auf ihrem Schloss hätten wir die Gelegenheit, Geld zu sparen, da wir weder für Kost noch für Unter-

kunft aufkommen müssten. Ich könnte dann im Frühjahr ein paar Wochen zu einem der bekannten Musiklehrer reisen und bei ihm lernen. Belloni ist der Ansicht, dass es sich lohnen würde.« Für einen Augenblick hoffte sie, ihr Vater wäre vernünftig genug, diese unerwartete Gelegenheit beim Schopf zu greifen. Er starrte sie jedoch nur empört an. »Wieso sollten wir Mantua verlassen? Hier geht es uns doch bestens.«
»Noch geht es uns gut«, erwiderte Giulia kalt. »Doch wie viele Engagements sind in den letzten Tagen bei uns eingegangen?«
»Keines, aber das hat nichts zu sagen, weil niemand dem Herzog in die Quere kommen wollte. Spätestens morgen, vielleicht schon heute Abend, werden die Leute dich wieder zu sich rufen.« Girolamo Casamonte zeigte seiner Tochter deutlich, dass er von diesem Thema nichts mehr hören wollte, und machte sich jetzt daran, die Summe zu zählen, die sie vom Herzog für ihren zweiten Platz erhalten hatte.
Giulia sollte Recht behalten. Weder an diesem Tag noch an den folgenden verirrte sich jemand in das Goldene Lamm, um den Kastratensänger Giulio Casamonte zu engagieren. Während ihr Vater vor einem vollen Krug Wein vor sich hinbrütete, machte sich Giulia für den letzten Auftritt zurecht, zu dem sie eingeladen worden war. Nun rächte es sich, dass ihr Vater nichts getan hatte, um sich in Mantua einen eigenen Namen zu schaffen, dachte sie verzagt. Er hätte versuchen müssen, als Musiker, Kapellmeister oder Komponist Fuß zu fassen. So hing ihrer aller Lebensunterhalt allein von ihrer Stimme ab und von der Bereitschaft der Menschen, sie zu engagieren.
Der Erste, dem sie bei ihrem Eintritt in die Villa ihres Auftraggebers begegnete, war ausgerechnet der Kastrat Sebaldi. Er ging grußlos an ihr vorüber, doch sein hasserfüllter Blick bewies ihr, dass er nicht eher aufgeben würde, bis er sie als Konkurrenz ausgeschaltet hatte. Wie geschickt er dabei bereits vorgegangen war, merkte sie an dem eher verhaltenen Beifall, den sie erhielt.

Wenig später bekam sie ein Gespräch zweier Damen mit, die von dem so männlich wirkenden Sebaldi schwärmten und kein gutes Haar an Giulio Casamonte ließen. »Ich habe schon immer gesagt, dass dieser Casamonte völlig überschätzt wird«, erklärte die eine fast giftig.
Die andere stimmte ihr eifrig zu. »Soviel ich gehört habe, soll es bei dem Wettsingen beim Herzog nicht mit rechten Dingen zugegangen sein. Guglielmo Gonzaga wollte Sebaldi nicht gewinnen lassen, weil er Venezianer ist und derzeit ja erhebliche Spannungen zwischen unserem Herzog und dem Dogen bestehen. Deswegen wurde diese Spottfigur von einem Belloni zum Sieger erklärt und Casamonte, der ja schon länger hier weilt und mehr oder weniger als Einheimischer gilt, an die zweite Stelle gesetzt.«
Giulia wusste nicht, wie es Sebaldi gelungen war, diese Lügengeschichten so schnell unter das Volk zu streuen, doch er hatte die Edelleute und reichen Bürger, auf deren Gunst sie angewiesen war, bereits damit vergiftet. Im ersten Augenblick hielt sie seine Taktik, sich als Opfer einer herzoglichen Fehlentscheidung auszugeben, für verfehlt. Dann sagte sie sich jedoch, dass die Wohlhabenden in Mantua wohl selbstbewusst genug waren, einen angeblich verleumdeten Venezianer zu hofieren, um das vermeintliche Unrecht wieder gutzumachen. Auf alle Fälle war es Sebaldi gelungen, sich interessant zu machen. Von diesem Nimbus umgeben und mit dem Reiz des Neuen ausgestattet, war er auf dem besten Weg, sie auszustechen und der neue Liebling der kunstbeflissenen Bürger zu werden.
An diesem Abend kehrte Giulia so mutlos wie selten zuvor in ihre Herberge zurück. Auch der nächste Morgen brachte keine Entspannung. Ihr Vater lief noch immer mit Leichenbittermiene herum und ließ sich deutlich anmerken, dass er sie für eine elende Versagerin hielt. Es kam auch niemand in die Herberge, um sie zu einem Konzert einzuladen. Am Tag darauf war es

nicht anders. Um nicht andauernd der deprimierenden Gegenwart ihres Vaters ausgesetzt zu sein, ging Giulia in die Kirche Santa Maria Maddalena, um die Abendmesse zu hören und zu beten.
Als sie wieder nach Hause kam, saß ihr Vater mit hochrotem Gesicht und gekränkter Miene vor seinem Weinkrug. »Weißt du, wer hier war?«, fragte er sie unvermittelt.
Giulia schüttelte stumm den Kopf. »Es war Pioppo, dem der Laden um die Ecke gehört. Er wollte dich für den Geburtstag seiner Frau engagieren.«
Giulia zog unbehaglich die Schultern hoch. »Der Krämer Pioppo kam mir bisher nicht so wohlhabend vor, sich einen Kastratensänger leisten zu können.«
Girolamo Casamonte warf empört die Arme hoch. »Weißt du, wie viel er für deinen Auftritt geboten hat? Zwei Scudis!«
Giulia fasste sich an den Kopf. Zwei Scudis waren nicht nur ein armseliges, sondern sogar ein beleidigendes Angebot. Wenn der Krämer es wagte, damit zu kommen, musste ihr Ruf in Mantua bereits so stark gelitten haben, dass sie mit keinem weiteren Engagement mehr rechnen konnte. Das versuchte sie auch ihrem Vater zu erklären. Der winkte jedoch ab und erwiderte mit dem durch nichts zu erschütternden Optimismus eines Trinkers, dass sich die Zeiten schon wieder bessern würden.
Als sich jedoch am nächsten Morgen der Wirt des Goldenen Lamms vor ihm aufbaute und ihn aufforderte, die noch ausstehende Miete für ihre Zimmer zu begleichen und, falls sie noch länger zu bleiben wünschten, eine entsprechende Vorauszahlung zu leisten, platzte ihm der Kragen. »Wir bleiben keine Stunde länger als nötig in dieser undankbaren Stadt«, schrie er den Wirt an.
Giulia atmete hörbar auf. »Wenn du erlaubst, werde ich Beppo zum Palazzo Ducale schicken, damit er der Gräfinwitwe von Falena unsere Zusage überbringt.«

»Die Gräfinwitwe von Falena?«, rief der Wirt sichtlich verdattert. »Aber ich dachte, Ihr …«
»Überlasse das Denken den Pferden, die haben größere Köpfe als du«, spottete Girolamo Casamonte, der bereits wieder obenauf war. »Wir werden diesen Winter im Palast der Gräfinwitwe verbringen und an ihrem Tisch speisen, auf dem gewiss bessere Leckerbissen stehen werden als in Eurer Bauernherberge.« Mit diesen vernichtenden Worten warf er dem Wirt das ausstehende Geld vor die Füße und forderte ihn auf, einen neuen Krug Wein zu bringen.

## *IV.*

Als sich der Wagen, in dem Giulia, ihr Vater, Assumpta, Beppo und ihr gesamtes Gepäck untergebracht waren, dem düster wirkenden Witwensitz der Gräfin näherte, wunderte Giulia es nicht, dass ihre Auftraggeberin unter Wintermelancholie litt. Die Burg hatte nichts mit dem eleganten Palazzo gemein, den die Grafen von Saletto sich hatten errichten lassen, sondern wirkte mit ihren altertümlichen Wehrtürmen und dunkelgrauen Mauern eher wie ein Gefängnis als wie ein Heim.
Der Weg zur Burg führte durch ein winziges Dorf, das aus einer Hand voll kleiner, aus Bruchsteinen errichteter Hütten bestand. So sehr Giulia auch den Kopf verdrehte, gelang es ihr nicht, eine Herberge zu entdecken. Es schien auch keine Händler oder Handwerker hier zu geben, ja, noch nicht einmal einen Backofen, den sich die Dörfler teilen konnten. Den nächstgelegenen Ort, in dem es etwas zu kaufen gab, hatten sie vor mehr als drei Stunden passiert. Doch der Weg, der von dort hierher führte, war in so schlechtem Zustand, dass niemand ihn ohne Not befahren würde.
Während die Kutsche durch das Dorf fuhr und den steilen Weg

zur Burg hoch holperte, mussten Assumpta und Beppo wieder einmal die Gepäckteile bändigen, die sich selbständig machen wollten. Doch trotz all dieser schlechten Vorzeichen nahm Giulia sich fest vor, die vereinbarte Zeit in Falena auszuharren. Sie war auf das Geld, das sie hier verdienen würde, angewiesen, wenn sie ihre Stimme weiter ausbilden lassen wollte. Ein Blick auf ihren Vater zeigte ihr, dass es ihm hier überhaupt nicht gefiel. Er blickte mit Abscheu auf die kleinen Hütten und die pittoresk gekleideten Dörfler, die auf winzigen Feldern arbeiteten, und schüttelte sich sichtbar. Giulia betete unwillkürlich zur Madonna, dass er ihr keine Schwierigkeiten machen würde.
Wenige Augenblicke später rumpelte die Kutsche durch das Burgtor und hielt in einem relativ kleinen Innenhof. Die Gebäude waren aus den gleichen grauen Steinquadern errichtet wie die Außenmauer. Kleine Fenster, kaum mehr als Schießscharten, kündeten von düsteren Zimmern, und die Mienen der Bediensteten, die auf den Wagen zu traten, wirkten verschlossen, ja fast abweisend.
Casamonte stieg ächzend aus und sah sich um. »Diese Burg mag vielleicht zur Zeit eines Imperatore Federigo Barbarossa in Mode gewesen sein. Doch jetzt würde ich lieber einem Palazzo wie dem des Grafen Gisiberto Corrabialli den Vorzug geben.«
Obwohl Giulia dasselbe dachte, fand sie es unpassend, dass ihr Vater seine Verachtung offen vor den Leuten der Gräfinwitwe äußerte. Schließlich mussten sie ja mit den Bediensteten der Burg auskommen, wenn sie nicht feuchte, ungelüftete Bettwäsche und eiskaltes Waschwasser in Kauf nehmen wollten. Sie ging auf eine Frau zu, deren Tracht sie als die Mamsell der Gräfin auswies, und neigte kurz den Kopf. »Mein Name ist Giulio Casamonte. Ihre Erlaucht, die Gräfinwitwe, erwies mir die Gnade, mich für diesen Winter zu engagieren.«
»Ihr seid ein Sänger?« Die Mamsell zeigte deutlich, wie wenig sie von Künstlern hielt. »Nicht irgendein Sänger«, mischte sich

Giulias Vater empört ein. »Mein Sohn ist der beste Kastrat, der je seine Stimme erhoben hat.«
»Ein Kastrat also. Ich dachte es mir schon, weil er wie ein halbes Weib aussieht.« Die Mamsell wandte sich wieder an Giulia. »Dafür könnt Ihr ja nichts. Andere hingegen sehr viel.« Der Abscheu, der dabei in ihrer Stimme schwang, ließ Giulia nichts Gutes für ihren Vater erwarten. Zum Glück hielt er jetzt den Mund und folgte der Aufforderung der Mamsell, ins Haus zu kommen. »Signore Casamonte, Ihr werdet einen Raum im Hauptgebäude beziehen, so dass Ihr unserer Herrin rasch zur Verfügung stehen könnt. Euer Vater und die Dienstboten werden dort im Nebengebäude untergebracht. Ich werde mir noch überlegen, für was sie verwendet werden können.«
Giulias Vater wurde bei der Androhung, eventuell Dienstbotenarbeiten leisten zu müssen, ganz blass, während Beppo und Assumpta erleichtert aufatmeten. Wenn sie hier mitarbeiten konnten, bedeutete dies einen kleinen Nebenverdienst für sie, und sie würden anders als in Mantua kein Opfer der Langeweile.
Das Zimmer, das Giulia zugewiesen wurde, war geräumig und hatte sogar einen eigenen Kamin, der jedoch schon seit Jahren kein Feuer mehr gesehen hatte. Ein festes Bett, eine Truhe, ein kleiner Tisch und ein dreibeiniger Schemel vervollständigten die Einrichtung. Die verputzten Wände waren vor langer Zeit einmal gestrichen worden, glänzten jetzt aber an einigen Stellen feucht. Alles in allem war der Raum nicht gerade heimelig zu nennen. Am meisten störte Giulia die Tatsache, dass sich die Tür nicht von innen versperren ließ. Sie wollte jedoch nicht schon am ersten Tag Kritik üben und beschloss, Assumpta zu bitten, ihr einen Besen oder Stock zu besorgen, mit dem sie die Klinke blockieren konnte.
Noch während sich Giulia in dem Raum umsah, forderte die Mamsell Girolamo Casamonte und das Dienerpaar auf, ihr zu folgen. Giulia sah sie kurze Zeit später über den Hof gehen und

in einem Nebengebäude verschwinden. Unterdessen war ein weiteres Gefährt angekommen, welches das Gepäck der Gräfinwitwe brachte. Sofort eilten die Bediensteten herbei, um den Wagen auszuladen. Nach kurzer Zeit erschien auch die Mamsell im Hof. Sie machte ein Gesicht, als hätte sich eine ganze Kompanie unerwünschter Gäste eingefunden, um ihr Keller und Scheuern zu leeren.

Plötzlich wurde die Tür von Giulias Kammer aufgerissen, und ein Dienstmädchen rauschte hinein. Sie trug mehrere Laken bei sich und begann das Bett zu beziehen, ohne Giulia mehr als einen flüchtigen Blick zu gönnen.

Giulia ärgerte sich allmählich über die Behandlung, die man ihnen hier angedeihen ließ. Es war fast, als sähen von der Mamsell angefangen alle Bediensteten sie und ihre Begleiter als Eindringlinge an. »He du! Ich bin es gewöhnt, dass die Leute anklopfen, bevor sie mein Zimmer betreten.«

Als die andere nur mit den Achseln zuckte, fuhr sie größeres Geschütz auf. »Solltest du oder jemand anderes noch einmal so hereinplatzen wie eben, werde ich mich bei Ihrer Erlaucht über Euch beschweren.«

Diesmal saß der Hieb. Das Mädchen kniff die Lippen zusammen und senkte den Kopf. Da Giulia ihren Aufenthalt jedoch nicht mit der Feindschaft der Bediensteten beginnen wollte, nahm sie einen Soldo aus ihrer Börse und reichte ihn der anderen. Diese starrte darauf, ohne das Friedensangebot zu begreifen. »Dies ist zum Dank, dass du mein Bett gemacht hast«, erklärte Giulia ihr und hoffte, in Zukunft nicht jeden Tag eine Münze dafür aufwenden zu müssen.

Die Dienstmagd steckte das Geld weg und blickte sie eigenartig von der Seite an. »Seid Ihr wirklich ein Kastrat? Ihr seht eigentlich wie ein richtiger Mensch aus.«

»Warum sollen Kastraten keine richtigen Menschen sein?«, antwortete Giulia, ohne auf die Frage des Mädchens einzugehen.

»Na ja, es heißt, wenn man ihnen unten das wegschneidet, werden sie fett und hässlich und sehr eigenartig«, erzählte die Magd mit ländlicher Offenheit.
Um Giulias Lippen spielte ein amüsiertes Lächeln. »Nun, ich hoffe, dass ich dir weder fett noch hässlich noch eigenartig vorkomme.«
»Nein, ganz gewiss nicht. Ihr seid sogar recht hübsch. Wärt Ihr ein Bursch, könnte ich mich in Euch verlieben«, plapperte das Mädchen weiter. »Wie heißt du denn?«
»Marisa, aber alle sagen Risa zu mir.«
»Also dann, Risa. Ich hoffe, dass wir gut miteinander auskommen werden.« Giulia reichte der anderen die Hand. Diese nahm sie mit einem nervösen Kichern, wurde dann aber kühner und strich kurz mit den Fingerkuppen der linken Hand über Giulias Wange. »Ihr habt tatsächlich keinen Bartwuchs. Euer Gesicht ist so glatt wie das eines Mädchens.«
»Schließlich bin ich kein Mann.« Giulia hatte sich während ihres Aufenthalts in Mantua angewöhnt, möglichst ausweichende Aussagen von sich zu geben, um nicht zu der ihr von ihrem Vater aufgezwungenen Täuschung auch noch die Sünde der Lüge begehen. Die Magd war jedoch damit zufrieden und erklärte, dass sie sich sputen müsse, um das Zimmer der Herrin noch rechtzeitig fertig zu machen.
Giulia trat ein wenig beiseite und ließ sie arbeiten. Kurz darauf war die Magd fertig und verließ mit einem zwar etwas ungelenken, aber durchaus ehrerbietigen Knicks den Raum. Es ist eigenartig, was eine kleine Münze und einige freundliche Worte bei den Menschen ausrichten können, fuhr es Giulia durch den Kopf. Ihr war jedoch bewusst, dass es ihr bei der Mamsell weitaus schwerer fallen würde, diese für sich zu gewinnen.

# V.

Die Ankunft der Gräfinwitwe verzögerte sich, und es war bereits Nacht geworden, als ihre Kutsche in den Burghof einfuhr. Bedienstete eilten mit Laternen herbei, um ihr zu leuchten. Es schien Probleme zu geben, denn Giulia sah von ihrem Fenster aus, wie zwei kräftige Burschen die Dame vorsichtig aus dem Wagen hoben und ins Haus trugen.

Einen Augenblick lang ärgerte Giulia sich über die Hingabe, welche das Personal seiner Herrin zukommen ließ. Sie selbst schien man vollkommen vergessen zu haben. Niemand hatte sie zu Tisch gerufen oder ihr ein Abendessen gebracht. Fast hatte es den Anschein, als betrachteten die Bediensteten sie und ihren Vater als unwillkommene Gäste, die man schleunigst wieder loswerden wollte.

Giulia atmete tief durch, um ihre Ruhe nicht zu verlieren. Da hätten wir ja auch gleich in Mantua bleiben können, dachte sie seufzend. Gleichzeitig wusste sie nur allzu gut, dass ein längeres Verweilen in der Stadt unmöglich gewesen wäre. Dafür hatten die Antriebslosigkeit ihres Vaters und Sebaldis geschickte Intrigen gesorgt.

Gerade als Giulia sich aufmachen wollte, um die Küche zu suchen und dort etwas zu essen zu erbetteln, sprang die Tür auf und Risa stürzte herein. Als sie Giulias strafenden Blick sah, schlug sie sich mit der Hand auf den Mund und knickste erschrocken. »Verzeihung, ich wollte nicht hereinplatzen. Aber wir machen uns Sorgen um die gnädige Frau Gräfin. Celestina, die Kammerfrau, bittet Euch, zu ihr zu kommen.«

»Gerne. Aber kannst du mir sagen, ob es hier Sitte ist, die Gäste verhungern zu lassen? Ich habe seit heute Morgen nichts mehr zu mir genommen, und jetzt ist schon die vierte Abendstunde verstrichen.« Giulia hatte eigentlich nicht so bissig antworten

wollen, doch es schien, als hätte ihr Magen das Kommando über ihren Mund ergriffen.
Risa zuckte schuldbewusst zusammen. »Madonna, wir haben Euch ganz vergessen! Euren Begleitern werde ich gleich etwas zu essen bringen. Aber bitte begleitet Ihr mich zuerst zur Kammerfrau. Sie wartet ganz dringend auf Euch.«
Giulia wollte es an diesem Abend nicht auf eine Konfrontation ankommen lassen, bei der sie gewiss den Kürzeren gezogen hätte. So verabschiedete sich innerlich von ihrem Abendessen und folgte Risa durch ein Gewirr verschachtelter Gänge zu den Gemächern der Gräfin. Die Kammerfrau und die Mamsell erwarteten sie vor der offenen Tür des abgedunkelten Schlafzimmers. Ihre Mienen wirkten höchst besorgt, und sie sahen Giulia so vorwurfsvoll entgegen, als sei sie an all ihrem Ärger schuld. »Erlaucht ist unterwegs erkrankt«, flüsterte die Kammerfrau mit fast unhörbarer Stimme. »Sie hat einen schweren Migräneanfall. Wir wussten kaum, wie wir sie nach Hause bringen sollten.«
Vielleicht wäre es angebracht, die Straße zur Burg auszubessern, schoss es Giulia durch den Kopf. Sie konnte erahnen, welche Qual es für die Gräfinwitwe gewesen sein musste, mit starken Kopfschmerzen über diese Ansammlung von Schlaglöchern und herabgefallenen Steinen transportiert zu werden. Sie hielt jedoch wohlweislich den Mund und deutete eine Verbeugung an. »Warum habt Ihr mich rufen lassen?«
Die Kammerfrau deutete ihr mit heftiger Geste an, noch leiser zu sprechen. »Erlaucht leidet entsetzlich. Sie hat sich jedoch in den Kopf gesetzt, Euch singen zu hören, weil sie hofft, Eure Stimme würde ihr die Schmerzen erträglich machen.«
Die Mamsell schüttelte empört den Kopf und brachte es fertig, tonlos heftig zu werden. »Gesang! Ha! Ich weiß nicht, was Ihr Erlaucht eingeredet habt, Casamonte. Es ist doch jedermann bekannt, dass man sich bei Migräne in einen abgedunkelten Raum

legen und bei völliger Ruhe die Dämpfe von Kamille und Kampfer inhalieren soll.«
»Es war nicht der Kastrat, sondern der Arzt, der Erlaucht geraten hat, sich vorsingen zu lassen.« Die Kammerfrau sprach über Giulias Kopf hinweg, als sei sie kein Mensch, sondern ein Gegenstand.
Giulia fühlte die Eifersucht der beiden Frauen aufeinander und war alles andere als glücklich, in deren Streit hineingezogen zu werden. Da ihre Mutter auch unter Migräneanfällen gelitten hatte, wusste sie, dass ein dunkler Raum und Stille die besten Heilmittel waren. Die Kammerfrau erklärte ihr jedoch eindringlich, dass die Gräfinwitwe ihre Stimme hören wollte, und befahl ihr kurzerhand, endlich anzufangen.
Giulia warf einen Blick in das Schlafzimmer, in dem sich das große Himmelbett der Gräfin als dunkler Schemen erahnen ließ, und überlegte fieberhaft, wie sie sich aus dieser unangenehmen Lage herauswinden konnte. Wenn sie sang und der Gräfin ging es danach schlechter, hatte sie sich das letzte Fünkchen Wohlwollen der Kammerfrau verspielt und gleichzeitig in der Mamsell eine Feindin gewonnen, die ihr den Aufenthalt hier in Falena zur Hölle machen würde. Da ihr jedoch nichts anderes übrig blieb, als zu singen, stimmte sie schließlich mit verhaltener Stimme ein Lied an. Sie wählte dabei unwillkürlich eines der Wiegenlieder, die sie als Kind gelernt hatte.
Die Kammerfrau sah sie empört an. Anscheinend hatte sie eine schmetternde Arie erwartet. Die Mamsell hingegen nickte halbwegs besänftigt und trippelte auf Zehenspitzen ans Bett ihrer Herrin. Als sie wieder herauskam, bedeutete sie Giulia, weiter zu singen. »Erlaucht fühlt bereits Besserung. Euer Gesang tut ihr wohl.« Mit diesen Worten verschwand sie wieder im Schlafzimmer. Das schien der Kammerfrau ganz und gar nicht zu gefallen, denn sie stieß ein kaum unterdrücktes Schnauben aus und folgte ihr. Schließlich waren die

Gemächer der Gräfin ihr ureigenstes Reich und nicht das der Mamsell.
Giulia sang der Reihe nach alle Schlaf- und Wiegenlieder, die sie kannte, und bemühte sich dabei, nicht zu laut zu werden und alle störenden Tonspitzen zu vermeiden. Sie wusste zuletzt nicht mehr, wie lange sie an den Türpfosten gelehnt gesungen hatte, als die beiden Frauen wieder erschienen. Ihre Gesichter wirkten sichtlich erleichtert. »Erlaucht schläft jetzt. Ihr habt Eure Sache gut gemacht, Casamonte.« Es fiel der Mamsell sichtlich schwer, dieses Lob auszusprechen, doch sie wollte der Kammerfrau nicht das Feld überlassen. »Ihr könnt Euch zurückziehen«, beschied diese Giulia und schloss die Tür des Schlafgemachs von innen.
Giulia wollte die Mamsell bitten, ihr etwas zu essen bringen zu lassen, doch diese war schon im Dämmerlicht der Gänge untergetaucht. Verärgert machte Giulia sich auf die Suche nach ihrer Kammer, die sie nach längerem Irrweg auch fand. Drinnen brannte eine Öllampe, und auf dem Tisch stand ein Tablett mit Brot und kaltem Braten, dazu ein kleiner Krug Wein. Giulia bedankte sich innerlich bei Risa und nahm sich vor, ihr eine weitere Münze zukommen zu lassen.

## VI.

Waschwasser und Frühstück kamen am nächsten Morgen so pünktlich, als hätte die Mamsell ihren Untergebenen Beine gemacht. Für Giulia war die Situation dennoch recht schwierig. Um sich richtig frisch zu machen und wieder anziehen zu können, benötigte sie immer noch Assumptas Hilfe. Und da sie die Tür nicht verschließen konnte, musste sie jeden Augenblick damit rechnen, dass jemand mit einer Schüssel oder einem Laken hineinstürmte und sie halbnackt überraschte. Fast wäre es ihr

lieber gewesen, die Bediensteten hätten sie weiter ignoriert und ihre Betreuung ihrer eigenen Dienerin überlassen. Wie es aussah, dachte sie besorgt, würde es an ein Wunder grenzen, wenn sie in diesem Haushalt einer Entdeckung entging.
In Mantua war es leichter für sie gewesen, denn das Personal des Goldenen Lamms hatte sich praktisch nicht um sie gekümmert, sondern die kleinste Handreichung Assumpta überlassen, die neben den Pflichten einer Kammerfrau auch noch die eines Stubenmädchens hatte übernehmen müssen. Doch hier auf dem Land besaß man eine andere Arbeitsauffassung als in einer städtischen Herberge.
Irgendwie schaffte Giulia es, sich zu waschen und den Brustgurt anzulegen, der mittlerweile die störenden Leinenbänder ersetzte, ohne dass sie von jemand überrascht wurde. Als sie schließlich erleichtert am Frühstückstisch saß, erschien Assumpta auf der Bildfläche. Die Dienerin zupfte mehr aus Gewohnheit als aus Notwendigkeit an ihrer Kleidung herum und legte schließlich Wams und Barett bereit. »Also wenn Ihr mich fragt, Herr Giulio, sind wir in einem recht eigenartigen Haushalt gelandet.« Da Assumpta sie als Kastraten anredete, schien ihr bewusst zu sein, wie vorsichtig sie sein mussten.
Giulia deutete ihr mit einem erleichterten Lächeln an, wie froh sie war, sie zu sehen. »Seid ihr gut untergebracht worden?«
»Es geht. Unsere Kammer ist nicht groß, aber für Beppo und mich reicht sie aus. Euer Vater jammert jedoch inständig und spricht davon, keine weitere Nacht in diesem Haus verbringen zu wollen. Ich verstehe seinen Ärger, denn man hat ihm ein Dienstbotenzimmer angewiesen, das keinen Vergleich mit dem schönen Gemächer aushält, das er in Mantua bewohnt hat.« Assumptas Stimme klang zwar mitleidig, Giulia konnte sich des Eindrucks jedoch nicht erwehren, dass die Dienerin sich zu freuen schien, weil ihr Herr hier nicht besser wohnte als sie und ihr Mann.

Giulia hatte aber nicht die Zeit, sich mit ihrer Vertrauten zu besprechen, denn es klopfte schüchtern an die Tür. Ein paar Herzschläge später steckte Risa vorsichtig den Kopf herein. »Erlaucht wünscht, Euch zu sehen.«

»Ich komme.« Giulia stopfte den letzten Brocken Brot in den Mund und spülte ihn mit dem wässrigen Wein, den man ihr als Morgentrunk aufgetischt hatte, hinunter. Dann folgte sie der Magd zu den Gemächern der Dame.

Die Gräfinwitwe wirkte noch etwas matt, es schien ihr aber bereits besser zu gehen. Sie begrüßte Giulia mit einem dankbaren Lächeln und wies mit der Hand auf den Stuhl, der neben ihrem Bett stand. »Setzt Euch, Casamonte.«

»Verzeiht, Erlaucht. Doch ich bin es gewöhnt, beim Singen zu stehen.« Giulia verneigte sich und legte ihre Rechte auf die Lehne des Stuhls. »Ich vergaß, dass Ihr mit Leib und Seele ein Künstler seid. Doch macht es Euch zunächst einmal bequem. Gestern Nacht wart Ihr mein rettender Engel. Nie zuvor konnte ich bei so einem schlimmen Migräneanfall einschlafen. Ihr habt dieses Wunder bewirkt.«

Unterdessen trat die Kammerfrau ein, musterte die Gräfin, wohl um ihre Befindlichkeit festzustellen, und winkte dann eine Magd herbei, die ein Tablett mit dem Frühstück für ihre Herrin brachte. Während die Gräfinwitwe in warme Milch getunktes Weißbrot zu sich nahm, sah sie Giulia bittend an. »Singt noch einmal jene Weisen, die mich gestern in Morpheus' Arme trugen. Ich werde Euch später mit Pater Franco, meinem Beichtvater, Musiker und Leibkomponisten in einer Person, bekannt machen, damit er Euch die Lieder nennen kann, die ich besonders gerne höre.«

»Es wird mir eine Ehre sein«, erwiderte Giulia und begann mit glockenheller Stimme zu singen. Sie wiederholte die Lieder, die sie in der Nacht gesungen hatte, und erntete dafür viel Lob von ihrer Auftraggeberin. »Mit Euch habe ich einen Glücksgriff getan, Casamonte. Ich bin Herzog Guglielmo sehr dankbar, dass er mich Euch hören ließ.«

»Ihr habt eine goldene Kehle«, mischte sich jetzt eine sympathische Männerstimme ein. »Ein voller Mezzosopran. Eine etwas ungewöhnliche Stimmlage für einen Kastraten.« Giulia wappnete sich. Hatte da jemand Verdacht geschöpft? Verunsichert drehte sie sich um und sah einen alten Mönch in grauer Kutte vor sich, der lautlos eingetreten war. Sein verknittertes Gesicht trug fröhliche Lachfalten, und sein stattlicher Bauch zeigte deutlich, dass er die Freuden der Tafel nicht verschmähte. Der Mann lächelte sie an und reichte ihr die Hand. »Ich bin Pater Franco, der Prediger und Musicista Ihrer Erlaucht. Ich muss sagen, Gott hat Eure Stimme gesegnet, mein Sohn.«

»Man nennt mich Giulio Casamonte, den Kastratensänger.« Giulia ließ offen, ob sie nun einen Künstlernamen trug oder ihren eigenen. »Leider war ich gestern unterwegs, so dass ich Euch nicht willkommen heißen konnte. Doch Risa berichtete mir bei meiner Rückkehr, dass Ihr ein Wunder vollbracht haben sollt.« In Pater Francos Stimme schwang Neugier mit. »Ja, das ist wahr«, erklärte die Gräfinwitwe mit Nachdruck. »Es ist Casamonte gelungen, mich trotz meiner quälenden Migräne wie ein kleines Kind in den Schlaf zu singen.«

»Das habe ich nicht gemeint. Risa sagte, dass die Kammerfrau und die Mamsell nachher ausnahmsweise derselben Meinung waren und den jungen Sänger lobten. So etwas ist hier bei Gott bisher noch nicht vorgekommen.« Er brachte seine Worte in derart komischem Ernst vor, dass die Gräfinwitwe hell auflachte. »Dann hat Casamonte zwei Wunder erreicht, obwohl das eigentlich Eure Aufgabe wäre. Schließlich steht Ihr als Mann Gottes dem Himmel doch näher als gewöhnliche Sterbliche wie wir.«

»Gott tut seine Wunder durch die, die er dafür bestimmt, und nicht durch jene, die sich dafür bestimmen.« Pater Franco hob belehrend den Zeigerfinger und streckte anschließend Giulia die

Hand entgegen. »Herzlich willkommen, mein Sohn. Ich freue mich sehr, dass Ihr den Weg hierher gefunden habt. Für mich allein war die Aufgabe, Erlaucht aufzuheitern, doch zu schwer, obwohl ich mir gewiss alle Mühe gegeben habe.«
Giulia gefiel der Mönch. Sie erwiderte seinen Händedruck und lächelte ihm zu. »Ich hoffe, dass es uns gemeinsam gelingt. Denn ohne Eure Hilfe kann wiederum ich nichts bewirken.«
Die Gräfinwitwe schüttelte lachend den Kopf. »Casamonte, Ihr seid entweder sehr höflich oder sehr gerissen. Lasst Euch von diesem jungen Burschen nicht um den Finger wickeln, Pater Franco. Ich habe nie eine eindringlichere Stimme gehört als die seine. Wäre er ein Mann, würden die jungen Frauen vor ihm dahinschmelzen.«
Noch während sie es sagte, erlosch ihr Lächeln, und sie ergriff Giulias Hand. »Verzeiht meine unbedachten Worte, Casamonte. Ich wollte Euch weder kränken noch Euch wehtun.«
»Ihr habt mir nicht wehgetan«, antwortete Giulia mit freundlicher Miene.
»Trotzdem sollte man die Worte abwägen, die man sagt. Die meisten Schmerzen fügt man anderen nicht mit Absicht, sondern durch Unachtsamkeit und Gleichgültigkeit zu.« Die Gräfinwitwe schien für einen Augenblick in fernen Zeiten zu weilen, in denen ihr auf diese Weise Kummer bereitet worden war.
Pater Franco schien diese Stimmungswechsel zu kennen, denn er tippte Giulia an und bat sie, ihm zu folgen. »Erlaucht wünscht, jetzt allein zu sein. Wir sollten uns inzwischen etwas besser bekannt machen.«
»Darf ich Euch bitten, mir die Lieder zu nennen, welche Erlaucht am liebsten hört?«, fragte Giulia leise, um die Gräfinwitwe nicht in ihren Gedanken zu stören. »Gerne.« Pater Franco führte sie durch mehrere Korridore in sein Zimmer, das zwar karg, aber behaglich eingerichtet war. Das Bett war hinter einem quer durch den Raum gespannten Vorhang verborgen. Vorne

standen ein Betstuhl, ein Tisch mit zwei Hockern und eine Anrichte, auf der mehrere Musikinstrumente lagen.
Giulia warf einen bewundernden Blick auf die kleine, aber erlesene Sammlung. Sie hatte schon längere Zeit nicht mehr gespielt und fühlte plötzlich den Wunsch, sich selbst zu begleiten. Pater Franco deutete ihren Blick ganz richtig, denn er reichte ihr seine Laute. »Könnt Ihr darauf spielen?«
Statt einer Antwort schlug Giulia mehrere Akkorde an und trug die Melodie zu einem der einfachen Lieder ohne größeren Fehler vor.
Pater Franco nickte anerkennend. »Nun wiederholt die Passage und singt den Text dazu.«
Giulia tat es und wunderte sich, wie viel Spaß es ihr machte. Ohne auf eine weitere Aufforderung zu warten, stimmte sie den Gombert-Chanson an und freute sich, wie schön es mit Lautenbegleitung klang.
Pater Franco hörte ihr mit verzückter Miene zu und klatschte, als sie fertig war, begeistert in die Hände. »Erlaucht hat mit Euch einen besseren Griff getan, als sie es sich vorstellen kann. Ihr seid kein von einem übel gelaunten Korepetitor dressierter Choraffe, sondern ein wahrer Edelstein, den es nur noch hier und da ein wenig auszuschleifen gilt.«
»Ich würde mich freuen, wenn Ihr mir dabei helfen könntet«, antwortete Giulia voller Hoffnung, endlich wieder richtig lernen zu können.
Pater Franco rieb sich nachdenklich über sein stoppeliges Kinn und nickte schließlich. »Ich bin zwar kein Musiklehrer, doch ich glaube, das eine oder andere kann ich Euch beibringen. Es ist ja auch im Interesse Ihrer Erlaucht, denn je besser Ihr auf ihren Geschmack und ihre Stimmungen eingehen könnt, umso leichter wird es Euch fallen, gegen ihre düsteren Gedanken anzukämpfen. Und das, so lasst Euch sagen, ist ein Werk, das die Taten eines Herkules verblassen lässt.«

»Ist es so schlimm?«, fragte Giulia betroffen.
Der Mönch nickte traurig. »Leider. Im letzten Jahr war Erlaucht nicht einmal in der Lage, der Festa di Natale beizuwohnen. Für die Leute hier in der Burg und unten im Dorf war das eine herbe Enttäuschung.«
»Hoffen wir, dass es uns beiden gelingt, Erlaucht bei so guter Laune zu erhalten, dass sie diesmal mitfeiern kann.« Giulia reichte dem Mönch in einem Impuls die Hand und sah überrascht, wie er eine Träne von seiner Wange wischte. »Ihr seid wirklich in Ordnung, Casamonte. Die Kastraten, die ich kennen gelernt habe, würden sich jeden Erfolg allein auf ihren Schild malen. Doch Euer Herz ist frei von Falschheit und Eigennutz.«
Das war etwas zu viel des Lobes für Giulia. Sie legte die Laute wieder aus der Hand und senkte beschämt den Kopf. Pater Franco ließ jedoch keine traurige Stimmung aufkommen. Er kramte in einer Anrichte, holte ein mit Noten bedecktes Blatt heraus und reichte es ihr. »Das ist das Lied, das Erlaucht am liebsten bei der Festa di Natale hört. Da wir beide uns so sicher sind, dass sie heuer dabei ist, solltet Ihr es lernen.«

## VII.

Einige Zeit später kehrte Giulia mit dem Gefühl, einen angenehmen Vormittag verbracht zu haben, in ihre Kammer zurück. Bei Pater Franco hatte sie das Verständnis gefunden, welches sie bei ihrem Vater seit Jahren vermisste. Er hatte ihr sogar angeboten, Lieder so für sie zu vertonen, dass sie genau auf ihre Tonlage abgestimmt waren, und er wollte ihr auch helfen, anhand dieser Beispiele ihre eigenen Fähigkeiten im Komponieren zu verbessern.
Beschwingt öffnete sie die Tür und sah die Mamsell im Zimmer stehen, wie sie zwei Bedienstete überwachte, die gerade dabei

waren, den Kamin zu reinigen und neu zu schüren. Als Giulia hereinkam, drehte sich die Frau freundlich lächelnd um. »Ich lasse anheizen, damit die Herbstkälte nicht in Euer Zimmer dringen kann. Eurer gesegneten Stimme darf nichts geschehen.«
»Ich danke Euch. Eine Erkältung ist für einen Sänger wirklich fatal.« Giulia wusste nicht, ob sie sich über diese Entwicklung freuen sollte. Solange man sich wenig um sie kümmerte, war sie halbwegs ungefährdet. Wenn aber ständig Leute in ihrem Zimmer auftauchten, würde sie auf Dauer kaum einer Entlarvung entgehen können. Sie beschloss, die positive Stimmung der Mamsell auszunutzen. »Ich äußere ungern Kritik, doch ich liebe es nicht, in einem Zimmer zu wohnen, das ich nicht von innen verschließen kann. Es wäre für mich erniedrigend, wenn zum Beispiel Risa hereinkommt, während ich mich gerade wasche, oder gar einer der Knechte.« Sie wusste nicht, ob sie zu viel forderte, atmete jedoch auf, als die Mamsell beinahe beschämt nickte. »Kein Mensch liebt es, seine Blöße offenbart zu sehen. Für Euch, der durch das Messer leiden musste, trifft dies im besonderen Maße zu.« Nach diesen Worten wandte sich die Mamsell an einen der Bediensteten und wies ihn an, einen Riegel an der Tür anzubringen. Die Schnelligkeit, mit der das geschah, weckte in Giulia den Verdacht, dass die Mamsell von ihren Untergebenen gefürchtet wurde. Vielleicht, dachte sie dann, hatte sie selbst dadurch, dass sie der Gräfinwitwe hatte helfen können, Freunde unter den Bewohnern der Burg Falena gewonnen.
Als kurze Zeit später ein lustiges Feuer im Kamin flackerte und Giulia den kräftigen Riegel vor die Tür geschoben hatte, blickte sie wieder zuversichtlicher in die Zukunft. Ein kräftiges Rumpeln an der Tür riss sie aus ihren angenehmen Gedanken. »Wer ist da?«, rief sie laut genug, damit man es draußen hören konnte.
»Ich bin es, Assumpta.«
Giulia sprang auf und öffnete ihr. Die Dienerin hielt ihr stolz ein Tablett mit Essen hin und stellte es auf den Tisch. »Ich habe der

Mamsell erklärt, dass ich dich von Kindesbeinen an betreut habe und nicht bereit bin, mir das aus den Händen nehmen zu lassen«, sagte sie und wies dann mit einem zufriedenen Blick auf den brennenden Kamin. »So ein Feuer kommt wie gerufen. Darin kannst du deine Binden und das benützte Moos verbrennen.«

»Ist es schon wieder so weit?«, fragte Giulia und rechnete kurz nach. Es waren tatsächlich nur noch drei Tage bis zu ihrer nächsten Monatsblutung, und sie hatte noch nichts vorbereitet.

Assumpta bemerkte ihre Nervosität und hob beruhigend die Hände. »Keine Sorge, ich habe alles parat. »Sie zog ein Päckchen unter ihrem Kittel hervor und suchte nach einem sicheren Versteck. Schließlich verbarg sie es ganz unten in Giulias Truhe. »Du musst die Binden früh genug anlegen, damit du das Bett nicht blutig machst. Hier habe ich keine Möglichkeit, das Laken unbemerkt umzutauschen.«

»Ich werde daran denken«, versprach Giulia ihr aufatmend und drückte die Frau kurz an sich. »Ich wüsste nicht, was ich ohne dich täte.«

»Hättest du den Vater, den du verdienst, bräuchtest du mich nicht«, erwiderte Assumpta herb. »Was ist eigentlich mit Vater? Ich habe ihn seit unserer Ankunft nicht mehr gesehen.«

Giulia fühlte sich mit einem Mal schuldig, weil sie sich nicht mehr um ihn gekümmert hatte. »Er sitzt in seiner Kammer und schmollt.« Es schwang kein Mitleid in Assumptas Stimme, eher Verachtung. »Wie ergeht es dir und Beppo? Werdet ihr gut versorgt?«

»Mir geht es jetzt, wo man mir deine Bedienung übertragen hat, wieder ganz gut. Risa soll mir helfen, wenn ich sie brauche. Beppo hat sich mit dem Gärtner der Gräfinwitwe angefreundet und hilft ihm, die Pflanzen für den Winter vorzubereiten. Die Gartenarbeit hat er vermisst, seit wir Saletto verlassen mussten.«

Assumpta war anzumerken, dass sie mit den Verhältnissen hier auf der Burg sehr zufrieden war. Sie atmete tief durch und forderte Giulia zum Essen auf. »Die Gräfinwitwe wird dich heute gewiss noch einmal singen hören wollen. Wenn sie hier weilt, soll sie oft sehr spät zu Bett gehen. Du brauchst viel Kraft, wenn du den Aufenthalt hier durchstehen willst.«

»Ja, Euer Gestrengen«, erwiderte Giulia mit einer fröhlichen Verbeugung und setzte sich an den Tisch. Das Essen war ländlicher als in Mantua, schmeckte aber ausgezeichnet. Giulia aß mit gutem Appetit und war gerade fertig, als es an die Tür klopfte und Risa draußen fragte, ob sie zur Herrin kommen könnte. »Dies ist schließlich meine Aufgabe«, rief Giulia und suchte nach ihrem Wams. Das hatte Assumpta bereits in der Hand. Die Dienerin half ihr beim Anziehen und öffnete dann erst die Tür. Risa knickste und wollte hineinschlüpfen, um den Tisch abzuräumen. Giulia hielt sie jedoch auf. »Es wäre mir lieb, wenn du mich heute noch einmal zu den Gemächern Ihrer Erlaucht führen könntest. Ich habe das Gefühl, heute Morgen mindestens den dreifachen Weg zurückgelegt zu haben.« Dann erinnerte sie sich, dass sie der Kleinen etwas Geld hatte geben wollen, und drückte ihr eine Gabellamünze in die Hand. »Aber das ist doch viel zu viel«, stotterte Risa verblüfft. »Nimm es!«, befahl Assumpta ihr und warf Giulia einen komisch-verzweifelten Blick zu. »In Mantua ist es uns kein einziges Mal passiert, dass einem Zimmermädchen das Trinkgeld zu üppig gewesen wäre.« Giulia nickte fröhlich und folgte Risa, die das Geldstück in der verkrampften Hand festhielt, um es ja nicht zu verlieren. Als Giulia die Gemächer der Gräfinwitwe betrat, saß diese dick eingehüllt auf einer gepolsterten Bank in der Fensternische und blickte aufs Land hinaus. Sofort aber drehte sie sich um, begrüßte Giulia beinahe fröhlich und fragte sie, wie sie denn mit Pater Franco ausgekommen wäre. »Danke, ausgezeichnet«, antwortete Giulia. »Er ist ein wundervoller Musiker und wohl auch ein lieber, guter Mensch.«

»Er ist tatsächlich ein lieber Kerl. Ich bin froh, ihn in meinen Diensten zu wissen. Er wäre in einem Kloster niemals glücklich geworden, denn er ist kein Mann der Askese und auch nicht streng genug, um widerspenstige Ketzer zu bekehren oder gar zu bestrafen.« Sie atmete kurz durch und blickte wieder sinnend auf das Land, das im Schein der tief stehenden Sonne grün und freundlich glänzte. »Singe mir eines der Lieder vor, die Pater Franco dir heute Morgen beigebracht hat«, forderte sie Giulia nach einer Weile auf.
Giulia nahm ihre gewohnte Pose ein, lachte dann aber über sich selbst. Da ihre Auftraggeberin sie ja nicht ansah, konnte sie sich entspannt an der Wand abstützen. Sie ging kurz die Lieder durch, die sie von Pater Franco gelernt hatte, und entschied sich für eines, das den Sonnenschein und das klare Wasser eines Gebirgsbachs lebendig beschrieb.
Die Gräfinwitwe lauschte ihr sichtlich ergriffen und klatschte anschließend wie ein kleines Kind in die Hände. »So wunderschön habe ich dieses Lied noch nie gehört. Es macht einem direkt Lust, im Freien spazieren zu gehen.«
»Ich würde mich freuen, es tun zu können. Schließlich habe ich bisher nur die Burg gesehen«, erwiderte Giulia mit einem sehnsüchtigen Blick durch das Fenster. Eine halbe Stunde später bedauerte sie, diese Worte so leichtfertig ausgesprochen zu haben. Die Gräfin war nämlich von der Idee angetan und machte sich mit ihr und der Kammerfrau auf den Weg.
Als sie durch das Dorf gingen, eilten alle Leute herbei, um ihrer Herrin die Reverenz zu erweisen. Ihre Augen fraßen sich jedoch an Giulia fest, so als hätte sie zwei Köpfe oder mindestens einen Riesenbuckel, und jedermann schien einen mehr oder weniger leisen Kommentar abgeben zu müssen. Wie es sich anhörte, hatte keiner von ihnen jemals einen Kastraten gesehen, aber sie hatten viel und vor allem nichts Gutes über Nichtmänner gehört. »Zauberstimme« war noch die höflichste Bezeichnung, die

Giulia vernahm. Einige Männer wichen sichtlich vor ihr zurück und machten das Zeichen gegen den bösen Blick, als fürchteten sie, ihre Manneskraft allein durch ihren Anblick zu verlieren. Zum Glück war niemand, auch die kleinen Kinder nicht, so frech, sie zu berühren oder ihr gar zwischen die Beine zu fassen, was den Worten einer jungen Frau zufolge ein unzweifelhaftes Mittel sei, einer ungewollten Schwangerschaft zu entgehen. Giulia war zuletzt froh, wieder in die Burg zurückkehren zu dürfen.

An diesem Abend erlaubte ihr die Gräfinwitwe, das Essen in ihrer Gegenwart einzunehmen. Da auch Pater Franco mit am Tisch saß, kam keine Langeweile auf. Giulia wurde sich irgendwann einmal bewusst, dass sie schon seit langem nicht mehr so herzhaft gelacht hatte wie in dieser Stunde. Die Beklemmung, die sich während des Spaziergangs auf ihre Seele gelegt hatte, verflüchtigte sich bald, und sie ertappte sich zuletzt dabei, wie sie einige bekannte Lieder in spöttischer Weise parodierte. Anstatt sie dafür zu schelten, klatschte der Pater begeistert Beifall und forderte sie schließlich auf, mit ihm im Duett zu singen. Sie machte begeistert mit und war zuletzt nicht nur selbst froh und glücklich, sondern ließ, als sie sich zurückzog, eine sehr zufriedene Gräfinwitwe zurück.

## *VIII.*

Nachdem Giulia die anfänglichen Schwierigkeiten mit Glück und Geschick hatte meistern können, lebte sie sich rasch in der Burg ein. Die Gräfinwitwe behandelte sie mehr wie einen guten Freund als wie einen angestellten Sänger, die Mamsell verhätschelte sie, und die Dienerschaft las ihr jeden Wunsch von den Augen ab. Zwei-, dreimal nur traf sie ihre Auftraggeberin in trüber Stimmung an. Doch es bedurfte stets lediglich einiger ihrer

Lieder und dazu ein paar Späße des Paters, um die düsteren Wolken zu verjagen.

Als das Weihnachtsfest nahte, fragten sich die Bewohner der Burg ängstlich, aber auch voller Hoffnung, ob ihre Herrin diesmal daran teilnehmen könne. Der Pater versicherte ihnen, es sei der Fall, denn Casamontes Stimme würde die melancholischen Gedanken der Gräfinwitwe besser vertreiben als das Weihwasser den Teufel.

Von Celestina, der Kammerfrau, erfuhr Giulia, dass ihre Herrin sich schon vor etlichen Jahren mit ihrem Sohn, dem jetzigen Grafen von Falena, entzweit habe, da dieser eine reiche, aber in den Augen der Gräfinwitwe sehr unpassende Erbin geheiratet habe. Wie es hieß, endete der Stammbaum der jungen Dame bereits bei ihrem Großvater, der als Maultiertreiber im Heer eines Farnese begonnen hatte. Besagter Herr hatte sich später durch eine unterschlagene Kriegskasse den Rang eines Cavaliere in den päpstlichen Domänen und schließlich den Titel eines Barons gekauft. Bei so großen Festen wie Weihnachten oder Ostern verspürte die Gräfinwitwe eine starke Sehnsucht, ihre Enkelkinder zu sehen. Sie war jedoch zu stolz, ihre Schwiegertochter um einen Besuch zu bitten oder gar selbst den Weg in die Residenz ihres Sohnes anzutreten, der den Worten der Kammerfrau nach völlig unter dem Pantoffel seiner Frau stand und dieser alle wichtigen Entscheidungen überließ.

Giulia war es peinlich, so tief in die familiären Verhältnisse ihrer Auftraggeberin eingeführt zu werden. Andererseits half ihr dieses Wissen, jene Lieder zu meiden, die die Schwermut der Gräfinwitwe noch verstärken konnten. Jeden Morgen besprach sie mit Pater Franco das Programm des Tages und studierte unter seiner Anleitung Musik und Komposition, bis sie beide zur Gräfinwitwe gerufen wurden.

Sooft das Wetter es zuließ, machten sie am Nachmittag einen Spaziergang. Da sich die Dörfler allmählich an Giulia gewöhnt hatten und ihr auch die Kinder nicht mehr nachliefen, war sie jetzt sogar recht froh, an die frische Luft zu kommen. Wenn jedoch Regen vom Himmel prasselte und kalter Wind an den Fensterläden rüttelte, saßen sie vor einem großen Kaminfeuer und tranken warmen Würzwein, den die Mamsell eigenhändig zubereitet hatte. Die Gräfinwitwe lauschte Giulias Liedern und bat sie oft, das eine oder andere davon, das ihr besonders gefiel, zu wiederholen.

Assumpta und ihr Mann hatten sich ebenso gut in der Burg eingelebt wie Giulia selbst. Ihr Vater aber bereitete ihr zunehmend Sorge. Zu Beginn hatte sie ihn mehrmals gebeten, gemeinsam mit ihr und Pater Franco zu musizieren. Mit etwas gutem Willen hätte er sich ebenfalls an der Unterhaltung der Gräfinwitwe beteiligen und damit auch an deren Tisch sitzen können. Obwohl er nicht mehr so kindisch trotzte wie zu Beginn ihres Aufenthalts, ließ er sich lange bitten, bis er sie das erste Mal zur Gräfin und dann in Pater Francos Studierzimmer begleitete. Eine halbe Stunde später bedauerte Giulia, ihn dazu aufgefordert zu haben, denn er geriet mit dem Mönch heftig aneinander. Ihm gefiel weder dessen Art, die Noten zu interpretieren, noch war er mit der Wahl der für Giulia vorgesehenen Lieder einverstanden.

Giulia begriff zunächst nicht, weshalb ihr Vater sich so schlecht benahm. Dann erinnerte sie sich daran, dass das Gesinde der Burg ihm eine mehr oder weniger offene Verachtung entgegenbrachte. Da Assumpta keinen Grund gesehen hatte, ihn zu schonen, hatte sie Risa und den anderen Bediensteten erzählt, dass Girolamo Casamonte seinen Sohn aus Geldgier zum Kastraten gemacht hatte und nun von den Einnahmen seines Sohnes wie eine Made im Speck lebte. Als Girolamo Casamonte Pater Franco vorwarf, ein alter, verschrobener Trottel zu sein, der nichts von Musik verstand, konnte sich der sonst so liebenswerte Mönch ein paar entsprechende Bemerkungen nicht verkneifen.

Der Streit eskalierte, und schließlich verließ Giulias Vater wutschnaubend das Studierzimmer. Pater Franco rief ihm aus vollem Herzen ein »Bastard« nach, wandte sich dann zu Giulia um und tätschelte ihre Hand. »Ich kann dir nicht sagen, wie Leid du mir tust, mein Sohn. Du hättest wahrlich einen besseren Vater verdient.«
»Ich weiß auch nicht, warum er so geworden ist. Früher war er ganz anders.« Giulia kämpfte mit den Tränen und schniefte wie ein Kind. »Das macht dieses gelbe Teufelszeug, hinter dem die Menschen mehr herjagen als hinter ihrer ewigen Seligkeit«, erklärte der Mönch grimmig. »Ich habe schon oft gesehen, wie ein braver Mann durch die Macht des Goldes zu einer ekelhaften Kreatur wurde. Gebe Gott, dass du rasch deine Freiheit gewinnst. Alt genug dürftest du ja bald sein.«
Giulia kniff bedrückt die Lippen zusammen. Wäre sie tatsächlich ein Kastrat, so hätte sie sich irgendwann von ihrem Vater lösen können. Doch wie die Dinge standen, war es ihr praktisch unmöglich. Sie war durch das Geheimnis ihres Andersseins wie mit eisernen Ketten an ihn geschmiedet. Um sich nicht in traurigen Gedanken zu verlieren und damit vielleicht sogar die Gräfinwitwe anzustecken, bat sie Pater Franco um die Noten des nächsten Liedes und sang es mit der Eindringlichkeit, die das Leid sie gelehrt hatte.
Die Sorge um die Burgherrin ließ Giulia nicht die Zeit, sich weiter mit ihrem Vater zu beschäftigen. Sie widmete jede wache Minute ihrer Aufgabe und sah sich schließlich durch die freudestrahlenden Gesichter der Menschen ringsum belohnt. Als die Diener den großen Saal der Burg mit frischem Grün für das Weihnachtsfest schmückten und in der Küche die Leckerbissen für das Mahl zubereitet wurden, war für jeden zu erkennen, dass die Gräfinwitwe heuer an der Feier teilnehmen konnte. Viele dankbare Blicke streiften Giulia, und am Morgen des Festes brachte ihr die Mamsell höchstpersönlich den ersten Teller mit

gewürztem Gebäck und forderte sie auf, die Leckereien zu probieren. »Schmeckt es?«, fragte sie beinahe ängstlich.
Giulia nickte eifrig. »Ausgezeichnet. So gute Pasticcini habe ich noch niemals gegessen.«
Das Gesicht der Mamsell glänzte bei diesem Lob, und sie fasste kurz nach Giulias Hand. »Ich danke Euch, Casamonte. Ihr habt uns eine gesegnete Festa di Natale beschert. Wir sind alle sehr glücklich, dass Erlaucht daran teilnehmen kann.«
»Wenn Ihr jemand danken wollt, so dankt Gott«, versuchte Giulia das in ihren Augen übertriebene Lob abzuwehren. Sie fragte die Mamsell, ob sie noch ein paar Plätzchen vom Teller nehmen dürfe. Doch diese stellte ihr den Teller auf den Tisch. »Sie sind alle für Euch. Wenn Ihr wollt, kann Risa Euch noch welche bringen.«
Giulia blickte seufzend an sich herab und deutete auf ihre Taille. »Lieber nicht. Ich gehe sonst auf wie ein Hefekuchen, und das ist das Letzte, was ich will.«
»Ein paar Pfunde könnt Ihr schon noch vertragen.« Die Mamsell nickte ihr auffordernd zu und verabschiedete sich hastig, da genug andere Arbeit auf sie wartete.
Giulia nahm noch ein Plätzchen von der Sorte, die ihr besonders gut geschmeckt hatte, und legte sich angezogen aufs Bett. Sie wollte ihren Geist noch einmal von allen störenden Gedanken reinigen und die Lieder durchgehen, die sie am Abend beim Fest singen wollte. Darüber musste sie eingeschlafen sein, denn sie wurde durch Assumptas Klopfen geweckt. Als sie die Tür öffnete, blickte die Dienerin vorwurfsvoll auf ihr verknittertes Hemd und die verknautschten Hosen. »Giulio! Was habt Ihr gemacht? So könnt Ihr doch nicht zum Fest gehen. Wartet, ich lege Euch etwas anderes heraus.« Assumpta schloss seufzend die Tür und legte den Riegel vor, ehe sie in der Truhe kramte.
Giulia schlüpfte unterdessen aus ihrem verdrückten Gewand und ließ sich von der Magd in die frischen Kleider helfen. Heute

hatte sie Assumptas Willen nach besonders prächtig auszusehen. Daher suchte diese das grüngold gemusterte Wams heraus, mit dem Giulia vor Herzog Guglielmo aufgetreten war, und legte eine enge, karmesinrote Hose dazu. Dann half sie ihr, die neuen Brustbänder anzulegen. Nachdem Giulia vollständig angezogen war, ging Assumpta mit nachdenklicher Miene um sie herum, öffnete in einem plötzlichen Entschluss ihre Hose und stopfte die Schamkapsel besser aus. »Ich habe gehört, dass Kastraten hier immer etwas übertreiben. Ihr solltet Euch nicht ausschließen, sonst schöpft doch einmal jemand Verdacht.«

»Ich versuche, nächstens daran zu denken.« Giulia blickte auf die prall sitzende Hose herab und schüttelte den Kopf. »Wenn man das so sieht, könnte einem als Frau fast Angst davor werden, was die Männer da aufzuweisen haben.«

Assumpta winkte verächtlich ab. »Pah, das ist doch zum größten Teil Watte und nur zum geringen Teil Fleisch.« Sie schwieg für einen Moment und sah dann Giulia mit feuchten Augen an. »Ich wünsche dir so sehr, dass du eines Tages einen Mann kennen lernst, mit dem du deiner Natur gemäß leben kannst.«

Giulia schüttelte mit einem gekünstelten Lachen den Kopf. »Ich weiß gar nicht, wie ich mich als Frau verhalten müsste. Ich habe es nie gelernt.« In den letzten Monaten hatte sie sich zwar mehrmals vorgestellt, wie es wäre, Frauenkleider anzuziehen und auf diese Weise die Liebe kennen zu lernen. Dabei interessierte sie sich nicht so sehr für das, was die Männer in ihren Schamkapseln verbargen, sondern sehnte sich nach einer sanften, streichelnden Hand und einem Mund, der zärtlich zu küssen vermochte. »Es ist unmöglich«, flüsterte sie traurig. Dann zog sie die Schultern straff, atmete tief durch und machte sich auf den Weg in den großen Saal, in dem das Weihnachtsfest gefeiert werden würde.

Die riesige Halle war festlich geschmückt. Lange, von Bänken gesäumte Tischreihen zogen sich an den Wänden entlang und bogen sich bereits unter der Last der Speisen. Giulia selbst wurde nach vorne zur Gräfinwitwe geführt, die eben auf einem gepolsterten Stuhl Platz genommen hatte. Die Burgherrin trug zur Feier des Tages diesmal nicht Schwarz, sondern hatte eine tiefrote Robe angezogen. Um ihren schlanken Hals lag eine dreifach geschlungene Kette aus großen Perlen, die die Farbe des Kleides widerspiegelten und rötlich schimmerten. Pater Franco stand einen Schritt hinter ihr, in der Hand ein Erbauungsbuch, aus dem er vorlesen wollte.

Giulia verbeugte sich vor der Gräfinwitwe und stellte sich auf einen Wink hin ebenfalls hinter dem Stuhl auf. Während sie sich sammelte, beobachtete sie das Kommen und Gehen im Saal. Die meisten Bediensteten saßen bereits auf ihren Plätzen und sahen mit stolzen und glücklichen Mienen zu ihrer Herrin herüber. Trotz der strengen Rangordnung, die unter dem Gesinde herrschte, hatte Assumpta einen Platz direkt neben der Mamsell zugewiesen bekommen. Nicht weit von ihr entfernt saß Beppo neben dem Burggärtner, einem knorrigen kleinen Mann. Giulia hielt auch nach ihrem Vater Ausschau und entdeckte ihn schließlich weit im Hintergrund zwischen Risa und einer anderen Magd. Er wirkte bereits angetrunken und griff immer wieder mit der Rechten an Risas Hinterteil. Die abwehrenden Handbewegungen der jungen Frau ignorierte er dabei völlig.

Giulia schämte sich für ihn, denn sie wusste, dass Risa mit dem Kutscher der Gräfinwitwe verlobt war und diese ihre Erlaubnis zur Hochzeit bereits angedeutet hatte. Dem jungen Burschen schien Girolamo Casamontes aufdringliche Werbung um seine Braut wenig zu gefallen, denn er rückte auf seinem Platz nervös hin und her und bombardierte ihn mit zornigen Blicken.

Giulia überlegte, ob sie hingehen und ihren Vater bitten sollte, das Fest nicht zu stören, da drehte sich die Gräfinwitwe um und

fasste nach Giulias Hand. »Es ist an dir, mein lieber Giulio, das Fest mit deinem Gesang zu eröffnen.«
Giulia löste den Blick von ihrem Vater, atmete tief durch und ließ die Töne aus ihrer Kehle perlen.

## IX.

Girolamo Casamonte saß missmutig auf seinem Platz und ärgerte sich über alles Mögliche, angefangen von Risas ablehnender Reaktion bis hin zu der Tatsache, dass er bei dem niederen Gesinde hocken musste, während seine Tochter das Privileg genoss, am Tisch der Gräfinwitwe sitzen zu dürfen. Das Essen war bäurisch und der Wein, der hier aufgetischt wurde, schlichtweg eine saure Zumutung. Wehmütig dachte er an die wunderbaren Tropfen, die ihm im Goldenen Lamm zu Mantua eingeschenkt worden waren.
Während die übrigen Festteilnehmer überglücklich waren, dass der Zustand ihrer Herrin es erlaubte, eine Feier zu veranstalten, und das auch deutlich kundtaten, wurde er zunehmend verdrossener. Mit verkniffener Miene nahm er das Lob zur Kenntnis, das die Gräfinwitwe seiner Tochter und Pater Franco für die gelungene Musik spendete, und dachte bei sich, dass es eigentlich ihm gelten müsste. Immerhin hatte er Giulias Stimme entdeckt und ausgebildet, und ohne seine jahrelangen Mühen mit ihrer Ausbildung würde sie nicht dort vorne sitzen und gefeiert werden.
Um sich abzulenken, versuchte er sein Glück noch einmal bei Risa, doch diese tauschte ihren Platz kurzerhand mit einer fetten Küchenmagd. Für einen Augenblick wandte er sich der Magd auf der anderen Seite zu. Doch diese unterhielt sich angeregt mit ihrem Nachbarn, einem muskulösen Stallburschen, und wandte ihm demonstrativ den Rücken zu. Es war ein hüb-

scher Rücken, dessen sanfter Schwung die Spannung in seinen Lenden noch verstärkte. Er überlegte, wann er das letzte Mal eine Frau unter sich gehabt hatte, und fand, dass es jene entzückende kleine Kurtisane in Mantua gewesen war, die er in den letzten Wochen vor ihrer Abreise öfters besucht hatte. Hier in dieser elenden Burg waren die Frauen entweder alt und hässlich oder besaßen kräftige Freunde, die einem Mann wie ihm ein bisschen Spaß im Bett oder im Heu missgönnten.

Während die Dorfbewohner in einer langen Reihe an der Gräfinwitwe vorbeidefilierten und ihre Glückwünsche zum Fest überbrachten, suchte Giulias Vater Trost im Wein. Bei diesem Fest musste der Kellermeister der Burg, der ihm sonst höchstens einen Krug am Tag zumaß, den Hahn laufen lassen. Girolamo Casamonte nahm sich vor, so viel zu trinken, wie er vermochte, auch wenn es ihn beim ersten Schluck noch geschüttelt hatte. Am Tisch der Gräfinwitwe wurde gewiss ein besserer Tropfen aufgetischt, dachte er und starrte seine Tochter neiderfüllt an. Giulia beendete eben ihr drittes oder viertes Lied, und die Gräfinwitwe klatschte begeistert Beifall. Pater Franco fasste sogar Giulias Hand und schüttelte sie enthusiastisch.

Wenn der Mann wüsste, dass er gerade die Hand einer Frau berührt, würde er seine eigene abhacken lassen, fuhr es Girolamo Casamonte durch den Kopf. Es wäre ein Heidenspaß, es vor all diesen Leuten laut herauszuschreien. Die dummen Gesichter hätte er sehen mögen. Leider musste er sich das Vergnügen verkneifen, denn seine Existenz hing von diesem undankbaren, pflichtvergessenen Weibsbild in Hosen ab. Sein Blick glitt über ihre Figur, die von der Männerkleidung stark betont wurde. Das Mädchen war jetzt achtzehn Jahre alt, also genau in dem Alter, in dem Frauen am schönsten blühen. Ihr ebenmäßiges Gesicht und die großen Augen wirkten nur wegen der strengen Frisur und dem Barett auf ihrem Kopf nicht völlig weiblich, und trotz der Brustbänder, mit denen sie ihre reich erblühte Fülle bändig-

te, zeichnete sich ihr Busen recht deutlich unter ihrem Wams ab.
Girolamo Casamonte verspürte mit einem Mal den Wunsch, Giulias Brüste zu berühren und zu liebkosen. Dabei empfand er zunächst noch so etwas wie ein schlechtes Gewissen, denn schließlich war sie die Frucht seines Leibes. Doch dann erinnerte er sich an eine Stelle aus der Bibel, in der es hieß, Noah habe in der Not seines Leibes mit seinen Töchtern geschlafen. So, wie sich seine Lenden spannten, war er wahrlich selbst in großer Not. Er blickte auf Giulias übertrieben große Schamkapsel und musste daran denken, dass sie etwas ganz anderes bedeckte, als die anderen Leute annehmen mussten.
Plötzlich wurde es ihm in seiner eigenen Schamkapsel zu eng. Er stöhnte vor Schmerz auf und rannte zum Abtritt. Während er dort seine Hose neu ordnete, sagte er sich, dass die Sünde Onans vor Gott möglicherweise weniger zählen würde, als es Noah gleichtun zu wollen. Doch dann dachte er daran, dass seine Tochter wegen ihrer Verkleidung, an der er ja nicht ganz unschuldig war, keine Chance hatte, die Wohltat körperlicher Liebe zu genießen. Daher war es ganz einfach seine Pflicht, ihre Sinne zu erwecken. Dieser Gedanke gab ihm seine Ruhe und seine Zuversicht wieder, und er kehrte freudig erregt in den Festsaal zurück.

## X.

Giulia fand, das diese Festa di Natale die schönste war, die sie je erlebt hatte. Selbst ihr Vater, der selten zufrieden war, schien seine gute Laune wiedergefunden zu haben. Er trank auch nicht mehr ganz so viel wie zu Beginn und klatschte wie die anderen Zuhörer nach jedem ihrer Lieder begeistert Beifall.
Schließlich nahte der Höhepunkt der Feier. Eigenhändig be-

schenkte die Gräfinwitwe die Dorfbewohner, die ihr ihre Aufwartung machten, mit hübschen Kleinigkeiten und ließ ihnen dazu kleine Kuchen überreichen. Auch die Bediensteten gingen nicht leer aus. Die Frauen erhielten ein Stück Stoff für ein neues Kleid, die Männer ein hübsches Messer und beide Geschlechter ein paar Silbermünzen. Pater Franco wurde ebenfalls beschenkt und sah dann ebenso gerührt wie wohlgefällig auf das hübsch illustrierte Buch, das die Gräfinwitwe in Mantua für ihn erworben hatte.
Ganz zuletzt winkte die Burgherrin Giulia zu sich. »Ich danke Euch für diesen wunderschönen Tag, Casamonte. Aus diesem Grund möchte ich, dass Ihr diesen Ring als kleines Geschenk annehmt.«
Sie reichte Giulia einen goldenen Ring, in dessen Fassung ein kunstvoll geschnittener Amethyst eingesetzt worden war. Celestina, ihre Kammerfrau, brachte ein Tablett mit Papier, Siegelwachs und einer brennenden Kerze herein und stellte es vor Giulia auf den Tisch. »Es ist ein Siegelring.« Die Gräfinwitwe forderte Giulia lächelnd auf, ihn zu erproben. Die Kammerfrau erhitzte das Wachs und ließ etwas davon auf das Papier tropfen. Jetzt erst erwachte Giulia aus ihrer Starre und drückte den Ring vorsichtig in das weiche Wachs. Als sie ihn wieder entfernte, zeigte das Siegel einen Berg, der von einem Haus gekrönt wurde. »Euer Name in Stein geschnitten«, kommentierte die Gräfinwitwe. »Möge der Ring Euch alle Zeit Glück bringen.«
»Ich danke Euch, Erlaucht.« Giulia sank in die Knie und küsste ergriffen die Hand der alten Dame. Diese strich ihr über das Haar und kämpfte sichtlich mit den Tränen. »Es ist schon sehr spät geworden. Ich werde mich daher zurückziehen.« Die Gräfinwitwe winkte ihre Kammerfrau heran und befahl ihren Gästen, die sich ebenfalls erheben wollten, sitzen zu bleiben. »Lasst euch den Wein und die Speisen schmecken und feiert fröhlich weiter, bis die Glocke Mitternacht schlägt.« Mit diesen Worten

stützte sich die alte Dame auf Celestinas Arm und ließ sich von dieser aus dem Saal führen.
Giulia sah zweifelnd auf ihren Teller und fand, dass sie genug gegessen hatte. Als ihr eine Magd nachlegen wollte, hob sie abwehrend die Hand. »Ich bin satt und außerdem müde. Ich werde es Erlaucht gleichtun und mich hinlegen. Schließlich muss ich morgen früh in der Burgkapelle gut bei Stimme sein.«
Pater Franco nickte beifällig und wünschte ihr eine gute Nacht. Er selbst aber reichte der Magd seinen Teller, um sich noch ein Stück Braten aufladen zu lassen. Giulia verabschiedete sich mit einer freundlichen Geste von der Mamsell und den anderen Gästen und ging etwas steifbeinig auf ihr Zimmer.
Nachdem sie den Riegel vorgeschoben und die Vorhänge vor die beiden kleinen Fenster gezogen hatte, entkleidete sie sich und wusch sich flüchtig mit kaltem Wasser. Dann zog sie die nur noch lauwarme Kohlenpfanne aus dem Bett und schlüpfte aufatmend unter die Decken. Trotz ihrer Müdigkeit fand sie keinen Schlaf, denn die Freude über das gelungene Fest ließ ihr Herz schneller schlagen. Sie musste an das letzte Weihnachtsfest denken, an dem ihre Mutter und ihr Bruder Pierino noch gelebt hatten. Das hatte sie als ähnlich schön empfunden. Doch damals war sie ja noch ein argloses, kleines Mädchen gewesen, das noch nichts von den schönen und den dunklen Seiten des Lebens geahnt hatte.
Ein hartes Klopfen schreckte sie aus ihren Gedanken, und sie wollte schon nicht antworten. Dann dachte sie daran, dass es Assumpta sein musste, die noch einmal nach dem Feuer in ihrem Kamin sehen wollte, und stand auf. »Ja? Wer ist da?«, fragte sie vorsichtshalber.
Da vernahm sie die Stimme ihres Vaters. »Ich bin es, Giulia. Mach auf. Ich muss mit dir sprechen.«
»Hat das nicht Zeit bis morgen? Ich liege schon im Bett.« Giulia hatte keine Lust, sich von ihm die schönen Bilder in ihrem Kopf

madig machen zu lassen. »Es ist wichtig«, drängte er. »Ich will dir doch ein Geschenk überreichen.«
Giulia wunderte sich ein wenig, da ihr Vater ihr in den letzten zwei Jahren kein Weihnachtsgeschenk mehr gemacht hatte. Schnell zündete sie die Lampe mit einem Fidibus an, den sie in den Glutrest im Kamin hielt, schlüpfte in ihren voluminösen Morgenmantel, der ihre Figur so gut verbarg, dass sie sich vor Risa oder der Mamsell darin zeigen konnte, und öffnete die Tür. Hastig schlüpfte ihr Vater herein, drückte die Tür hinter sich zu und legte den Riegel vor. Seine Augen flackerten, und Giulia wurde beinahe schlecht von dem sauren Geruch nach Wein, den er ausströmte. Sie wich bis zum Tisch zurück und nahm das für ihn vorbereitete Geschenk in die Hand, das sie ihm am nächsten Morgen hatte überreichen wollen. Gleichzeitig bemerkte sie, dass er nichts mitgebracht hatte. Noch ehe sie etwas sagen konnte, packte ihr Vater sie und zog sie an sich. Seine Rechte öffnete ihren Morgenmantel und glitt hinein, um nach ihren Brüsten zu suchen. »Was soll das?« Giulia fühlte sich vor Schreck wie gelähmt, versuchte aber, ihn von sich weg zu schieben. »Du bist ein Weib«, flüsterte er mit rauer Stimme. »Du musst die Liebe lernen. Ich werde sie dir beibringen.«
»Entweder bist du völlig betrunken oder verrückt geworden!« Giulia wand sich und riss sich los, kam jedoch nicht weit. Er packte sie mit hartem Griff, drängte sie zu ihrem Bett und drückte sie hinein. Sie versuchte noch, sich zur Seite zu werfen. Doch er warf sich auf sie und hielt sie mit seinem Gewicht unter sich fest. »Sträube dich nicht. Es wird dir gefallen«, raunte er ihr ins Ohr und zerrte den hinderlichen Morgenrock beiseite. Als es ihm nicht gelang, Giulias Hemd aufzunesteln, zerfetzte er ärgerlich den Stoff. Ihre linke Brust lag plötzlich frei. Er quetschte sie so fest zusammen, dass Giulia vor Schmerz aufstöhnte, und presste seinen nassen, kalten Mund auf die rosige Spitze.
Bisher hatte Giulia irgendwie noch gehofft, ihr Vater würde zur

Vernunft kommen und von ihr ablassen. Als er seinen Unterleib nun heftig an ihrem rieb, spürte sie sein erregtes Glied durch den Stoff hindurch an der Hüfte und begriff, dass er nicht eher aufgeben würde, bis er sein Ziel erreicht hatte. Ihr Instinkt wollte sie zwingen, laut aufzuschreien und um Hilfe zu rufen. Doch eher würde sie sich die Zunge abbeißen, denn wenn wirklich Helfer ins Zimmer eindrangen, war ihre Rolle als Kastratensänger endgültig ausgespielt. Dann würde sie wegen der Dummheit und der Gier ihres Vaters vor einem päpstlichen Inquisitionsgericht landen, und das bedeutete ein Ende auf dem Scheiterhaufen – falls sie die Verhöre vorher lebend überstand.
Angst und Wut verdoppelten ihre Kraft. Sie warf sich heftig hin und her, bekam ein Bein frei und stieß das Knie nach oben. Sie traf zwar nur den Oberschenkel ihres Vaters, doch der Schmerz reichte aus, um ihn für einen Moment zurückzucken zu lassen. Sie wand sich unter ihm heraus, ließ sich zu Boden fallen und robbte blitzschnell aus seiner Reichweite. Als sie aufstand, bemerkte sie, dass ihr Hemd zurückgeblieben und ihre Nacktheit seinen lüsternen Blicken ausgesetzt war. »Warum kämpfst du denn dagegen an? Wir sind beide einsam, mein Kind, und können uns nur gegenseitig Trost spenden.« Er stand auf und kam mit ausgebreiteten Armen auf sie zu.
Giulia sah sich verzweifelt nach einer Waffe um, aber in ihrer Reichweite lag nur das kleine Messer, mit dem sie ihre Schreibfedern anspitzte. Damit konnte sie keinen kräftigen Mann abhalten. Ihr wurde auch schmerzhaft bewusst, dass sie selbst in diesem Augenblick nicht die Hand gegen den eigenen Vater erheben konnte. Trotzdem griff sie das Messerchen und hielt es in die Höhe. »Halt, Vater. Wenn du noch einen Schritt auf mich zugehst, töte ich mich selbst.« Zur Bekräftigung setzte sie die kurze, scharfe Klinge an die Stelle ihres Halses, an der die Schlagader hart und schmerzhaft pochte.
»Du verstehst mich nicht. Ich will dir doch nur Gutes tun.« Gi-

rolamo Casamonte starrte seine Tochter an, als könne er ihr Handeln nicht begreifen. Er machte einen weiteren Schritt auf sie zu. Sofort drückte sie die Klinge so fest gegen den Hals, dass ein roter Blutstropfen herausquoll. »Du wirst der Gräfinwitwe und später auch den Behörden einiges zu erklären haben.«

Ihre Entschlossenheit ernüchterte ihn jäh. Sein bisher zum Bersten gespanntes Glied fiel in sich zusammen. »Das würdest du doch nicht wirklich tun«, versuchte er abzuwiegeln. »Wenn du mir zu nahe kommst, werde ich es tun.« Es klang wie ein Schwur. Das Messer immer noch an die Kehle gepresst, stand sie hoch aufgerichtet vor ihm und wies auf die Tür. Girolamo Casamonte hob abwehrend die Hände und wollte noch etwas sagen. Doch ihr Blick und ein zweiter Blutstropfen, der über ihre Haut rann, ließ ihn schaudern. So drehte er sich um, riss den Riegel zurück und wankte mit hängenden Schultern hinaus.

Als er die Türe hinter sich geschlossen hatte, stürzte Giulia zu ihr hin und verriegelte sie mit fliegenden Händen. Sie konnte selbst kaum glauben, dass es ihr gelungen war, seiner Gier zu entkommen. Ekel stieg in ihr hoch. Gleichzeitig überkam sie ein Hochgefühl. Zum ersten Mal hatte sie sich gegen ihren Vater durchsetzen können. Sie nahm sich vor, dass es nicht das letzte Mal bleiben würde.

Jetzt erst bemerkte sie, dass sie das Messer immer noch krampfhaft umklammert hielt, und legte es mit einer Bewegung des Abscheus beiseite. Für einen Moment überlegte sie, ob es nicht besser wäre, sich der Gräfinwitwe anzuvertrauen und auf deren Gnade zu hoffen. Aber sie verwarf diesen Gedanken sofort wieder. Die Burgherrin war eine Dame mit festen, teilweise sogar sehr starren Prinzipien und hatte mit Sicherheit nichts für eine Abenteurerin übrig, die als Kastrat verkleidet in ihre Dienste getreten war. Nein, mit der Sache musste sie ganz allein fertig werden.

Als ihr Blick auf das zerfetzte Hemd fiel, wurde ihr klar, dass sie das Geschehen dieser Nacht nicht vor Assumpta verbergen konnte. In einem Wutanfall packte sie die Fetzen und schleuderte sie in den Kamin. Sollte Assumpta sich ruhig fragen, wo das Hemd geblieben war. Sie würde kein Wort darüber verlauten lassen.

Am nächsten Morgen sagten die Menschen, die Giulias Gesang in der Kapelle gelauscht hatten, sie hätten den Kastraten noch nie so schön und innig singen hören. Die Gräfinwitwe floss über vor Tränen und küsste gerührt ihre Hand. Giulia nahm den Dank mit einem freundlichen Lächeln hin und verschloss ihre eigenen Gefühle tief in ihrem Innern.

Ihren Vater bekam sie an diesem und auch am folgenden Tag nicht zu Gesicht. Erst am dritten Tag ließ er sich wieder sehen und tat so, als wäre nicht das Geringste zwischen ihnen beiden vorgefallen. Giulia verachtete ihn dafür fast noch mehr als für das, was er ihr hatte antun wollen.

## XI.

Der Abschied war kurz, aber herzlich. Die Gräfinwitwe umklammerte Giulias Hände und presste sie gegen ihre Brust, während die Mamsell ihren Tränen freien Lauf ließ und Pater Franco sich verzweifelt räusperte, um den Frosch zu vertreiben, der in seiner Kehle saß. »Ihr kommt im November wieder, Casamonte, nicht wahr? Das versprecht Ihr mir doch!« Die Stimme der Gräfinwitwe klang so ängstlich wie die eines Kindes. Giulia kam sich beinahe schlecht vor, weil sie aus ihren Diensten schied. Doch bevor sie etwas sagen konnte, antwortete ihr Vater für sie. »Wir werden wiederkommen, Erlaucht. Darauf könnt Ihr Euch verlassen.« Es war eine Lüge, die er wie so viele andere Lügen mit ehrlicher Miene von sich gab, so als würde er selbst daran glauben. Giulia selbst wusste nicht, ob sie noch einmal nach

Falena kommen wollte. Gewiss, sie hatte hier freundliche Aufnahme gefunden. Doch die Erinnerung an die Nacht nach dem Weihnachtsfest war auch jetzt, fast drei Monate danach, noch so frisch, als hätte sie ihren Vater erst gestern Abend aus ihrem Zimmer vertrieben. »Lebt wohl.« Sie reichte der Reihe nach Risa, der Mamsell und der Kammerfrau Celestina die Hand, dann Pater Franco, der sie fast nicht loslassen wollte. Nach einer letzten Verbeugung vor der Gräfinwitwe stieg sie in die Kutsche, die diese ihnen bis Modena zur Verfügung gestellt hatte.
Ihr Vater folgte ihr auf dem Fuße und ließ sich schwer auf die gepolsterte Bank fallen. Dann erst bemerkte er, dass Giulia diesmal gegen die Fahrtrichtung saß. Bevor er etwas sagen konnte, kam Assumpta herein und setzte sich auf Giulias Wink neben sie. Beppo nahm mit einem feinen Lächeln neben Girolamo Casamonte Platz.
Das Dienerehepaar wunderte sich nicht über Giulias abweisendes Verhalten ihrem Vater gegenüber. Die beiden ahnten, dass zwischen Vater und Tochter etwas Unerfreuliches vorgefallen war. Aber sie sagten auch jetzt nichts, sondern blickten wehmütig auf den gastfreundlichen Ort, von dem sie beide ungern schieden. Assumpta war es gelungen, das Vertrauen der Mamsell zu erringen, ohne die übrige Dienerschaft zu verprellen, und Beppo trauerte den Pflänzchen nach, die er noch letzte Woche mit dem Burggärtner zusammen gesetzt hatte. Er hätte sie so gerne wachsen und gedeihen sehen. Außerdem waren er und Assumpta fest davon überzeugt, dass die Burg der Gräfinwitwe der einzige Ort war, an dem Giulia sich frei von allen Gefahren aufhalten und sicher leben konnte.
Abgesehen von der Tatsache, dass die Gräfinwitwe den Sommer wieder in Mantua zu verbringen gedachte, war es genau diese trügerische Sicherheit, die Giulia veranlasste, Falena wieder zu verlassen. Wenn es ihr je gelingen sollte, sich von ihrem Vater zu lösen, durfte sie sich nicht in eine scheinbare Idylle zurückzie-

hen. Ihr war es im Grunde genommen gleichgültig, wohin die Reise ging. Sie musste sich so, wie sie jetzt war, in der Welt behaupten und sich dabei auch auf Dauer gegen ihren Vater durchsetzen. Girolamo Casamonte ahnte nichts von den rebellischen Gedanken seiner Tochter, sondern schwärmte in den höchsten Tönen von Modena. Seine Phantasie gaukelte ihm bereits vor, dass Giulia mit Leichtigkeit die Gnade des Herzogs Ercole II. erringen und mit Gold überschüttet würde.
Giulia ließ ihn reden. Während die Kutsche die schlechte Straße entlang holperte und sie ein übers andere Mal gegen Assumpta geschleudert wurde, hing sie versonnen ihren eigenen Plänen nach. Als ihr Vater plötzlich die Hand ausstreckte, um zur Bekräftigung seiner Worte ihr Knie zu tätscheln, war sie jedoch hellwach. Ihre Rechte schoss nach vorne und packte seinen Unterarm mit hartem Griff. »Fasse mich nicht an. Nie mehr!« Obwohl Giulias Stimme leise klang, damit der Kutscher auf dem Bock es nicht hören konnte, erschreckte der drohende Unterton ihren Vater.
Girolamo Casamonte hatte gehofft, den für ihn ebenso unbefriedigenden wie unerfreulichen Zwischenfall am Weihnachtsabend einfach vergessen machen zu können. Jetzt musste er sich eingestehen, dass seine Tochter immer noch daran dachte und seitdem in ihm einen Feind sah. Diese Entwicklung verletzte ihn mehr, als er zugeben wollte. Er gab sich diesen Gefühlen jedoch nicht lange hin, sondern schweifte mit seinen Gedanken weit voraus. Dank der Freizügigkeit der Gräfinwitwe war seine Börse gut gefüllt, und er freute sich schon darauf, in Modena die besten Kurtisanen aufzusuchen, um den ebenso langen wie kalten und einsamen Winter zu vergessen.
Während ihr Vater seinen Hoffnungen und Träumen nachhing, sah Giulia auf das grüne, blühende Land hinaus, durch das ihre Kutsche rumpelte, und fühlte sich auf einmal wie von allen Zwängen befreit. Paolo Gonzaga und ihr Vater hatten ihr deut-

lich gezeigt, dass Männer brünstige Böcke oder Bullen waren, die vor keiner Schandtat zurückschreckten, um ihren Trieb zu befriedigen. Als Kastrat hatte sie solche Übergriffe nicht zu befürchten. Sie glaubte auch nicht, dass ihr Vater es noch einmal bei ihr versuchen würde, denn jetzt kam er ja wieder in eine Stadt und konnte die Häuser der käuflichen Frauen besuchen, bei denen er vergessen würde, dass er je eine Tochter sein Eigen genannt hatte.

Um ihre nahe Zukunft brauchte Giulia sich keine Sorgen zu machen, denn die Gräfinwitwe hatte sie mit mehreren Empfehlungsschreiben für Bekannte in Modena ausgestattet. Sie wollte in diesem Sommer noch einmal in einer Residenzstadt auftreten, um genügend Geld für ihre weitere Ausbildung zusammenzubringen. Vielleicht würde sie den Winter über auch wieder in die Dienste der Gräfinwitwe zurückkehren. Sie wusste es jetzt noch nicht, nahm sich aber fest vor, sich von ihrem Vater in keiner Weise bei ihren Entscheidungen beeinflussen zu lassen.

Sie übernachteten in Castellarano, einer kleineren Stadt, die bereits am Rand des Apennins lag, und folgten am nächsten Tag dem Lauf der Secchia nach Modena, das sie am späten Nachmittag erreichten. Giulia hatte auf Anraten der Mamsell die Herberge Il Leone als vorläufiges Quartier gewählt, auch wenn ihr Vater über das zwar saubere, aber für seinen Geschmack zu schlichte Wirtshaus die Nase rümpfte. Es hinderte ihn aber nicht, sich ausführlich den Freuden der hiesigen Küche hinzugeben und einen ausgezeichneten Toskaner zu genießen. Später am Abend, als Giulia und das Dienerpaar bereits im Bett lagen, überkam Girolamo Casamonte schließlich die Lust auf ein kleines erotisches Abenteuer. »He Bursche«, rief er dem Wirtsknecht zu, der in der Schankstube weilte. Dieser kam eilig herbei, denn er hoffte auf ein Trinkgeld. Casamonte zwinkerte ihm zu und ließ einen Soldo in seiner Hand aufblitzen. »Du bist doch ein Mann von Welt und weißt sicher, welche Magd hier

bereit ist, einem einsamen Reisenden einen kleinen Gefallen zu erweisen.«
»Hier im Löwen keine. Die Wirtin ist nämlich sehr streng.« Der Knecht schien die Münze bereits abzuschreiben, als ihm etwas einfiel. »Aber soviel ich gehört habe, führt die Witwe Cotturi in der Via Alfonso ein sehr vornehmes, aber gastfreies Haus und soll einige wunderschöne Nichten ihr Eigen nennen.«
Der Soldo wechselte den Besitzer. Casamonte stand auf und legte dem Knecht die Hand auf die Schulter. »Du kannst mir sicher sagen, wie ich in die Via Alfonso gelange.«
Der andere nickte eifrig und erklärte es ihm.
Casamonte wiegte besorgt den Kopf. »Ich weiß nicht, ob ich den Weg in der Dunkelheit noch finde.«
»Ich besorge Euch ein Licht.« Der Knecht wartete die Antwort nicht ab, sondern eilte davon und kehrte kurz darauf mit einer brennenden Laterne zurück. Sein Gesicht wirkte beunruhigt, so als sei ihm noch etwas Wichtiges eingefallen. »Ich weiß nicht, ob mein Rat gut war. Die Dame Cotturi soll wirklich sehr vornehm sein. Ich weiß nicht, ob sie fremde Reisende überhaupt in ihr Haus lässt.«
»Mich wird sie schon einlassen«, erwiderte Girolamo Casamonte lachend und klopfte dabei auf die prall gefüllte Börse, die schwer an seinem Gürtel hing. Er bedankte sich bei dem Knecht für die Laterne und verließ den Löwen in blendender Laune. Die Wegbeschreibung war so präzise, dass er schneller vor der Casa Cotturi stand, als er erwartet hatte. Er warf einen zufriedenen Blick auf das feste Portal mit den polierten Bronzebeschlägen und schlug den Türklopfer dreimal fest an.
Die Tür wurde einen Spalt breit geöffnet. Eine ältliche Frau musterte ihn argwöhnisch und steckte dann ihren Kopf heraus. »Was wollt Ihr?«
»Mein Name ist Girolamo Casamonte«, stellte Giulias Vater sich mit so stolzer Miene vor, als müsse ganz Modena ihn ken-

nen. »Ich habe erfahren, dass die Dame Cotturi ein vornehmes Haus führt und schöne Nichten ihr Eigen nennt. Da ich diesen Sommer in Modena zu verbringen gedenke, kam ich her, um mich mit eigenen Augen davon zu überzeugen.« Bei diesen Worten zauberte er einen Scudo aus seinem Wams und reichte ihn nach innen.

Die Türsteherin zögerte einen Moment. Das Geldstück verlockte sie, den Fremden einzulassen. Er trug ein prachtvolles Gewand nach neuester Mode, schien also ein Herr von Stand zu sein. Eigentlich hätte sie zuerst ihre Herrin fragen müssen, bevor sie ihn einließ. Aber einen so großzügigen Herrn wie diesen wollte sie nicht verdrießen, indem sie ihn draußen auf der Straße warten ließ. »Kommt herein«, forderte sie Fassi-Casamonte daher auf. »Ich werde Euch der Signora Cotturi vorstellen.«

Giulias Vater folgte der Einladung mit einem so erwartungsvollen Lächeln, als hätten sich die Tore des Paradieses vor ihm geöffnet. Schon als er den Vorraum betrat, kam er aus dem Staunen nicht mehr heraus. Der Boden war mit einem kostbaren Teppich belegt, als gäbe es keinen Schmutz, den man von der Straße hineintrug. Die Wände des nicht gerade kleinen, rechteckigen Raumes waren mit vergoldeten Stuckornamenten verziert, zwischen denen Gemälde im Stile Botticellis hingen, die alle junge, schöne und vor allem kaum bekleidete Frauen zeigten. Casamonte bewunderte eine mit nichts als ihrem Haar bekleidete Venus und spürte, wie sich seine Lenden vor freudiger Erregung spannten. Die Torwächterin schloss hinter ihm ab und führte ihn durch eine Tür, die von zwei lebensgroßen Frauenstatuen flankiert wurden, die ebenfalls nicht mehr Kleidung trugen als die Venus auf dem Bild. An den Wänden des Korridors, der sich an den Vorraum anschloss, konnte er weitere Bilder schöner Frauen mit blankem Busen und mit nicht mehr als einem Feigenblatt vor der Scham bewundern.

Die Räumlichkeiten hier wirkten weitaus gediegener als die der

Kurtisanen, welche er in Mantua aufgesucht hatte. Für einen Augenblick empfand er ein gewisses Unbehagen und fragte sich, ob es wirklich richtig gewesen war, in dieses Etablissement zu kommen. Da erreichten sie einen Raum, bei dem noch größerer Aufwand getrieben worden war. Die Wände schimmerten in weichen Grüntönen und umschmeichelten mehrere große Gemälde mit schönen Frauen, die ebenso elegant wie verlockend wirkten. Auf der anderen Seite des Raumes stand ein großer, schwerer Tisch mit gedrechselten Füßen, um den mehrere gepolsterte Stühle standen. Drei junge Männer in der Kleidung von Edelleuten lümmelten sich dort in wenig vornehmer Haltung und genossen die Gesellschaft von vier Frauen, deren Aussehen durchaus mit den Schönheiten auf den Gemälden konkurrieren konnte. An einer Statue, die diesmal keine Frau, sondern einen nackten Jüngling darstellte, lehnte ein Mädchen von vielleicht sechzehn, siebzehn Jahren und sang ein zweideutiges Lied, zu dem eine ältere Frau die Laute schlug.

Als das Mädchen geendet hatte, klatschten die Männer am Tisch Beifall, in den Casamonte begeistert einfiel. Er konnte die Augen nicht von dem schönen Kind abwenden und nahm daher nicht wahr, dass sich eine ältere Matrone aus dem Hintergrund löste und auf ihn zukam. »Guten Tag. Ich bin Olimpia Cotturi, die Herrin dieses Hauses. Dürfte ich erfahren, mit wem ich die Ehre habe?«

»Mein Name lautet Girolamo Casamonte«, erklärte ihr Giulias Vater mit einer übertrieben tiefen Verbeugung. »Ich bin neu in Modena und suche hier einen Ort, an dem ein Mann von Welt sich den Freuden der Venus hingeben kann.«

Olimpia Cotturi war erfahrener als ihre Türsteherin und schätzte Giulias Vater sofort als einen zu Geld gekommenen Provinzler ein. Da sie jedoch mehr über ihn erfahren wollte, befahl sie einer Dienerin, ihm ein Glas Wein zu bringen. »Ich danke Euch«, erwiderte Casamonte, während er die vier jungen

Frauen am Tisch schier mit den Augen verschlang. Sie trugen Gewänder aus einem so durchsichtigen Stoff, dass die farbigen Unterröcke hindurchschimmerten. Zwei waren so tief dekolletiert, dass man den oberen Teil der Warzenhöfe erkennen konnte. Die Dritte trug nur ein dünnes Hemd, durch das die Spitzen ihrer Brüste rosig hindurch schimmerten. Giulias Vater drehte sich zur Hausherrin um und nickte anerkennend. »Ihr habt wirklich wunderschöne und vor allem aufregende Nichten. Ich bin ganz begierig darauf, mit einer von ihnen allein zu sein.«
Olimpia Cotturi verzog das Gesicht und hob den Zeigefinger. »Da Ihr fremd seid, kennt Ihr unsere Gewohnheiten nicht. Bei uns kommt man nicht einfach herein und winkt einem Mädchen zu, mit einem ins Bett zu gehen wie in einem gewöhnlichen Bordell. Meine Nichten sind alle fest mit Edelleuten aus Modena verbunden, die für alle ihre Kosten aufkommen. Dafür werden die Herren nicht nur mit den Freuden der Venus beglückt, sondern nennen ebenso schöne wie kluge Begleiterinnen und Freundinnen ihr Eigen.«
»Ich hätte nichts dagegen, eines dieser hübschen Vögelchen für diesen Sommer als meine Freundin gewinnen zu können«, erklärte Girolamo Casamonte großspurig.
»Ich werde Euch vormerken. Sobald eine meiner Nichten ihrer jetzigen Verpflichtungen ledig ist, könnt Ihr einen Kontrakt mit mir schließen.«
»Dazu bin ich gerne bereit.« Girolamo Casamonte zeigte auf die am weitesten links sitzende Kurtisane, deren Busen fast ihr Kleid zu sprengen schien. »Wenn es möglich wäre, nehme ich diese.«
»Es ist leider nicht möglich, da Norina auf unabsehbare Zeit in den Diensten des ehrenwerten Messer Torazzi steht.«
Girolamo Casamonte seufzte enttäuscht, dann aber huschte ein listiges Lächeln über sein Gesicht. Er fasste die Hausherrin am Arm und zog sie nahe zu sich heran, damit niemand anderes mithören konnte. »Mir wäre fürs Erste schon mit einem kleinen,

äh, Rendezvous heute Abend gedient. Das mit dem Kontrakt können wir später machen.«
Frau Cotturi schob ihn verärgert von sich weg und rümpfte sichtbar die Nase. »Derzeit ist keine meiner Nichten frei.«
»Ich würde auch die Kleine dort nehmen.« Giulias Vater zeigte auf die kleine Sängerin. »Donatella ist meine Tochter und noch Jungfrau. Derjenige, der sie als Erstes besitzen will, muss fünfhundert Golddukaten hinlegen können.« Olimpia Cotturi betonte das Wort Golddukaten und brachte Girolamo Casamonte damit aus der Fassung. »Fünfhundert Golddukaten?«, wiederholte er entsetzt. Das war eine Summe, die jenseits seiner Möglichkeiten lag. Giulia hatte in den letzten Jahren zwar um einiges mehr verdient, doch das Leben in Mantua, besonders die Besuche bei den gefälligen Damen, hatten das meiste davon aufgezehrt. Selbst die hübsche Gage, die ihnen die Gräfinwitwe von Falena ausgezahlt hatte, reichte bei weitem nicht, um für dieses Mädchen zu zahlen. Trotzdem dachte er nicht daran, klein beizugeben. »Es muss ja nicht gleich eine Jungfrau sein. Eine der vier dort am Tisch tut es auch. Da nur drei Herren hier sind, kann sich die vierte ja um meine Belange kümmern«, schlug er der Hausherrin vor.
»Wenn eine meiner Nichten einen Kontrakt mit einem Herrn abschließt, steht sie nur ihm zur Verfügung und sonst niemand.« Olimpia Cotturi stampfte äußerst undamenhaft auf, und ihre Stimme erscholl nun so laut, dass sie das nächste Lied der Sängerin übertönte. Die drei Männer am Tisch hoben die Köpfe und starrten Girolamo Casamonte an.
Der bemerkte nichts von der Aufmerksamkeit, die er erregt hatte, und winkte lachend ab. »Es merkt doch keiner, wenn eine der Schönen kurz ihr Hemd für einen anderen hebt.«
Einer der drei Edelleute erhob sich und trat näher. »Macht dieser Gimpel Euch Ärger, Donna Olimpia?«
»Gimpel!?« Girolamo Casamonte war zu betrunken, um diese

Beleidigung so einfach hinzunehmen. »Entweder Ihr entschuldigt Euch bei mir, oder …«
Der Edelmann verzog geringschätzig den Mund und stieß ihn mit der flachen Hand vor die Brust, so dass Casamonte mehrere Schritte zurück taumelte. »Was ›oder‹, Gimpel?«
Casamonte ballte wütend die Fäuste und wollte zuschlagen. Sein Gegenüber wich ihm jedoch mit Leichtigkeit aus und traf ihn mit einem festen Hieb am Kinn. Giulias Vater flog gegen die Wand, versuchte sich dort festzuhalten und riss eines der Gemälde herab. Kurz entschlossen packte er es und wollte damit auf den anderen losgehen, sah sich jedoch mit einem Mal von drei Gegnern umringt.
Ehe Girolamo Casamonte sich versah, prasselten die Schläge hageldicht auf ihn herab. Zu Beginn versuchte er noch, sich zur Wehr zu setzen, doch die drei wären auch dann zu viel für ihn gewesen, wenn er dem Wein im Löwen etwas weniger zugesprochen hätte. Schließlich lag er als wimmerndes Bündel auf dem Teppich und zuckte unter den Fußtritten der Edelleute. Als einer von ihnen den Dolch zog, griff Olimpia Cotturi ein. »Lasst ab. Er hat genug abbekommen. Einen Toten würden mir die Behörden von Herzog Ercole verargen.«
Der Edelmann schob den Dolch mit einer bedauernden Geste in die Scheide, beugte sich dann noch einmal zu Casamonte herab und riss dessen Kopf an den Haaren hoch. »Höre mir gut zu, Gimpel. Verschwinde so schnell wie möglich aus Modena. Sonst badest du doch noch in der Secchia, aber erst, wenn mein Dolch dein Blut getrunken hat.«
Er lachte darüber wie über einen guten Witz und kehrte mit seinen Kameraden zu den Kurtisanen zurück.
Olimpia Cotturi blickte auf den halb bewusstlosen Mann herab und überlegte, ob sie ihm helfen sollte. Dann dachte sie an ihre hochgeborenen Gäste, die ihr das wohl verargen würden, und wies ihre Dienerinnen an, den Mann vor die Tür zu schleifen.

# XII.

Heute war nicht der Tag von Vincenzo de la Torre gewesen. Seit dem Morgen hatte er an die Türen etlicher entfernter Bekannter geklopft, nur um festzustellen, dass sie sich ausnahmslos verleugnen ließen. Als er am Abend müde und vor allen Dingen sehr hungrig in seine Herberge zurückgekehrt war, ließ sein Wirt ihn von zwei handfesten Knechten an die Luft setzen. Dabei war er dem Kerl höchstens für zwei Monate die Miete schuldig geblieben. Er war sich sicher, dass er am nächsten oder übernächsten Tag einen Freund finden würde, der ihm aus der derzeitigen Klemme half. Er musste nur eine Gelegenheit finden, sich auszuschlafen und sein Äußeres wieder etwas aufzupolieren. Ganz in Gedanken tastete er sein Bündel ab, das der Wirt ihm hatte nachwerfen lassen, und fluchte laut. Der Kerl hatte doch tatsächlich sein letztes gutes Hemd als Bezahlung behalten. »Die Läuse und Wanzen sollen ihn auffressen!« Vincenzo schimpfte noch eine Weile vor sich hin, während er den spärlichen Rest seines Besitzes schulterte und vorsichtig die Straße entlang stakste, um in der infernalischen Schwärze ringsum nicht über einen achtlos stehen gelassenen Gegenstand zu stolpern. Leider wusste er sehr gut, dass er selbst ein Opfer des Ungeziefers werden würde, wenn er nicht bald einen Ausweg fand. Er hatte bereits seine Laute und seinen Degen versetzen müssen, doch auch von dem Geld fand sich kein Denaro mehr in seinen Taschen. Dabei knurrte sein Magen mehr als unanständig, und er ertappte sich dabei, wie er um eine Taverne herumstrich wie ein verliebter Kater um eine rollige Katzendame.

Da ihm kein Wirt und auch keine Wirtin mehr für gute Worte etwas zu essen gab, ging er weiter und weiter, ohne zu wissen, wohin. Das Beste würde sein, wenn er am nächsten Morgen Modena verließ und versuchte, unterwegs etwas zwischen die Zähne zu bekommen. Notfalls musste er in den sauren Apfel

beißen und Holz hacken oder einen Weinberg jäten. Wenn einer seiner Standesgenossen ihn bei dieser entwürdigenden Tätigkeit erkannte, lief er allerdings Gefahr, Zeit seines Lebens von seinesgleichen geschnitten zu werden. Bei dem Gedanken musste er wild auflachen. Schlimmer, als ihn die feine Gesellschaft in dieser Stadt behandelt hatte, konnte es kaum noch kommen. Er fühlte sich ja jetzt schon wie ein Aussätziger.
Während seines ziellosen Marsches kam er durch die Via Alfonso und sah kurz zu den erleuchteten Fenstern der Casa Cotturi hoch. Er wusste vom Hörensagen, dass hier die teuersten Kurtisanen Modenas wohnten, hatte jedoch nie die Gelegenheit oder vielmehr das Geld besessen, dort verkehren zu können. Während er sich an dem Haus vorbeitastete, stieß er mit dem Fuß gegen etwas Weiches. Gleichzeitig vernahm er ein jämmerliches Stöhnen.
Vincenzo beugte sich nieder und ertastete einen Mann, der mitten auf der Straße lag und anscheinend nicht mehr aufstehen konnte. Plötzlich glitten seine Finger über eine prall gefüllte Börse. Für einen Augenblick geriet er in Versuchung. Selbst wenn der Beutel nur mit Silber gefüllt war, könnte er sich dafür neu ausstaffieren und würde nicht mehr so leicht von hochnäsigen Türstehern abgewiesen werden. Dann schüttelte er jedoch den Kopf. Es hatte bei den de la Torres in der Vergangenheit gewiss nicht nur Chorknaben gegeben. Aber noch keiner hatte sich so weit erniedrigt, ein gemeiner Dieb zu werden.
Er ließ die Börse los, als wäre sie glühend geworden, und fasste nach dem Kopf des Mannes. »He du! Kannst du mich verstehen?«
Ein würgendes Gurgeln war die Antwort. Vincenzo erkannte, dass der andere am Erbrechen war, und drehte ihn so, dass er seinen Mageninhalt ausleeren konnte, ohne daran zu ersticken. Es dauerte eine geraume Zeit, bis der Mann damit fertig war. Vincenzo fragte ihn noch einmal, ob er ihn verstehen könne.

Er erhielt ein jämmerlich klingendes »Ja« zur Antwort. »Kann ich dir helfen?«, fragte Vincenzo weiter. So wie der Mann am Boden lag, kam er so schnell nicht mehr auf die Beine. Er musste schwer betrunken den Weg gegangen und dabei gestürzt sein. Nächtliche Straßenräuber kamen nicht in Frage, da ihm diese seine Börse abgenommen hätten. »Wo soll ich dich hinbringen?«

»In den Löwen«, lallte der Mann mit Mühe. Vincenzo wusste im ersten Augenblick nicht, was er damit meinte. Doch dann erinnerte er sich an eine Herberge gleichen Namens, die hier in der Nähe zu finden sein musste. Er zerrte den Mann, der wie ein nasser Sack in seinen Armen hing, auf die Füße und wuchtete ihn sich auf die Schulter. »Du könntest ruhig etwas leichter sein«, sagte er keuchend, als er sich auf den Weg machte. Jetzt spürte er die versäumten Mahlzeiten der letzten Tage doppelt. Ihm wurde schwindelig, und er musste sich an den Hausfassaden festhalten. Irgendwie schaffte er es jedoch und klopfte schließlich an die verschlossene Hoftür der Herberge.

Es dauerte ein wenig, bis ein Knecht in Erwartung später Gäste mit einer Laterne herauskam und mit weit aufgerissenen Augen auf Vincenzo und dessen Last starrte. »Ich habe diesen Signore unterwegs aufgelesen. Wenn ich ihn richtig verstanden habe, logiert er in Eurer Herberge«, erklärte Vincenzo. »Das ist der ehrenwerte Herr Casamonte. Kommt herein. Ich rufe rasch seinen Sohn und seinen Diener herbei«, sprudelte der Knecht hervor und leuchtete Vincenzo den Weg. Dieser folgte ihm und war schließlich froh, den Betrunkenen auf dessen Bett abladen zu können.

Im Licht der Kerze bemerkte er die Abschürfungen im Gesicht Casamontes. Die blau geschlagenen Augen und die aufgeplatzten Lippen konnten nicht allein von einem Sturz stammen. Der Mann sah aus, als wäre er vor kurzem fürchterlich verprügelt worden.

Noch während Vincenzo ihn nach weiteren Verletzungen untersuchte, stürzten Beppo und Assumpta herein. »Heilige Madonna, was ist geschehen?«, rief die Dienerin erschrocken. Vincenzo zuckte mit den Schultern. »Ich habe den Mann unterwegs auf der Straße aufgelesen. Er scheint sich mit jemand angelegt zu haben, der stärker war als er.«
Beppo schüttelte verwundert den Kopf. »Unser Herr ist ein ganz friedlicher Mensch. Aber wenn er einen in der Krone hatte, könnte es schon sein, dass er ein falsches Wort nicht hinnehmen wollte oder selbst etwas Unpassendes sagte.« Obwohl sich der Diener und die Frau eifrig um den Verletzten kümmerten, hatte Vincenzo nicht den Eindruck, als würden sie ihn bedauern.
Als Beppo sich aufrichtete, sah er ganz zufrieden aus. »Das ist alles halb so schlimm. Er hat eine oder zwei Rippen gebrochen, ein paar Zähne verloren und sich gewiss eine Gehirnerschütterung zugezogen. Sieht aber nicht so aus, als würde er einen Arzt benötigen.«
Assumpta packte ihren Mann, der sich schon herumdrehen und das Zimmer verlassen wollte, und fuhr ihn an. »Und ob er einen braucht! Sag dem Wirtsknecht Bescheid, dass er einen Doktor holt. Ich will nicht, dass der Herr uns vorwirft, wir hätten ihn nicht richtig versorgt.«
Dann drehte sie sich zu Vincenzo um und knickste unbeholfen. »Ich danke Euch von ganzem Herzen, dass Ihr unseren Herrn hierher gebracht habt.«
»Es war meine Menschenpflicht«, wehrte Vincenzo ab.
Assumpta musterte ihn genauer und wies dann auf einige Schmutzflecken an seiner Schulter. »Ihr habt Euer Gewand beschmutzt. Gebt es mir, damit ich es säubern kann.«
Vincenzo hob abwehrend die Hände. »Das ist nicht der Rede wert.«
In dem Augenblick sah er einen jungen Mann in gediegener Kleidung eintreten, der besorgt auf das Bett sah und sich dann

an die Dienerin wandte. »Was ist geschehen? Ich hörte, Vater sei verunglückt.«
Die Stimme klang für einen Jüngling zu hell, und sie kam Vincenzo bekannt vor. Er starrte ihn an und durchforstete sein Gedächtnis. »Ihr seid Giulio Casamonte, der Kastrat. Wir sind uns in Mantua begegnet.«
Der Kastrat hatte sich in den letzten Jahren wenig verändert. Er war vielleicht etwas voller um Brust und Hüften geworden, sein Gesicht war jedoch noch immer ebenmäßig und konnte zu einem gut aussehenden hübschen Jüngling wie zu einer hübschen, wenn auch nicht direkt schönen Frau gehören.
Giulia zuckte leicht zusammen, denn sie mochte es nicht, so eindringlich gemustert zu werden, sah aber ihrerseits den Fremden durchdringend an. Bei ihr dauerte etwas länger, bis sie ihn erkannte. »Ich glaube, ich erinnere mich an Euch. Ihr habt damals ein ziemlich freches Chanson über irgendeinen Bischof gesungen und mich nachher harsch kritisiert. Eure Bekannten nannten Euch Vincenzo.«
»Ihr habt ein außergewöhnliches Gedächtnis. Ja, ich bin Vincenzo de la Torre.«
Er wunderte sich über sich selbst, weil er sich über diese Begegnung freute, denn er konnte Kastraten eigentlich nicht ausstehen. Freunden gegenüber pflegte er zu sagen, dass ihm beim Anblick dieser Nichtmänner seine Hoden schmerzen würden. Er holte tief Luft und überlegte, was er tun sollte. Eigentlich hatte er nur den Verletzten hier abladen wollen und war sich über das Danach gar nicht im Klaren gewesen. Dieser Casamonte aber hatte ihn schon damals interessiert, sonst hätte er ihn in Mantua nicht angesprochen, und jetzt wäre er gerne etwas länger geblieben, um mehr über den jungen Nichtmann mit der ungewöhnlichen Stimme zu erfahren.
Assumpta, die immer noch Giulias Vater säuberte, richtete sich auf. »Herr Giulio, dieser Edelmann hat Eurem Vater geholfen

und ihn bis hierher geschleppt. Ihr könntet ihn zum Dank wenigstens zu einem Glas Wein einladen.«
»Das ist eine gute Idee. Bitte, Messer de la Torre, gewährt mir die Ehre Eurer Gesellschaft, auch wenn es schon spät geworden ist. Der Wirt wird uns gewiss noch etwas ausschenken.« Giulias Lächeln stürzte Vincenzo noch mehr in Verwirrung. Er folgte dem Kastraten jedoch ohne Zögern in einen kleinen Privatsalon und ließ sich auf einem gepolsterten Stuhl nieder.
Der Wein, den ein eifriger Knecht hereinbrachte, war ausgezeichnet. Vincenzo spürte, dass er in seinem ausgehungerten Zustand nicht mehr als ein Glas trinken durfte, um nicht völlig betrunken zu werden. Im selben Augenblick machte sich sein Magen mit einem sehr deutlichen Knurren bemerkbar. Vincenzo genierte sich fürchterlich, während Giulia leicht erschrocken den Kopf hob. »Ihr seht aus, als wäre es Euch seit Mantua nicht gerade wohl ergangen.«
»Ganz so schlimm ist es nicht«, versuchte sich Vincenzo herauszureden. Irgendetwas zwang ihn jedoch, aufrichtig zu sein. »Nachdem ich die Stadt hastig verlassen musste, ging es mir eine Zeit lang sogar recht gut. Ich besuchte Verwandte, die mich herzlich aufnahmen und mich wie ihren eigenen Sohn behandelten. Leider gab es auch dort Differenzen wegen meiner Liedtexte, und so wurde ich nach einer Weile gebeten, weiterzuziehen. Irgendwann kam ich dann nach Modena und wurde von den jungen Edelleuten hier mit offenen Armen empfangen.«
Giulia hob verwundert die rechte Augenbraue. »Danach seht Ihr nicht gerade aus.«
»Daran ist der Spielteufel schuld«, gab Vincenzo unumwunden zu. »Meine Freunde, wenn man sie so nennen will, spielten viel und vor allem um große Summen. Ich wollte natürlich nicht abseits stehen, auch in der Hoffnung, Fortuna würde mir gewogen sein und mir meine mager gewordene Börse wieder auffüllen. Zunächst gewann ich auch. Dann wurde ich jedoch unvorsichtig

und verlor mehr, als ich gewonnen hatte, ja sogar mehr, als ich besaß. Vom Wahn gepackt, meine Verluste zurückholen zu müssen, lieh ich mir von anderen Geld und verlor auch das. Da ich meine Schulden nicht begleichen konnte, war ich in der feinen Gesellschaft sehr schnell unten durch. Daraufhin versuchte ich, Bekannte anzupumpen, um wenigstens die Menschen bezahlen zu können, von denen ich Geld geliehen hatte. Aber leider sind die Edlen Modenas alles andere als großzügig.«
Giulia griff lächelnd nach dem Weinbecher und trank ihrem Gast zu. »Vielleicht hatten Eure Bekannten Angst, Ihr würdet auch ihr Geld dem Spielteufel anheim geben.«
»Das hätte ich gewiss nicht getan. Ich habe ja auch Euren Vater hierher getragen, obwohl ich ihm genauso gut die Börse hätte abnehmen und mir etwas zum Essen hätte kaufen können.« Die Worte waren schneller ausgesprochen, als Vincenzo denken konnte. Er ärgerte sich sofort darüber, doch da rief Giulia bereits den Wirtsknecht herein und wies ihn an, ein Mahl für ihren Gast aufzutischen.
Dabei fiel ihr das Bündel auf, das Vincenzo in die Ecke gelegt hatte, und schloss treffend, dass er ohne Nachtquartier war. Als der Knecht mit einem großen Tablett voller Leckerbissen zurückkam, hob sie die Hand. »Du kannst für Messer de la Torre ein Zimmer vorbereiten. Er bleibt heute Nacht hier.«
»Nein, ich ... ich ...« Vincenzo wusste nicht, was er sagen sollte. Er wollte niemandem verpflichtet sein, am wenigsten einem Nichtmann. Am liebsten wäre er aufgesprungen und davongelaufen. Doch der Braten auf dem Teller duftete allzu verführerisch, und das weiße Brot schien direkt danach zu schreien, von ihm gegessen zu werden. Mit einem tiefen Seufzer überwand er seine Skrupel und zog sein Messer aus dem Gürtel, um die größte Scheibe damit aufzuspießen.

# XIII.

Als Vincenzo am nächsten Morgen erwachte, war es bereits heller Tag. Einen Augenblick wunderte er sich, weshalb er in einem weichen Bett mit sauberen, weißen Linnen lag. Dann erinnerte er sich wieder an die Geschehnisse des Vorabends und schämte sich, weil er die Fürsorge eines Nichtmanns angenommen hatte. Schnell sprang er aus dem Bett, um sich anzuziehen und dann möglichst ungesehen zu verschwinden. Seine Kleider waren jedoch nirgends zu finden. Da erst fiel ihm ein, dass Casamontes Dienerin am Abend noch einmal in sein Zimmer gekommen war, um die Sachen zum Säubern mitzunehmen.

So blieb ihm nichts anderes übrig, als liegen zu bleiben, bis sie mit seinen Hosen und dem Wams zurückkam. Während er schmollend auf dem Bett lag und gegen die sauber gekalkte Decke starrte, drang der Duft frischen Brotes in sein Zimmer, und er wusste, dass er den Löwen nicht ohne Frühstück verlassen konnte. Er ärgerte sich über seine Schwäche, wusste aber gleichzeitig, dass sich etwas in ihm auf das Zusammentreffen mit dem Sänger freute. So, wie Casamonte lebte und sich kleidete, musste er Erfolg gehabt haben. Vincenzo vergönnte es ihm und ertappte sich bei dem Wunsch, die Stimme des Kastraten noch einmal zu vernehmen. Sie war damals in Mantua schon ausgezeichnet gewesen, nur leider hatte der junge Sänger durch seine unzulängliche Technik viel von ihrer Wirkung verschenkt.

Kurze Zeit später klopfte es an seiner Tür, und Assumpta kam herein. »Entschuldigt, Herr, dass es etwa gedauert hat. Doch ich habe die durchgewetzten Stellen Eurer Kleidung unterfüttert, damit Ihr sie noch ein wenig tragen könnt.«

»Ich danke Euch.« Vincenzo wartete, bis die Dienerin sein Zimmer wieder verlassen hatte, und schlüpfte rasch in seine Hosen. Er war kaum damit fertig, da erschien der Wirtsknecht mit warmem Wasser, Seife und frischen Tüchern. Das war ein

Genuss, den sich Vincenzo schon lange nicht mehr hatte leisten können. Er dankte dem Mann und bedauerte, ihm kein Trinkgeld geben zu können, doch der Knecht schien auch keines zu erwarten. Vincenzo wusch sich ausgiebig und betrat eine halbe Stunde später mit noch feuchten Haaren, aber bester Laune das Frühstückszimmer, in dem der Kastrat bereits auf ihn wartete. Während des ausgezeichneten Frühstücks tauschten sie nur ein paar Allgemeinplätze aus, die Vincenzo jedoch verrieten, dass Giulio Casamonte an einem tiefer gehenden Gespräch genauso interessiert war wie er. Als die Wirtsmagd den Tisch abgeräumt und jedem noch einen Krug mit Wasser vermischten Weins hingestellt hatte, konnte Vincenzo endlich Fragen nach Giulios künstlerischem Werdegang stellen. Im ersten Augenblick war er schmerzlich enttäuscht, dass der Kastrat seinem Rat, sich weiter ausbilden zu lassen, nicht in dem Maße nachgekommen war, wie es für seine Stimme notwendig gewesen wäre. Das sagte er ihm auch mit so deutlichen Worten, dass der junge Mann wie ein Mädchen errötete.

Giulia merkte selbst, dass sie sich vor Vincenzo schämte, ließ aber seine harsche Bemerkung nicht unwidersprochen und sang ihm eines der Lieder vor, das Pater Franco für ihre Stimme umgeschrieben hatte.

Vincenzo lauschte mit entrückter Miene und klatschte schließlich Beifall. »Ja, das meine ich! So müsst Ihr alle Lieder singen. Ihr habt eine Stimme, wie ich noch keine zweite hörte. Selbst der unvergleichliche Belloni kann Euch in dieser Hinsicht nicht das Wasser reichen. Aber er hat Stil, sage ich Euch. Da kommt derzeit kein anderer Kastrat mit.«

Giulia nickte bedrückt. »Ich habe Belloni getroffen und ihm zugehört. Er ist wirklich unvergleichlich. Er gab mir übrigens denselben Rat wie Ihr, nämlich mich weiter ausbilden zu lassen.«

»Und? Wollt Ihr es denn nicht tun?«

Giulia hob mit einer bedauernden Geste die Hände. »Es kommt

nicht auf mich an. Ich bin von meinem Vater abhängig und kann ihn nur bitten, dass er mit mir zu einem der großen Musiklehrer reist.«
»Warum geht Ihr nicht an eines der großen Konservatorien und schließt Euch dem dortigen Chor an?«
Giulia konnte ihm nicht sagen, dass sie an einem Ort, wo so viele Sänger auf engem Raum zusammen wohnten, einer Entdeckung nicht lange entgehen würde. Daher zuckte sie mit den Achseln. »Ich singe am liebsten allein.« Es war eine unzulängliche Erklärung, das wusste sie. Zu ihrer Erleichterung schien Vincenzo diese Haltung zu akzeptieren. »Ich glaube auch, dass es für Euch besser wäre, Euch von einem der wirklich großen Musiklehrer ausbilden zu lassen. Was haltet Ihr von Andrea Gabrieli? Soweit ich weiß, wurde er vor kurzem als Organist an die Kirche San Geremia in Venedig berufen. Die Dogenstadt würde Euch sicher gefallen.«
Giulia lächelte sehnsüchtig. »Wie gern würde ich dorthin gehen und Stunden nehmen. Vielleicht könntet Ihr meinen Vater überzeugen, dass es notwendig ist. Er ist der Meinung, er hätte mich gut genug ausgebildet.«
»Das hat er gewiss nicht. Ich werde mit ihm reden.« Vincenzo bereute das Versprechen in dem Augenblick, in dem er es gab. So wie Casamontes Vater gestern ausgesehen hatte, kam der Mann so schnell nicht mehr auf die Beine. Bliebe er hier, wäre er tagelang auf die Mildtätigkeit des jungen Kastraten angewiesen, und das ließ seine Ehre nicht zu. Verzweifelt suchte er nach einer Ausrede, lachte aber schließlich über sich selbst. Nicht einmal das naivste Gemüt würde ihm abnehmen, dass ihn Geschäfte oder andere Gründe daran hinderten, länger hier zu verweilen. Er blickte den Kastraten an, der eine für seine Spezies ungewöhnliche Ruhe ausstrahlte. »Wenn ich es richtig überlege, würde ich eher Vincenzo Galilei vorschlagen. Er lebt als Musik- und Lautenlehrer in Rom und hat einige in meinen Augen über-

wältigende Theorien über den polyphonen Chorgesang entwickelt. Ich glaube, er wäre der richtige Mann für Euch.«

Wenn er schon bleiben und vom Brot eines Nichtmanns leben musste, sagte Vincenzo sich, dann wollte er ihm zumindest mit Ratschlägen dienen. Er überlegte kurz und erklärte Giulio anhand eines Liedes, das derzeit recht populär war, inwieweit sich Galileis Theorien von denen der traditionellen Musiklehre unterschieden. Er merkte rasch, dass der junge Casamonte in den letzten Jahren etliches gelernt hatte, wofür er nicht nur diesen Pater Franco Spalderi verantwortlich machte. Der Kastrat schien mehr Disziplin und Lerneifer als andere Verschnittene zu besitzen. Dennoch hätte er den Mönch gerne kennen gelernt. Ihm sagte der Name Spalderi nichts, doch er wusste, dass auf abgelegenen Adelssitzen oft wahre Edelsteine zu finden waren. Der Mönch schien einer davon zu sein, ein Mann mit einem ähnlichen Musikverständnis wie er selbst.

Als Giulia eines der frecheren Lieder des Paters vortrug, bedauerte Vincenzo es noch mehr, dem Mönch nie begegnet zu sein. Seine eigenen Texte waren noch um einiges gepfefferter, doch dafür war Franco Spalderi der weitaus bessere Komponist. Vincenzo wusste, dass er selbst ein eher mittelmäßiger Tonkünstler war. Sein Talent lag mehr darin, Texte für alte und neue Melodien zu schreiben. Er versuchte es bei einem von Pater Francos Liedern und entdeckte zu seiner Verblüffung, dass der Kastrat mit einer fast spielerischen Leichtigkeit die Melodie umändern und seinen Worten anpassen konnte.

Die beiden saßen fast den ganzen Tag über im Salon, beschrieben Blatt um Blatt und intonierten die Lieder. Als Vincenzo es mit einer unbedachten Äußerung bedauerte, seine Laute versetzt zu haben, da er seinen Freund Giulio gerne auf dem Instrument begleitet hätte, rief Giulia Beppo herein und forderte ihn auf, die Laute auszulösen. Sie reichte ihm ein paar Münzen, die sie sich im Lauf der letzten Monate zusammengespart hatte.

Vincenzo wand sich innerlich, weil er sich Giulio Casamonte damit noch mehr verpflichtete. Er sah jedoch keine andere Möglichkeit, ihm zu danken, als einige neue Liedtexte zu schreiben. Als er sah, wie dankbar der Kastrat ihm dafür war, fühlte er sich gleich besser.
Einige Zeit später kehrte Beppo mit Vincenzos Laute und dessen Degen zurück. Er lächelte etwas unsicher, als er die beiden Gegenstände auf den Tisch legte. »Der Geldverleiher wollte die Laute nicht alleine hergeben, sondern bestand darauf, dass auch das Schwert ausgelöst werden müsse.« Er erwähnte nicht, dass er noch ein paar Münzen aus seiner eigenen Börse hatte hinzulegten müssen.
Vincenzo war es jedoch klar, denn er wusste, dass die Summe, die der Kastrat seinem Diener mitgegeben hatte, niemals für beide Gegenstände ausgereicht hätte. Jetzt stand er auch noch in der Schuld eines einfachen Dieners und hatte keine Ahnung, wann er diese begleichen konnte. Dabei war das, was er Beppo schuldete, nur ein Trinkgeld gegen die Summen, die einige Leute in Modena von ihm zu bekommen hatten. Solange er die nicht zahlte, lief er Gefahr, als ehrlos zu gelten.
Giulia betrachtete Vincenzo, der über etwas Unangenehmem zu brüten schien, und räusperte sich nach einer Weile. »Was seid Ihr plötzlich so still?«
Vincenzo biss die Zähne zusammen, nahm die Laute in die Hand und schlug die ersten Akkorde eines der neuen Lieder an.

## XIV.

Girolamo Casamonte blieb fünf Tage im Bett und gebärdete sich dabei so, als läge er im Sterben. Als er schließlich doch aufstand und in einem weiten, rot und blau gemusterten Morgenrock im Frühstückssalon erschien, flatterten seine Augen unstet, und er starrte immer wieder ängstlich durch das Fenster auf die Straße. Sein Verhalten war so auffällig, dass Giulia und Vincenzo ihn gleichermaßen verwundert anstarrten. »Gibt es etwas Besonderes, Vater?«, fragte Giulia, die seine Angst beinahe körperlich zu spüren glaubte.

Ihr Vater schüttelte schon den Kopf, besann sich dann aber anders und versuchte, eine feste Haltung einzunehmen. »Mir gefällt dieses Modena nicht. Daher werden wir die Stadt auf dem schnellsten Weg verlassen.«

»Nein, wir bleiben hier!« Obwohl Giulia leise sprach, klang es wie ein Peitschenhieb. Ihr Vater zuckte zusammen, doch bevor er etwas sagen konnte, sprach Giulia weiter. »Die Gräfinwitwe von Falena hat mich mit mehreren Empfehlungsschreiben für einige ihr bekannte Damen der hiesigen Gesellschaft ausgestattet. Damit brauchen wir nicht zu bangen, ob ich nun ein Engagement bekomme oder nicht. Ich verzichte nicht auf den Vorteil, den ich dadurch erhalte, nur weil du in irgendeinen unsinnigen Streit geraten bist.«

Girolamo Casamonte erkannte mit Erschrecken, dass er jede Autorität über seine Tochter verloren hatte. Früher hätte sie es nie gewagt, ihn wie einen kleinen Jungen abzukanzeln, besonders nicht in Gegenwart eines Fremden. Die Erinnerung an jene demütigenden Augenblicke in der Casa Cotturi und die Drohungen der jungen Adligen zwangen ihn jedoch, auf seinem Vorsatz zu beharren. Es störte ihn allerdings sehr, ihn begründen und damit sein Missgeschick offenbaren zu müssen. »Es geht nicht anders, Giulio. Ich bin vor ein paar Tagen – völlig schuldlos, wie ich betonen möchte – mit ein paar Lümmeln aus dieser Stadt aneinander geraten. Man hat mich geschlagen und bedroht. Wenn ich den Kerlen noch einmal begegne, werden sie mich umbringen.«

Giulias Miene zeigte deutlich, dass sie seinen Beteuerungen nicht glaubte. Vincenzo erinnerte sich jetzt jedoch daran, wo er

den alten Casamonte gefunden hatte. »Wart Ihr etwa im Haus der Olimpia Cotturi? Deren Nichten sind zu vornehm für Euch, und wie ich behaupten will, auch zu teuer.«
»Was ist schon dabei, eine Kurtisane aufzusuchen?«, erklärte Giulias Vater mit dem Schmollmund eines fünfjährigen Knaben. »Normalerweise nichts, aber in diesem Fall kann es für Euch gefährlich werden«, erwiderte Vincenzo mit einem grimmigen Lächeln. »Die Gäste der Casa Cotturi sind zumeist wohlhabende Adlige und reiche Nichtstuer, die es sich leisten können, pro Monat einige hundert Golddukaten für eine schöne Kurtisane auszugeben. Ich traue diesen Männern durchaus zu, ein schlimmes Schauspiel mit einem Fremden aufzuführen, der ohne Schutzbrief reist.«
»Sie mögen meinen Vater verprügelt haben, aber warum sollten sie ihn umbringen wollen?« In Giulias Stimme schwang die Überzeugung mit, ihr Vater habe wohl jeden empfangenen Hieb verdient.
Giulias verächtlicher Tonfall schockierte Vincenzo. »Da wäre ich mir nicht so sicher. Die jungen Edelleute in dieser Stadt sind mehr als zügellos. Selbst ich muss befürchten, dass man mich ermorden wird, wenn ich meine Spielschulden nicht in absehbarer Zeit bezahlen kann.«
Girolamo Casamonte sah ihn mit dankbaren Hundeaugen an. »Ihr versteht, dass ich die Stadt so schnell wie möglich verlassen muss.«
Giulia sprang mit einem Mal vom Tisch auf und stürmte zur Tür hinaus. Wenige Augenblicke später kehrte sie mit mehreren versiegelten Briefen zurück und warf sie auf den Tisch. »Das sind die Briefe der Gräfinwitwe. Sollen sie wertlos geworden sein, nur weil du es nicht erwarten konntest, zu den Huren ins Bett zu steigen?«
Ihr Vater hatte sie noch nie so zornig erlebt, und auch Vincenzo musste seinen Eindruck revidieren. So kühl und beherrscht, wie

er zunächst angenommen hatte, war der junge Kastrat nun doch nicht. Obwohl er seinen Ärger verstand, betonte er noch einmal die Gefahr, die von den jungen Adligen aus dem Kreis um Olimpia Cotturi ausging. »Es ist wirklich besser, Ihr reist ab. Ich traue diesen Lümmeln, die Euren Vaters misshandelt haben, durchaus zu, sich auch an Euch zu vergreifen.« Vincenzo sah, wie sich Giulios Wangenmuskeln spannten. Der Blick, den der junge Nichtmann seinem Vater zuwarf, war vernichtend. Dann verschwanden die Gefühle hinter einem nichts sagenden Gesichtsausdruck.
Giulia kochte innerlich, aber sie ärgerte sich auch über ihren Gefühlsausbruch, der ihren Gast ganz offensichtlich schockiert hatte. So sammelte sie die Empfehlungsbriefe ganz ruhig ein, als wäre nichts Besonderes geschehen, und steckte sie unter das Wams. »Was schlagt Ihr vor?« Sie bezog Vincenzo wie selbstverständlich in die Überlegungen ein und ließ deutlich erkennen, dass sie seiner Meinung den Vorzug vor der ihres Vaters gab.
Vincenzo dachte kurz nach. »Ich wollte zu einer Tante in Cremona reisen, in der Hoffnung, dass sie mir das Geld gibt, das ich hier in Modena schuldig bleiben musste, ohne mich dafür meinem Bruder auszuliefern.«
Giulia musste ein verblüfftes Lächeln unterdrücken. »Seid Ihr von zu Hause ausgerissen?«
»Ja, gewiss, wenn Ihr es so nennen wollt. Ich habe mich mit meinem Bruder nie verstanden. Andrea ließ mich schon als Kind fühlen, dass er der Erbe der Besitzungen unseres Vaters sein würde, und er wird höchstwahrscheinlich dafür sorgen, dass ich mit einem spanischen Offizierspatent nach Amerika geschickt werde und nie mehr zurückkehren darf.«
Die Bitterkeit, die aus seinen Worten sprach, tat Giulia weh. Sie sah ihn förmlich als kleinen Jungen vor sich, der nach Liebe bettelnd vor dem älteren Bruder stand. Doch dieser empfand ihn nur als unwillkommenen Störenfried und stieß ihn weg. Inner-

halb eines Augenblicks traf Giulia ihre Entscheidung. »Wie hoch sind Eure Schulden?«
Vincenzo nannte ihr verwundert die Summe. Es war nicht übermäßig viel, aber für jemand wie ihn, der auf die Großzügigkeit anderer angewiesen war, nur durch ein Wunder aufzubringen.
Giulia musterte ihren Vater mit einem kühlen Blick. »Ich würde vorschlagen, dass du Messer de la Torre diesen Betrag vorstreckst. Wir werden ihn nach Cremona begleiten, wo er uns bei seiner Tante einführt. Das ist fast genauso gut wie ein Empfehlungsschreiben der Gräfinwitwe.«
Girolamo Casamonte nickte eifrig. Er hätte alles getan, damit sich seine Tochter bereit erklärte, Modena zu verlassen. Vincenzo hingegen focht erneut einen Kampf mit sich selbst aus. Alles in ihm sträubte sich dagegen, den Bärenführer für einen Kastraten spielen zu müssen. Doch die Alternative hieß, zu Fuß und mit hungrigem Magen nach Cremona zu pilgern, mit nichts als der Aussicht, dass ein übereifriger Türsteher seiner Tante ihn als Vagabund einstufte und abwies.

# Vierter Teil

## *Rom*

## I.

Vincenzo de la Torre versuchte, in der engen Kutsche festen Halt zu finden, doch bei jedem Schlagloch wurde er erneut gegen Girolamo Casamonte geschleudert. Mehr denn je sehnte er sich nach einem Pferd. Es war doch bequemer, hoch zu Ross dahinzutraben, als in einem rumpelnden Kasten zu sitzen und sich ständig festklammern zu müssen. Mit einem Anfall von Neid betrachtete er Giulio Casamonte, der den Kopf auf Assumptas Schulter gelehnt hatte und tief und fest zu schlafen schien. Der Kastrat lächelte sogar, so als machten ihm die Unannehmlichkeiten der Reise nicht das Geringste aus. Vielleicht träumt er vom Singen, dachte Vincenzo, denn nur dann hatte er so gelöst gewirkt wie in diesem Augenblick.

Giulios Wams war hochgerutscht, daher konnte Vincenzo seine für einen Kastraten ungewöhnlich ebenmäßige Figur betrachten. Der Nichtmann besaß Rundungen, um die ihn gewiss manche Frau beneidete. Hätte er ein wenig mehr Busen und ein nicht ganz so herbes Gesicht, würde er in Frauenkleidern und mit längeren Haaren eine bemerkenswert hübsche Frau abgeben. Aber es war nicht das angenehme Äußere und noch weniger Giulios spröder Geist, die Vincenzo veranlasst hatten, seit drei Jahren mit den Casamontes zu reisen. Aber was es war, wusste er selbst nicht zu sagen. Vielleicht war es ganz einfach die Tatsache, dass ein erklecklicher Teil von den oft reichlich fließenden Gagen in seine Taschen wanderte.

Er strich über sein gelbes Wams, in dessen Schlitzen das rote Seitenfutter angenehm knisterte, und sah mit Wohlgefallen auf die hautengen grünen Hosen aus bestem Stoff und die mit sil-

bernen Schnallen besetzten roten Schuhe. Er genoss es, endlich einmal so auftreten zu können, wie es seiner Herkunft entsprach. Trotzdem verstand er sich selbst nicht mehr. Schon früher hatte sich ihm die Gelegenheit geboten, sich die Taschen zu füllen, indem er wohlhabende, junge Edelleute auf ihrer Kavalierstour durch Europa begleitete. Doch er hatte die diversen Angebote stets abgelehnt, weil es für einen de la Torre sehr unpassend gewesen wäre, für andere den Bärenführer zu spielen. Warum, fragte er sich nicht zum ersten Mal, tat er es jetzt ausgerechnet bei einem bürgerlichen Sänger, der zudem noch an entscheidender Stelle verstümmelt war?
Vincenzo wusste auch nach drei Jahren keine Antwort darauf. Er und Giulio waren sich in all der Zeit nicht so nahe gekommen, dass man von inniger Freundschaft oder gar von Kameradschaft sprechen konnte. Ihre privaten Kontakte beschränkten sich auf oberflächliche Bemerkungen. Auf künstlerischem Gebiet arbeiteten sie jedoch überraschend gut zusammen. Etliche der Liedtexte, mit denen Giulio in letzter Zeit Furore gemacht hatte, stammten aus seiner Feder, und wenn der Kastrat im privaten Kreis sang, begleitete er ihn meist auf der Laute. So gesehen, hatte er seinen Teil der Gagen auf redliche Weise verdient.
Doch trotz der oft engen Zusammenarbeit wusste er nicht zu sagen, was Giulio wirklich bewegte. Der Kastrat verhielt sich ihm gegenüber stets gleichmäßig freundlich, war jedoch immer noch so distanziert wie in den ersten Tagen ihrer Bekanntschaft. Giulios Vater hingegen hatte ihn regelrecht in sein Herz geschlossen und behandelte ihn beinahe wie einen zweiten Sohn. Oft unterhielt er sich mit ihm und suchte seinen Rat, ganz besonders, wenn es um Kurtisanen oder Bordelle ging.
Vincenzo war nicht verborgen geblieben, dass es mit dem Verhältnis zwischen Vater und Sohn Casamonte nicht zum Besten stand. Das Dienerpaar, mit dem er selbst ausgezeichnet auskam, stand auf Seiten des Sohnes und ließ sich deutlich anmerken,

dass es dem Vater Giulios Verstümmelung ebenso übel nahm wie die Tatsache, dass Girolamo Casamonte von den Gagen seines Sohnes recht üppig lebte. Vincenzo maßte sich nicht an, den Mann zu verurteilen, und ließ sich nicht dazu verführen, Partei zu ergreifen. Plötzlich bewegte Giulio sich unruhig. Vincenzo sah, wie seine Lippen schmerzhaft zuckten und er in einer verzweifelten Geste die Fäuste ballte. Ähnliches hatte er schon früher einmal bei Belloni bemerkt. Doch im Gegensatz zu diesem trug Giulio den Verzicht, zu dem ihn seine Verstümmelung zwang, nicht offen auf der Zunge. Der junge Kastrat hatte ihn noch nie gefragt, wie es denn sei, mit einer Frau zu schlafen, während Belloni sich jede Kleinigkeit bis hin zur anatomischen Beschaffenheit eines Frauenspaltes hatte erklären lassen. Es war, als sei Giulio so früh beschnitten worden, dass ihm das Gefühl sexueller Begierde völlig fremd geblieben war.

Wahrscheinlich war das sogar gut so, denn alle anderen Kastraten, die Vincenzo kennen gelernt hatte, wurden von ihrem Wunsch nach körperlicher Erfüllung und dem Wissen, sie nie erlangen zu können, wie zwischen Mühlsteinen zerrieben. Giulio dagegen wirkte immer vollkommen beherrscht und kühl wie eine Marmorstatue. Nur manchmal blitzte ein trauriger Humor in seinen Worten auf, so als lache und weine er gleichzeitig über sein Schicksal. Er hatte es ja trotz seiner herrlichen Stimme nicht leicht, denn er war auf sein Leben als Kastratensänger nicht ausreichend vorbereitet worden. Das war Vincenzo ganz zu Beginn ihres Aufenthalts in Cremona während des großen Empfangs im Palazzo Lestoni aufgefallen.

Giulio hatte sich völlig verausgabt, denn seine begeisterten Zuhörer hatten eine Zugabe nach der anderen gefordert. Zuletzt war er erschöpft zu ihm gekommen und hatte gebeten, von seinem Wein trinken zu dürfen, da er sehr durstig sei. Dabei hätte Giulio nur einen Diener zu sich winken und ein volles Glas von ihm fordern müssen. Vincenzo hatte es sofort getan. Er hatte

Giulio dann auch in den Speisesaal mitgenommen, ihn aufgefordert, sich neben ihn zu setzen, und den Dienern befohlen, ihnen vorzulegen. Als Sohn eines nachrangigen Musikanten hatte Giulio nicht begriffen, dass er nicht mehr vor den hohen Herren buckeln musste, sondern ein großer Künstler war, der auch fordern konnte.

Wenn Giulio jetzt einen Diener herbeiwinkte, geschah dies mit einer Grandezza, für die ihn die Damen verzückt anhimmelten. Das ging so weit, dass einige Frauen Vincenzo sogar schon um ein Stelldichein mit dem jungen Kastraten gebeten hatten. Er hatte die Bitten an Giulio weitergetragen und war von dessen Gelächter überrascht worden. Wie es aussah, hatte dieser Kastrat nichts für Frauen übrig. Aber Giulio schien auch kein anderes, unnatürliches Interesse zu haben. In gewisser Weise konnte man ihn für ein geschlechtsloses Wesen halten. Dieser Eindruck verlor sich jedoch sofort, wenn er seine Stimme erhob und eine Leidenschaft verströmte, die alle in ihren Bann schlug.

Vincenzo schrieb sich ein gut Teil des Verdienstes an Giulios Weiterentwicklung zu und war daher recht zufrieden mit sich selbst und mit seinem Schützling, obwohl dieser immer noch keinen der großen Gesangslehrer aufgesucht hatte. Das lag aber weniger an Giulio oder seinem Vater als an der Tatsache, dass sie jeden Herbst zu der Gräfinwitwe von Falena zurückgekehrt waren, da die alte Dame nicht auf die heilsamen Dienste des Kastraten hatte verzichten wollen. Vincenzo und Pater Franco hatten jedoch alles getan, was in ihrer Macht stand, Giulios Stimme zu schulen und ihm mehr Sicherheit im Umgang mit seinen Auftraggebern zu vermitteln. Da die Gräfinwitwe in diesem Sommer gestorben war, hatte Giulio sich entschlossen, endlich die lang geplante Reise nach Rom anzutreten.

Wegen der abschreckenden Berichte über das Räuberunwesen in der Gegend um Rom hatten sie sich mit einigen anderen Reisenden zusammengetan und fuhren mit insgesamt fünf Kutschen und mehreren Frachtwagen auf der Via Flaminia nach Süden. Der Anführer ihrer Gruppe, ein Adliger aus der Campania, hatte eine Schar kräftiger Reiter bei sich, und auf seinen Rat hin hatten alle zusammengelegt und in Viterbo eine Gruppe ehemaliger Landsknechte als Geleitschutz angeworben. Damit konnte Vincenzos Meinung nach nichts mehr schief gehen, und er freute sich schon auf das Wiedersehen mit einem der besten Musiklehrer Roms, seinem Freund und Namensvetter Vincenzo Galilei.

Gerade, als er in den angenehmen Erinnerungen an seinen letzten Romaufenthalt versinken wollte, wurde es draußen unruhig. Der Kutscher stieß einen wütenden Fluch aus und zog die Zügel so straff, dass die vier in der Kutsche gegeneinander geworfen wurden. Vincenzo öffnete die Lederplane, die die Fensteröffnung verschloss, und wollte Beppo, der neben dem Kutscher saß, fragen, was denn los sei. Doch da sah er es selbst. Auf den Hügeln neben der Straße tauchten zerlumpte Männer auf, die schreiend und Waffen schwingend auf den Wagenzug zurannten. Vincenzo erwartete, dass die Reiter ihres Anführers und die angeworbenen Söldner die Angreifer vertreiben würden. Doch zu seinem Entsetzen winkten diese den Räubern johlend zu und bedrohten ihrerseits die Reisenden.

Vincenzo griff nach seinem Degen, der an einem Haken in der Kutsche hing, doch er erkannte rasch, dass Widerstand ein zwar mutiges, aber sinnloses Unterfangen darstellte. Die Räuber und die mit ihnen verbündeten Wachen hatten sie schlichtweg überrascht. Vor jeder Kutsche versammelten sich jetzt einige schwer bewaffnete Kerle, bedrohten grinsend die Reisenden und zwangen sie auszusteigen. »Macht keinen Unsinn, sonst …!« Ein kleiner, glatzköpfiger Kerl namens Benedetto, den Vincenzo bis zu diesem Augenblick für den Anführer der campanischen Reiter gehalten hatte, machte die Geste des Halsabschneidens, und der

Anführer der Reisegruppe, der sich für einen Baron ausgegeben hatte und in Wahrheit der Räuberhauptmann zu sein schien, lachte hämisch. Vincenzo blieb nichts anderes übrig, als sich über sich selbst und sein mangelndes Misstrauen zu ärgern. Giulio war offensichtlich geschockt, denn er barg sein Gesicht in den Händen wie ein ängstliches Mädchen. Sein Vater griff zu seinem Beutel, löste dessen Riemen und versteckte ihn unter dem Polster seines Sitzes. Da steckte auch schon einer der Räuber den Lauf seiner Flinte durch die Fensterluke und forderte sie mit barscher Stimme zum Aussteigen auf. Ihnen blieb nichts anderes übrig, als der Aufforderung nachzukommen.
Giulia hatte sich ein wenig gefasst und starrte nun mit geballten Fäusten auf die Kerle, die das Gepäck auf die Straße warfen und durchwühlten. Gewänder, die ihnen gefielen, wanderten in ihre Satteltaschen, ebenso wie der gesamte Schmuck und manche Börse, die die Reisenden in ihren Koffern und Mantelsäcken versteckt hatten. Da Giulia ihrem Vater bewusst einen Teil der Gagen vorenthalten hatte, lag eine hübsche Summe Geldes in ihrem Koffer. So wie es aussah, würde sie ihren kleinen Schatz hier verlieren, und damit rückte ihr Ziel, von ihrem Vater unabhängig zu werden, in weite Ferne.
Der falsche Edelmann kam mit einigen Spießgesellen auf ihren Wagen zu und deutete eine spöttische Verbeugung an. »Signori, ich sehe, dass Ihr viel zu schwer an der Last Eures Goldes tragt. Erlaubt uns, Euch davon zu befreien.«
Vincenzo knüpfte seufzend seinen Beutel los und warf ihn dem anderen vor die Füße. Noch nie hatte er so viel Geld auf einmal besessen wie jetzt, doch er tröstete sich damit, dass er jahrelang von der Hand in den Mund gelebt hatte. Ihm tat nur der junge Kastrat Leid, der eben mit beherrschter Miene seine eigene Börse den Räubern übergab. Assumpta und Beppo taten es ihm nach, während Girolamo Casamonte nichts bei sich hatte. Die Räuber warfen ihm höhnische Blicke zu, während einer von ih-

nen in die Kutsche stieg und kurz darauf mit der versteckten Börse wieder auftauchte.
Giulias Vater lief vor Wut rot an und fuchtelte hilflos mit den Händen. »Die Behörden des Heiligen Vaters werden Euch fangen und bestrafen.«
»Derzeit suchen uns die Soldaten einige Dutzend Meilen südlich von Rom. Bis sie hierher kommen, sind wir längst über alle Berge.« Ihr Anführer lachte schallend, während die übrigen Räuber das Gepäck durchsuchten und dabei allerlei üble Anspielungen auf das künftige Schicksal ihrer Opfer machten.
Giulia sah mit starrer Miene zu, wie ihre Kisten aufgebrochen und der Inhalt auf die Straße gekippt wurden. Mit schnellem Griff brachte der Anführer ihren kleinen Schatz an sich und wog ihn zufrieden in der Hand.
Inzwischen hatten andere Räuber damit begonnen, die Reisenden mit ihren Flinten vor sich her zu treiben, bis sie sich wie eine Herde Schafe vor dem Räuberhauptmann zusammendrängten. Der ließ sich einen Kristallkelch voll Wein aus einem der geplünderten Frachtwagen servieren und betrachtete die verängstigten Menschen vor sich mit der Miene eines Schlachters, der sich die fettesten Schafe aus einer Herde aussucht. Zwei seiner Männer holten einen Händler aus der Gruppe heraus und zwangen ihn unter dem Gelächter ihrer Kameraden, sich nackt auszuziehen. Einer der Räuber tippte das verschrumpelte Glied des Mannes mit der Spitze seines Schwertes an und tat so, als wolle er es ihm abschneiden.
Der Händler kreischte entsetzt auf. »Um des Himmels willen, nein! Gnade!«
»Der klingt ja schon wie ein Kastrat«, spottete einer der Räuber und lieferte seinem Anführer damit ein Stichwort. »Wir haben doch einen Kastraten gefangen. Was meint ihr, was das für einen Spaß gibt, ihn nackt durch das nächste Dorf zu treiben?«
Giulia zuckte zusammen und versuchte, sich in den Hinter-

grund zu schieben. Sie sah, wie Vincenzo die Fäuste ballte und Miene machte, sich zwischen sie und die Banditen zu werfen. Wenn die Räuber jedoch ernst machten, konnte auch er ihr nicht mehr helfen. Sie gab sich keinen Illusionen hin, was die Räuber mit ihr tun würden, wenn man sie als Frau entlarvte. Ein schneller Tod war gewiss gnädiger, als die Beute dieser Kerle zu werden. Ihre Hand griff an den Gürtel, doch sie fühlte nur die leere Scheide. Die Räuber hatten ihr das Messer abgenommen, mit dem sie unterwegs aß, und um sie herum besaß auch niemand mehr eine scharfe Klinge, mit der sie sich der Schande und dem Schmerz hätte entziehen können. »Na, wo ist denn dieser Casamonte?«, fragte der falsche Adlige lachend und hob den Weinkelch. »Komm her, du Nichtmann, und lass sehen, was das Messerchen des Barbiers aus dir gemacht hat.« Da wusste Giulia, wie sie dem bösen Spiel ein schnelles Ende bereiten konnte. Sie öffnete den Mund und stieß jenen hohen, reinen Ton aus, der Glas zerspringen ließ. Auch dieser Kelch hielt ihrer Stimme nicht stand. Er zerbarst und überschüttete den Mann mit einem Regen aus Wein und Scherben.

Der Räuber starrte sie so verdattert an, dass sie lachen musste. Jetzt würde er sie sofort umbringen lassen, hoffte sie. Einige seiner Spießgesellen kamen auch schon mit erhobenen Waffen näher. Doch er rief sie mit scharfer Stimme zurück. »Halt, tut dem Kerlchen nichts. Er mag zwar klein und mickrig aussehen, doch er hat die Stimme eines Riesen.«

Benedetto, der den Anführer der campanischen Reiter gespielt hatte und in Wahrheit die rechte Hand des Räuberhauptmanns war, sah immer noch verdattert drein. »Bei Gott, ich habe noch nie gesehen, dass ein Mensch einen Weinkelch allein mit seiner Stimme zum Zerspringen bringt.«

»Ich habe es einmal erlebt«, erklärte der Anführer mit völlig veränderter Stimme. »Ein junger Kastrat hat es getan, als man ihn das erste Mal seinem Herrn vorstellte. Während die Diener die

Kleidung des Edelmanns säuberten, gelang es dem Kastraten, eine der Scherben an sich zu nehmen. Er hat sich damit die Kehle durchgeschnitten, weil er mit seiner Verstümmelung nicht weiterleben wollte.«
»Das tut mir Leid«, flüsterte Giulia betroffen.
Der Räuber wischte sich mit der Hand über das Gesicht, als wolle er böse Erinnerungen vertreiben. »Er war mein Bruder.« Er sagte es so leise, dass es niemand außer Giulia hörte. Während er sein Wams auszog und einem der gefangenen Adligen, dessen Figur der seinen glich, die Kleidung abforderte, befahl er seinen Männern, höflich zu dem Nichtmann zu sein. »Wir haben nicht oft einen großen Sänger zu Gast.«
Als er wieder auf seinem Platz saß, nickte er Giulia auffordernd zu. »Mein Freund, es würde mich freuen, eine Probe deines Könnens zu hören.«
Lucretia Gonfale, eine Dame mittleren Alters, rang beschwörend die Hände. Um ihren Hals zog sich eine rote, blutige Spur, so brutal hatten ihr die Räuber den Schmuck abgerissen. »Bitte tut es, Casamonte. Sie bringen uns sonst noch alle um, und uns Frauen tun sie vorher noch schreckliche Dinge an.«
»Dir alten Vettel gewiss nicht, aber deine drei Täubchen wären gerade der rechte Happen für mich.« Benedetto lachte wie in Vorfreude auf und ließ seine Augen lüstern über Lucretia Gonfales Töchter schweifen.
Sein Anführer sah diesen Blick und verzog sein Gesicht zu einem Grinsen. »Pfui, Benedetto. Willst du etwa, dass die Leute sagen, Alessandro Tomasis tapfere Männer seien Halsabschneider und Frauenschänder?« Sein Lachen erschreckte Giulia. Der Mann war unberechenbar. Im Augenblick empfand er Mitleid mit ihr, weil sie ihn an seinen toten Bruder erinnerte. Kurz vorher aber hatte er sie zum Gespött seiner Kameraden machen wollen. Solange ihr Schicksal und das der anderen Reisenden in seiner Hand lagen, waren sie ihres Lebens nicht sicher. Obwohl

die Angst ihr schier die Kehle zuschnürte, musste sie die Räuber und vor allem den Anführer bei guter Laune halten.
Sie trat vor, verbeugte sich geziert vor Tomasi und begann mit klarer Stimme zu singen. Die Räuber hielten in der Ausplünderung der Reisenden inne und drehten sich zu ihr um. In ihren Augen lag beinahe kindliches Erstaunen. Auch der Anführer starrte Giulia mit offenem Mund an, und als sie endete, klatschte er begeistert in die Hände. »Vielleicht hätte sich mein Bruder doch nicht umbringen sollen. So eine Stimme ist wirklich ein Opfer wert«, sagte er, ohne seine Stimme zu dämpfen.
»Aber gewiss nicht das der Hoden.« Benedetto schüttelte wild den Kopf. »Aber du hast Recht, Hauptmann. Nie zuvor habe ich etwas Lieblicheres gehört. Wir sollten das Kerlchen bei uns behalten, damit es immer für uns singen kann.«
Diese Androhung ließ Giulia erbleichen. Sie begriff jedoch, dass sie sich ihre Angst nicht anmerken lassen durfte. »Was bietet Ihr für eine Gage?«, fragte sie den Kahlkopf keck. »Kastraten sind nämlich teuer und anspruchsvoll. Ich glaube nicht, dass mir ein harter Strohsack als Lager genügt.«
Der Kerl schluckte verblüfft und hob drohend die Hand mit dem Dolch. Ein kurzes Wort des Hauptmanns aber ließ ihn zurücktreten. »Lass es gut sein, Benedetto. Wenn du den Kleinen abstichst, kann er nicht mehr für uns singen.« Er wandte sich dabei Giulia zu und forderte sie barsch auf fortzufahren.
Vincenzo fand es an der Zeit, Giulia beizustehen. Er hob die Hand, um Alessandro Tomasi auf sich aufmerksam zu machen, und trat ein paar Schritte vor. »Wenn Ihr mir meine Laute zurückgebt, kann ich Casamonte darauf begleiten.«
»Das ist eine ausgezeichnete Idee.« Tomasi nahm einem der Räuber das Instrument ab und reichte es Vincenzo. Dieser prüfte noch einmal die Spannung der Saiten und schlug die Melodie zu einem amüsanten Chanson an. Giulia fiel sofort ein und sang das Lied in einer besonders frechen Art, die den Räubern sehr gefiel.

In der nächsten Stunde kam sie nicht zur Ruhe, denn die Räuber wollten immer neue Lieder hören. Doch während sie ihr zuhörten, plünderten sie die Reisenden weiter aus. Sie gingen allerdings nicht mehr ganz so rücksichtslos vor und ließen den meisten Leuten ihre Kleidung. Nur ein paar Männer in besonders prachtvollen Gewändern mussten Wämser und Hosen ausziehen. Zu seinem Leidwesen gehörte auch Giulias Vater dazu. Er konnte sich jedoch ebenso wie die anderen unter den abgelegten Sachen der Räuber etwas aussuchen, um seine Blöße zu bedecken. Die Frauen verloren außer ihrem Schmuck jedoch höchstens die Nerven. Die Räuber machten zwar etliche unflätige Bemerkungen, ließen sie aber ansonsten in Ruhe.
Zuletzt befahl Alessandro Tomasi seinen Leuten, die erbeuteten Güter in die Kutschen zweier Herren von Stand zu verladen und loszufahren. Er selbst kam noch einmal auf Giulia zu und warf ihr eine Lederbörse vor die Füße. »Hier ist deine Gage, Kastrat. Du hast sie dir wahrlich verdient.« Mit einem letzten Auflachen schwang er sich auf sein Pferd und preschte davon, und seine Leute folgten ihm wie Schatten. Die Reisenden starrten ihnen nach und konnten es kaum glauben, noch am Leben und, was die Damen betraf, im Besitz ihrer Ehre zu sein.
Schließlich kam einer der Reisenden auf Giulia zu, hob die am Boden liegende Börse auf und reichte sie ihr. »Hier, nehmt das Geld, Casamonte. Ihr habt uns mit Eurem Gesang gerettet. Diese verdammten Räuber hätten sonst Gott weiß was mit uns angestellt. Bisher haben sie sich nämlich immer einen Spaß daraus gemacht, ihre Opfer zu quälen und die Überlebenden dem Gespött der Menschen auszusetzen.«
Lucretia Gonfale nickte eifrig. »Das ist wahr. Ich habe schon viele Geschichten über diesen Alessandro Tomasi vernommen, und es war nichts Gutes darunter.«
Giulia schüttelte verständnislos den Kopf. »Warum unternehmen die Behörden denn nichts gegen diese Räuber?«

»Man muss einen Banditen erst einmal fangen, bevor man ihn bestrafen kann«, warf ein Händler mit grimmigem Lachen ein. »Dieser Tomasi ist mit jedem Strauchdieb diesseits und jenseits des Tibers im Bunde und dreht den Offizieren des Heiligen Vaters jedes Mal wieder eine lange Nase.«
»Außerdem hält der Pöbel in der Umgebung zu den Räubern, um von den Überfällen zu profitieren. Sie kaufen den Banditen ihre Beute billig ab und versorgen sie mit Lebensmitteln und Nachrichten«, erklärte ein Adliger voller Wut. Er zupfte an dem mehrfach geflickten Hemd und den speckigen Hosen, die er anstelle seiner gestohlenen Kleider hatte anziehen müssen, und schien zu überlegen, ob er die nächste Stadt nicht lieber nackt als in diesem Bettelgewand betreten sollte.
Vincenzo beteiligte sich nicht an der wirren Diskussion, sondern kehrte zu ihrer Kutsche zurück und suchte unter den Dingen, welche die Räuber liegen gelassen hatten, so viel Brauchbares aus, wie sie mitnehmen konnten. Assumpta und Beppo halfen ihm, fünf Bündel zu schnüren. Drei luden sie und Vincenzo sich selbst auf, das leichteste reichten sie Giulia und das letzte ihrem Vater.
Girolamo Casamonte starrte entsetzt auf die Last, die ihm zugemutet wurde. Er hob das Bündel an und ließ es wieder fallen. »Das ist doch viel zu schwer!«
Assumpta schnaubte. »Es ist nicht einmal halb so schwer wie das des Herrn Vincenzo. Da wir keine Pferde haben und auch kein Geld, uns neue zu mieten, müssen wir eben zu Fuß weitergehen und unsere Habe auf dem Rücken schleppen. Oder wollt Ihr alles zurücklassen, damit die Einwohner der umliegenden Dörfer es stehlen?«
Girolamo Casamonte sah so aus, als wenn ihm das am liebsten wäre. Doch jetzt suchten auch die anderen Reisenden zusammen, was des Mitnehmens wert war. Sogar Lucretia Gonfale bückte sich und barg verschämt einige ihrer Hemden in einer

Decke. Andere schüttelten jedoch abwehrend den Kopf und setzten sich an den Wegrand. »Warum sollen wir von hier weggehen? Irgendwann kommt schon eine Kutsche oder ein Fuhrwerke vorbei, das uns mitnehmen kann«, sagte ein Edelmann mit blasierter Miene.

Sein Diener nickte eifrig. »Ihr könnt ja in der nächsten Stadt Bescheid sagen, damit man uns abholt.«

Giulia wandte sich nachdenklich an Vincenzo. »Wäre es nicht besser, zu warten, bis Hilfe kommt?«

»Hilfe kommt selten dann, wenn man sie braucht. Wenn wir jetzt aufbrechen und stramm ausschreiten, erreichen wir bis zum Abend die nächste Stadt. Ich schlafe lieber in einem Bett oder notfalls auf einem Strohsack als auf der kahlen Erde. Außerdem sind wir noch nicht außer Gefahr. Die Dörfler aus der Umgebung werden sich heute Nacht den Rest unserer Habe holen und dabei vielleicht weniger Rücksicht auf uns nehmen als die Räuber.« Girolamo Casamonte winkte müde ab und machte Anstalten, sich neben den Edelmann an den Wegesrand zu setzen. Doch als sich die meisten Reisenden Vincenzo anschlossen und Giulia und das Dienerpaar mitgingen, ohne ihn eines weiteren Blickes zu würdigen, sprang er auf, eilte noch einmal zu seiner Kiste und kramte darin herum. Dabei drehte er den anderen den Rücken zu, so dass man nicht sehen konnte, was er da tat. Schließlich griff er missmutig nach seinem Bündel und schlurfte hinter den anderen her.

## *II.*

Wegen des Überfalls brauchten sie zwei Tage länger, um Rom zu erreichen. Obwohl die Reisenden ihre Wertsachen verloren hatten, dankten sie der Muttergottes und allen Heiligen inbrünstig für ihre Rettung. Vor allem Lucretia Gonfale war überglücklich, mit ihren drei Töchtern unbeschadet davongekommen zu sein. Schließlich hätten sich die Heiratsaussichten der Mädchen nach einer Schändung durch die Räuber in nichts aufgelöst, und es wäre ihnen nichts anderes übrig geblieben, als ins Kloster einzutreten oder eine mehr als beleidigende Mesalliance einzugehen.

Daher zeigte Lucretia Gonfale sich Giulia gegenüber dankbar und lud sie und ihre Begleiter zu sich ein. Sie bewohnte keinen eigenen Palazzo, sondern logierte in einem großen Haus, in dem es noch mehrere andere Parteien gab. Giulia war jedoch froh um die drei Zimmerchen, die sie ihnen zur Verfügung stellen konnte. Auf diese Weise würde die kleine Summe, die sie von dem Räuberhauptmann erhalten hatte, länger reichen. Beppo und Assumpta unterstützten Lucretia Gonfales Personal, während Vincenzo schon am nächsten Tag losging, um den Komponisten Galilei aufzusuchen.

Er hoffte, dass sein Freund noch in Rom weilte und nicht anderswo eine Stellung angenommen hatte. Zwar besaßen weder er noch Giulio derzeit das Geld, um bei ihm Stunden nehmen zu können. Vincenzo war sich jedoch sicher, dass Giulio mit Hilfe seiner neuen Bekannten und seines Freundes schon in den nächsten Tagen neue Engagements erhalten würde.

Giulias erster Auftritt brachte ihr jedoch kein Honorar ein, denn Lucretia Gonfale bat sie, auf dem Empfang zu singen, den sie anlässlich der Ankunft ihrer Töchter gab. Damit ließ die Dame die römische Gesellschaft wissen, dass die Mädchen auf dem Heiratsmarkt angeboten wurden. Die drei waren entsprechend nervös und benahmen sich Giulias Ansicht nach mehr als töricht. Da sie als rettender Engel der Familie galt, genoss sie das zweifelhafte Privileg, von den Mädchen in ihre Geheimnisse eingeweiht zu werden. Sie musste sich die Vor- und Nachteile aller möglichen Heiratskandidaten anhören und war danach heilfroh, keine Tochter aus reichem Hause zu sein. Ihrer Meinung

nach hatten Giovanna, Graziella und Griselda Gonfale nichts als Kleider und Männer im Kopf.
Obwohl sie hier in einem eher bescheidenen Rahmen auftrat, war Giulia nervöser als sonst, als sie am Nachmittag den Saal betrat, in dem das Fest stattfand. Wenn sie hier weitere Engagements gewinnen wollte, musste sie den Geschmack des verwöhnten römischen Kleinadels treffen. Wie sie es gewohnt war, richtete sie ihre ersten Blicke nicht auf die Menschen, die hier versammelt waren, sondern auf die Einrichtung und den Schmuck der Wände und Decken.
Obwohl die Gonfales nur zu einer Sippe kleiner Landadliger gehörten, waren sie durchaus wohlhabend und bemühten sich, es den großen Familien gleichzutun. Wegen der Menge der zu erwartenden Gäste war der Saal nur karg möbliert, doch die Stühle, die für die hochrangigsten Gäste bereit standen, waren aus bestem Kirschholz gefertigt und ihre Sitzkissen mit Brokat überzogen. Die Wände waren überreich mit Malereien geschmückt, die nach einer gemeinsamen Vorgabe von mehreren, allerdings eher mittelmäßigen Künstlern geschaffen worden waren. Die Bilder rühmten die Familie der Gonfales, als gehörte diese zu den hohen Adelssippen am Hofe des Papstes, und wirkten viel zu theatralisch.
Giulia ließ sich von einem Diener ein Glas Wein reichen und befeuchtete ihre Zunge, bevor sie auf ihre Gastgeberin zutrat und sich verbeugte. Sie selbst trug ein älteres, aber noch gutes Gewand, das die Räuber verschmäht hatten. Lucretia Gonfale dagegen glänzte in geradezu pfauenhafter Pracht. Sie hatte zu Hause einige wohl gefüllte Kleidertruhen vorgefunden, so dass sie sich und ihre Töchter standesgemäß präsentieren konnte.
Nach einem kurzen Gruß sah Giulia sich nach Vincenzo um. Er sollte sie heute zwar nicht auf der Laute begleiten, aber sie war so an seine Nähe gewöhnt, dass sie sich in seiner Gegenwart sicherer fühlte. Sie fand ihn bei dem ältesten Sohn der Familie, von

dem er sich auch sein übertrieben verziertes Gewand ausgeliehen hatte. Neben ihm stand ihr Vater, der ebenfalls als Gast geladen worden war. Er hatte sich in ein neues graugrünes Wams geworfen, das mit gelber Seide gefüttert war, und trug dazu glänzende, braune Beinkleider, die wie angegossen saßen. Sichtlich zufrieden drehte er sich zu Giulia um und musterte ihre Aufmachung. »Das Wams solltest du kein zweites Mal mehr anziehen. Es steht dir nicht und spannt bereits um deinen Schultern.«
Es war eher ihr Busen, um den es sich spannte. Giulia warf den Kopf in den Nacken. »Ich kann mir derzeit nichts Neues kaufen. Das Geld, das mir die Räuber ließen, reicht gerade mal für ein oder zwei Wochen zum Leben. Ich muss vorher etwas verdienen.«
Sie wollte sich schon verärgert abwenden, doch seine selbstgefällige Miene ließ sie stutzen. »Ich wundere mich, dich so prächtig aufgeputzt zu sehen, Vater. Dein Gewand passt weder im Schnitt noch in der Farbe zu unserem Gastgeber.«
Girolamo Casamonte schnaubte empört. »Du glaubst doch nicht etwa, dass ich eine geborgte Hose anziehe. Ich war gestern beim Schneider. Er hatte diese Kleider für einen Herrn von Stand gefertigt, überließ sie mir jedoch aus Gefälligkeit, weil ihm noch genug Zeit bleibt, neue Sachen für den Herrn zu nähen.«
Giulia wusste, dass kein Schneider der Welt einem Fremden so teure Kleidung auf Kredit überlassen würde, und nahm an, dass er seinen Gastgeber angepumpt hatte. Zornig funkelte sie ihn an. »Womit hast du den Schneider bezahlt?«
»Von was wohl? Von meinem eigenen Geld natürlich«, erklärte ihr Vater herablassend.
»Aber die Räuber haben uns doch alles abgenommen.«
»Das, was wir dabei hatten, schon.« Ihr Vater zwinkerte ihr vertraulich zu. »Ich hatte jedoch einen gewissen Teil unserer Einnahmen vor unserer Abreise einem zuverlässigen Bankier anvertraut und mir dafür Kreditbriefe geben lassen. Die waren im

doppelten Boden meiner Kiste versteckt und sind so den Räubern entgangen. Ich bin damit gestern zu einem hiesigen Bankier gegangen und habe mir das Geld auszahlen lassen.«
»Wie viel ist es?«, fragte Giulia mit unheilschwangerer Stimme. Ihr Vater nannte stolz die Summe und sah sich mit dem kalten Zorn seiner Tochter konfrontiert. »Wir haben hier wie Bettler Unterschlupf gefunden und leben von den Almosen anderer Leute. Dabei sind wir reich genug, um uns eine eigene Wohnung zu mieten und Monate in der Stadt leben zu können.«
Girolamo Casamonte hob erschrocken die Hände, als müsse er einen Angriff parieren. »So viel Geld ist es nun auch wieder nicht. Rom ist im Gegensatz zu Mantua oder Urbino arg teuer.«
Giulia ließ jedoch nicht locker. »Wir werden so rasch wie möglich umziehen. Außerdem wirst du mir einen Teil des Geldes geben, damit ich Notenblätter kaufen und Lehrer bezahlen kann. Ach ja, Vincenzo, Assumpta und Beppo bekommen ebenfalls Geld, um sie für ihre eigenen Verluste zu entschädigen.«
»Du wirfst mit dem Geld um dich, als wäre es deines«, knurrte ihr Vater sichtlich erbost. »Es ist mein Geld. Ich habe es nämlich verdient.« Zu mehr kam Giulia jedoch nicht, denn ihre Gastgeberin schwebte mit einem holdseligen Lächeln auf sie zu. »Liebster Messer Casamonte. Es wäre mir eine Freude, wenn Ihr mit Eurem ersten Lied beginnen könntet.« Seit Lucretia Gonfale wusste, dass Giulia vor dem Herzog von Mantua aufgetreten war, behandelte sie sie mit einer fast devoten Ehrerbietung. Giulia nickte ihr kurz zu und trat zu den Musikern, die sie begleiten sollten. Die Männer grüßten höflich, aber mit einer gewissen Distanz. »Ihr habt die Liste der Lieder erhalten, die ich heute vortragen will?« Auf Giulias Frage hin nickten die Musikanten und nahmen ihre Instrumente zur Hand. »Gut. Ich beginne mit dem Werk Gabrielis.«
Giulia wartete, bis die Musiker sich die Noten zurechtgelegt hatten, und stellte sich in Positur. Dieses Lied hatte sie so oft ge-

übt, dass es bereits ein Teil von ihr geworden war. Doch als sich der erste Ton von ihren Lippen erhob, trug er sie mit sich fort in eine andere Welt. Erst als der Beifall ihrer Zuhörer erklang, nahm Giulia die Gegenwart wieder wahr. Da sie ihre Lieder über den Nachmittag und Abend verteilt vortragen sollte, legte sie nun eine Pause ein und verneigte sich mit einer grazilen Geste vor den applaudierenden Menschen.
Ihr Blick suchte Vincenzo, um von ihm ein unbestechliches Urteil zu erhalten, entdeckte ihn jedoch nicht auf Anhieb. Gegen ihren Willen ärgerte sie sich darüber, denn sie hatte sich daran gewöhnt, Vincenzo bei ihren Auftritten immer an ihrer Seite zu haben. War er auf einmal nicht mehr daran interessiert, wie sie sang?, fragte sie sich. Dann dachte sie daran, dass er einen alten Bekannten getroffen haben mochte, der ihn in Beschlag genommen hatte. Etwas anderes wollte sie ihm nicht unterstellen, auch wenn es eine Reihe gut aussehender Frauen auf diesem Fest gab.
Giulia zerknüllte die Handschuhe, die sie ausgezogen hatte, um ihre Hände zu kühlen, und wanderte ziellos durch die Menge, bis sie von Giovanna Gonfale angesprochen wurde. Sie wandte sich ihr zu und sah einen gut aussehenden Mann an ihrer Seite, der die Tracht eines Offiziers der päpstlichen Garde trug. Er kam Giulia bekannt vor, doch es dauerte einen Moment, bis sie Paolo Gonzaga erkannte, der anscheinend aus sizilianischen in päpstliche Dienste übergetreten war. Er schien aber nichts gelernt zu haben, denn wie es aussah, suchte er auch heute nach einem willigen Opfer.
Giovanna Gonfale fasste Giulia mit einer Hand am Ärmel und zeigte mit der anderen auf ihren Begleiter. »Darf ich Euch den ehrenwerten Paolo Gonzaga vorstellen. Er ist ein berühmter Hauptmann in der Armee Seiner Heiligkeit.«
Der bewundernde Ton ihrer Stimme zeigte Giulia, dass es für Gonzaga ein Leichtes sein würde, Giovanna zu einem heimlichen Stelldichein und zu mehr zu überreden. Da sie sich unter

dem Dach der Gonfales befand, fühlte Giulia sich verpflichtet, das Mädchen vor dem gewissenlosen Schürzenjäger zu warnen.
»Ich habe bereits von dem Herrn gehört. Er soll in seiner Heimat als ein wenig, nun sagen wir, zügellos gelten.«
»Auf alle Fälle zügelloser als ein Kastrat«, erwiderte Paolo Gonzaga mit einem Lachen, das an Giulias Nerven kratzte. Dann wandte er sich mit schmelzender Miene an Giovanna und bat sie, Giulias Worten keine Bedeutung beizumessen. »Wisst Ihr, man gilt leicht als lockerer Vogel, wenn man gerne lacht und der einen oder anderen schönen Frau eine Kusshand zuwirft.« Er neigte seinen Mund zu ihrem Ohr. »Außerdem heißt es nicht umsonst, dass jene Männer, die sich in ihrer Jugend die Hörner abgestoßen haben, die besten Ehemänner werden, während jene traurigen Mickerlinge, die als Jünglinge zu kurz kamen, später die fatale Neigung besitzen, dem weiblichen Dienstpersonal nachzustellen und Kurtisanen aufsuchen.«
Giulia schürzte die Lippen. »Messer Gonzaga, findet Ihr das eine angemessene Unterhaltung mit einer jungen, unschuldigen Dame?«
Paolo Gonzaga fuhr herum und funkelte sie zornig an. Sie las die Drohung in seinen Augen, sich hier herauszuhalten, und fragte sich verwundert, weshalb er für alle so offen sichtbar um Giovanna warb, obwohl diese die am wenigsten hübsche der drei Gonfale-Schwestern war. Dann erinnerte sie sich, gehört zu haben, dass Giovanna von einem reichen Onkel als Erbin eingesetzt worden war. Sollte es Paolo Gonzaga etwa um ihre Mitgift gehen? In dem Fall tat ihr das Mädchen Leid. Gonzaga würde sich um keinen Deut ändern, sondern seine Befriedigung suchen, wo sie ihm geboten wurde. Giovanna würde von Glück sagen können, wenn sie rasch genug geschwängert wurde, um über ihren Kindern die Herzlosigkeit ihres Mannes vergessen zu können.
Der zufriedene Blick, mit dem Lucretia Gonfale ihre Tochter und Gonzaga betrachtete, ließ Giulia erkennen, dass Paolos

Werbung auf offene Arme und ihre Warnungen auf taube Ohren stoßen würden. Giulia war direkt froh über die Umsicht ihres Vaters, die ihnen einen guten Teil ihres Geldes gerettet hatte, denn jetzt wollte sie die Wohnung der Gonfales so schnell wie möglich verlassen. Zum einen mochte sie nicht mit ansehen, wie sich das Mädchen ins Unglück stürzte, und zum anderen hatte sie Angst vor Gonzaga. So war sie froh, dass sie Vincenzo in einer Nische erspähte. Er stand bei einem etwas älteren Mann, der ununterbrochen auf ihn einredete und ihn dabei am Ärmel festhielt.
Als Vincenzo Giulias suchenden Blick auf sich gerichtet sah, schüttelte er den anderen ab und kam auf sie zu. Dann erblickte er Paolo Gonzaga, der den Kastraten wie ein störendes Insekt musterte, und bemerkte den angespannten, ja fast feindseligen Blick, den Giulio dem Offizier zuwarf. Für einen Augenblick schien etwas zwischen den beiden aufzuflammen, und Vincenzo begriff instinktiv, dass sein Giulio und dieser Gonzaga ein Geheimnis miteinander teilten, von dem er ausgeschlossen war.
Zu seiner Verblüffung verspürte er plötzlich eine wilde Eifersucht. In den letzten drei Jahren war abgesehen von Assumpta niemand Giulio Casamonte näher gewesen als er. Aber die Dienerin zählte ja nicht. Er richtete sich auf, trat auf die Gruppe zu und legte seinem Freund die Hand auf den Arm. »Du hast wunderbar gesungen, Giulio. Ich wollte es dir schon vorher sagen, doch ich musste vorher den Schwätzer Michele Pardenza loswerden.« Dabei lachte er scheinbar fröhlich.
Giulia vernahm einen Unterton in seiner Stimme, der sie erschreckte, und die ungewohnte Traurigkeit in seinem Blick tat ihr weh. Sie riss sich zusammen und erinnerte sich an die Pflicht der Höflichkeit. »Du kennst Messer Paolo Gonzaga.«
Vincenzo gönnte dem Offizier die knappste Verbeugung, die ihm möglich war, und forderte Giulia auf, mit dem nächsten Lied zu beginnen.

# III.

Giulias Auftritt bei den Gonfales trug ihr neue Bekanntschaften und damit auch ein Menge Angebote ein. Da sie aber nach Rom gekommen war, um ihre Stimme weiterzubilden, sagte sie vorerst nur bei einigen größeren und besser bezahlten Einladungen zu. Ihr Vater machte ihr deshalb Vorhaltungen und stellte den geplanten Umzug wieder in Frage. Giulia hörte ihm schweigend zu und erklärte schließlich, dass Vincenzo sich in ihrem Auftrag bereits um ein neues Quartier bemühen würde. »Ich habe keine Zeit, deinem Lamentieren länger zuzuhören«, setzte sie kühl hinzu, »denn ich muss mich umziehen, um pünktlich zur Abendmesse in der Kirche Santa Ursula zu erscheinen.«
Ihr Vater verzog das Gesicht wie ein Kind, das seinen Brei nicht aufessen will. »Hast du dort ein Engagement, oder willst du bloß wieder gutes Geld unnütz in den Opferstock werfen?«
»Wenn du dich um unsere Belange kümmern würdest, wüsstest du, dass jeder Sänger, der nach Rom kommt, am Mittwoch bei der Abendmesse in der Kirche Santa Ursula vorsingen darf. Der geringste Lohn besteht aus einem Abendessen und einem Nachtlager. Gute Sänger aber erhalten ein Engagement in einer der großen Kirchen, manchmal sogar in der Capella Sistina oder in San Pietro selbst.«
Mit diesen Worten ließ Giulia ihren Vater stehen und trat in ihr Kämmerchen, in dem Assumpta bereits ein graues Wams ohne unterfütterte Schlitze und einfache braune Hosen für sie bereitgelegt hatte. Diese Sachen hatte Giulia sich eigentlich für Reisen auf staubigen Straßen schneidern lassen. Für ihr heutiges Vorhaben schienen sie jedoch genau das Richtige zu sein.
Sie hatte bereits vor einiger Zeit in Urbino von der Sitte des Vorsingens in Santa Ursula gehört und war auch hier in Rom von mehreren Seiten auf diese Chance aufmerksam gemacht worden. Sie hoffte, den Almosenier von Santa Ursula mit ihrem Gesang

zu überzeugen, um auf diese Weise zu einem längerfristigen Engagement zu kommen, das ihr ein stabiles Einkommen gewährte und ihr trotzdem genug Zeit ließ, ihre Stimme weiter auszubilden. Würde sie ständig nach neuen Einladungen Ausschau halten müssen, so durfte sie kaum eine von ihnen ausschlagen, und dann würde sie niemals ein erstklassiger Sänger werden.
Assumpta half ihr in die Hosen, die erneut etwas strammer saßen als beim letzten Mal, und reichte ihr das Wams. Dabei horchte sie nervös, ob sich jemand auf dem Gang näherte. Sie hatte die Erfahrung gemacht, dass die Dame des Hauses keine verschlossenen Türen liebte. »Ich will ja nichts gegen die Gonfales sagen, aber es wäre wirklich besser, wenn wir bald eine eigene Wohnung hätten«, drängte sie.
»Du hast ja Recht, Assumpta. Vincenzo schaut sich schon um. Am besten ist, du fragst ihn heute Abend, ob er schon etwas Passendes gefunden hat.« Giulia zog die alte Frau an sich und nickte ihr aufmunternd zu. Dann vernahm sie bekannte Schritte, die sich der Zwischentür näherten, und verließ beinahe fluchtartig die Wohnung.
Sie hatte sich bei den Bediensteten der Gonfales nach dem Weg zur Kirche Santa Ursula erkundigt, merkte aber bald, dass die beste Beschreibung in diesem Gewirr von Gassen nichts nützte. Sie musste ein paar Münzen für ein Rudel Gassenjungen opfern, die sie lärmend zu ihrem Ziel brachten und ihr unterwegs einige Dutzend Vergnügungsstätten aufzählten, in denen sich ein nobler Herr nachts die Zeit vertreiben konnte. Als Giulia keinem von ihnen versprach, ihn später am Abend als Führer zu engagieren, zogen sie enttäuscht ab.
Santa Ursula war keines der großen oder bedeutenden Gotteshäuser Roms. Noch im romanischen Stil erbaut und eng zwischen die umstehenden Häuser gezwängt, wirkte die Kirche auf Giulia düster und abweisend. Dieser Eindruck verstärkte sich noch, als sie das große, kupferbeschlagene Portal öffnete

und eintrat. Weit vorne in der Apsis brannte eine Hand voll Kerzen, die kaum ihre Umgebung erhellten, und man konnte selbst von den mit Namen versehenen Plätzen der örtlichen Handwerker aus den Altar nur als undeutlichen Schemen wahrnehmen.

Giulia war das Ganze unheimlich, und für einen Augenblick kam sie in Versuchung, umzukehren. Dann straffte sie jedoch die Schultern. Wenn sie bei jeder noch so kleinen Schwierigkeit wie ein ängstliches Mädchen zurückwich, würde sie sich niemals von ihrem Vater lösen können.

Als sie auf den Altar zutrat, entdeckte sie mehrere Männer, die in den seitlichen Bankreihen Platz genommen hatten, welche eigentlich adligen Besuchern oder Kirchenleuten vorbehalten waren. Satzfetzen in verschiedenen Sprachen verrieten, dass die Leute aus aller Herren Länder stammten. Ihren Abzeichen und Amuletten nach zu urteilen schienen die meisten von ihnen Pilger zu sein, die wohl ebenso wie sie hofften, eine Stelle in einem der vielen Chöre der Papststadt zu ergattern.

Während Giulia Platz nahm, versuchte sie ihre Konkurrenten abzuschätzen. Es waren mehrere Deutsche oder Flamen dabei. Giulia konnte die Dialekte der beiden Völker nicht auseinanderhalten. Einer von ihnen besaß einen klangvollen Bass, während sein Kamerad neben ihm wohl mehr auf die Inbrunst als die Reinheit seiner Stimme zu vertrauen schien. Einen Spanier erkannte sie an seiner Haltung und einen Franzosen an dem leisen Gebet in seiner Muttersprache. Bei dem Rest handelte es sich um Italiener. Bald sah Giulia zwei Dutzend taxierender Blicke auf sich gerichtet.

Einer der Männer beugte sich zu ihr herüber. »Wo kommst du her?«

»Aus Cremona«, erwiderte Giulia knapp im Florentiner Dialekt. Der Klang ihrer Stimme ließ einige Männer zusammenzucken.

Der, der sie angesprochen hatte, machte eine Geste des Abscheus. »Auch noch ein verdammter Kastrat.«
Sein Nachbar machte ebenfalls ein angewidertes Gesicht. »Was mag der hier wollen? Diese Kerle stehen doch sonst immer in festen Diensten.«
Giulia sah den Wartenden an, dass sie in ihr eine gefährliche Konkurrenz sahen und sie am liebsten vertrieben hätten. Dabei war keiner unter ihnen in der Lage, eine der vielen, speziell für Kastraten geschriebenen Solostimmen zu singen. Der Mann mit der unreinen Stimme stand auf und kam auf sie zu, setzte sich aber sofort wieder, denn im gleichen Moment öffnete sich eine Pforte und ein Kirchendiener erschien. Ohne sich um die Anwesenden zu kümmern, hielt er einen dünnen Kiefernspan in die Flamme einer Kerze und zündete damit die restlichen Leuchter an. Es ging so rasch, wie es nur langjährige Übung vollbringen konnte.
Das schien das Zeichen für die Gläubigen zu sein, die nun in die Kirche strömten und ihre Plätze aufsuchten. Giulia bemerkte, dass sie und die anderen Sänger von Dutzenden Augen abgeschätzt wurden. Anscheinend stellte das wöchentliche Probesingen in Santa Ursula die Hauptattraktion in diesem Stadtviertel dar.
Spöttische Kommentare aus den ersten Reihen ließen einige von Giulias Mitbewerbern sichtlich nervös werden. Sie selbst störte sich nicht daran, denn sie war gewöhnt, vor einem ganz anderen Publikum aufzutreten als vor römischen Metzgern und Gemüsehändlerinnen. Um sich zu sammeln ließ sie ihren Blick über den reich ausgestatteten Altar wandern, der wohl vor nicht allzu langer Zeit mit neuen Kunstwerken geschmückt worden war. Neben einem Bildnis der heiligen Ursula zierte ihn ein Gemälde mit Christus am Kreuz und dem heiligen Pietro. Im Gegensatz zu der restlichen, eher altbacken wirkenden Ausstattung der Kirche gehörten die beiden Bilder zu der jetzt vorherrschenden Kunstrichtung.

Während Giulia sich noch in entspannenden Betrachtungen verlor, öffnete sich wiederum die Seitenpforte, und auf der Schwelle erschien ein Mann im prunkvollen Bischofsornat. Er blieb stehen, bis die Gläubigen ihre Stimmen gedämpft hatten und sein Erscheinen würdigten. Dann schritt er zu einem aufwändig geschnitzten Betstuhl, der seitlich des Altars stand, winkte den Sängern und den Gläubigen huldvoll zu, als wolle er unterstreichen, dass er der Mann war, auf dessen Urteil es hier ankam, und setzte sich. Giulias Aufmerksamkeit konzentrierte sich mit einem Mal ganz auf den Kirchenmann, so dass sie die Mönche und Diener, die ihm folgten, nur ganz am Rande wahrnahm. Ihr Geist raste, und ihr Herz schlug wie wild. Der Mann war niemand anders als Francesco della Rocca, der Abt von San Ippolito di Saletto. Er hatte in den Jahren Karriere gemacht und war Bischof und Almosenier von Santa Ursula geworden.
Della Roccas Blick schweifte über die angetretenen Sänger und blieb dabei interessiert auf Giulia haften. Sie erwartete jeden Augenblick, seinen überraschten Ausruf zu hören und den Befehl, sie festzunehmen. Ihrer Meinung konnte es ihm damals in Saletto unmöglich verborgen geblieben sein, dass die Solostimme der Messe von einem Mädchen gesungen worden war.
Zu ihrer Erleichterung wanderte della Roccas Blick jedoch weiter und blieb auffordernd auf dem Priester haften, der seinen Platz vor dem Altar eingenommen hatte. Auf dessen Zeichen trat der Kirchendiener auf die Sänger zu und drückte ihnen die Liste der Lieder in die Hand, die sie zu singen hatten. Einen Augenblick hoffte Giulia, dass alle zugleich singen sollten. Ein rascher Blick auf das Blatt ihres Nebenmanns zeigte ihr jedoch, dass jeder von ihnen einen Teil der Messe allein vortragen musste. Sie hätte liebend gerne darauf verzichtet, della Rocca ihre Stimme hören zu lassen. Doch für Giulia gab es kein Zurück mehr, denn ihre Anwesenheit begann Aufsehen zu erregen. Die Leute in den vorderen Reihen zeigten schon auf sie und tuschel-

ten miteinander. Giulia hörte, wie man sie den mutigen Kastraten nannte, der den schlimmen Räuber Alessandro Tomasi allein mit der Macht seine Stimme besänftigt hätte. Der Kirchendiener schien auch davon gehört zu haben, denn er warf ihr einen anerkennenden Blick zu und flüsterte della Roccas Diener ein paar Worte ins Ohr. Dieser musterte Giulia kurz und eilte dann zu seinem Herrn.

Als die anderen Sänger das Aufsehen bemerkten, das der Kastrat verursachte, wurden ihre Blicke geradezu mörderisch. Zu Giulias Glück begann jedoch die Messe, und jeder richtete sein Augenmerk auf den Text, der darüber entschied, ob er als Lohn für seine Mühe eine Anstellung in einem päpstlichen Chor erhielt oder mit einer warmen Mahlzeit abgespeist würde. In dieser Situation hätte Giulia das Essen vorgezogen. Ängstlich beobachtete sie den Bischof, der dem Gottesdienst mit einer sanft entrückten Miene folgte, welche einzustudieren ihn sicher viel Mühe gekostet hatte.

Erst der dröhnende Bass des Deutschen oder Flamen riss Giulia aus ihren bohrenden Gedanken. Der Mann sang wirklich gut, wenn auch die Ausbildung seiner Stimme zu wünschen übrig ließ. Giulia sah della Rocca zufrieden nicken. Der Deutschflame schien Gnade vor seinen Ohren gefunden zu haben. Die nächsten beiden Sänger besaßen ebenfalls tiefe Stimmen, fielen gegen ihren Vorgänger jedoch hörbar ab. Della Roccas Miene änderte sich um keinen Deut. Nur das Nicken unterblieb.

Viel zu schnell war Giulia an der Reihe. Ein letztes Mal erwog sie, bewusst schlecht zu singen, um der Aufmerksamkeit des ehemaligen Abtes zu entgehen. Aber dafür war sie schon zu bekannt. Sie biss sich auf die Lippen, bis sie Blut schmeckte, und schüttelte kurz, aber heftig den Kopf. Nein, sie würde ihr Können nicht verbergen. Bis jetzt hatte della Rocca sie noch nicht mit dem kleinen Mädchen in Verbindung gebracht, das vor einigen Jahren in seiner Abtei gesungen hatte. So blieb ihr die Hoffnung, dass er entweder die Wahrheit nicht kannte oder sich nicht an ihre Stimme erinnerte. Sie verbeugte sich in seine Richtung, so wie sie vor ihren Auftritten immer den Gastgeber grüßte, und sang mit klarer, das Kirchenschiff füllender Stimme den ersten Ton.

Während des Chorals nahm Giulia die Menschen um sich herum nicht wahr, auch nicht della Rocca. Erst als sie mit einem letzten Halleluja endete, wurde sie sich der Anwesenheit der anderen wieder bewusst. In der Kirche war es so still, als hätte ein Geist die Zeit angehalten. Erst langsam begannen die Leute sich wieder zu regen. Zuerst hörte sie nur das Rascheln von Stoff und das Scharren der Füße auf den Boden.

Dann klatschte der Bischof langsam, aber deutlich vernehmbar in die Hände. Als wäre es für ihn das Normalste der Welt, die Messe zu unterbrechen, nickte er Giulia huldvoll zu. »Eccellente. Das ist eine Stimme, wie nur Gott sie schaffen kann!« Dann gab er dem nächsten Sänger das Zeichen, fortzufahren.

Der Aufgeforderte und die übrigen Mitbewerber gaben sich zwar alle Mühe, doch keiner von ihnen konnte jetzt noch die Aufmerksamkeit des Bischofs erringen.

Als das letzte Amen gesprochen war, versammelten sich die Sänger auf einen Wink des Kirchendieners in einem Halbkreis vor dem Bischof. Della Rocca thronte auf seinem Gebetstuhl, sein Gefolge wie auf einem Gemälde um sich versammelt, während sein Diener die Sänger einzeln vor ihn treten ließ. Della Rocca fragte jeden mit sanfter Stimme nach Namen und Herkunft und wies dem Diener mit knappen Handzeichen an, wie er den Sänger zu entlohnen wünschte. Er schien heute großzügig gestimmt zu sein, denn er ließ jedem eine Silbermünze in die Hand drücken. Das erinnerte Giulia an jene Szene in Saletto, als der Abt Zuckerfrüchte an die Chorknaben verteilt hatte, und sie musste unwillkürlich kichern.

Ein Mönch räusperte sich und sah Giulia missbilligend an. Sie

atmete mehrmals tief durch, um ihre nervöse Anspannung niederzukämpfen, und konzentrierte sich auf das, was sich vor ihr abspielte. Der Bass, der tatsächlich aus Flandern stammte, erhielt neben dem Zwanzigsoldistück eine Anstellung in der Kirche Santa Eulalia und bedankte sich bei dem Bischof in einem grässlichen Italienisch. Dann war Giulia an der Reihe. Die Angst, erkannt zu werden, krampfte ihr das Herz zusammen.
Della Rocca lächelte jedoch nur gönnerhaft und drückte ihr persönlich einige Münzen in die Hand. »Meraviglioso, mein Sohn. Deine Stimme ist wirklich ein Geschenk des Allmächtigen an uns schwache Menschen.«
Giulia verneigte sich und versuchte, sich ihre Nervosität nicht anmerken zu lassen. »Ich danke Euch, Eure Eminenz. Ihr seid zu gütig.«
Della Rocca hob abwehrend die Hände. »Ich habe dir zu danken. Du hast mir ein großes Geschenk gemacht. Du wirst dich bei Meister Giovanni Pierluigi, dem Chormeister der Kirche Santa Maria Maggiore, melden. Er wird sicher eine Verwendung für deine unvergleichliche Stimme wissen.«
Dabei tätschelte der Bischof Giulias Wange, als hätte er einen Chorknaben vor sich. Mit einem letzten huldvollen Winken stand er auf und verließ mit einem selbstzufriedenen Lächeln die Kirche.
Della Rocca hatte allen Grund, mit sich zufrieden zu sein. Der Chor von Santa Maria Maggiore galt neben dem der Sixtinischen Kapelle als der beste der Welt und wurde von Seiner Heiligkeit, Papst Pius IV., dem ehemaligen kunstsinnigen Bischof Giovanni Angelo de Medici, in besonderer Weise gefördert. Ein Kastrat mit einer solchen Stimme konnte daher ein Baustein für seine eigene Karriere sein. Francesco della Rocca richtete seinen Ehrgeiz zwar nicht auf die Tiara, doch der Purpur eines Kardinals schien ihm plötzlich zum Greifen nahe.
Während sich der Bischof angenehmen Tagträumen hingab,

wusste Giulia nicht so recht, was sie von dem Ganzen halten sollte. Unschlüssig stand sie da und sah zu, wie die aufgeregt schwatzenden Gläubigen zum Kirchenportal hinausströmten. Erst, als der Kirchendiener hereinkam, um die Kerzen wieder zu löschen, verließ auch sie das Gotteshaus und kehrte in die Wohnung der Gonfales zurück. Dort wartete ein gut gelaunter Vincenzo auf sie. »Du wirst es nicht glauben, Giulio, doch ich habe eine Wohnung gefunden. Leider ist Rom sehr teuer, so dass wir uns nur drei Zimmer leisten können. Assumpta und Beppo können wir in einem Raum einquartieren. Du kannst dir das helle, große Zimmer mit deinem Vater teilen, und ich nehme die Kammer, die noch übrig ist, für mich.«
Giulia sah Vincenzo an, dass dieser liebend gerne ein Zimmer für sich gehabt hätte. Doch diesen Gefallen konnte sie ihm nicht tun. »Ich bin es gewohnt, ein Zimmer für mich allein zu haben.« Ihr Ton schloss jeden Widerspruch von vornherein aus. »Du wirst einen Raum mit meinem Vater teilen müssen. Er schnarcht so stark, dass ich nicht schlafen kann, und das schadet meiner Stimme. Ich hoffe, dass du es nur für ein paar Wochen ertragen musst. Wenn die Gagen stärker fließen, werden wir uns eine größere Wohnung leisten.«
Vincenzo sah sie mit enttäuschten Hundeaugen an. »Willst du genauso auftreten wie in Cremona oder Mantua, um Geld zu verdienen? Dann wird dir aber die Zeit fehlen, dich um deine Ausbildung zu kümmern.«
Giulia lächelte zufrieden. »Im Gegenteil, ich werde weniger auftreten. Ich war heute Vormittag in der Kirche Santa Ursula, wie die meisten Sänger, die ohne Empfehlungsschreiben nach Rom kommen.«
Vincenzo winkte verächtlich ab. »Da laufen doch nur die Stümper hin, die froh sind, eine warme Mahlzeit zu ergattern.«
»Da habe ich schon ein wenig mehr bekommen.« Jetzt lachte Giulia ungewohnt fröhlich auf. »Ich wurde aufgefordert, mich

beim Chormeister von Santa Maria Maggiore zu melden. Er heißt Giovanni Pierluigi.«
Vincenzo riss es förmlich herum. »Pierluigi? Das ist doch Palestrina!«
»Sehr richtig.« Giulia machte vor Übermut ein paar Tanzschritte.
Vincenzos Miene verdüsterte sich. »Wenn du bei Palestrina lernen kannst, hast du wohl kein Interesse mehr, mich zu Meister Galilei zu begleiten.«
»Wer sagt denn das? Wenn ich von zwei großen Meistern lernen kann, ist mir das nur recht. Übrigens, hier ist mein Salär für meinen Auftritt in Santa Ursula.« Sie reichte Vincenzo die Summe, die della Rocca ihr zugesteckt hatte.
Vincenzo warf einen kurzen Blick darauf und stieß einen überraschten Pfiff aus. »Man hat dich ja äußerst nobel bezahlt. Ich glaube jedoch nicht, dass du ebenso viel erhältst, wenn du in Palestrinas Chor singst.«
»Es wird für unseren Aufenthalt und das Schulgeld bei Meister Galilei reichen«, gab Giulia mit ungewohntem Optimismus zurück.
Dann suchte sie ihren Vater auf, um ihn auf den bevorstehenden Umzug vorzubereiten. Wie erwartet hatte er alles Mögliche an ihren Plänen auszusetzen. Ihm schien es unsinnig, einen Ort zu verlassen, an dem man kostenfrei wohnen konnte und dabei noch gut versorgt wurde. Giulia versuchte, ihm klar zu machen, dass sich die Dankbarkeit der Gonfales irgendwann einmal verlieren würde. Er begriff nicht, dass Giulia gehen wollte, solange ihre Gastgeber ihren Umzug als Verlust ansehen würden, beugte sich aber schließlich ihrem Willen.

## IV.

Als Giulia Assumpta von der neuen Wohnung erzählte, war diese mindestens ebenso froh wie ihre Herrin. Die Dienerschaft hatte ihr einigen Klatsch zugetragen, den sie Giulia bisher verschwiegen hatte, um sie vor dem für sie so wichtigen Auftritt in Santa Ursula nicht zu beunruhigen. Jetzt aber quoll ihr Mund über. Angeblich hatte Paolo Gonzaga die Dame des Hauses mittlerweile davon überzeugen können, dass ein Sänger, selbst wenn es sich um einen bekannten Kastraten handelte, nicht der richtige Umgang für ihre Töchter war, und ganz nebenbei sollte er Vincenzo als Mitgiftjäger bezeichnet haben, vor dem man sich in Acht nehmen müsse. Daher wunderte sich Giulia nicht, als Lucretia Gonfale die Nachricht von ihrem geplantem Auszug sichtlich erleichtert aufnahm. »Ich wollte Euch nicht drängen, Messer Casamonte. Doch Eure Entscheidung kommt mir gelegen. Ich will neues Personal einstellen und bin froh, dass ich wieder über Eure Zimmer verfügen kann.«
Das klang so kalt und selbstzufrieden, dass Giulia davon Abstand nahm, die Dame noch einmal vor Gonzaga zu warnen. Sie hatte ebenfalls ein offenes Ohr für Gerüchte und hatte daher von anderer Seite erfahren, dass Paolo dringend Geld brauchte. In Rom pfiffen es die Spatzen von den Dächern, dass sich einige Mitglieder der Gonzaga-Sippe gegen den regierenden Herzog Guglielmo aus Mantua verschworen hatten. Auch Lucretia Gonfale musste es wissen, denn ihrem Benehmen und ein paar zusammenhanglosen Bemerkungen nach schien sie ihre Tochter Giovanna bereits als Herzogin von Mantua oder wenigstens als Markgräfin von Montferrat zu sehen, das ebenfalls zum Besitz der Gonzagas gehörte. Giulia hielt den Buckligen auf Mantuas Thron jedoch für einen harten Mann, der fähig war, sich gegen seine Verwandtschaft durchzusetzen und sich ihrer rücksichtslos zu entledigen.

So verbeugte sie sich nur vor der Dame, von der sie hoffte, sie so bald nicht wiedersehen zu müssen. »Wir werden Euch für Eure Großzügigkeit ewig zu Dank verpflichtet sein.« Ganz so einfach ließ Lucretia Gonfale sie jedoch nicht gehen. Einen Tag, bevor Giulia und ihre Begleiter ihre neue Wohnung bezogen, veranstaltete sie ein Fest, als dessen Hauptattraktion Giulias Auftritt angekündigt wurde.

Paolo Gonzaga war als Ehrengast geladen und gab sich alle Mühe, den Kastraten und Vincenzo zu ignorieren. Giulia kümmerte es nicht. Sie sang ihre Lieder, unterhielt sich mit einigen Gästen, die ihr sympathisch waren, und zog sich, sobald es ging, in ihr Zimmer zurück. Da das Haus äußerst hellhörig war, ließ der Lärm der Feiernden sie jedoch lange Zeit nicht einschlafen.

Am nächsten Morgen musste sie früh aufstehen und zur Kirche Santa Maria Maggiore eilen. Nach allem, was sie von dem berühmten Komponisten wusste, galt Palestrina, der sich bereits in der Gnadensonne mehrerer Päpste gewärmt hatte, als ebenso genialer wie schwieriger Chormeister. Als Giulia sich vor ihm verneigte, war sie bereit, diese Meinung uneingeschränkt zu teilen. Er war ein hagerer, leicht vornübergebeugter Mann mit ungepflegtem Bart und schief gezogenem Mund, der so säuerlich dreinblickte, als hätte es soeben all seinen Sängern die Stimme verschlagen.

Er starrte Giulia missmutig an. »Was willst du? Komm morgen wieder. Ich hab jetzt keine Zeit für dich.«

»Mein Name ist Casamonte. Seine Eminenz, Bischof della Rocca, hat mich aufgefordert, mich bei Euch zu melden.«

»So, hat er das?« Giovanni Pierluigi musterte sie wie ein Insekt, das gerade über die sauber gefegten Dielen krabbelte. »So, vorsingen sollst du. Na ja, dann tu es. Aber mach rasch. Ich habe keine Zeit für irgendwelche Stümper.«

Wütend über diesen Empfang beschloss Giulia, dem arroganten

Kerl den Beginn jener Messe vorzusingen, die er eigens für das Fest in Saletto komponiert hatte.
Wenn es ihn überraschte, sein eigenes Werk zu hören, so zeigte Palestrina es nicht. Er richtete sich ein wenig auf, verschränkte die Hände vor der Brust und hörte ihr aufmerksam zu. Erst nach einer geschlagenen Stunde hob er die Hand. »Genug. Du singst wirklich nicht schlecht. Ich dachte mir schon, dass du etwas kannst. Della Rocca schickt niemanden zu mir, der dem Heiligen Vater missfallen könnte. Komm übermorgen um neun Uhr zu den Proben wieder.« Darauf drehte er sich um und ließ sie stehen.
Giulia sah ihm entgeistert nach und wusste nicht, ob sie sich so einfach abfertigen lassen sollte. Doch da trat einer seiner Gehilfen auf sie zu und reichte ihr ein dickes Buch voller Notenblätter. »Der Meister wünscht, dass Ihr bis übermorgen die ersten fünf Gesänge durchgeht.«

## V.

Der Umzug vom Haus der Gonfales in ihr neues Heim in der Via Aurelia ging ohne Probleme vonstatten. Sogar Giulias Vater hatte sich mit der Veränderung abgefunden. Er wirkte sogar ein wenig erleichtert, als er sich von ihren Gastgebern verabschiedete. Der spöttische Blick, den die Kammerzofe der Gonfale-Töchter ihm zuwarf, zeigte Giulia, dass ihr Vater wieder einmal sein Glück bei dem falschen Frauenzimmer versucht hatte.
Sie hatte jedoch nicht die Zeit, sich Gedanken um ihn zu machen. Die Proben in Santa Maria Maggiore verlangten ihr alles ab. Sie musste gegenüber den anderen Chormitgliedern viel aufholen und sich zudem mit deren offen zur Schau gestelltem Neid herumschlagen. Die meisten Sänger waren Mönche, de-

nen als Lohn für ihre Kunst das Seelenheil in der anderen Welt versprochen worden war. Palestrina hielt sich hingegen mehr an irdische Güter und ließ sich vom Papst fürstlich entlohnen. Als nun auch der Kastrat eine ansehnliche Gage zugesprochen bekam, begannen die Mönche recht unfromm zu murren.

Zu ihrem Pech fühlte Palestrina sich persönlich angegriffen. Er lief zuerst rot an, besann sich dann jedoch auf seine scharfe Zunge. »Casamontes Gesang passt euch anscheinend nicht. Wer von euch will also an seine Stelle treten?«

Fra Mariano, der von den anderen als Sprecher vorgeschickt worden war, hob mit einer verwunderten Geste die Hände. »Aber Meister Pierluigi, Ihr wisst doch, dass keiner von uns ein Kastrat ist.«

»Wie? Ihr seid keine Kastraten? Und da wagt ihr es, jemanden, der der Kunst ein so großes Opfer gebracht hat, die paar Dukaten zu neiden, die Seine Heiligkeit als Dank für seine Stimme für angemessen hält? Seit wann ist es Sitte, dass die Mitglieder des Chores von Santa Maria Maggiore klüger sein wollen als der Papst?«

In dem Augenblick hätte Giulia den Chormeister umarmen können. Er mochte ein kleinlicher, unbequemer Mensch sein, doch wenn es um den Gesang ging, ließ er sich durch nichts beirren. »Ich danke Euch, Meister Pierluigi«, sagte sie mit einer ehrlich gemeinten Verbeugung zu ihm.

»Ist schon gut, Casamonte. Diese braven Fratres haben es nicht böse gemeint. Sie wollen ja ebenso wie wir an den hohen Festtagen vor dem Heiligen Vater und seinen illustren Gästen glänzen.«

Darauf wussten die Mönche nichts zu erwidern. Sie kannten Giovanni Pierluigis Einfluss auf Pius IV. und hatten wenig Lust, ihre prestigeträchtige Stellung in Santa Maria Maggiore zu verlieren und einem anderen, weniger bedeutenden Chor zugeteilt zu werden. Kurz tuschelten sie miteinander und verabschiedeten sich dann so freundlich von Palestrina und Giulia, als hätte nie ein Wölkchen das Verhältnis zwischen ihnen getrübt. Fra Mariano ging sogar auf Giulia zu und wollte sich mit einer Umarmung bei ihr entschuldigen. Giulia konnte sich ihm jedoch entziehen, da Palestrina sie gerade ansprach. »Wenn du willst, kannst du mit zum Abendessen kommen. Meine Frau kocht heute Lamm in Basilikumsoße.«

»Ich fühle mich geehrt.« Giulia verbeugte sich erneut, konnte aber dann doch ihre Neugier nicht ganz verbergen. »Verzeiht, Meister Pierluigi. Aber es wundert mich, dass Ihr als verheirateter Mann mit der Leitung des Chores von Santa Maria Maggiore betraut worden seid. Diese Stellung steht doch eigentlich nur einem Mann des geistlichen Standes zu.«

»Seine Heiligkeit wollte eben den Besten auf diesem Posten haben«, erwiderte Palestrina selbstbewusst. »Das Urteil Giovanni Angelo de Medicis ist über jeden Zweifel erhaben.« Giulia stimmte ihm nicht nur zu, um ihm zu schmeicheln, denn sie hatte schon viel von dem ausgezeichneten Kunstverstand des gegenwärtigen Papstes gehört.

Beim Abendessen erwies sich Palestrina als unterhaltsamer Gesprächspartner. Giulia war glücklich, denn noch nie hatte sie so intensiv und tief schürfend mit jemand über Musik reden können. Sein Urteil über einige der bekannten Komponisten war schlichtweg niederschmetternd. Er erkannte nur einige wenige Meister ihres Faches als ihm beinahe gleichwertig an und ging auf deren spezielle Eigenheiten ein. So sprach er lobend von Orlando di Lasso, der in die Dienste Herzog Albrechts V. von Baiern getreten war, und gönnte auch Andrea Gabrieli, der, wie er sagte, in seinen ersten Jahren sein Vorbild gewesen sei, einige anerkennende Worte.

Auch Giulia schien vor seinen Augen Gnade zu finden, zumindest, was ihr Wissen betraf, und so ließ er sich herab, ihr einen Ratschlag zu erteilen. »Du solltest komponieren lernen, Casamonte. Sänger vergisst man, sobald sich die Erinnerung an ihre

Stimme verliert. Doch das niedergeschriebene Werk des Komponisten währt ewig.«
»Einige meiner Lieder habe ich selbst vertont.« Giulia wurde bei ihren Worten rot, denn sie war sich sicher, dass ihre Lieder nicht den Ansprüchen des Meisters genügen würden.
Palestrina sah es und lächelte beruhigend. Das gab seinem Gesicht einen väterlichen Ausdruck. »Es interessiert mich, etwas Eigenes von Euch zu hören.«
Giulia überwand ihre Hemmungen und stimmte eines der Lieder an, die Vincenzo für sie getextet hatte. Palestrina hörte ihr aufmerksam zu und nickte schließlich zustimmend. »Für den Anfang nicht schlecht, Casamonte. Ich könnte dich zwar noch nicht Seiner Heiligkeit empfehlen. Aber ich denke, du bist auf dem richtigen Weg.«
»Danke.« Giulia sagte nur dieses eine Wort, doch man konnte hören, dass ihr ein Stein von der Seele gefallen war. Von Palestrina nicht nur als Sänger, sondern auch als Komponist anerkannt zu werden, war in ihren Augen ehrenvoller als ein Ritterschlag.
Zu Hause berichtete sie Vincenzo alles, was Palestrina gesagt hatte, und diskutierte noch bis in die späte Nacht mit ihm. Dabei wurde ihr bewusst, dass sie dennoch neugierig darauf war, auch Meister Galilei kennen zu lernen.
Vincenzo war darüber sichtlich erleichtert. »Wenn du Zeit hast, können wir ihn morgen aufsuchen. Er ist schon sehr gespannt darauf, dich kennen zu lernen. Ich habe ihm nämlich schon einiges über dich berichtet.« Vincenzo erzählte noch ein wenig von seinem alten Freund, verschwieg ihr jedoch, dass dieser sich sehr verwundert über seine Verbindung mit einem Kastraten geäußert hatte. Vincenzo Galilei hatte sich gut an die kritischen und abwertenden Bemerkungen erinnert, mit denen sein Namensvetter die Sitte des Verschneidens und die Verschnittenen selbst bedacht hatte. »Morgen habe ich Zeit.« Giulia gab

sich keine Mühe, ihre Vorfreude zu verbergen. Galilei war einer der berühmtesten Musiklehrer Italiens und hatte schon an so manchem Konservatorium gelehrt.

## VI.

Während Giulia und Vincenzo mit ihrer Musik beschäftigt waren, langweilte Girolamo Casamonte sich fürchterlich. Außer den Gonfales hatte er keine engeren Bekanntschaften geschlossen. Da ihm der Wein allein, den er sich durch Beppo von einem Händler holen ließ, zu wenig Zerstreuung bot, beschloss er, nach einem guten Bordell Ausschau zu halten.

Es gab weitaus mehr Hurenhäuser als Kirchen in Rom, doch es hieß, sie würden die Massen der Pilger, die in die heilige Stadt strömten, kaum bewältigen können. Giulias Vater hatte wenig Interesse an den billigen Absteigen, die die armen Leute benutzten, denn dort konnte man sich schnell eine der Ekel erregenden Krankheiten zuziehen, von denen ein großer Teil der Huren befallen war. Jetzt, wo Giulia wieder genug Geld nach Hause brachte, konnte er es sich leisten, das gastfreie Haus einer Kurtisane aufzusuchen. Von einem der Nichtstuer, die an den großen Plätzen auf Fremde warteten, die sie um ein paar Scudis erleichtern konnten, wurde er schließlich zu dem Haus der Dame Rivaccio geführt, bei der Gäste seines Standes angeblich gern gesehen wurden.

Durch seine Erfahrungen in Modena gewarnt, vermied Girolamo Casamonte, zu großspurig aufzutreten. Er grüßte den Diener, der ihm die Tür der Casa Rivaccio auftat, und bat ihn höflich, eintreten zu dürfen.

Der Mann gab ihm mit ebenso freundlichen Worten den Weg frei. »Kommt herein, mein Herr. Wen darf ich der Signora melden?«

»Mein Name ist Casamonte. Ich bin neu in Rom, gedenke aber, mehrere Monate hier zu bleiben.« Giulias Vater drückte einen Scudo in die bereitwillig geöffnete Hand. Es war nicht zu viel Geld, doch der Diener schien zufrieden zu sein. Er verbeugte sich zum zweiten Mal und verschwand hinter einem Vorhang, der den Vorraum vom Korridor trennte.

Casamonte widerstand der Versuchung, ihm zu folgen, sondern setzte sich auf einen hübsch geschnitzten Stuhl, der wohl für Besucher gedacht war, und sah sich um. Eine offen stehende Tür führte in den Garderobenraum, in dem die Besucher ihre Mäntel und Übergewänder ablegen konnten, eine weitere in das Kämmerchen des Türstehers. Die Wände des Vorraums waren mit grünem Stoff bespannt und mit Bildern knapp bekleideter Frauen geschmückt. Die Einrichtung erinnerte Casamonte ein wenig an jenes Kurtisanenhaus in Modena, dessen Besuch so fatal für ihn ausgegangen war. Hier waren die Gemälde und die Dekoration mit mehr Geschmack ausgewählt worden, aber von etwas minderer Qualität. Dieses Haus wirkte auf den ersten Blick nicht so, als verkehrten übermütige Edelleute darin, die aus lauter Langeweile einem Fremden einen Tort antun wollten. Casamonte war mit dem, was er sah, zufrieden. Es dauerte auch nicht lange, da kam der Pförtner zurück. Eine blonde Frau in einem dunkelgrünen Kleid begleitete ihn und knickste vor dem neuen Besucher. Ihre hellblauen Augen schienen ihn dabei durchbohren zu wollen. Man konnte an ihrer Stirn ablesen, dass sie noch unentschlossen war, ob sie ihn als Gast begrüßen oder mit freundlichen, aber bestimmten Worten verabschieden sollte.

Casamonte beschloss, die Initiative zu ergreifen. »Buona sera, Signora Rivaccio. Erlaubt mir, mich Euch vorzustellen. Ich bin Girolamo, der Vater des Kastratensängers Giulio Casamonte, der in den Chor von Santa Maria Maggiore berufen wurde.«

Die Frau klatschte vor Überraschung in die Hände. »Casamonte? Ist das nicht jener mutige Sänger, der mit seiner Stimme den blutrünstigen Räuber Tomasi in ein sanftes Lamm verwandelt hat?«

Girolamo Casamonte warf in gespieltem Entsetzen die Arme hoch. »Sagt es bitte nicht zu laut, sonst fühlt sich dieser Bandit womöglich bemüßigt, sich an meinem Sohn zu rächen, um seinen Ruf wiederherzustellen.«

»Kommt doch herein.« Die Frau fasste ihn am Arm und zog ihn mit sich. Dabei konnte er sie ganz von nahem betrachten. Sie mochte nicht viel älter als dreißig sein und hatte ein angenehmes Äußeres. Entweder empfing sie noch selbst Gäste, oder aber sie hatte sich erst vor kurzem aus dem Geschäft zurückgezogen, um dieses Haus zu führen. Auf alle Fälle war sie ein appetitlicher Happen, der ihn reizte. Wenn die übrigen Kurtisanen ihr das Wasser reichen konnten, hatte er mehr Glück, als er zu hoffen gewagt hatte.

Girolamo Casamonte machte nicht den Fehler, mit der Tür ins Haus zu fallen, sondern folgte der Dame brav in die große Halle, die ebenfalls in grünen Farbtönen gehalten war und nur wenige, aber ausgesucht schöne Bilder unbekleideter Frauen aufwies. Eine Dienerin brachte ihm ein Glas Wein. Er nippte davon und war sichtlich beeindruckt. Dagegen war der Wein in dem Kurtisanenhaus in Modena bestenfalls Zuckerwasser gewesen. Auch die anwesenden Mädchen entsprachen seinem Geschmack. Es war keine direkte Schönheit dabei, aber alle schienen lebensfrohe Wesen zu sein, deren Münder zum Küssen und deren schwellenden Formen zum Zugreifen einluden.

Giulias Vater überlegte, für welches der Mädchen er sich entscheiden sollte, als die Dame des Hauses zur Seite gewunken wurde. Sie nickte ihm zu und drehte sich zu dem Bediensteten um, der sie angesprochen hatte. Casamonte konnte nicht verstehen, was der zappelige Mann hastig heraussprudelte, aber dem spitzen Schrei der Dame nach musste die Nachricht einer Kata-

strophe gleich kommen. »Lassaro ist krank? Madonna mia, das darf doch nicht wahr sein. Heute kommt doch der deutsche Graf. Wenn wir ihm keine Musik bieten können, sucht er sich auf der Stelle ein anderes Etablissement.«
»Können die beiden anderen Musiker denn nicht auch ohne Lassaro spielen?«, wandte eine andere Frau ein.
Signora Rivaccio schüttelte erregt den Kopf. »Nein, nein, wenn niemand ihnen den Takt angibt, spielen sie so grässlich, dass sie die Gäste vergraulen. Ohne Lassaro sind sie so hilflos, wie Ihr es ohne mich wärt.«
Kichern antwortete ihr. Anscheinend fühlten sich ihre Mädchen ohne sie nicht so hilflos, wie sie dachte. Die Hausherrin achtete jedoch nicht auf sie. »Was stehst du denn da herum, Ruvenzo, und glotzt mich an? Geh und hole einen anderen Musiker. Der Tedesco ist ein zu wertvoller Kunde, um ihn zu verärgern.«
In dem Augenblick fand Casamonte es an der Zeit einzugreifen. »Verzeiht, meine Dame. Aber ich wurde unbeabsichtigt Zeuge Eurer Unterhaltung. Vielleicht kann ich Euch helfen. Ich war einmal Kapellmeister und beherrsche selbst mehrere Instrumente.«
Die Miene der Hausherrin hellte sich sofort auf. »Ja, wirklich? Das ist ja wunderbar. Los, Bianca, hole die Musiker herein, damit der Herr sie sich ansehen kann«, befahl sie einem der Mädchen und wandte sich dann mit einem erleichterten Lächeln an Casamonte. »Ich kann Euch nicht sagen, wie dankbar ich Euch bin. Graf Waldenheim, der als Gesandter des Herzogs von Baiern am Hofe Seiner Heiligkeit weilt, ist ein sehr großzügiger Gast, den ich ungern verlieren würde, zumal er sich in meine Violetta verliebt zu haben scheint.«
Giulias Vater blickte etwas unsicher zu Boden. »Ich freue mich, Euch helfen zu können. Aber Ihr seht mich in einer gewissen Verlegenheit, da ich kein Instrument bei mir habe.«

»Das ist kein Problem. Ich habe stets einige Musikinstrumente im Haus, falls die Gäste meine Nichten spielen hören wollen. Leider besteht der deutsche Graf darauf, professionellen Musikern zuzuhören, während er Violetta seine Gunst erweist.« Donatella Rivaccio scheuchte eines ihrer Mädchen hinaus, das kurz darauf mit mehreren Instrumenten zurückkehrte.
Casamonte nahm eine Viola da Gamba zur Hand, strich liebevoll über deren geschwungenen Körper und prüfte die Saiten. Das Instrument war besser als jenes, das er als Kapellmeister des Grafen von Saletto besessen hatte. Obwohl er schon lange nicht mehr gespielt hatte, spürte er sein Blut in fiebriger Erwartung durch die Adern pulsieren. Er stimmte die Viola, setzte sie an und strich mit dem Bogen darüber. Einige klare, helle Töne erklangen.
Die Hausherrin war begeistert. »Ihr seid wirklich ein Meister, Messer Casamonte.« Dann schien ihr etwas einzufallen, denn sie legte plötzlich den Kopf schief und sah ihn nachdenklich an. »Da Euer Sohn ein berühmter Kastratensänger ist, werdet Ihr wohl wenig Wert darauf legen, Euren wahren Namen preiszugeben. Seid Ihr daher einverstanden, wenn ich Euch unseren Gästen als Herr Girolamo Girolami vorstelle?«
»Nennt mich Giroli«, bat Casamonte lachend. »Girolamo Girolami klingt mir zu sehr nach einem Räubernamen.«
»Girolamo Giroli. Ich muss sagen, dieser Name besitzt Klang.« Die Dame drückte Giulias Vater dankbar die Hände und eilte hinaus, um alles für den Empfang des Grafen vorzubereiten. Unterdessen waren auch die beiden anderen Musiker erschienen. Wenn sie sich wunderten, einen Fremden vorzufinden, so zeigten sie es nicht. Sie grüßten höflich und packten ihre Instrumente aus.
Casamonte schätzte sie als einfache Geister ein, gerade gut genug, Flöte und Chitarrone zu spielen, aber ohne größeres Können oder das wahre Verständnis für die Musik. Offensichtlich

waren sie froh, in diesem Haus musizieren zu dürfen, und versicherten ihm mehrfach, dass Signora Rivaccio gut bezahlte. Giulias Vater lächelte über ihren Eifer. Schließlich war er nicht hierher gekommen, um Geld zu verdienen, sondern um selbst welches für eines der hübschen Vögelchen auszugeben. Doch das musste jetzt warten. Während er und die beiden anderen Musiker ihren Platz hinter einem grob geflochtenen Gitter einnahmen und die zu spielenden Lieder absprachen, erschien der so sehnsüchtig erwartete Gast.

Graf Waldenheim war ein großer, klobig wirkender Mann mit viel zu lauter Stimme und einem buschigen Schnauzbart, wie ihn sonst nicht einmal die größten Gimpel zu tragen wagten. Unter einem unmodisch weiten, blauen Wams trug er ein schweißverkrustetes Hemd, und auch seine engen, roten Hosen wiesen Schweißflecke auf. Seine blassen Augen glitten lüstern über die in Reih und Glied angetretenen Mädchen und blieben schließlich auf einem fast elfenhaft zierlichen Geschöpf haften. Ein mahnendes Hüsteln Donatella Rivaccios machte Casamonte darauf aufmerksam, dass es an der Zeit war, mit der Musik zu beginnen. Die schmeichelnden Klänge der Instrumente füllten kurz darauf den Raum und ließen den deutschen Grafen zufrieden aufhorchen. Er schloss die Augen und nickte im Takt der Musik, dann streckte er sich und griff nach Violetta. Zu Casamontes Verwunderung zog er sich mit ihr nicht in einen anderen Raum zurück, sondern trug sie zu einer Ottomane an der Wand und begann sie dort ganz ungeniert zu entkleiden. Er ließ seine großen Hände über ihre kleinen, aber wohlgeformten Brüste wandern, fasste dann ihre Rechte und drückte sie gegen die überdimensionale Schamkapsel seiner Hose.

Violetta stieß einen scheinbar erschreckten Ruf aus, als ihre Finger nach seinem Glied tasteten, half ihm aber bereitwillig, die störende Kleidung abzustreifen, und öffnete die Schenkel.

Casamonte fiel es schwer, den Takt zu halten, denn sein eigenes

Glied drückte mit einem Mal schmerzhaft gegen die Hülle, in der es geborgen war. Er sah, wie der Graf im Takt der Musik in Violetta eindrang und kämpfte mit dem wahnsinnigen Verlangen, schneller zu spielen, bis der Deutsche als keuchendes Bündel über der Frau zusammenbrach. Schließlich drehte er dem Paar den Rücken zu, um nicht selbst vor Verlangen zu vergehen. Er selbst hätte so etwas Intimes wie die körperliche Liebe niemals vor den Augen anderer Leute vollzogen. Doch die Menschen waren nun einmal verschieden.

Irgendwann hörte Girolamo Casamonte durch die Musik hindurch das brünstige Stöhnen des Grafen, gefolgt von den spitzen Lustschreien des Mädchens, und sah sich neugierig um. Der Deutsche lag heftig keuchend, aber regungslos auf der Kurtisane, die unter seinem Gewicht gefangen war. Erst nach einer Weile stand er auf. Sofort eilten zwei andere Mädchen herbei und halfen ihm, sich anzuziehen. Da das Lied zu Ende war, wollte Casamonte eine Pause einlegen, doch Signora Rivaccio bedeutete ihm mit heftigen Gesten, fortzufahren. Der Graf leerte mehrere Becher Wein hintereinander und ließ sich von Violetta versichern, wie großartig und gewaltig er auch diesmal wieder gewesen sei. Erst dann ließ er sich von Signora Rivaccio hinausbegleiten. Als sie mit einem zufriedenen Lächeln auf den Lippen zurückkehrte, durfte Giulias Vater endlich sein Instrument absetzen.

Signora Rivaccio bezahlte die beiden anderen Musiker, die sich unter vielen Verbeugungen zurückzogen, und wandte sich anschließend Casamonte zu. »Ich kann Euch nicht sagen, aus was für einer großen Verlegenheit Ihr mir geholfen habt. Der deutsche Graf ist zwar ein etwas eigenartiger, aber friedlicher und vor allem großzügiger Gast. Violetta hätte diesen Gönner sehr ungern verloren.«

Als hätte sie es gehört, huschte die Kurtisane auf Casamonte zu und hauchte ihm einen Kuss auf die Wange. »Ich danke Euch,

Signore. Wenn Ihr es wünscht, werde ich mich gerne um Eure Bedürfnisse kümmern.«
Giulias Vater blickte sie etwas unglücklich an. »Du bist sehr schön, Violetta. Doch leider gleicht mein Geschmack nicht dem jenes germanischen Büffels. Verzeih, ich will dich damit nicht kränken, aber ich ziehe etwas fülligere Formen vor.«
Für einen Augenblick fürchtete Casamonte, in ein Fettnäpfchen getreten zu sein. Zu seiner Erleichterung lachte Violetta jedoch nur über seine Bemerkung und kniff ihn spielerisch in die Schamkapsel. »Wie mir Waldenheim erzählt hat, muss er mit einem wahren Berg von Frau verheiratet sein und wünscht sich zur Abwechslung etwas Zierlicheres im Bett. Aber hier sind noch einige andere hübsche Mädchen, von denen Euch gewiss eine gefallen wird.«
Sofort eilten drei andere Kurtisanen herbei, knicksten vor ihm und boten ihm dabei einen tiefen Einblick auf die in ihren Miedern eingeschnürte Pracht. Er wagte nicht, von sich aus eine der Kurtisanen anzusprechen, sondern blickte Signora Rivaccio fragend an.
Diese nickte ihm wohlwollend zu. »Wählt ruhig aus, mein Herr. Ihr habt es Euch wahrlich verdient.«
Casamontes Blick überflog die hübsche Schar und blieb schließlich auf einem Mädchen namens Bianca haften.

## VII.

Giulia hatte noch am Abend gehört, dass ihr Vater das Haus verlassen hätte, und wunderte sich nicht, als er auch am Morgen nicht wieder auftauchte. »Er wird sich wieder einmal bei den Huren aufhalten. Solange er nicht in Kalamitäten kommt, soll es mir recht sein«, sagte sie zu Vincenzo und blickte ihn auffordernd an. »Gehen wir zu Meister Galilei?«

Vincenzo grinste übermütig. »Gerne, aber erst nach dem Frühstück.«
Giulia drängte ihn nicht, sondern ließ es sich ebenfalls schmecken, nahm aber von allem nur wenig. Vincenzo spöttelte ein wenig über ihre Zurückhaltung.
Unwillig schüttelte sie den Kopf. »Ich möchte nicht so unförmig werden wie Belloni.« In Wirklichkeit aber wollte Giulia nicht, dass ihre Formen zu weiblich wurden. Wenn sie noch mehr ansetzte, würde der Brustgurt, mit dem sie ihren Busen bändigte, sie beim Singen zu stark einschnüren.
Eine halbe Stunde später wanderten Vincenzo und sie durch die engen Gassen Roms, um zu Galileis Wohnung zu gelangen. Der Lärm auf der Straße war ohrenbetäubend. Fliegende Händler boten ihre Waren an, Bettler klapperten lautstark mit Krücken und Bettelschalen, und die Pilger priesen Gott nicht weniger laut für die Gnade, das Zentrum der Christenheit wohlbehalten erreicht zu haben, während sie schmutzige Pflastersteine küssten, über die schon Cäsar und Kaiser Augustus gewandelt waren. Bald erspähte Giulia einen Pastetenhändler, an dessen Stand es herrlich duftete. Sie konnte der Verlockung nicht widerstehen und kaufte etwas von dem Backwerk. »Wenn das so weitergeht, muss ich mich wirklich vorsehen. Es gibt einfach zu viele gute Dinge in Rom.« Sie grinste Vincenzo an und biss herzhaft in eine noch warme Teigtasche.
Dieser drehte sich um und tippte mit dem Zeigefinger auf ihren Bauch. »Da passt noch einiges hinein, bis du die Figur deines Vaters erreichst. Und es gibt gewiss noch weitaus dickere Männer als ihn.«
Die unerwartete Berührung ließ Giulia zusammenzucken. Bisher hatte Vincenzo sie nur dann angefasst, wenn es unbedingt notwendig gewesen war, zum Beispiel, wenn sie über einen Pflasterstein gestolpert war oder Ähnliches, und selbst dann war er meist zurückgezuckt, als wenn er etwas Heißes angefasst hät-

te. Jetzt aber machte er Miene, als ob er sie vor Übermut kitzeln wollte, sich aber nicht traute, es wirklich zu tun. Sie betrachtete ihn mit schräg gelegtem Kopf und fand, dass er gut aussah. Wäre sie eine Frau, könnte er ihrer Gemütsruhe gefährlich werden. Im gleichen Moment schalt sie sich eine Närrin. Sie war eine Frau, auch wenn sie es verleugnete. Vincenzo hatte ihr schon immer gefallen, doch jetzt spürte sie, dass sie mehr als nur eine gewisse Sympathie für ihn empfand. Während sie weitergingen, überlegte sie, ob sie ihn ins Vertrauen ziehen und sich ihm offenbaren sollte. Damit würde sie sich ihm jedoch vollkommen ausliefern, und das ließ die Mauer aus Misstrauen in ihrem Innern, die sie vor Jahren schon gegen jeden Menschen außer Assumpta und Beppo aufgebaut hatte, nicht zu. Sie konnte nicht abschätzen, wie Vincenzo auf ihr Geständnis reagieren würde, und sie wollte nicht das Risiko eingehen, ihre wunderbare Beziehung zu zerstören. »Ist es noch weit bis zu Meister Galileis Wohnung?«, fragte sie, um ihre Verlegenheit zu überbrücken. Vincenzo schüttelte lächelnd den Kopf. »Keine Sorge. Wir sind gleich in der Via del Macellaio.«
»In der Straße des Schlachters? Stinkt es dort nicht zum Himmel?« Giulia war sehr empfindlich, was Gerüche betraf. Gestank konnte ihr die Stimme verschlagen.
Vincenzo verstand, was sie meinte, und winkte fröhlich lachend ab. »Gott bewahre. Dort werden schon lange keine Tiere mehr geschlachtet. Die Straße hat nur ihren alten Namen behalten.«
Kurze Zeit später erreichten sie ein großes, braunes Gebäude mit kleinen Fenstern und einer umlaufenden Säulengalerie unter dem Dach. Vincenzo öffnete die Haustür und ließ Giulia in das Treppenhaus eintreten. Nach der gleißenden Helligkeit des sonnigen Morgens war es hier fast stockdunkel. Es dauerte ein wenig, bis ihre Augen sich an das Dämmerlicht gewöhnt hatten. Einen Schritt weiter, und sie wäre über die ersten Stufen der Treppe gestolpert. Sie sah zweifelnd die steile Stiege hoch, die in

einem konturlosen Nichts verschwand, und drehte sich zu Vincenzo um. »Wie hoch müssen wir?«
»In den vierten Stock. Steigst du als Erster hoch, oder lässt du mich vorgehen?«
»Geh voraus. Dann kann ich mich an dir festhalten, wenn ich auf einem dieser ausgetretenen Bretter ins Straucheln komme.«
Giulia trat beiseite, um ihn vorbeizulassen, doch es war so eng, dass er sich an ihr vorbeidrängen musste. Als er sie streifte, liefen ungewohnte Schauer durch ihren Körper und lösten Schwindelgefühle in ihr aus. Schmerzhaft wurde ihr klar, dass sie in Gefahr geriet, schwach zu werden und sich zu verraten. Wenn sie nicht alles aufs Spiel setzen wollte, was sie sich mühsam aufgebaut hatte, würde sie sich ab jetzt mehr denn je im Zaum halten müssen.
Zum Glück forderte das Treppensteigen in fast völliger Dunkelheit ihre ganze Konzentration, so dass sie sich wieder fassen konnte. Als sie oben waren, klopfte Vincenzo an eine Tür. Diese wurde sofort geöffnet, und eine Frau im einfachen Hauskleid und mit durch ein Kopftuch gebändigten Haaren steckte den Kopf heraus. »Endlich seid Ihr da, Messer de la Torre. Kommt herein! Mein Mann wartet schon voller Sehnsucht auf Euch.«
Vincenzo neigte höflich den Kopf und wies dann auf Giulia. »Darf ich Euch meinen Freund Giulio Casamonte vorstellen? Er ist ein begnadeter Sänger.«
»Ich habe ihn letzten Sonntag in Santa Maria Maggiore gehört, Vincenzo«, dröhnte in dem Moment eine volle Männerstimme auf. »Du hast nicht zu viel versprochen. Tretet ein, ihr Beiden, und nehmt Platz. Ihr habt doch sicher nichts gegen einen Becher Wein und frische Pfirsichküchlein. Meine Frau backt gerade welche. Aber sie werden ihr verbrennen, wenn ihr sie aufhaltet.«
»Was, meine Kuchen verbrennen?« Die Frau eilte erschrocken in die Wohnung zurück und überließ es Vincenzo, die Tür hinter sich und Giulia zu schließen. Galilei winkte sie in seine winzi-

ge Studierstube. Ehe er ihnen die Hand reichte, schob er seine speckige Kappe in den Nacken und strich den abgeschabten, braunen Hausrock glatt. »Willkommen in meiner bescheidenen Behausung, Messer Casamonte. Mein Freund und Namensvetter Vincenzo hat Euch in den höchsten Tönen gelobt. Ich hielt seine Worte zunächst für gewaltige Aufschneiderei, doch seit ich Euch am Sonntag singen gehört habe, weiß ich, dass er nicht übertrieben hat.« Giulia erwiderte den festen Händedruck und setzte sich auf eine Truhe, die zwar nicht besonders stabil aussah, unter ihrem Gewicht jedoch nicht einmal knarzte.
Vincenzo nahm auf einem dreibeinigen Hocker Platz, streckte die Beine mit einem zufriedenen Seufzer zur Tür hinaus und fragte Galilei nach seiner neuesten Komposition.
Der Musiklehrer zwinkerte ihm zu und kramte ein Bündel mit vielfach ausgebesserten Notenblättern hervor. »Sie ist fast fertig. Ich bin nur noch nicht dazu gekommen, sie ins Reine zu schreiben.«
Giulia warf einen neugierigen Blick auf das oberste Blatt und zog erstaunt die Augenbrauen hoch. Die Melodie war mehr als ungewöhnlich. Sie summte einige Takte vor sich hin, wie sie es immer machte, wenn sie eine fremde Komposition vor sich liegen hatte. Der Text behandelte ein frommes Thema, und doch war es ein sehr fröhliches Lied. Einen größeren Gegensatz zu der getragenen Erhabenheit, die die Werke Palestrinas auszeichneten, konnte sie sich kaum vorstellen. Das mochte einer der Gründe sein, warum es ihr so ausnehmend gut gefiel. Außerdem war das Lied für eine Solostimme mit Lautenbegleitung geschrieben. Sie nahm Galilei die restlichen Blätter aus der Hand und ging sie durch. »Dies würde ich gerne einmal singen.«
Aus Galileis Gesicht wich die Spannung. Er lächelte beinahe übermütig und nahm seine Laute zur Hand, um ihr die ersten Akkorde vorzuspielen. Er war ein außergewöhnlich guter Lautenspieler und unzweifelhaft Vincenzos Lehrer. Giulia nickte

ihrem selbstzufrieden grinsenden Begleiter anerkennend zu. »Jetzt weiß ich, warum du so gut Laute spielst.«
Vincenzo lächelte geschmeichelt, und Galilei erzählte einige Begebenheiten aus der Zeit, in der Vincenzo de la Torre sein Schüler gewesen war. Der stritt natürlich die meisten der Streiche, die er seinem Meister und anderen Leuten gespielt haben sollte, vehement ab oder schrieb sie anderen Studenten zu. Giulia war jedoch klar, dass Vincenzo ein arg lockerer Vogel gewesen sein musste. Sie verspottete ihn wegen seiner jetzigen Anständigkeit und rief bei Galilei einen Lachsturm hervor. »Sag bloß, du bist ein braver Bürger geworden, Vincenzo. Das hätte ich nicht von dir erwartet. Ich hätte eher geglaubt, deine Familie müsse dich mit irgendeinem Hausdrachen von Weib vermählen, um dich endlich zu zähmen. Aber anscheinend ist dein heißes Blut mittlerweile erkaltet.«
Vincenzo setzte eine gespielt beleidigte Miene auf. »Ich war niemals so schlimm, wie man es mir nachsagt. Aber wenn man allein ist und keinen Soldo in der Tasche hat, kann man leicht Torheiten begehen, die sich erübrigen, sobald man in bessere Verhältnisse kommt.«
Galilei gluckste vor Lachen. »Du redest ja wie ein Pfeffersack, der sich in der Mitte seines Lebens an seine Jugendzeit erinnert und dabei die Sünden vergessen machen will, die er damals begangen hat.« Offensichtlich nahm er seinem Gast nicht ab, ein ehrbarer Bürger geworden zu sein. Bevor Vincenzo jedoch zu einer Gegenrede ansetzen konnte, erschien Galileis Frau und stellte einen großen Teller Pfirsichküchlein auf den wackligen Tisch. Galilei stand auf, öffnete eine winzige Eckvitrine und brachte einen Krug Wein zum Vorschein.
Die Küchlein schmeckten ausgezeichnet. Daher bat Giulia die Frau ihres Gastgebers um das Rezept. Sie war sich sicher, dass Assumpta sie ebenfalls backen konnte. Die Hausherrin zierte sich etwas, da sie die Bitte eines Herrn zunächst nicht ernst neh-

men mochte. Da Vincenzo Giulia jedoch unterstützte, gab sie schließlich nach. Während Galilei ein Blatt Papier suchte, um das Rezept aufschreiben zu können, drang das durchdringende Weinen eines Kindes aus dem Nebenzimmer.
Galilei seufzte. »Mein kleiner Sohn Galileo ist krank. Wenn er wach ist, weint er ständig. Die Hebamme meint, er täte sich beim Zahnen schwer, und hat uns einen Kräuterabsud gebraut, aber den spuckt er immer wieder aus. Wir haben schon einen Doktor geholt. Doch ob man das tut oder sein Geld gleich in den nächsten Brunnen wirft, bleibt sich gleich. Der gelehrte Herr hat sich meinen Sohn noch nicht einmal richtig angesehen. Wegen eines kleinen Kindes geben sich die Herren keine Mühe. Ja, wenn es ein Bastard Seiner Heiligkeit wäre …«
»Vincenzo, versündige dich nicht.« Seine Frau legte ihm mahnend die Hand auf den Arm, bevor sie ins Nebenzimmer eilte. Der Kleine hörte jedoch nicht auf zu weinen. Zuletzt trug die Mutter das Kind durch die Wohnung, schaukelte es und sang ihm leise ein Wiegenlied vor. Für einen Augenblick wurde das Kind ruhig, um dann nur noch lauter zu greinen.
Schließlich suchte Vincenzo genervt Giulias Blick. »Kannst du ihn denn nicht in den Schlaf singen? Bei der Gräfinwitwe von Falena hattest du doch auch immer Erfolg.«
Galileis Frau hielt Giulia das jammernde Bündel hin. »Oh, ja! Bitte, versucht es. Ich weiß mir keinen Rat mehr.«
Giulia nahm den Jungen vorsichtig auf den Arm und blickte in ein zartes, vom Weinen gerötetes Gesichtchen und auf winzige Hände, die sich zu niedlichen Fäusten geballt hatten und ziellos durch die Luft irrten. Auf einmal spürte sie ein wehes Gefühl im Herzen. Wäre ihr Leben anders verlaufen, wäre sie wahrscheinlich selbst schon Mutter. Das war eines der Dinge, auf die sie verzichten musste, seit ihr Vater und Pater Lorenzo sie gezwungen hatten, als Knabe aufzutreten.
Galilei bemerkte, wie sich Giulias Miene verdüsterte. »Verzeiht

meinem Weib, dass sie Euch das Kind aufgedrängt hat. Sie wollte Euch nicht kränken. Aber sie dachte nicht daran, wie schwer es für Euch sein muss, als Verschnittener an Ehe und Kinder erinnert zu werden.«
Er wollte Giulia das Kind wieder abnehmen, doch diese wandte sich rasch ab und hielt den Knaben fest. Leise, um den Säugling nicht zu erschrecken, begann sie zu singen. Ihr kamen die Lieder aus ihrer Kinderzeit wieder in den Sinn, und wie von selbst perlten die Melodien über ihre Lippen.
Der kleine Galileo beruhigte sich und blickte Giulia mit großen Augen an. Ein paarmal gluckste er vor Freude und schloss schließlich die Augen. Giulia sang, bis das Kind fest eingeschlafen war. Dann gab sie es fast widerwillig an seine Mutter zurück. »Was? Er schläft? Das grenzt ja an ein Wunder. Eure Stimme ist wirklich von Gott gesegnet. Ich hoffe, ich kann Euch noch oft hören.« Galilei rief es so laut, dass seine Frau Angst bekam, er könnte das Kind wieder wecken. »Das könnt Ihr gewiss«, antwortete Vincenzo an Giulias Stelle, »und ihn dabei lehren, noch besser zu werden. Er ist noch lange nicht vollkommen.«
»Es wird mir eine Freude sein«, erwiderte Galilei und kramte in seinen Schriften, um Giulia die Noten eines weiteren Musikstücks zu zeigen.

## VIII.

Der amüsante Vormittag war der Auftakt für eine ganze Reihe von Besuchen bei der Familie Galilei. Die unterhaltsamen und trotzdem lehrreichen Gespräche mit dem Meister boten Giulia eine willkommene Abwechslung zu den harten Proben in Santa Maria Maggiore. Giovanni Pierluigi war vielleicht der berühmtere Komponist, besaß aber weitaus weniger Humor und

behandelte die Sänger seines Chores oft wie seine persönlichen Sklaven.
Er hatte eine neue Messe geschaffen, die zum Gedenken an Marcellus II., einem Vorgänger des jetzigen Papstes, aufgeführt werden sollte. Und er hatte den Ehrgeiz, mit diesem Werk vor den Großen Italiens zu brillieren. Zu diesem Zweck ließ er den Chor tagtäglich viele Stunden lang üben, so dass Giulia sich die Zeit für ihre Besuche bei Galilei fast von ihrem Schlaf stehlen musste. Für eigene Auftritte hatte sie keine Zeit mehr.
Sie erhielt von Pius IV. ein recht ansehnliches Gehalt, aber das reichte gerade für die Miete und den Lebensunterhalt. Zu ihrer Verwunderung drängte ihr Vater sie nicht, Geld für sein Vergnügen hinzuzuverdienen. Sie sah ihn kaum noch, da er nur selten in der gemeinsamen Wohnung schlief. Giulia freute sich für Vincenzo, der das winzige Zimmer meist für sich hatte. Trotzdem hätte sie gerne gewusst, wo ihr Vater sich aufhielt. Um Gewissheit zu haben, fragte sie Beppo aus. Der konnte ihr nur berichten, dass ihr Vater sich beinahe die ganze Zeit über in einem bekannten Kurtisanenhaushalt aufhielt und mit den Mädchen dort sehr vertraut zu sein schien.
Giulia wusste, dass die Dienste in solchen Häusern nicht gerade billig zu haben waren und fürchtete sich bereits vor den Forderungen, die ihr Vater früher oder später an sie richten würde. Zu ihrer Verwunderung verlangte er ihr jedoch keinen blanken Scudo ab. Wenn er wirklich einmal mit ihr und Vincenzo zusammen speiste, wirkte er so zufrieden, wie sie ihn noch nie erlebt hatte. Er summte gängige Lieder, zog das ein oder andere Mal ein Notenblatt aus der Tasche, um es zu studieren, und schien seit neuestem auch wieder zu komponieren.
Sie wusste nicht, dass er in der Casa Rivaccio unter dem Namen Giroli als Musiker auftrat und die Gäste unterhielt. Da die dankbare Hausherrin mit Lohn nicht geizte, konnte Girolamo Casamonte sich beinahe jeden Abend ein Mädchen aussuchen,

das gerade keinen Freier empfing. Manchmal bat er aber auch nur um ein Glas Wein und unterhielt sich mit Donatella Rivaccio. Sie war eine angenehme Gesprächspartnerin und das heimliche Ziel seiner Wünsche. Er wagte es jedoch nicht, sie zu fragen, ob er mit ihr schlafen dürfte.
Giulia ahnte nichts von den Gedanken und Begehrlichkeiten ihres Vaters und war trotz gewisser Sorgen froh, ihn nicht mehr die ganze Zeit ertragen zu müssen. Bald kam es ihr so vor, als wäre sie allein mit Vincenzo und dem Dienerpaar in die heilige Stadt gereist.
An einem der Tage, an denen sie die Übungsstunden früher verlassen konnte, um die Galileis zu besuchen, war der Meister selbst nicht zu Hause. Seine Frau begrüßte sie erleichtert. »Willkommen, Messer Casamonte. Ihr kommt mir wie gerufen. Galileo hat schon wieder die ganze Nacht geschrien und weint immer noch. Wärt Ihr so lieb und singt ein wenig für ihn? Er liebt Eure Stimme so sehr. Wenn er groß ist, wird er gewiss ein Komponist wie sein Vater werden.«
»Oder auch nicht, weil er sich mit mir nicht messen lassen will.« Vincenzo Galilei war eben von seiner Besorgung heimgekehrt und hatte die letzten Worte seiner Frau vernommen. Er grüßte Giulia herzlich und lud sie ein, sich die Komposition anzusehen, die er im Auftrag Vincenzos für sie geschrieben hatte. »Ich weiß, Ihr habt nichts anderes mehr im Sinn als Palestrinas neueste Messe. Wie hat er sie genannt? Ach ja – Missa Papae Marcelli. Er wird sicher Furore damit machen. Aber vielleicht könnt Ihr Euch meine kleine Melodie kurz einmal ansehen.«
»Gerne. Ich bin froh, zwischendurch etwas anderes singen zu können als die neue Messe. Meister Pierluigi mag zwar ein großer Komponist sein, aber er ist ein noch größerer Pedant.«
Giulia sang erst ein paar Lieder für das Kind, bis es sich endlich beruhigt hatte und schlief. Dann folgte sie Galilei ins Studierzimmer und ließ sich die Notenblätter geben. Bereits auf den

ersten Blick erkannte sie, dass Galilei Vincenzos Text in eine einfühlsame Melodie gekleidet hatte, die die Spannbreite ihrer Stimme ausgezeichnet zum Tragen brachte. Zum ersten Mal, seit sie in Rom war, bedauerte sie es, keine Zeit für private Auftraggeber zu haben. Mit diesem Lied hätte sie gewiss großes Aufsehen erregt.

Sie übte nur ein wenig, weil sie müde war und ihre Stimme nicht überanstrengen durfte, bedankte sich dann herzlich für die Komposition und verabschiedete sich von ihren Gastgebern. Als sie auf dem Heimweg die Piazza dei Fiori erreichte, sah sie sich verwundert um. Sonst wimmelte es hier um diese Zeit noch von Blumenverkäuferinnen, doch an diesem Abend hatte die päpstliche Garde einen großen Teil abgesperrt, so dass sich die Leute an den Häusern vorbeidrängen mussten, um ihn zu überqueren. Auf der freien Fläche standen zwei mit Holzbündeln beladene Ochsenkarren. Einige Männer luden das Holz ab und stapelten es zu einem großen Haufen.

Giulia wandte sich neugierig an eine Blumenverkäuferin, die gerade ihre Sachen zusammenpackte, und fragte sie, was das hier bedeuten solle. Die Frau lachte böse. »Die Männer schichten einen Scheiterhaufen auf. Du bist wohl nicht von hier, sonst müsstest du wissen, dass morgen drei elende Ketzer der himmlischen Gerechtigkeit überantwortet werden.«

Giulia unterdrückte ein Zittern. Hier schienen ihre Albträume Gestalt anzunehmen. Um sich nichts anmerken zu lassen, fragte sie scheinbar interessiert: »Welche Ketzer?«

Die Blumenhändlerin gab ihr nur allzu gern Auskunft. »Gesindel aus den Bergen, das die heilige katholische Kirche missachtet und sich den Propheten des Teufels hingegeben hat. Sie waren auf dem Weg nach Süden, um dort ihre Irrlehren zu verbreiten. In San Giustiano hat man sie erkannt und gefangen genommen. Morgen werden sie für ihre Gotteslästerung büßen.«

Giulia dankte der Frau und wandte sich schnell ab. Sie hatte von

Scheiterhaufen und Hexenverbrennungen geträumt, seit die alte Lodrina ihr für ihr Singen ein Ende im Feuer prophezeit hatte. Das war noch schlimmer geworden, als ihr Vater nach ihrem Auftritt im Kloster San Ippolito di Saletto erklärt hatte, sie würden beide auf dem Scheiterhaufen landen, wenn Giulias wahre Identität bekannt werden würde. Mit dieser Drohung hatte er sie später gezwungen, auf sein gefährliches Spiel einzugehen und für immer in die Rolle eines Kastraten zu schlüpfen. Bisher hatte die Freude am Singen die Angst vor einer Entdeckung überwogen, und seit ihrem wiederholten Aufenthalt bei der Gräfinwitwe von Falena waren die Albträume nur noch selten zurückgekehrt. Jetzt aber kroch die Angst wie ein kaltes Gespenst in ihren Nacken und krallte sich in ihr Herz.

Zu Hause wunderte sich Vincenzo über das ausbleibende Lob für das Lied, das er für den Kastraten geschrieben und von Galilei hatte vertonen lassen. Zuerst war er enttäuscht, doch dann bemerkte er, wie bedrückt sein Freund war, und er forschte vorsichtig nach dem Grund.

Nach einer Weile rückte Giulia mit der Sprache heraus. »Hast du davon gehört, dass morgen auf der Piazza dei Fiori Menschen verbrannt werden sollen?«

»Ja. Es hängen überall Täfelchen an den Wänden, auf denen das angekündigt wird, und die Leute reden von nichts anderem mehr. Ehrlich gesagt, mich interessiert es nicht. Es handelt sich doch nur um ein paar elende Ketzer.«

»Es sind Menschen, die auf grausame Art umgebracht werden sollen. Ich habe als Kind gesehen, wie ein paar Knaben eine Katze in einen Sack gesteckt und ins Feuer geworfen haben. Das arme Tier hat entsetzlich geschrien, und es stank danach fürchterlich.« Giulia schauderte es bei diesem Gedanken, und sie funkelte Vincenzo feindselig an. »Dir gefällt es wohl noch, wenn Menschen verbrannt werden.«

Vincenzo schüttelte heftig den Kopf. »Gott bewahre! Aber

wenn die Läuterung im Feuer die einzige Möglichkeit ist, ihre Seelen vor der ewigen Verdammnis zu retten …«
Giulia fuhr auf. »Dann muss Gott wirklich grausam und kleinmütig sein. Nein, es kann nicht sein Wille sein, Menschen auf eine solche Weise leiden zu lassen. Es macht jene zu Tieren, die anderen so etwas antun.«
Vincenzo war anderer Ansicht, hielt Giulias Abscheu jedoch für die Überempfindlichkeit eines Verschnittenen und drückte tröstend ihre Hände. »Um Gottes und um deinetwillen, Giulio, sei bitte leise. Oder noch besser, denke, was du magst, aber verschließe deine Worte tief in deinem Herzen. Wenn jemand dich hört und es der heiligen Inquisition weitermeldet, wird man auch dich verdächtigen, ein Ketzer zu sein.«
Giulia entzog ihm sanft ihre Hände und faltete sie zum Gebet. »Ich glaube an Gottvater, den Sohn und den Heiligen Geist und die Jungfrau Maria. Zumindest die Mutter des Herrn würde es niemals gutheißen, wenn Menschen im Namen des einzigen und wahren Glaubens gequält werden.«
»Du bist doch ein heimlicher kleiner Ketzer.« Vincenzo versuchte zu witzeln, wurde jedoch sofort wieder ernst. »Versprich mir, dass du nie mehr etwas sagst, das der heiligen Inquisition missfallen könnte. Es ist wirklich sehr gefährlich.«
Giulia sah ihm an, dass er sich Sorgen um sie machte, und ärgerte sich, dass ihre mühsam erlernte Selbstbeherrschung sie mit einem Mal im Stich gelassen hatte. Die Ketzer gingen sie nichts an, also durfte sie sich durch ein solches Ereignis nicht das Herz schwer machen lassen. Doch in dieser Nacht schreckte sie immer wieder aus quälenden Albträumen hoch, in denen Flammen um sie auflođerten und schließlich über ihr zusammen schlugen.

# IX.

Am nächsten Tag fiel es Giulia schwer, zur Probe in die Kirche gehen. Obwohl sie einen weiten Bogen um die Piazza dei Fiori machte, konnte sie in Santa Maria Maggiore nur mit Mühe ihre Gedanken sammeln und rief Meister Pierluigis Unmut hervor. Diesmal musste sie sich zwingen, die störenden Gedanken weit weg zu schieben und ihren Geist mit der geliebten Musik zu füllen. Irgendwann gelang es ihr dann doch, und am Ende der Proben hatte sie das Gefühl, über den Anfall von Schwermut hinweggekommen zu sein. Ihre Erleichterung hielt jedoch nicht lange an. Ein Offizier im goldblau gemusterten Waffenrock der päpstlichen Garde trat ein und sprach leise mit Palestrina. Der Chorleiter nickte mehrmals und hob schließlich die Hand, um die Aufmerksamkeit seiner Sänger zu erlangen. »Es ist der Wunsch Seiner Heiligkeit, dass einige von euch heute Abend bei der Ketzerverbrennung die Gebete singen. Fra Mariano, wähle dir sechs deiner Mitbrüder aus. Ihr meldet euch heute Nachmittag beim Sekretär des obersten Inquisitors. Für uns andere wird heute Abend ein Platz auf der Tribüne reserviert. Ich erwarte euch dort eine Stunde vor der Dämmerung.«
Gewohnheitsgemäß hatte Giulia sich so weit wie möglich von Fra Mariano entfernt aufgestellt, da dieser im Gegensatz zu den anderen Sängern immer wieder versuchte, sie anzufassen oder sie sogar tröstend an sich zu ziehen. Jetzt drängten sich so viele Sänger auffordernd um ihn herum, dass sie sich in den Hintergrund zurückziehen konnte, bis er seine Wahl getroffen hatte. Ein wenig war sie erleichtert, dass sie nicht noch angesichts des Scheiterhaufens singen musste, doch Pierluigis Einladung, die dem Befehl zu erscheinen gleichkam, trieb ihr den kalten Schweiß aus den Poren. Verzweifelt überlegte sie, unter welchem Vorwand sie fernbleiben könnte. Doch bevor ihr auch nur die fadenscheinigste Begründung einfiel, hatte der Chormeister

den Raum bereits verlassen. Die Mönche unterhielten sich angeregt über das zu erwartende Schauspiel und freuten sich offensichtlich, die Ketzer brennen zu sehen. Ehe Fra Mariano, der zu ihr hinüberblickte, sie ansprechen konnte, verließ sie rasch die Kirche.
In ihrer Wohnung angekommen, wusste sie noch immer nicht, was sie tun sollte. Eigentlich hatte sie nach der Probe Meister Galilei aufsuchen wollen, aber sie würde es nicht fertig bringen, mit ihm zu scherzen, und sie durfte ihm auch nicht ihre Gefühle offenbaren. Außerdem hätte sie auf dem Weg dorthin die Piazza dei Fiori überqueren oder einen großen Umweg in Kauf nehmen müssen. Beim Mittagessen erzürnte sie Assumpta, weil sie kaum einen Bissen aß. Sie versuchte, mit ihr über das Grauen zu reden, das sie empfand, kam bei ihr jedoch schlecht an.
Für Assumpta waren Ketzer Feinde der Menschheit, die ausgerottet werden mussten, damit sie keine rechtschaffenen Leute vom Weg zum Heil abbringen konnten. Sie verstand jedoch Giulias Widerwillen, der Bestrafung der Sünder zuschauen zu müssen, und redete ihr zu wie einem kranken Pferd. Zu ihrem Bedauern war Vincenzo nicht da, um dessen besänftigenden Einfluss auf Giulia sie wusste. Mit viel Mühe gelang es ihr, Giulia so weit aufzurichten, dass sie zwar blass, aber gefasst zur Piazza dei Fiori aufbrechen konnte.
Auf dem Platz war mittlerweile eine Tribüne errichtet worden, die etwa hundert Menschen Platz bot. Sie war mit rotem Tuch verhüllt, auf dem das päpstliche Wappen und das der Medici prangte, und ließ das sonst von Blumen überquellende Geviert düster erscheinen. Auf Giulia wirkte die Piazza nun wie der Vorhof zur Hölle. Während sich die einfachen Leute in dichten Trauben auf den freien Flächen ballten und sich immer weiter nach vorne schoben, um einen guten Platz zu ergattern, war die Tribüne noch so gut wie leer.
Giulia sah nur die vielen Menschen, die ihr den Weg versperr-

ten, und wollte sich in eine Nische zurückziehen. Da entdeckte sie einer der Mönche aus dem Chor von Santa Maria Maggiore, packte sie am Ärmel, ohne ihren Arm zu berühren, und zog sie mit sich. Giovanni Pierluigi war ebenfalls schon anwesend. Er unterhielt sich mit einem Offizier der Schweizergarde, die einen Ring um die Tribüne bildeten, um das Volk abzudrängen und den Gästen Seiner Heiligkeit den Weg frei zu machen. Händler schoben sich durch die immer dichter stehenden Menschenmassen, verkauften Wein, Gebäck und Obst und machten das Chaos perfekt. Giulia hörte das erwartungsfrohe Lachen ringsum und biss die Zähne zusammen, während sie den Mönchen folgte und sich auf den ihr zugeteilten Platz setzte.
Einige der Würdenträger auf der Tribüne riefen die Händler zu sich und befahlen ihnen, Wein und Kuchen an die Leute in ihrer Umgebung auszuteilen. Auch Giulia wurde ein voller Weinbecher in die Hand gedrückt. Sie wusste nicht, was sie mit ihm anfangen sollte. Ihr Mund war trocken, doch sie brachte keinen Tropfen über die Lippen. Die anderen Chormitglieder lobten die großzügigen Spender und ließen es sich schmecken. Giulia stellte ihren Becher schließlich zwischen die Füße und starrte auf die schwappende Flüssigkeit, als erwarte sie jeden Moment etwas herauskriechen zu sehen.
Aufschwellendes Gemurmel ließ sie unwillkürlich aufschauen. Ein Ochsenkarren rollte auf den Platz zu, flankiert von Schweizer Gardisten mit gesenkten Hellebarden. Die tief stehende Sonne spiegelte sich rot auf den polierten Brustpanzern und Helmen und tauchte die blaugoldenen Uniformen der Soldaten in ein unheimliches Licht. Mehrere Dominikanermönche in weißen Kutten, über die sie schwarze Kapuzenmäntel trugen, folgten dem Karren. Sie hielten Kreuze in der Hand und beteten mit weithin hallenden Stimmen.
Giulias Blicke galten jedoch weniger den aufgeputzten Gardisten und den düster wirkenden Mönchen als vielmehr den drei

armseligen Gestalten auf dem Karren, die mit einfachen, weißen Hemden bekleidet waren. Raue Hände hatten ihre Köpfe kahl geschoren, und sie trugen die Spuren von Misshandlungen. Erst als der Karren neben der Tribüne stehen blieb, konnte Giulia erkennen, dass es sich um zwei Männer und eine Frau handelte, die mit weit aufgerissenen Augen auf den Holzstoß starrten, der ihnen den Tod bringen sollte. Als der Karren hielt, trat einer der Mönche auf die drei Ketzer zu. »Bereut eure Sünden, werft euch vor Seiner Heiligkeit zu Boden, und euch wird ein leichter Tod geschenkt.«

Einer der Männer zuckte zusammen, während sein Gefährte und die Frau die Köpfe wegdrehten, um den Mönch nicht ansehen zu müssen. »Kehrt zurück in den Schoß der allein selig machenden katholischen Kirche, und eure Seelen werden von hier aus schnurstracks ins Paradies eilen«, fuhr der Mönch mit donnernder Stimme fort. »Tut ihr es jedoch nicht, seid ihr auf ewig verdammt!«

»Gnade!«, schrie einer der Männer. Er fiel vor dem Mönch in die Knie und fasste den Saum seines Mantels. Der Dominikaner beugte sich zu ihm nieder und reichte ihm das Kreuz zum Kuss. Der Ketzer presste seine Lippen darauf und sah mit heimlicher Hoffnung zu dem Mönch auf. »Ich bereue, mich von der Heiligen Kirche abgewandt zu haben und falschen Propheten gefolgt zu sein«, rief er so laut, dass es alle auf dem Platz hören konnten. »Gewährt mir die Gnade und schenkt mir das Leben.«

Der Dominikaner trat einen Schritt zurück und sah zur Tribüne hinüber.

Giulia folgte unwillkürlich seinem Blick und bemerkte erst jetzt, dass Pius IV. und dessen Gefolge mittlerweile ihre Plätze eingenommen hatten. Der Papst wirkte leidend und sah älter und verfallener aus, als er nach Jahren zählte. Er war in ein reich besticktes Gewand aus roter und weißer Seide gekleidet, und sein von der goldenen Mitra bedecktes Haupt beugte sich wie unter

einer schweren Last. Seine düstere Miene verhieß nichts Gutes für die drei Ketzer. Pius IV. hob nur kurz die rotbehandschuhte Rechte und schlug damit das Kreuz. Was er dabei murmelte, verstanden nur die ihm zunächst Stehenden.
Der Dominikaner schien die Geste jedoch zu kennen, denn er winkte den Henker heran. Der Mann trug eine lederne Maske, die sein Gesicht verbarg, und eng anliegende, rote Hosen. Sein muskulöser Oberkörper war nackt. In der Hand hielt er einen dünnen Strick, den er auf ein Zeichen des Mönches um den Hals des bekehrten Ketzers schlang und mit einem scharfen Ruck zuzog. Der Mann öffnete den Mund zum Schrei, der jedoch unterblieb, zuckte noch einmal mit den Gliedern und sank dann haltlos nieder.
Während der Henker den Erdrosselten mit Hilfe seiner Knechte zum Holzstoß schleppte und dort an einem Pfahl festband, hoffte Giulia, dass auch die beiden anderen Ketzer bereuen würden, um wenigstens einen schnellen Tod zu erleiden. Deren Gesichter waren von Angst und Entsetzen gezeichnet. Als jedoch der Mönch auf sie zutrat und sie zur Bekehrung aufforderte, antworteten sie mit einem ketzerischen Gebet und dem Flehen zu Gott, ihre Seelen zu sich zu nehmen.
Der Dominikaner fasste sein Kreuz mit der rechten Hand und gab den Henkersknechten ein Zeichen. Diese packten den männlichen Ketzer und schleiften ihn auf den Holzstoß. Während sie ihn festbanden und dabei nicht gerade zimperlich mit ihm umgingen, betete der Mann unbeirrt weiter. Danach war die Frau an der Reihe. Bevor die Henkersknechte sie jedoch packen konnten, stieg sie vom Wagen und ging unbeirrt auf den Scheiterhaufen zu.
Die Leute um Giulia spotteten darüber. Sie selbst spürte einen Ring aus Eis, der sich immer enger um ihre Kehle legte und sie zu ersticken drohte. Es war ihr, als wolle die Angst ihre Stimme auslöschen, deren Macht ihr Leben bis zum bitteren Ende be-

stimmte. Giulia wusste, dass sie nie so unbeirrt auf den Scheiterhaufen würde steigen können wie diese Ketzerin. Bang fragte sie sich, welche Macht die beiden Menschen so standhaft sein ließ, dass sie eher den grausamsten aller Tode erduldeten, als ihr Haupt vor dem Nachfolger Petri zu beugen.
Mittlerweile war die Dämmerung hereingebrochen. Doch noch näherte sich die Qual der beiden Ketzer nicht ihrem Ende. Fra Mariano und die von ihm ausgewählten Mönche des Chores von Santa Maria Maggiore stimmten nun einen Psalm aus dem Hohelied Salomos an, der die Herrlichkeit Gottes pries. Pius IV. saß zusammengesunken auf seinem samtüberzogenen Stuhl und starrte die Ketzer so feindselig an, als machte er sie für seine eigene, körperliche Schwäche verantwortlich.
Noch immer drängten sich Menschen auf die Tribüne, die viel zu klein wurde für die privilegierte Schar. Giulia wurde rüde zur Seite gedrängt. Der Becher zu ihren Füßen kippte um und rollte ein Stück das Brett entlang, auf dem sie stand, und wurde durch den Fuß eines anderen nach hinten ins Leere gestoßen. Die Mönche von Santa Maria Maggiore sangen noch immer, während der Dominikaner, der, wie Giulia jetzt klar wurde, der heiligen Inquisition angehörte, den verstockten Ketzern alle Strafen der Hölle androhte, wenn sie sich nicht bekehren würden.
»Niemals!«, schrie die Frau gellend auf. »Gott verfluche dich und deinen Papst!«
Der Dominikaner prallte zurück, als hätte er einen Schlag erhalten. Die Umstehenden murmelten drohend, und die ersten Steine prasselten auf den Scheiterhaufen nieder. »Wagt dieses Miststück es doch, Seine Heiligkeit zu schmähen!«, rief der Mann neben Giulia wütend und schleuderte seinen Weinbecher auf die Ketzerin.
Giulia betete nur noch, dass alles schnell vorbei sein möge. Die Gesänge der Mönche zogen sich jedoch scheinbar endlos hin. Es war schon stockdunkle Nacht, als der Henker eine Fackel aus ei-

nem Feuerkorb nahm, sie über dem Kopf schwenkte und dem Volk zeigte. »Satan hat euch gezeugt. Zu Satan kehrt ihr zurück!« Die Stimme des Dominikaners vibrierte vor Hass. Er verfluchte die Ketzer in Italienisch und Latein und trat dann zurück, damit der Henker sein Werk tun konnte. Der Mann mit der Ledermaske verneigte sich vor dem Papst, der die brennende Fackel segnete, und stieß sie in den Holzstoß. Zuerst begannen nur einige Zweige zu knistern, dann aber schlugen die Flammen so schnell hoch, als hätte jemand das Holz mit Öl übergossen. Für quälend lange Augenblicke hörte man nur das Prasseln des Feuers und die Gebete der beiden Ketzer. Bald aber gellten ihre qualvollen Schreie über den Platz. Der Geruch versengten Fleisches erfüllte die Luft und fraß sich wie Säure in Giulias Lungen. Giulia wusste später nicht mehr, wie sie die nächsten Minuten auf der Tribüne überstanden hatte. Noch lange, nachdem die Schreie der Ketzer verstummt waren, gellten sie ihr noch in den Ohren, und niemals in ihrem Leben war ihr so übel gewesen.

## X.

An diesem Tag kam Vincenzo erst spät nach Hause. Assumpta, die aus lauter Sorge um Giulia keine Ruhe gefunden hatte, passte ihn ab und schüttet ihm ihr Herz aus. »Lieber Herr Vincenzo, ich habe Euch heute so vermisst. Giulio war völlig außer sich, als er nach Hause kam, denn er muss als Mitglied des Chores von Santa Maria Maggiore an der Ketzerverbrennung teilnehmen.«
Vincenzo erinnerte sich an den Abscheu des Kastraten vor dem Flammentod und zuckte zusammen. »Giulio muss doch nicht etwa singen? Das könnte seine Stimme ruinieren.«
»Das zum Glück nicht. Aber ich habe trotzdem Angst um sie … Signore Giulio.« Erst im letzten Moment begriff die alte Diene-

rin, dass sie beinahe Giulias Geheimnis aufgedeckt hätte. Zum Glück achtete Vincenzo nicht auf diese kleine Unsicherheit, sondern kratzte sich besorgt am Kopf. »Ich hoffe, Giulio macht keine Dummheiten. Wenn er auch nur andeutet, wie wenig er vom Verbrennen von Ketzern hält, holt er sich die Inquisition auf den Hals.«
»Um der Jungfrau willen!«, rief Assumpta erschrocken. Wenn Giulia ihre Gefühle nicht im Zaum hielt, war sie in höchster Gefahr. Und nicht nur sie allein. Man würde sie alle verhaften. »Giulio ist immer so beherrscht. Er wird gewiss die Nerven bewahren«, versuchte Assumpta Vincenzo und sich selbst zu beruhigen.
Vincenzo zog die Schultern hoch, als fröre er plötzlich. »Das ist richtig. Trotzdem mache ich mir Sorgen. Ich habe den Verdacht, dass in Giulios Brust ein Feuer lodert, das er nur mühsam beherrschen kann.«
Assumpta musste ihm insgeheim Recht geben. Als kleines Mädchen war Giulia voller Lebensfreude gewesen, und nichts hatte darauf hingedeutet, dass sie einmal so kühl und abweisend werden würde wie ein nordischer Eisblock. Unter der Schale scheinbar vollkommener Selbstbeherrschung lauerte jedoch ein wildes Temperament, das, wenn es sich am falschen Ort entlud, zur Katastrophe führen konnte. Sie fasste Vincenzo am Ärmel und sah ihn bittend an. »Könnt Ihr zur Piazza dei Fiori gehen und nach Giulio schauen? Er braucht vielleicht Eure Hilfe.«
»Ich hoffe, es wird nicht nötig sein.« Vincenzo versuchte, seine Stimme mutiger klingen zu lassen, als er sich fühlte. Ohne zu wissen, wie er Giulio helfen sollte, hastete er zum Blumenmarkt, der seinem Namen heute keine Ehre machte. Er fand den Platz gedrängt voll mit Menschen und musste seine Ellbogen einsetzen, um auch nur in die Nähe der Tribüne zu gelangen. Dort stellte sich ihm jedoch die Schweizergarde mit gekreuzten Hellebarden in den Weg.

Vincenzo versuchte, unter den vielen Menschen, die auf der Tribüne saßen und das Schauspiel wie ein Volksfest genossen, den Kastraten auszumachen. Eine Nadel im Heuhaufen zu finden wäre einfacher gewesen. So blieb ihm nichts anderes übrig, als dem schaurigen Geschehen zu folgen und zu hoffen, dass Giulio seine Selbstbeherrschung nicht verlieren würde. Zuerst starrte er die verurteilten Ketzer an und fühlte fast denselben Hass gegen sie wie die Menschen um ihn herum. Bald aber widerte ihn das Schauspiel an, und er begann Giulios Haltung zu verstehen. So grausam konnte Gott wirklich nicht sein. Am liebsten hätte er sich zurückgezogen, eingekeilt in der Menschenmenge und direkt unter den Augen der Schweizergarde war das unmöglich. So wandte er nur seinen Blick ab, um das Feuer und die Todesqualen der Verbrennenden nicht mehr mit ansehen zu müssen. Um ihn herum tobte die Menschenmenge voller Begeisterung. Hier in Rom, dem Zentrum der Christenheit, konnte kein Ketzer, der die Autorität des Papstes leugnete, auf Gnade hoffen.
Erst etliche Zeit später, als das Feuer endlich niedergebrannt war, begann der Platz sich zu leeren. Pius IV. kehrte mit seinen Begleitern und Würdenträgern in den Lateranpalast zurück, während sich die Menge in den Straßen und Gassen Roms verlief. Nur die Henkersknechte blieben, um die verkohlten Reste der Ketzer in die Kloake zu schaufeln. Vincenzo sah ihnen mit heimlichem Grausen zu, bis er sich erinnerte, warum er eigentlich hergekommen war. Er suchte den Kastraten und fand ihn schließlich am Fuß der Tribüne kauernd.
Giulia sah Vincenzo auf sich zukommen und hätte ihn am liebsten umarmt. Stattdessen schüttelte sie nur fassungslos den Kopf. »Ich verstehe das Ganze nicht. Es hieß doch, das Feuer würde die Seelen der Ketzer reinigen, so dass sie doch noch auf Erlösung hoffen können. Doch der schreckliche Mönch drohte ihnen sämtliche Höllenstrafen an. Warum müssen die Men-

schen solche Leute hier in dieser Welt so quälen, wenn sie ohnehin verdammt sind?«
Vincenzo versuchte, die Sorgen des Sängers leichthin abzutun. »Du sprichst fast wie ein Mädchen, Giulio. Ich habe es längst aufgegeben, mir Gedanken über die irdische Gerechtigkeit zu machen, geschweige denn über die himmlische. Komm, steh auf. Ich bring dich nach Hause.«
Giulia stand gehorsam auf, presste dann jedoch den rechten Arm gegen den Bauch. »Mir ist so schlecht, Vincenzo. Der Gestank nach brennendem Fleisch ist entsetzlich. Ich werde ihn nie mehr vergessen können.«
Vincenzo fasste den Kastraten um die Schulter und drückte ihn tröstend an sich. »Kopf hoch, Giulio. Du musst es wenigstens bis zur nächsten Straße schaffen. Wenn dir hier übel wird, könnten es die Henkersknechte mitbekommen und sich Gedanken über dich machen. Denn laut der heiligen Inquisition gleicht der Gestank eines brennenden Ketzers den Wohlgerüchen des Paradieses.«
»Dann will ich niemals dorthin kommen.« Giulia wollte noch mehr sagen, doch in dem Moment stieg eine weitere Welle der Übelkeit in ihr hoch. Sie presste die Lippen mit aller Kraft zusammen und ließ sich von Vincenzo in eine Seitengasse führen. Dort erbrach sie sich und fühlte sich danach so schwach, dass sie kaum mehr einen Schritt vor den anderen setzen konnte.
Als Vincenzo sie unter den Armen fasste, kam er ihren eingeschnürten Brüsten ziemlich nahe. Giulia versteifte sich unter seinem Griff. Lange Jahre hatte nur Assumpta sie so berührt. Sie spürte jedoch, dass es ihr gut tat, sich an seine Schulter zu lehnen und sich von ihm nach Hause führen zu lassen. Dort nahm sich Assumpta ihrer an und wusch ihr das beschmutzte Gesicht und die Hände ab. Giulia wollte die Kleidung, die sich mit dem Gestank nach brennendem Fleisch vollgesogen hatte, nicht mehr anrühren. So musste Assumpta sie ausziehen wie ein kleines Kind.

Giulia sah das Wams voller Ekel an. »Verbrenn das Zeug, Assumpta. Ich kann es nicht mehr tragen.«
Assumpta fasste ihre Schultern und sah sie ernst an. »Um Gottes willen, Kind, nimm dich zusammen! Wenn jemand merkt, dass du nicht über den Tod dieser bösen Ketzer frohlockst, wird man dich selbst für einen von denen halten.«
»Ich hasse dieses Rom«, brach es aus Giulia heraus. »Es mag wegen mir großartig sein. Aber es ist mir zu grausam.«
Assumpta zuckte mit den Schultern. »Rom ist nicht grausamer als andere Städte auch. Man hat auch in Saletto Ketzer und Hexen verbrannt. Das war aber lange, bevor du geboren wurdest.«
Giulia sah sie mit großen Augen an. »Hast du jemals dabei zusehen müssen?«
Im nächsten Moment zog sie die Decke hoch, denn die Tür sprang auf und Vincenzo steckte den Kopf herein. »He, Giulio, bist du wieder in Ordnung? Ich wollte mich entschuldigen, weil ich vorhin so dumm daher geredet habe. Ich habe mir ja nur Sorgen gemacht, dass jemand deinen Zustand bemerken könnte. Glaub mir, ich verstehe dich. Durch deine Verstümmelung bist du nun einmal sensibler als ein normaler Mann. Ich muss selbst zugeben, dass ich zuletzt nicht mehr hinsehen konnte.«
Vincenzo sah so geknickt aus, dass Giulia das Gefühl hatte, ihn trösten zu müssen. Sie konnte ihn jedoch nicht ins Zimmer lassen, da die Decke ihren ungeschnürten Busen nur unzureichend verbarg. »Es ist schon gut, Vincenzo. Du hast nichts gesagt, was dich reuen müsste. Mir geht es schon wieder besser. Sicher war es die Schwüle des heutigen Abends, die mir zusammen mit dem Gestank des Scheiterhaufens zugesetzt hat. Du wirst sehen, morgen bin ich wieder auf den Beinen.«
Giulia versuchte, beschwichtigend zu lächeln. Sie konnte ihm ja nicht sagen, wie sehr ihr vor dem nächsten Tag graute. Der Gedanke, wieder gemeinsam mit den Mönchen, die den Tod der armen Menschen so bejubelt hatten, zur Ehre Gottes singen zu

müssen, fachte die Übelkeit in ihr nur weiter an. Sie durfte jedoch nicht wegbleiben und sich bei Palestrina entschuldigen lassen. Zum einen stand die Uraufführung der Missa Papae Marcelli kurz bevor, zum anderen hätten die Mönche ganz sicher Verdacht geschöpft. »Sei mir nicht böse, wenn ich dich jetzt bitte, zu gehen, Vincenzo, aber ich muss morgen Vormittag ausgeruht bei den Proben erscheinen.« Sie atmete auf, als Vincenzo verständnisvoll nickte und die Tür von außen schloss. »Herr Vincenzo ist ein freundlicher Mann«, fand Assumpta. »So einer wie er hätte dich als Mädchen kennen lernen müssen.«
Giulia seufzte tief. »Du träumst. Für einen de la Torre wäre die Tochter eines kleinen Musikers wie ich nur ein Abenteuer für eine Nacht gewesen.«
Assumpta strich ihr über das Haar. »Ich werde dir jetzt einen Schlaftrunk bereiten, sonst liegst du mir noch die ganze Nacht wach.« Damit verließ sie die Kammer und kehrte nach einigen Minuten mit einem dampfenden Becher zurück. Sie zwang Giulia, das scharfe Gebräu zur Gänze zu trinken. Giulia würgte es. Sie glaubte, die Flüssigkeit nicht bei sich behalten zu können, schlief aber noch in Assumptas Armen ein.
Am nächsten Morgen fühlte sich Giulia noch immer elend und zerschlagen. Sie konnte nichts essen und brachte kaum einen Schluck Wasser über die Lippen. Die Zeit aber schritt unbarmherzig fort. Schließlich blieb ihr nichts anderes übrig, als sich auf den Weg zu machen.
Die übrigen Chormitglieder waren bereits versammelt und besprachen das Geschehen vom Vorabend in aller Ausführlichkeit. »Ich bin stolz, dass wir auserwählt wurden, die heiligen Choräle bei der Verbrennung der Ketzer zu singen«, erklärte Fra Mariano eben seinem Nebenmann. Dann fiel sein Blick auf Giulia, die blass und mit wässrigen Augen auf die Gruppe zu trat. »Was ist Casamonte? Ist Euch der gestrige Abend auf den Magen geschlagen?«

Seine Worte klangen spöttisch, aber seine Augen verschlangen sie beinahe, so dass Giulia sich beinahe nackt fühlte. Am liebsten hätte sie ihm den Rücken zugedreht und sich in ihre Partitur vertieft. Aber sie hörte den lauernden Unterton in seiner Stimme und wusste, dass sie rasch und geschickt reagieren musste. So zuckte sie mit den Achseln und versuchte, den bitteren Geschmack zu ignorieren, der sich in ihrer Kehle festgesetzt hatte. »Ihr habt gestern ausgezeichnet gesungen, Fra Mariano. Es muss den Verurteilten wie Engelsstimmen vorgekommen sein.«
Zufrieden sah sie, wie sich die Miene des Mönches bei dieser Schmeichelei glättete, und setzte noch ein paar Worte hinzu, um jeden Verdacht auszuräumen. »Leider habt Ihr Recht mit der Behauptung, dass mein Magen etwas gelitten hätte. Ich habe gestern Abend mit ein paar Freunden den Sieg der Heiligen Kirche und den Tod der Ketzer etwas zu ausgiebig gefeiert. Zu meinem Pech war der Wein stärker als ich.«
Bei den Mönchen erntete sie herzhaftes Gelächter. Nur Meister Pierluigi funkelte sie zornig an. »Ich habe ja nichts gegen ein Glas Wein, Casamonte. Aber wenn du so viel trinkst, dass dir übel wird, schadest du deiner Stimme und unserem Chor. Du wirst in den nächsten Tagen so enthaltsam leben wie eine Jungfrau, hast du mich verstanden?«
»Bis wir die Messe singen, kommt meine Stimme gewiss wieder in Ordnung«, versuchte Giulia zu witzeln.
Palestrina verzog nur grimmig das Gesicht. »Wir werden die Messe eher singen als geplant. Seine Heiligkeit geruht, Santa Maria Maggiore schon am nächsten Sonntag zu beehren, und wünscht natürlich, der Uraufführung unserer neuen Messe zu lauschen.«
»Am Sonntag schon?« Giulia erschrak nicht ganz so wie die Mönche, die ihren unerbittlichen Lehrmeister mit offenen Mündern anstarrten. Ihnen war klar, dass sie die Missa Papae Marcelli am nächsten Sonntag fehlerlos singen mussten, denn

Palestrina würde ihnen jede Strophe mit dem Rohrstock einbläuen. Wie Recht sie hatten, zeigte sich noch am gleichen Tag. Der Meister ließ den Chor proben, bis die Mönche vor Erschöpfung wankten. Giulia klammerte sich zuletzt an eine Säule, um nicht vor Schwäche umzusinken. Ihre Kehle fühlte sich an wie trockenes Schuhleder, das zu lange in der Sonne gelegen war. Doch Giovanni Pierluigi kannte kein Pardon. »Casamonte, das konntest du gestern besser«, rief Palestrina sie immer wieder zur Ordnung.
Giulia versuchte, so gut zu singen, wie es ging. Sie hätte nie gedacht, unter welch schlimmen Bedingungen ihr ihre Stimme gehorchen würde. Immer wieder begann sie ihren Part von neuem, bis Palestrina schließlich ein Einsehen hatte und allen eine Pause gewährte. Er gönnte den Mönchen jedoch nicht einmal genug Zeit, zum Essen ins Kloster zurückzukehren, und er ließ auch Giulia nicht nach Hause gehen, wo Assumpta schon etwas Bekömmliches vorbereitet hatte. Stattdessen schickte er zwei junge Burschen zur nächsten Garküche, das Essen von dort zu holen. Die Mönche waren zufrieden mit dem, was sie bekamen. Giulia kaute jedoch mühsam auf dem fettigen Zeug herum, das ihr danach wie ein Stein im Magen lag. Als Meister Pierluigi kurz vor Sonnenuntergang mit einem kurzen Handzeichen das Ende der Proben bekannt gab, war sie am Ende ihrer Kraft. »Ihr werdet morgen zur selben Stunde hier sein«, verabschiedete Palestrina die Mönche und wandte sich an Giulia. »Und du, Casamonte, wirst ab heute keinen Wein mehr trinken, bis die Uraufführung vorbei ist, verstanden?«
Das Versprechen konnte ihm Giulia unbesorgt geben. Ihr war immer noch übel von dem gestrigen Tag und dem Mittagessen aus der Garküche.

# XI.

Girolamo Casamonte ahnte nichts von den Seelenqualen seiner Tochter. Er hatte sie bereits mehrere Tage nicht mehr gesehen und auch nicht besonders vermisst. Eigentlich war es für ihn sogar besser, ihr nicht jeden Morgen begegnen und alle die unausgesprochenen Vorwürfe in ihren Augen lesen zu müssen. Manchmal fühlte er Gewissensbisse, weil er sie gezwungen hatte, sich als Kastrat auszugeben. Auch für ihn war das nicht ungefährlich gewesen, denn eine Entdeckung war gleichbedeutend mit einem Verhör durch die Inquisition und einem qualvollen Ende auf dem Blutgerüst oder dem Scheiterhaufen. Die Gefahr hatte er Giulia oft vor Augen geführt, ohne sie selbst jedoch so ernst zu nehmen, wie es wohl notwendig gewesen wäre. Als die Kurtisanen in Donatella Rivaccios Haus an diesem Morgen von nichts anderem als der Ketzerverbrennung sprachen, wurde ihm flau zumute, und er wünschte, er könnte das Rad der Zeit um etliche Jahre zurückdrehen.
Seine Schweigsamkeit fiel den Mädchen nicht auf, denn vor kurzem waren neue, wohlhabende Pilger in Rom eingetroffen, die sich für ihre Dienste interessierten. Violetta bekam immer noch Besuch von dem deutschen Grafen, nahm aber das Angebot eines reichen Kaufherrn aus Siena an, ihn zu begleiten und ihm den Tag zu versüßen. Bianca entschwand mit einem adligen Priester, und auch die übrigen Mädchen fanden eines nach dem anderen spendable Freunde, mit denen sie durch die Stadt zogen. So blieb Casamonte mit der Hausherrin allein zurück. Sie aßen gerade ausgiebig zu Mittag, als ein forderndes Klopfen an der Tür die Idylle jäh unterbrach. Signora Rivaccio schob seufzend den Teller weg und wartete, dass ihr der Türsteher den Besucher meldete.
Ruvenzo kehrte mit erschrockenem Gesicht zurück. »Herrin, der Mann von der Behörde ist schon wieder da.«
Signora Rivaccio warf unwillig den Kopf hoch. »Was kann der

wollen? Ich habe meine Steuern bezahlt. Na gut, führ ihn herein.« Seufzend wandte sie sich an Giulias Vater. »Lasst mich bitte allein.«

»Ungern, aber wenn es sein muss«, gab Casamonte gut gelaunt zurück.

Ein Blick in das angespannte Gesicht seiner Gastgeberin machte ihn misstrauisch. Er verließ den Raum durch die Seitentür, die er leise hinter sich schloss. Nach kurzem Zögern trat er wieder an das Holz und legte sein Ohr daran. Der höfliche Gruß des Besuchers ließ nichts Ungewöhnliches erwarten. Dennoch klang Donatella Rivaccios Stimme schrill und wie gehetzt. »Seid mir willkommen, Messer Matoni.«

Der Name deutete nicht auf einen Mann von Adel, fand Casamonte und spitzte seine Ohren. »Ich komme im Auftrag der Behörden Seiner Heiligkeit, um Euch über einige neue Verordnungen zu informieren, die vor kurzem erlassen wurden«, begann Matoni in belehrendem Ton.

»Ich kenne die letzten Erlasse und wüsste nicht, was sie mit mir zu tun hätten.«

Matoni lachte meckernd. »Dann wisst Ihr auch, dass eine Frau nur mehr in Ausnahmefällen ein Gewerbe betreiben darf. Dies ist zum Schutz ihrer Tugend unabdingbar.«

»Das habt Ihr mir schon bei Eurem letzten Besuch gesagt und für mich eine Ausnahmeregelung getroffen, die Ihr Euch gut habt bezahlen lassen.«

»Nur schweren Herzens habe ich Eurem Wunsch entsprochen«, erklärte Matoni salbungsvoll. »Ich wollte damit die Rolle anerkennen, die Ihr und Eure Mädchen in Rom spielen. Es ist gut, wenn der Pilger weiß, wohin er seinen Fuß setzen muss, um den Drang seiner Lenden entleeren zu können. Er würde sonst womöglich ehrenhafte Jungfern oder Ehefrauen bedrängen.«

»Wollt Ihr damit sagen, dass ich nicht ehrenhaft bin?«

»Ich habe nichts dergleichen angedeutet. Es ist nur so, dass nach

Ansicht der Berater des Heiligen Vaters ein Haus wie das Eure unter die Aufsicht eines Mannes gehört.«
»Als wenn ein Mann ein Kurtisanenhaus besser führen könnte als ich«, erwiderte Signora Rivaccio bissig. »Die Berater Seiner Heiligkeit sind dieser Meinung, und ich bin es auch.« Matoni schien die Macht zu genießen, die er über die Frau vor ihm besaß. Casamonte wäre am liebsten in den Raum gestürmt, um den unverschämten Kerl hinauszuwerfen. »Was wollt Ihr von mir, Matoni? Mir noch immer mehr Geld abpressen, bis ich mein Haus aufgeben und es Euch für ein Linsengericht überschreiben muss?«, hörte er seine Gastgeberin sagen.
»Da wir den Weisungen des Heiligen Vaters folgen müssen, ist es notwendig geworden, Euer Haus unter die Vormundschaft der Behörden zu stellen. Ihr werdet es in meinem Auftrag weiterführen und erhaltet selbstverständlich ein festes Gehalt.«
Damit war die Katze aus dem Sack. Casamonte hörte seine Gastgeberin aufschreien und öffnete die Tür. Matoni saß wie ein fetter, selbstzufriedener Frosch auf seinem Stuhl und bedachte Donatella Rivaccio mit einem spöttischen und gleichzeitig gierigen Blick. Diese trat mit geballten Fäusten auf ihren Peiniger zu und schien zu überlegen, ob sie ihn schlagen oder ihm besser gleich die Augen auskratzen sollte. »Es ist mein Haus, Signore, von meinem Geld bezahlt, und es sind meine Mädchen, die ich mit viel Mühe ausgesucht und ausgebildet habe. Ihr könnt sie mir nicht so einfach wegnehmen, nur weil es Euch so passt.«
Matoni schien ihre hilflose Wut zu genießen. »Ob mir etwas passt oder nicht, interessiert die hohen Herren um Seine Heiligkeit recht wenig. Sie machen die Gesetze, und ich habe sie auszuführen.«
Donatella Rivaccio schüttelte wild den Kopf. »Ich gebe mein Haus und mein Gewerbe nicht auf, nur weil es einem purpurgewandeten Biretträger so gefällt.«
»Wenn Ihr störrisch seid und den Schutz des Heiligen Vaters

verschmäht, sehen wir uns gezwungen, Euer Haus zu beschlagnahmen und Euch des Landes zu verweisen. Eure Nichten erhalten dann eine neue Leiterin, die sich nicht sträubt, sich den Gesetzen zu beugen.«

Casamonte räusperte sich, um den anderen auf sich aufmerksam zu machen. »Den Heiligen Vater als Schutz für ein Kurtisanenhaus zu bemühen, finde ich doch etwas übertrieben, Signore. Ich finde, dass der Schutz, den ich Signora Rivaccio geben kann, vollkommen genügt.«

Matoni riss es herum. Er wedelte mit den Händen, als wolle er den Störenfried vertreiben, schien dann erst zu begreifen, was sein Gegenüber gesagt hatte. »Was habt Ihr Euch da einzumischen? Wenn diese Hurenmutter glaubt, sich hinter einem Ihrer Freier verstecken zu können, hat sie sich getäuscht. Die päpstlichen Behörden lassen sich nicht für dumm verkaufen.«

Casamonte ließ sich von dem wütenden Funkeln seiner Augen nicht beeindrucken. »Lasst die päpstlichen Behörden aus dem Spiel! Ihr sprecht doch nur für Euch und Eure geldgierigen Freunde. Doch Ihr werdet Euch ein anderes Opfer suchen müssen. Und nun arrivederci, Signore. Ihr habt sicher noch andere Besuche vor Euch.«

Matoni sah aus, als würde er jeden Moment platzen. Die gelassene Ruhe, die sein Gegenüber ausstrahlte, irritierte ihn. Casamonte sah aus wie ein Mann, der alle Trümpfe in der Hand hatte. Matoni musste zu großes Aufsehen vermeiden, wenn er nicht wollte, dass seine Vorgesetzten darauf kamen, wie er die Bordellwirte und Kurtisanenhäuser in seinem Bezirk schröpfte. Da war es besser, erst einmal gute Miene zu machen und abzuwarten, wie sich die Sache entwickeln würde. »Ich bin in der Tat sehr beschäftigt. Guten Tag«, beschied er Giulias Vater mit hochmütiger Stimme und verließ das Haus. Signora Rivaccio wartete am Fenster, bis er die Straße betreten hatte, und wandte sich mit einem tiefen Seufzer an Giulias Vater. »Ich danke Euch

für Eure Unterstützung, Messer Casamonte. Doch ich fürchte, Ihr werdet mir nicht helfen können. Leute wie dieser Matoni wühlen so lange in ihren Akten, bis sie ein Gesetz finden, mit dem sie unsereins um Hab und Gut bringen können.«
Sie wollte sich gerade mit einer resignierten Geste setzen, als sie plötzlich scharf einatmete und Casamonte durchdringend musterte. Sie erinnerte sich an seine höflichen Manieren und auch daran, dass er im Gegensatz zu anderen Kunden niemals Streit mit ihren Mädchen angefangen hatte. Darüber hinaus war er ein angenehmer Gesprächspartner und ein brauchbarer Musiker, der nicht nur dem deutschen Grafen aufgespielt hatte. Donatella Rivaccio hatte durchaus bemerkt, wie sehr er sie bewunderte, und sich heimlich darüber amüsiert. Jetzt aber wurde ihr klar, welche Macht sie über ihn besaß. Die behielt sie auch dann, wenn sie ihn zur Belohnung von Zeit zu Zeit mit einer ihrer Kurtisanen schlafen ließ.
Sie lächelte ihn kokett an. »Wenn Ihr mir wirklich helfen wollt, müsst Ihr mich heiraten, Messer Casamonte.«
Giulias Vater schluckte überrascht und verschlang sie gleichzeitig mit den Augen. »Warum nicht? Ihr seid besser als jede andere Frau, die ich kenne, und ich fühle mich in Eurem Haus wohl.«
»Ihr könntet aber nicht mehr so wie jetzt die Betten wechseln«, setzte sie lauernd hinzu.
Casamonte fasste sie um die Taille und zog sie an sich. »Du hast mir schon immer viel besser gefallen als deine Mädchen, meine liebe Donatella.«
Dabei wanderte seine Rechte über ihren Rücken nach oben und blieb schließlich auf ihren tief dekolletierten Brüsten liegen. Als er jedoch seine Finger zwischen die schwellenden Hügel schieben wollte, schüttelte sie den Kopf und wies hinaus auf den Turm des kleinen Kirchleins San Angelo. »Wenn Ihr es wirklich ernst meint, sollten wir jetzt zu Pater Antonio gehen und

unseren Bund segnen lassen. Danach steht Euch die Pforte meines Zimmers offen, und nicht nur diese.«
Statt einer Antwort nahm Casamonte sie bei der Hand und führte sie ins Freie. Auf dem Weg zur Kirche kamen ihm Zweifel. Er versuchte, sich darüber klar zu werden, ob er richtig handelte. Aber die Heirat schien nicht nur richtig, sondern sogar das Beste für ihn zu sein. Donatella Rivaccio bot ihm das, was er seit seiner Flucht aus Saletto am meisten vermisst hatte, eine Heimat. Bei ihr war er kein lästiges Anhängsel wie bei seiner Tochter. Für einen Augenblick dachte er daran, dass er Giulia vorher von seinem Entschluss hätte informieren sollen. Doch da ragte schon das kleine Kirchlein vor ihm auf, und es gab kein Zurück mehr.
Der Priester war ein kleiner Mann in einer fadenscheinigen Kutte, der sich freute, seine schmale Kasse durch eine Trauung aufbessern zu können. Er wünschte allen Segen des Himmels auf das Paar herab und fragte diensteifrig: »Wen darf ich in das Kirchenbuch einschreiben?«
»Die Signora Donatella Rivaccio und mich, Girolamo Giroli aus Ferrara.« Fassi-Casamonte nahm ohne mit der Wimper zu zucken einen weiteren Namenswechsel vor und sah zufrieden, wie Pater Antonio seine Feder in das Tintenfass tauchte und die Urkunde ausstellte. Der nunmehrige Signore Giroli bedankte sich herzlich bei dem Priester und drückte ihm ein Fünfdukatenstück mehr in die Hand. »Für Eure Armen, ehrwürdiger Vater.«
Pater Antonio steckte glücklich lächelnd die Münze ein und segnete den Bund zwischen der ehemaligen Kurtisane und dem ebenso ehemaligen Kapellmeister des Grafen von Saletto mit einer Inbrunst, als stünde ein junges, unschuldiges Paar vor ihm.
Kurze Zeit später half Fassi-Casamonte-Giroli seiner neuen Frau mit bebenden Händen aus den Kleidern, trat dann einen Schritt zurück und sah sie bewundernd an. Sie war tatsächlich

so schön und üppig, wie er es sich gewünscht hatte. Er spürte, wie sein Glied steif wurde und vor Gier fast zu bersten schien. Es war ganz anders als bei Giulias Mutter. Donatella konnte er so lieben, wie er wollte, ohne dass sie es sofort als Sünde auffasste. Donatella fühlte seinen Blick auf ihrer Haut brennen und wurde für einen Moment unsicher, als er keine Anstalten machte, aus seinen Kleidern zu steigen, um sich zu ihr zu legen. Ihr Blick suchte unwillkürlich die Schamkapsel seiner Hose, und sie spürte mit einem Mal ein starkes Verlangen nach ihm, wie sie es schon lange bei keinem Mann mehr empfunden hatte. In ihrer Zeit als Kurtisane hatten die Männer zwar viel Geld in ihren Händen gelassen, sie aber zum Ausgleich dafür wie einen Gegenstand benutzt. Sie hatte nie gedacht, je etwas Ähnliches wie Liebe empfinden zu können. Ihr frisch gebackener Ehemann gefiel ihr, und sie gierte förmlich danach, sein Glied in sich zu spüren. Sie wusste nicht, ob dies die Gedanken einer ehrbaren Frau waren. Aber genau dazu hatte er sie eben gemacht.

## XII.

Giulia erfuhr nichts von den Veränderungen im Leben ihres Vaters. Sie bekämpfte ihre körperliche Schwäche und konzentrierte sich ganz auf die Teile der neuen Messe, die sie am Sonntag singen sollte. Dafür gab sie sogar ihre Besuche bei den Galileis auf, bat aber Vincenzo, ihnen Grüße auszurichten. »Sag ihnen, dass ich noch viel für die neue Messe üben muss«, setzte sie mit einem Lächeln hinzu, das ihre Augen jedoch nicht erreichte. Ihr war deutlich anzusehen, dass sie immer noch nicht ganz wiederhergestellt war.
Vincenzo musterte sie besorgt. »Ich werde es Meister Galilei und seiner Frau ausrichten. Sie werden es allerdings bedauern, dass du keine Zeit mehr für sie hast. Außer dir kann nämlich

niemand den kleinen Galileo in den Schlaf singen, seit er kränkelt.«
»Ich hoffe, er wird bald wieder gesund. Wahrscheinlich sind es doch nur die Zähne.« Jetzt stahl sich doch ein echtes Lächeln auf Giulias Lippen. Sie war traurig, das Kind so bald nicht mehr in ihren Armen halten zu können. Vielleicht würde sie es nie mehr tun, denn sie hatte sich entschlossen, Rom nach der Aufführung der Missa Papae Marcelli den Rücken zu kehren. Sie konnte nicht länger in dieser Stadt bleiben. Jedes Mal, wenn sie durch die Straßen ging, roch sie den Gestank nach verbranntem Fleisch, der sich dort festgefressen zu haben schien, und in den Nächten träumte sie trotz Assumptas Schlaftrünken immer wieder davon, wie die Flammen eines Scheiterhaufens sie verzehrten.
Während Vincenzo in die Via del Macelleio zu Meister Galilei eilte, lenkte sie ihre Schritte zur Kirche Santa Maria Maggiore. Die Disziplin, die sie sich in den letzten Jahren angeeignet hatte, half ihr auch jetzt wieder, ihren Geist von allen Beschwernissen zu befreien und sich voll und ganz auf den Gesang zu konzentrieren.
Sie gehörte zu den Ersten, die zu den Proben erschienen. Meister Pierluigi nahm es wohlwollend zur Kenntnis und bedachte kurz darauf diejenigen, die zu spät kamen, mit drastischen Flüchen. »In fünf Tagen werden wir die neue Messe singen, und Ihr trödelt, als hättet Ihr alle Zeit der Welt«, schrie er Fra Mariano an. Der Mönch verfärbte sich vor Ärger, stellte sich jedoch wortlos an seinen Platz. Palestrina eilte ihm nach und drückte ihm die Notenblätter in die Hand. »Auch wenn Ihr glaubt, Euren Text auswendig zu können, solltet Ihr Euch angewöhnen, die Noten mitzunehmen. Euer Gedächtnis kann Euch manchen Streich spielen.«
Fra Mariano warf den Kopf hoch und schürzte die Lippen. »Mir gewiss nicht. Ich weiß nicht, was in Euch gefahren ist. Aber Ihr

benehmt Euch wie eine Jungfrau vor dem ersten Mal, Meister Pierluigi.«
Palestrina schnaubte böse, Giulia aber musste unwillkürlich lachen. »Habt Ihr so viel Erfahrung mit Jungfrauen, als Mönch meine ich?«, fragte sie Fra Mariano.
Die anderen Mönche fielen in ihr Lachen ein. Sogar Meister Pierluigi musste schmunzeln. Nur Fra Mariano verzog keine Miene, sondern steckte die Notenblätter kurzerhand unter seine Kutte. Dabei starrte er sie wieder so seltsam an, als wolle sein Blick unter ihre Haut kriechen. Sie schüttelte sich kaum merklich und beschloss, dem Mann noch sorgfältiger aus dem Weg zu gehen.
In den nächsten Tagen kam sie nicht dazu, sich Gedanken über den Sprecher der Mönche zu machen. Sie und die anderen Sänger hatten nichts mehr zu lachen. Palestrina schliff sie wie Rohdiamanten und schweißte sie zu einer Einheit zusammen, die mit einem einzigen Mund zu singen schien. Giulia erreichte dabei Höhen, an denen selbst die besten Kastraten oft scheiterten. Doch noch immer war der Chorleiter mit dem Ergebnis nicht zufrieden. Noch am letzten Übungstag hackte er auf Giulia herum. »Casamonte, du musst mehr Fülle hineinlegen. Schließlich singst du morgen in Santa Maria Maggiore und nicht in einem winzigen Kämmerchen.« Palestrina klopfte mit dem Fuß auf den Boden und befahl Giulia, von vorn zu beginnen.
Am Ende dieses Tages war sie froh, ihrem Zuchtmeister entrinnen zu können. Zu Hause schlief sie über der Suppe ein und merkte kaum, wie Assumpta sie zu Bett brachte. Zum ersten Mal seit vielen Tagen wurde sie nicht von Albträumen geplagt. Als Assumpta sie am nächsten Morgen weckte, fühlte sie sich zu Tode erschöpft und war überzeugt, die Uraufführung nicht durchstehen zu können.
Nach einem leichten Frühstück ließ sie sich von Assumpta in ihre Hose und das Wams helfen. »Wünsche mir Glück«, bat sie

die Dienerin. »Wenn die Aufführung der neuen Messe misslingt, wird Palestrina mir die Schuld geben.«
Assumpta gab ihr einen aufmunternden Klaps. »Das wäre ja noch schöner! Nein, mein Kleines, du wirst sehen, es wird alles gut verlaufen. « So zuversichtlich, wie sie getan hatte, war die alte Dienerin jedoch nicht, denn als Giulia gegangen war, verließ sie ebenfalls das Haus, um in der kleinen Kirche nebenan die Heilige Jungfrau zu bitten, ihrer Herrin beizustehen.
Die Kirche Santa Maria Maggiore war heute mit den Farben der Medici drapiert, deren Düsternis von Blumen und frischem Grün gemildert wurde. Vor dieser Kulisse glichen die in weißen Chorhemden mit roten Krägen und Säumen steckenden Männer vor dem Altar den Sängerknaben von Saletto. Im ersten Moment zuckte Giulia zusammen, erkannte dann aber die Mönche, die sie bisher nur in ihren grauen Kutten gesehen hatte. Palestrina stand etwas abseits und schien ganz in Gedanken versunken zu sein. Fra Mariano trat auf Giulia zu und wies auf die Tür zur Sakristei. »Geht hinein und zieht Euch um.«
»Umziehen?« Giulia war es gewohnt, in ihrer eigenen Kleidung aufzutreten, und hatte für diesen Tag ein neues, safrangelbes Wams und zartgrüne Hosen angezogen. Fra Mariano verschlang sie mit seinen Blicken und leckte sich die Lippen. »Heute kommt Seine Heiligkeit in unsere Kirche. Da ist es selbstverständlich, dass wir unsere Chorröcke tragen. Soll ich Euch helfen? Ich tue es gerne, denn Ihr wisst ja nicht, wie Ihr das Hemd anziehen sollt.«
Er fasste Giulia am Arm und zog sie auf die Tür der Sakristei zu. Dabei brachte er seinen Mund so nah an ihr Ohr, dass sie seine feuchten Lippen auf der Haut spürte. »Ich bin doch Euer Freund, Casamonte.«
Giulia begriff, dass die gelegentlichen Anfeindungen des Mönchs dunklere Gelüste überspielt hatten, und überlegte verzweifelt, wie sie sich aus der Situation herauswinden konnte, oh-

ne Verdacht zu erregen. Zu ihrem Glück schreckte Palestrina aus seiner Selbstversunkenheit auf und starrte sie an. »Du bist noch nicht umgezogen, Casamonte. Beeilt dich, und du, Fra Mariano, hältst ihn gefälligst nicht auf.«

Der Mönch ließ Giulia los. »Ich will ihm doch nur beim Umziehen helfen.«

Palestrina verzog angewidert das Gesicht. »Wohl genauso wie den Chorknaben von San Stefano, wo es dem Solosänger vor Schreck die Stimme verschlagen hat. Das will ich bei Casamonte nicht erleben. Also lass ihn in Ruhe.«

Die anderen Mönche grinsten hämisch. Die Neigungen ihres Mitbruders waren ihnen offensichtlich nicht verborgen geblieben. Fra Mariano kehrte mit missmutigem Gesicht auf seinen Platz zurück. Sein Blick zeigte Giulia jedoch deutlich, dass er sein Vorhaben nicht aufgegeben hatte. Das war ein Grund mehr, Rom zu verlassen, sagte sie sich. Sie musste wohl regungslos dagestanden haben, denn Palestrinas Stimme brach wie ein Unwetter über sie herein. »Zieh dich endlich um, du Missgeburt. Oder soll Seine Heiligkeit etwa warten, bis es dir beliebt, vor ihm zu erscheinen?«

Giulia sauste los und kehrte wenige Minuten später in einem etwas eng sitzenden Chorhemd zurück. Misstrauisch äugte sie an sich herab, um zu sehen, ob das Gewand ihre Brust auch gut genug verbarg, und zupfte es an einigen Stellen zurecht. Da schob sich Fra Mariano an ihre Seite. »Ich habe Euch doch nicht etwa erschreckt, Casamonte? Das wollte ich nicht.« Er versuchte, seine Stimme sanft und freundlich klingen zu lassen, doch es schwang eine fordernde Gier darin, die Giulia einen Schauer über den Rücken laufen ließ. »Ihr habt mich nicht erschreckt, Fra Mariano.« Sie versuchte, ihre Stimme gleichmütig klingen zu lassen, was ihr in ihren eigenen Ohren aber nicht gelang, und folgte erleichtert Meister Pierluigis Anweisungen, sich etwas außerhalb der Gruppe aufzustellen.

Inzwischen hatte Santa Maria Maggiore sich bis auf den letzten Platz gefüllt. Hier gab es keine mit Namen gekennzeichneten Sitze, denn Giulia beobachtete, wie junge Burschen mit fadenscheinigen Hosen und fleckigen Hemden Männern in prächtiger Kleidung ihre Plätze überließen und dafür Münzen entgegennahmen. Wohlhabenden Herrschaften für einen Denaro Plätze frei zu halten, schien auch eine Einkommensquelle der vielen Eckensteher zu sein, die überall in Rom zu finden waren. Die Damen der Gesellschaft nahmen dafür jedoch lieber die Dienste ihrer eigenen Mägde in Anspruch, die sich knicksend erhoben, um ihren Herrinnen Platz zu machen.
Die Unruhe im Kirchenschiff wuchs, denn alles wartete auf das Erscheinen Seiner Heiligkeit. Aus den Augenwinkeln nahm Giulia wahr, dass Fra Mariano immer noch ihre Aufmerksamkeit zu erregen versuchte. Um ihren Blick nicht unwillkürlich zu ihm schweifen zu lassen, versenkte sie sich in die Betrachtung des fein gestickten päpstlichen Wappens auf dem für Pius IV. vorbereiteten Chorstuhl. Palestrina glaubte, sie sei geistesabwesend, und fuhr sie leise an. Giulia schenkt ihm einen leicht gekränkten Blick und ging in Gedanken noch einmal die ersten Strophen der Missa Papae Marcelli durch.
Als sie wieder zu dem Platz des Papstes hinüberblickte, sah sie geradewegs in die leidende Miene des Heiligen Vaters. Er starrte düster brütend vor sich hin, im Gegensatz zu dem Bischof della Rocca und Gisiberto Corrabialli, dem Grafen von Saletto, die zu Giulias Schrecken zu seinem Gefolge gehörten und sich angeregt unterhielten. Corrabialli trug ein Wams und Hosen aus silberner Seide, die im Licht der unzähligen Kerzen wie Geschmeide funkelten, und hatte an jeden Finger einen Ring gesteckt. Ein Stück weiter hockte Kardinal Ippolito d'Este wie eine missmutige Kröte. Auch er hatte zu jenen gehört, vor denen Giulia damals bei dem Fest des heiligen Ippolito in Saletto gesungen hatte.

Giulia erinnerte sich, dass sie auch damals ein Chorhemd wie dieses getragen hatte, und zitterte bei dem Gedanken, jetzt singen zu müssen. Wenn sich auch nur einer der drei Männer an jenen Tag in Saletto erinnerte, war es um sie geschehen. Vor ihrem inneren Auge sah sie schon den Scheiterhaufen auf der Piazza dei Fiori auflodern, und in ihren Ohren glaubte sie ihre gellenden Schreie zu vernehmen.
Eine kurze, aber eindringliche Stille riss sie aus ihren panikerfüllten Gedanken. Sie sah Meister Pierluigi ungeduldig Zeichen geben, spürte die Augen der Menge auf sich gerichtet und öffnete den Mund. Wie von selbst formten sich die richtigen Töne in ihrer Kehle, und die Welt um sie herum hörte auf zu existieren.
Giulia wurde ihrer Umgebung erst wieder bewusst, als der letzte Ton der Missa Papae Marcelli verklungen war. Palestrina nickte ihr sichtlich erleichtert zu und deutete mit einer kaum wahrnehmbaren Geste auf die Menschen in der Kirche. Die meisten davon knieten wie erstarrt in ihren Gebetstühlen und wagten kaum zu atmen. Selbst der Papst wirkte ergriffen. Della Rocca nahm darauf keine Rücksicht, sondern redete heftig auf ihn ein. Soviel Giulia wusste, hatte er einen Teil der neuen Messe finanziert und mehrere der Sänger persönlich ausgesucht. Nun rechnete er sich den Erfolg ganz persönlich an. Aber auch die übrigen Begleiter Pius IV. lobten die neue Messe in höchsten Tönen.
Schließlich hob der Papst die Hand und bat seine Begleiter zu schweigen. Della Rocca stand auf, nahm Palestrina bei der Hand und führte ihn vor den Heiligen Vater, als sei der Meister sein Eigentum.
Der Heilige Vater begrüßte Giovanni Pierluigi mit bemerkenswert kräftiger Stimme und deutete auf den Chor: »Ich will nicht nur den Meister sehen, sondern alle Sänger.«
Die Mönche konnten ihr Glück kaum fassen, dem Stellvertreter Christi auf Erden in die Augen blicken und seinen Ring küssen zu dürfen. Giulia hingegen empfand nur Panik. Palestrina wink-

te sie als Erste nach vorne und hieß sie vor den Papst zu treten. Sie neigte ihr Haupt so tief, wie es nur ging, und versuchte verzweifelt, della Rocca und dem Grafen von Saletto den Rücken zuzudrehen.

Pius IV. hielt ihr seine Hand mit dem Ring hin. »Ihr habt eine herrliche Stimme, wie geschaffen, Gott zu lobpreisen.«

Giulia berührte den Stein flüchtig mit den Lippen und blieb mit gesenktem Kopf stehen. »Eure Heiligkeit ist zu gütig.«

»Ich würde Euch und diesen klangvollen Bass«, Pius IV. zeigte dabei auf Fra Mariano, »gerne im Chor der Capella Sistina wissen.«

Die Augen des Mönches glitzerten, und er wuchs förmlich in die Höhe. Giulia aber suchte fieberhaft nach einem Ausweg. Die Mitglieder des Chors der Sixtinischen Kapelle besaßen zwar mancherlei Privilegien, doch sie lebten auf engstem Raum zusammen. Dort würde ihr wahres Geschlecht keine Nacht lang unentdeckt bleiben. »Eure Heiligkeit ist zu gütig«, wiederholte sie. »Doch ist meine Kunst noch zu gering, um vor Euch bestehen zu können. Ich möchte noch durch viele Städte ziehen und bei anderen großen Meistern lernen, bis ich jenen Gipfel der Kunst erreicht habe, der es mir ermöglicht, ohne Schamröte Gottes und Euren Ruhm zu preisen.«

Della Rocca fuhr auf. »Man widerspricht Seiner Heiligkeit nicht.«

Pius IV. hob lächelnd die Hand. »Ich schätze Euren Eifer, mein lieber Bischof. Doch imponiert mir dieser junge, eh … der junge Mann. Sein Wunsch kommt gerade zur rechten Zeit. Ich plante erst gestern, Imperatore Massimiliano secundo einen Sänger zu senden, welcher die Heilige Messe mit allergrößter Inbrunst für ihn singen kann. Dieser Kastrat scheint mir der Richtige für diese Aufgabe zu sein. Er wird in meinem Auftrag nach Wien reisen.«

Giulia wurde klar, dass sie in diesem Moment aus der Gewalt ihres Vaters in die unpersönliche und weitaus mächtigere des Papstes geraten war. Ihre Gedanken überschlugen sich, aber sie fand keinen Weg, wie sie sich seinem Befehl entziehen konnte. Neben ihr begann Fra Mariano heftig die Luft einzuziehen. Er drängte sie zur Seite, kniete vor den Papst nieder und breitete die Arme aus. »Heiliger Vater. Es wäre mir eine Freude, Casamonte zum Kaiser zu begleiten.«

Giulia erstarrte. Für einen Augenblick sah sie sich nackt und mit brennendem Haar in den Flammen winden, die dieser lüsterne Mönch angefacht hatte. Zu ihrem Glück reagierte der Herr der Christenheit sehr ungehalten. Verärgert über den Ton, den ein einfacher Mönch ihm gegenüber anzuschlagen gewagt hatte, wies er Fra Mariano von sich. »Eure Stimme wird im Chor der Capella Sistina benötigt.« Ohne den Mönch noch eines weiteren Blickes zu würdigen, winkte er den nächsten Sänger zu sich.

Giulia brannte der Boden unter den Füßen. Sie hoffte, sich zurückziehen zu können, ehe sie doch noch jemand erkannte. Palestrina bemerkte ihre Unruhe und flüsterte ihr zu, sie solle in die Sakristei gehen und sich umziehen, ehe sich die anderen Mönche dort drängeln würden. Erleichtert entfernte Giulia sich von der Gruppe, nicht ohne sich nach Fra Mariano umzusehen. Doch der stand mit dem Gesicht eines trotzigen Kindes in der Ecke und hörte einem Mitbruder zu, der mit schwärmerischen Gesten auf ihn einredete. Giulia hoffte, ungesehen entkommen zu können. Einer der Beamten aus dem Gefolge des Papstes hielt sie jedoch auf und beäugte sie, als wisse er nicht, ob er es mit einem Wurm oder einem Menschen zu tun hätte. Als er den Mund auftat, verriet seine Stimme, dass er den Nichtmann irgendwo dazwischen eingeordnet hatte, etwa bei den Laufburschen oder Pferdeknechten. Doch er versuchte, höflich zu sein. »Signore Casamonte, Ihr kommt morgen früh in den Lateran und meldet Euch bei Fra Angelico. Von ihm erhaltet Ihr weitere Anweisungen für die Reise.« Ohne eine Antwort abzuwarten,

ließ er sie stehen und schwebte zurück, um sich weiter in der Gnadensonne seines Herrn zu wärmen.
Giulia fühlte sich, als habe man sie mit einem Kübel Eiswasser übergossen. Der Beamte hatte ihr klar gemacht, das man sie von jetzt an als Eigentum betrachten würde, das man nach Belieben hin- und herschicken konnte. Sie hätte klüger sein und weiterhin allein auftreten müssen, auch wenn die Engagements beim niederen Adel und den Handelsleuten weniger Ansprüche an sie und ihre Stimme stellten als der Kirchengesang. Stattdessen hatte sie immer wieder davon geträumt, noch einmal die Solostimme bei der Uraufführung einer Palestrina-Messe singen zu können. Das hatte sie nun erreicht, aber um welchen Preis? Ab jetzt würde sie ständig unter Beobachtung stehen und jeden Schritt, den sie tat, rechtfertigen müssen. Sie fragte sich bang, wie lange sie unter diesen Umständen ihre Maske noch aufrechterhalten konnte.
Sie war so in Gedanken versunken, dass sie mit einem einfach gekleideten Bediensteten zusammenstieß. Der wollte zuerst losschimpfen, trat dann jedoch zur Seite und ließ sie wortlos durch. Für einen Augenblick wunderte Giulia sich über den entgeisterten Ausdruck auf dem Gesicht des grobschlächtigen, jungen Mannes. Doch sie war zu sehr mit sich selbst beschäftigt, als dass sie einen Gedanken an einen Lakaien verschwendet hätte. Sie zog sich hastig um und eilte, ohne sich zu verabschieden, durch einen Nebeneingang hinaus. Auf dem Heimweg dachte sie wehmütig daran, dass sie den Galileis noch einen letzten Besuch abstatten musste. Sie waren die einzigen Menschen, die sie vermissen würde. Ihr Vater hingegen würde mehr Leuten nachtrauern, und ihr graute davor, ihm die Notwendigkeit einer schnellen Abreise klar machen zu müssen.

# XIII.

Bei allen Heiligen! Wir sollen über die Berge nach Norden gehen?« Assumpta konnte ihr Entsetzen nicht verbergen.
Auch Beppo saß bleich und verängstigt wie ein gefangenes Vögelchen auf seinem Hocker und schüttelte in einem fort den Kopf. »Das wird nicht gut gehen. Das geht gewiss nicht gut.«
Vincenzo hörte dem Gejammer der beiden Dienstboten eine Weile zu, bis ihm der Geduldsfaden riss und er mit der Faust auf den Tisch schlug. »Schämt ihr beide euch nicht, euch so anzustellen? Die Reise nach Wien wird vielleicht etwas unbequemer und weiter sein als eine nach Modena oder Ferrara. Aber dort leben auch nur Menschen und keine Ungeheuer. Außerdem ist es ganz lehrreich, einmal etwas anderes zu sehen als italienische Gassen und Häuser.«
Er lächelte Giulia zu, als wolle er ihr Mut machen. Giulia erwiderte das Lächeln und spürte, dass ihre Verzagtheit schwand und sie sich auf die Reise mit ihm zu freuen begann. Es war ihr völlig gleichgültig, wohin es ging, Hauptsache, Vincenzo war dabei. »Warst du schon einmal in Wien?«, fragte sie ihn neugierig.
Vincenzo schüttelte den Kopf. »Nein, weiter als bis Mailand und Venedig bin ich bis jetzt noch nicht nach Norden gekommen. Aber eine Reise auf Kosten des Heiligen Vaters schlage ich bestimmt nicht aus. Dieser Auftrag ist ein Privileg, um das dich viele beneiden werden, Giulio. Du kannst dir einiges darauf einbilden. Pius IV. schickt mit Sicherheit keinen Dilettanten zum Kaiser. Dafür ist das Verhältnis zwischen dem Heiligen Stuhl und Maximilian II. zu angespannt. Sag mal, wann müssen wir aufbrechen?«
»Das erfahre ich morgen früh. Meinetwegen können wir sofort abreisen.«
Assumpta seufzte zum Steinerweichen. »Ich werde Beppo auf die Suche nach deinem Vater schicken.«

Giulia hob abwehrend die Hand. »Um meinen Vater kümmere ich mich selbst. Beppo soll dir beim Packen helfen.«
»Aber du kannst doch nicht in die Häuser gehen, in denen er verkehrt, schließlich bist du ...«
»Ein Verschnittener, über den sich die Kurtisanen lustig machen werden? Vor dieser Tatsache kann ich nicht immer davonlaufen.« Giulia hatte noch rechtzeitig gemerkt, dass Assumpta dabei war, sich in Vincenzos Gegenwart zu verplappern.
Assumpta begriff, dass sie beinahe eine Dummheit begangen hätte, und senkte beschämt den Kopf. »Es tut mir Leid.«
»Es ist schon gut.« Giulia legte der alten Dienerin die Hand auf die Schulter und lächelte ihr etwas angespannt zu. »Ich werde es schon schaffen. Wenn ich mich recht erinnere, nannte Beppo eine Casa Rivaccio als bevorzugten Aufenthaltsort meines Vaters. Ich werde sehen, ob ich ihn dort finde. Bis dorthin Gott befohlen.«
»Soll ich dich begleiten?« Vincenzo wollte schon aufstehen, doch Giulia schüttelte abwehrend den Kopf. »Geh lieber zu Meister Galilei und frage ihn, ob er heute Abend noch Zeit für mich hat. Ich würde mich gerne von ihm verabschieden.«
Vincenzo strahlte sie an. »Die Galileis wären gewiss traurig, wenn du ihnen keinen Abschiedsbesuch machst.« Giulia zuckte ein wenig unter seinem Blick zusammen, der sie zu streicheln schien, gab aber sein Lächeln zurück und verließ dann beinahe fluchtartig die Wohnung. Manchmal fiel es ihr schwer, Vincenzos Nähe zu ertragen. Seit er seine strikte Zurückhaltung ihr gegenüber aufgegeben hatte, kam sie mit ihren eigenen Gefühlen nicht mehr zurecht und wünschte manchmal, wieder die unterschwellige Verachtung zu spüren, die Vincenzo früher allen Kastraten entgegengebracht hatte. Der neue Zustand verwirrte und ängstigte sie auch ein wenig, denn sie konnte sich nicht vorstellen, wohin die wachsende Vertrautheit noch führen sollte. Mühsam schob sie die düsteren Gedanken beiseite

und konzentrierte sich auf die Auseinandersetzung, die vor ihr lag.
Als sie die Richtung einschlug, in der Donatella Rivaccios Kurtisanenhaus lag, kam sie an einigen müßig stehenden Sänftenträgern vorbei, die sie auffordernd anstarrten. Bisher war sie immer zu Fuß gegangen, aber als Sänger in päpstlichen Diensten hatte sie es eigentlich nicht mehr nötig, durch die unratbedeckten Gassen zu laufen und sich die Schuhe und Hosenbeine zu beschmutzen. Sie trat auf die Männer zu, die sofort eilfertig den Vorhang aufschlugen und sie baten, Platz zu nehmen.
Der Anführer verbeugte sich tief. »Wohin soll die Reise gehen, Signore?«
»Ich will zur Casa Rivaccio, und zwar hurtig.«
Die Männer packten die Holme ihrer Sänfte und liefen mit wiegenden Schritten los. Giulia lehnte sich gemütlich zurück und dachte sich, dass sie in Zukunft diese Art der Bewegung in den großen Städten bevorzugen würde. Es war auf alle Fälle angenehmer, als sich zwischen Karren, Tragtieren und mit Körben beladenen Bäuerinnen hindurchdrängen zu müssen.
Kurze Zeit später hielten die Sänftenträger vor einem Haus, dessen Bewohner nach seiner Größe und seinem Zustand zu urteilen nicht zu den Armen gehörten. Giulia stieg aus, bezahlte die Männer und ging auf das reich geschnitzte Eingangstor zu. Dort schlug sie den Türklopfer an, der wie der Kopf eines hässlichen Riesen geformt war, und wartete angespannt auf das, was sich tun würde.
Es dauerte einen Moment, bis die Türe geöffnet wurde. Ein Diener steckte den Kopf heraus und versuchte, Giulia abzuschätzen. Giulias einfacher Straßenrock schien jedoch seinen Ansprüchen nicht zu genügen, denn er schüttelte abwehrend den Kopf. »Bedaure, Ihr habt Euch wohl an der Tür geirrt.«
»Ich suche meinen Vater, Girolamo Casamonte. Er hält sich

doch hier auf, nicht wahr?« Giulia zog eine Sanpierinomünze aus der Tasche und steckte sie ihm zu.
Ruvenzo war gewöhnt, Silber zu erhalten. Trotzdem verbeugte er sich tief vor Giulia und bat sie ins Haus. »Euer Herr Vater ist derzeit beschäftigt. Bitte setzt Euch doch und nehmt derweil mit einem Glas Wein vorlieb.«
Giulia wunderte sich über den Stimmungsumschwung des Dieners, der ihr vor einem Augenblick noch am liebsten die Türe vor der Nase zugeschlagen hätte. Jetzt behandelte er sie wie einen lange entbehrten Ehrengast. Sie folgte ihm ins Haus, das von sanfter Musik erfüllt war. Da es Kurtisanen erlaubt war, in ihren Häusern vor den Gästen zu singen und Instrumente zu spielen, dachte sie sich nichts dabei. Im großen Salon aber fielen ihr als Erstes drei Musiker auf, von denen einer der Viola da Gamba, einer der Chitarrone und einer der Flöte recht angenehme Töne entlockten. Der Gambenspieler war unzweifelhaft ihr Vater.
Jetzt entdeckte auch er sie und kam für einen Augenblick aus dem Takt. Er fasste sich jedoch sofort wieder und spielte weiter. Ein heftiges Keuchen lenkte Giulias Aufmerksamkeit auf eine große Liege, die in der Nähe der Nische mit den Musikern stand. Darauf lag ein Paar, das sich ungeniert dem ältesten Spiel der Menschheit seit Adam und Eva hingab. Die Frau war ein zierliches Geschöpf, der Mann aber ein ungeschlachter Riese, der mit so heftigen Stößen in seine zierliche Partnerin eindrang, dass Giulia glaubte, er müsse die Frau jeden Moment umbringen. Sie drehte ihren Kopf weg, um nicht mehr hinsehen zu müssen, und ärgerte sich, weil ihr Vater sich dazu hergab, zu diesem hässlichen Schauspiel auch noch die Musik zu machen.
Unterdessen war Ruvenzo zu seiner Herrin geeilt und machte sie auf den neuen Gast aufmerksam. Donatella Rivaccio, die sich seit neuestem nur noch Signora Giroli nennen ließ, riss überrascht die Augen auf und musterte Giulia durch die Breite des

Raumes. Sie sah den Abscheu, mit dem sich diese von dem kopulierenden Paar abwandte, und wunderte sich darüber. Schon mancher Kastrat hatte ihr Geld geboten, um ihren Mädchen heimlich bei der Arbeit zusehen zu dürfen, oft das Doppelte und Dreifache dessen, was ein Freier für sein Mädchen zahlte. Ob Girolamos Sohn sich darüber ärgerte, dass sein Vater in einem Kurtisanenhaus aufspielte? Die Hausherrin lächelte vor sich hin. Da würde dem jungen Nichtmann noch eine große Überraschung bevorstehen. Aber um ihres Mannes willen beschloss sie, ihren ganzen Charme einzusetzen, um Giulios Unmut zu vertreiben.

Sie ließ sich von Bianca ein Glas ihres besten Weines einschenken und trug es persönlich zu ihrem Stiefsohn hinüber. Einen Moment schwankte sie, ob sie ihn gleich wie einen Verwandten ansprechen oder ihn zunächst wie einen vornehmen Gast begrüßen sollte. Sie entschied sich für Letzteres. »Seid mir willkommen, Messer Casamonte. Euer Vater hat viel von Euch berichtet, und wir waren alle schon sehr gespannt, Euch kennen zu lernen.«

Giulia wollte ihr schon sagen, dass es dazu kaum noch Gelegenheit geben würde. Da röhrte der bullige Freier auf wie ein brünstiger Hirsch und fiel über seiner Partnerin zusammen. Giulia tat das Mädchen Leid, und sie streifte Donatella mit einem verächtlichen Blick. Im selben Moment wühlte sich die zierliche Kurtisane unter dem Mann hervor, sah ihre Herrin zufrieden grinsend an und klopfte ihrem erschöpften Liebhaber mit der flachen Hand spielerisch auf den Hintern. »Ihr wart heute wieder von bemerkenswerter Ausdauer, Erlaucht. Ich glaube kaum, dass es einen Mann gibt, der sich mit Euch messen kann.«

Das Gesicht des Freiers glühte zufrieden auf, und er drückte sein breitflächiges Gesicht gegen die kleinen, aber wohlgeformten Brüste der Kurtisane. »Liebste Violetta, bei dir macht es mir Spaß, den Hengst zu spielen. Bei meiner Gemahlin zu Hause

fühle ich mich wie ein alter Wallach, der weniger dem eigenen Trieb als der Pflicht gehorchen muss.« Dann stand er auf, reckte sich, als wolle er sein Gemächt noch einmal vor allen zur Schau stellen, und reichte seiner Partnerin eine bestickte Seidenbörse. Diese wog sie kurz in der Hand und gab sie, ohne einen Blick hineinzuwerfen, an eine andere Kurtisane namens Bianca weiter. »Darf ich Euch ein Glas Wein bringen, Erlaucht? Ihr werdet Euch sicher etwas erholen wollen.« Violetta wartete die Antwort nicht ab, sondern sprang auf und eilte nackt, wie sie war, durch den Raum und ließ sich von einer Dienerin ein Glas Wein füllen. Dabei glitt sie an der Hausherrin vorbei und zwinkerte ihr verschwörerisch zu. »Der Graf sagte mir, dass es ihm gelungen ist, seine Rückkehr nach Baviera um mehrere Monate zu verschieben.«
»Er bleibt uns also noch länger erhalten.« Donatella Rivaccio atmete sichtlich erleichtert auf.
Violettas Lächeln wurde leicht boshaft. »Er hat mich auch gefragt, ob ich ihn in seine Heimat begleiten würde. Er dürfte mich zwar nicht auf seinen Stammsitz bringen, doch besäße er noch einige andere Güter, wo er mich öfters besuchen könnte.«
Der Kopf der Hauherrin ruckte hoch. »Du wirst doch nicht etwa darauf eingehen?« Auf diese Weise wollte Donatella Rivaccio ihre beste Kurtisane nicht verlieren. Selbst wenn Graf Waldenheim eine anständige Abschlagsumme bezahlte, verdiente sie durch Violettas Liebeskünste weit mehr. Sie beschloss, das Mädchen großzügiger zu entlohnen, und sah deren Augen an, dass Violetta genau darauf abgezielt hatte. »Triff keine schnelle Entscheidung, sondern halte den Grafen noch etwas hin, bis wir uns in Ruhe darüber unterhalten haben. Wenn du klug bist und so weitermachst wie bisher, wirst du es hier bei uns gewiss weiter bringen als in einem düsteren, kalten Haus in Deutschland.«
»Das hoffe ich.« Mit einem übermütigen Lachen lief Violetta zu dem Grafen und setzte ihm das Weinglas an die Lippen.

Langsam begriff Giulia, dass nicht die Kurtisane zu bemitleiden war, sondern der deutsche Graf, der für eine geschäftsmäßig gespielte Zuneigung enorme Summen ausgab, und sie fragte sich, ob alle Männer so waren. Das schlechteste Beispiel bot ihr der eigene Vater, der das Freudenhaus ja kaum mehr verließ. Er schien genau zu wissen, wie wenig sie noch von ihm hielt. Das zeigte seine angespannte Miene, als er auf sie zukam.

Die Hausherrin schob Giulias Vater einen Stuhl hin und winkte Bianca heran. »Bitte serviere unserem Gast noch ein Glas Wein und bringe Girolamo und mir ebenfalls eines mit.« Dann sah sie Giulia mit einem schmelzenden Lächeln an. »Lieber Messer Casamonte, ich freue mich, Euch endlich kennen zu lernen, und hoffe, Euch ab jetzt häufiger bei uns begrüßen zu können.«

Der lauernde Unterton in ihrer Stimme stieß Giulia ab. »Das wird wohl kaum möglich sein. Ich …«

Ihr Vater unterbrach sie mit einer schroffen Handbewegung, zog die Dame an sich und drückte ihr einen Kuss auf die Wange. »Giulio, darf ich dir meine Gemahlin Donatella vorstellen? Wir haben vor ein paar Tagen geheiratet.«

Im ersten Moment war Giulia schockiert. Sie und ihr Vater hatten sich wohl sehr stark auseinander gelebt, denn sonst hätte er ihr seine Absicht vorher mitgeteilt und sie zur Hochzeit eingeladen. Oder schämte er sich für seine neue Frau? Dem dümmlichen Stolz nach zu urteilen, der sich auf seinem Gesicht abzeichnete, war das wohl nicht der Fall. Sie musterte Donatella taxierend. Im Gegensatz zu ihrer eigenen Mutter schien sie sich ihres Wertes voll bewusst zu sein. In dieser Ehe hatte die Frau die Hosen an. Donatella würde ihrem Vater keine tränenreichen Szenen machen, sondern ihn sanft, aber bestimmt nach ihrem Willen lenken. Wahrscheinlich würde schon ein Heben ihrer Augenbrauen genügen, um ihn zur Räson zu bringen. Giulia wusste nicht, ob sie ihren Vater beglückwünschen oder bedauern sollte. Vielleicht war beides angebracht.

Für sie aber galt es, endgültig von ihm Abschied zu nehmen und ohne ihn nach Wien zu reisen. Das war die Trennung, die sie seit Jahren herbeigesehnt hatte. Dennoch ärgerte sie sich, auf welch bequeme Weise ihr Vater sich aus seiner Verantwortung für sie gestohlen hatte.
Giulia wünschte ihm und seiner Frau alles Gute für die Zukunft. »Eigentlich bin ich nur hergekommen, um mich zu verabschieden«, schloss sie. »In Kürze werde ich im Auftrag des Heiligen Vaters nach Wien reisen und vor Imperatore Massimiliano secundo singen.« Ihr Vater wurde blass, und für einen Augenblick sprach der blanke Neid aus seinen Augen. Eine Reise nach Wien an den Kaiserhof war ein Erlebnis, das man nicht gerne leichtfertig verspielte. Giulia lächelte zufrieden und auch ein wenig rachsüchtig. Sollte er sich ruhig über die verpasste Gelegenheit ärgern. Es gab jetzt keine Gemeinsamkeit mehr zwischen ihm und ihr. Der Abstand zwischen einem Bordellmusikanten und einem Sänger, der vor Päpsten und Kaisern auftrat, war einfach zu groß.

# Fünfter Teil

*Am Kaiserhof*

# I.

Der Kaiser war unzweifelhaft ein Ketzer.
Giulia traf die Erkenntnis wie ein Schlag. Nichts von dem, was sich vor ihren Augen in der Kapelle der Wiener Hofburg abspielte, entsprach dem heiligen Ritual des wahren Glaubens. Der Prediger trug anstelle des priesterlichen Ornats eine einfache, braune Kutte und hielt den Gottesdienst in deutscher Sprache und nicht, wie es vorgeschrieben war, in Latein. Auch die Lieder wurden auf Deutsch gesungen. Gerüchten zufolge sollten einige von ihnen sogar von dem Erzketzer Luther persönlich stammen.
Giulia sang nicht mit, denn sie war von dem päpstlichen Gesandten, der sie nach Wien begleitet hatte, gewarnt worden und hatte ihre Unkenntnis des Deutschen vorschieben können. Aber auch das Zuhören schien ihr beinahe schon eine Sünde zu sein, da von den Gesängen eine seltsam bezwingende Kraft ausging. Am meisten aber wunderte sie sich über die Selbstverständlichkeit, mit der die anwesenden Frauen ihre Stimme erhoben. Bei den Gottesdiensten, an denen sie bisher teilgenommen hatte, wären sie dafür mit Ruten aus der Kirche gejagt worden. Nicht umsonst verkündeten die großen Kirchenlehrer, dass ein Weib angesichts der Allmacht Gottes zu schweigen habe. Das war ja auch der Grund, warum man talentierte Knaben kastrierte. Ihre schönen hellen Stimmen mussten den Stimmumfang der Frauen ersetzen, so dass sie an deren Stelle Gott in den Domen und Kathedralen preisen konnten.
Giulia dachte an Belloni und Sebaldi, jene beiden Kastraten, die sie näher kennen gelernt hatte, und fragte sich, ob es wirklich

Gottes Wille war, der einen Hälfte der Menschen das Singen zu verbieten und dafür andere in seinem Namen zu verstümmeln. Dann sah sie die brennenden Scheiterhaufen auf der Piazza dei Fiori vor sich und fror innerlich.
Sie vermisste Vincenzos Nähe und drehte sich zu ihm um. Man hatte ihm einen Stehplatz bei den Lakaien ganz hinten neben der Tür der Hofkapelle angewiesen, so als beschmutze seine Anwesenheit den illustren Kreis, der sich hier versammelt hatte. Langsam verstand Giulia, warum ihre Reise nach Wien unter einem schlechten Stern stand: Hier waren die gläubigen Anhänger der wahren Kirche nicht willkommen.
Man hatte ihnen einen beleidigend kühlen Empfang zuteil werden lassen und sie in zwei elende Kammern im ältesten Teil der Hofburg abgeschoben, die höchstens noch als Schweinestall zu gebrauchen waren. Es gab keinen Kamin und nur vier Strohschütten, die ihnen als Betten dienen sollten. Angesichts der feuchten, unbeheizbaren Räume hatte Assumpta zumindest für Giulia eine bessere Kammer gefordert. Doch ihr italienischer Wortschwall war an den Lakaien abgeperlt wie ein Regenguss, und Giulia selbst war gar nicht zu Wort gekommen, sondern von einem Diener barsch aufgefordert worden, in der Kapelle zu erscheinen.
Eine unvermittelt eintretende Stille riss Giulia aus ihren Gedanken. Der Prediger hatte sein letztes Amen gesprochen, und die Anwesenden schienen nicht so recht zu wissen, ob sie sich jetzt erheben durften, da der Kaiser keine Anstalten machte, es selbst zu tun. Gerade noch rechtzeitig bemerkte Giulia die fordernde Geste des päpstlichen Gesandten Giancarlo Piccolomini, der ihr aufgetragen hatte, nach dem Gottesdienst einen Choral von Josquin Desprez zu singen.
Piccolomini hätte auch ein moderneres Werk wählen können. Er hatte jedoch auf diesen Choral bestanden, weil dieser zum ersten Mal bei der Krönung Kaiser Maximilians I., des Urgroß-

vaters des jetzigen Herrschers, erklungen war. Der päpstliche Gesandte wollte den Kaiser mit diesem Werk an eine Vergangenheit erinnern, in der es noch keinen Luther und keine Ketzerei im Reich der Deutschen gegeben hatte.

Giulia glaubte nicht, dass der Choral irgendetwas gegen die Ketzerei ausrichten konnte, die sich am Kaiserhof ausgebreitet hatte, aber das war nicht ihre Sache. Gehorsam stand sie auf und stellte sich in Pose. Die Leute um sie herum begannen zu tuscheln. Da Giulia auf ihrer Reise genug von der deutschen Sprache aufgeschnappt hatte, wusste sie, was die gehässigen Worte, die hier fielen, zu bedeuten hatten. Papistische Missgeburt und verstümmelter Narr waren noch die harmlosesten Beleidigungen. Sie zwang sich, die Menschen um sich herum zu vergessen, und ließ den ersten Ton über ihre Lippen gleiten. Sofort verstummte das Gemurmel, und auf den breiten Gesichtern der Deutschen machte sich Erstaunen und Verwunderung breit. Dann trug der Klang der eigenen Stimme Giulia hinweg.

Ihr Geist kehrte erst in die Gegenwart zurück, als der letzte Ton verklungen war und Maximilian II. sie auf Latein ansprach. »Ihr habt ausgezeichnet gesungen.«

Sie verbeugte sich vor dem Kaiser und musste unwillkürlich an dessen Schwester, die schöne Prinzessin Eleonora, denken, die mit dem buckligen Herzog Guglielmo Gonzaga, einem strengen Katholiken, vermählt worden war. Ob die hohe Dame glücklich gewesen war, in den Schoß der wahren Kirche zurückkehren zu können? »Eure Majestät sind zu gütig.« Giulia sprach ebenfalls Latein, das sie mittlerweile besser beherrschte als die meisten Kirchenmänner. »Mein Gemahl spricht aus, was auch ich denke.« Maria von Spanien, die Schwester Philipps II. und Gattin Maximilians, trat auf Giulia zu und reichte ihr huldvoll die Hand zum Kuss. Diese Ehre wurde von den Zuhörern mit einem leisen Gemurmel quittiert, das anschwoll, als die Kaiserin eine Perlenbrosche von ihrem Gewand löste und sie dem ver-

meintlichen Kastraten als Belohnung reichte. »Nehmt dies, Casamonte. Ich hoffe, Eurer herrlichen Stimme noch oft lauschen zu können.«
Giulia hörte aus diesen Worten heraus, dass Maria von Spanien wieder die Gesänge der Heiligen Kirche anstelle deutscher Ketzerlieder erklingen lassen wollte. Noch während sie sich erneut verbeugte und für das Geschenk dankte, spürte sie Piccolominis Hand auf ihrer Schulter. »Casamonte wird Euch stets zu Diensten sein, Eure Majestät.« Für die Kaiserin war es ein Versprechen, für Giulia jedoch ein Befehl, die hohe Dame nicht zu enttäuschen.
Maria von Spanien nickte dem Gesandten freundlich zu. »Ich danke Euch, Monsignore. Es wäre mir wirklich eine Freude, Casamonte bei der Abendandacht singen zu hören.«
Auch das war ein in freundliche Worte gekleideter Befehl, der allen kundtat, dass die Kaiserin die Abendmesse im gewohnten lateinischen Ritus zelebriert sehen wollte. Etlichen Leuten aus dem Gefolge ihres Gemahls schien das nicht zu gefallen, denn Giulia sah verärgerte, ja, sogar wütende Blicke auf sich gerichtet. Offensichtlich schrieb man ihr schon jetzt einen negativen Einfluss zu oder betrachtete sie einfach als Störenfried. Das versprach nichts Gutes für den weiteren Aufenthalt in Wien. Giulia war jetzt fest davon überzeugt, dass einer dieser Ketzer ihr und ihren Begleitern die miserablen Quartiere hatte zuweisen lassen, damit ihre Stimme darunter leiden sollte, und beschloss, das Thema am Abend nach der Messe bei einem Höfling oder einer Dame aus dem direkten Gefolge der Kaiserin anzusprechen. Vielleicht konnte auch Piccolomini ihr helfen. Immerhin hatte der Papst sie ihm anvertraut, und so musste eigentlich er dafür sorgen, dass sie besser untergebracht wurde.
Der Gesandte beließ seine Hand auf ihrer Schulter und lenkte sie wie ein Pferd oder einen Esel zu seinen Gemächern. Er bewohnte ein geräumiges Zimmer in dem erst vor kurzem errich-

teten Schweizertrakt der Hofburg. An den getäfelten Wänden standen Möbel aus schwerem, dunklen Holz, und im Kamin loderte ein großes Feuer, das die kalte Nässe vertrieb, die sich nach fast einer Woche Dauerregen in den Gebäuden breit gemacht hatte.

Giulia trat ans Feuer, um ihre klammen Finger zu wärmen, während Piccolomini sich auf einen lederüberzogenen Sessel setzte und mit angespanntem Gesicht ins Leere starrte, so als plagten ihn schwere Sorgen.

Plötzlich hob er den Kopf und schlug mit der geballten Rechten in die linke Hand. »Die Lage ist noch stärker aus dem Ruder geraten, als wir befürchtet hatten.«

Giulia sah ihn verwirrt an. »Ich verstehe nicht, was Ihr meint, Euer Eminenz?«

»Vergesst diesen unbedachten Ausspruch, Casamonte.« Piccolomini verzog seine Lippen zu einem Lächeln, das eher einem Zähnefletschen glich, und in seinen schwarzen Augen glühte ein düsteres Licht. »Ihr wart sehr gut«, lobte er Giulia. »Es ist ein Anfang gemacht, mehr nicht, aber wir haben einen Fuß in der Tür. Wenn Ihr geschickt seid, könnt Ihr die Huld der Kaiserin erringen. Das ist wichtig für uns, Casamonte, sehr wichtig.«

Der drängende Ton in seiner Stimme kratzte an Giulias Nerven, und daher fiel ihre Antwort schroffer aus als beabsichtigt. »Das will ich gerne tun. Aber weshalb ist das so wichtig?«

»Um die Fluten der Ketzerei einzudämmen, Casamonte. Seine Heiligkeit ahnt nicht, dass sie sich bereits wie ein fressendes Geschwür in Wien ausgebreitet hat. Wir müssen die Krankheit eindämmen und den Boden für eine vollständige Ausrottung des Übels bereiten.«

Während Piccolomini mit der geballten Faust unsichtbaren Feinden drohte, sah Giulia die Scheiterhaufen der Inquisition vor sich und schauderte.

Hilflos breitete sie die Arme aus. »Was verlangt Ihr von mir? Ich kann doch nur singen.«
»Wenn Gott es will, mein Sohn, wird deine Stimme zu einer mächtigen Waffe gegen die Ketzerei«, antwortete er in salbungsvollem Ton. Doch dann kehrte die kämpferische Anspannung in seine Stimme zurück. »Hört mir gut zu, Casamonte. Ihr werdet heute Abend singen, wie Ihr noch nie gesungen habt, um die Seele der Kaiserin, die jetzt noch wie ein Vöglein im eisigen Wind zittert, zu stärken und andere, irrende Seelen wieder dem Licht zuzuführen. Und jetzt geht. Konzentriert Euch ganz auf Eure Pflichten, und lasst Euch durch nichts ablenken.« Er winkte mit der Hand, um Giulia anzudeuten, dass sie entlassen war.
Giulia zögerte. »Verzeiht, Eure Eminenz. Doch ich hätte noch eine dringende Bitte an Euch.«
»Dann fasst Euch kurz.« Giulia sah Piccolomini an, dass sich seine Gedanken bereits mit anderen Dingen beschäftigten und ihre Gegenwart ihn störte. »Es geht um das Quartier, das man uns gegeben hat. Dort kann ich nicht bleiben.«
»Weshalb?«
»Es ist feucht und kalt und kann nicht geheizt werden. Ich habe Angst, dass meine Stimme dadurch angegriffen wird und ich nicht mehr singen kann.«
»Gott wird es verhindern«, antwortete Piccolomini in einem Ton, der jedes weitere Wort verbot.
Du musst ja auch nicht in diesem Loch hausen, dachte Giulia wütend. Ihr machten nicht nur die nassen Wände Sorgen, sondern vor allem ihre kurz bevorstehende Periode. Ohne Feuer würde Assumpta kaum in der Lage sein, die blutigen Binden unauffällig zu beseitigen. »Ich wünsche Euch noch einen gesegneten Tag.« Giulia verneigte sich vor Piccolomini und hatte dabei Mühe, ihren Zorn zu bändigen, der sich in ganz anderen Worten austoben wollte. Draußen vor der Tür winkte sie einen Be-

diensteten herbei, der sie mit kaum verhohlenem Abscheu zu ihrer Kammer führte.
Assumpta empfing Giulia mit einem erregten Wortschwall und machte dabei aus ihrer Abneigung gegen die Deutschen keinen Hehl. Für sie waren es ausnahmslos unfreundliche Stoffel mit schrecklichen Manieren. Ihr Quartier konnte man nur eine Schande nennen, und das Essen, das man ihnen gebracht hatte, war schlichtweg ungenießbar. »Wir hätten niemals in dieses kalte Land kommen dürfen. Hier wird Beppo niemals mehr richtig gesund werden«, schloss sie jammernd.
Beppo war ein weiteres Problem, das Giulia belastete. Der treue Alte hatte sich beim Übergang über die Alpenpässe erkältet. Da er früher niemals krank gewesen war, hatte er dem Schnupfen und dem Husten keine große Bedeutung beigemessen und Assumpta ausgelacht, die ihn mit Hausmitteln kurieren wollte. Mittlerweile rasselte seine Lunge wie ein alter Blasebalg, und er war kaum mehr in der Lage, aufzustehen. Die nasse Kälte des Zimmers war Gift für ihn. Da Piccolomini sie wie einen lästigen Bittsteller abgewimmelt hatte, beschloss sie, sich am Abend notfalls sogar an die Kaiserin persönlich zu wenden. Mit diesem Versprechen versuchte sie, Assumpta zu beruhigen.
Die Dienerin atmete sichtlich auf und lief in die Nachbarkammer, um nach ihrem Mann zu sehen. Giulia hörte sie leise auf Beppo einreden. Die Holzwände der Kammern waren so dünn, dass man nebenan und auch auf dem Flur jedes Geräusch vernehmen konnte. Das bedeutete, dass sie doppelt vorsichtig sein musste, auch wegen Vincenzo, der bei Beppo auf der anderen Seite der Wand schlafen würde. Giulia hoffte, dass sie wirklich jemanden fand, der ein offeneres Ohr für ihr Anliegen hatte als der päpstliche Gesandte. Mit einem tiefen Seufzer zog sie einen der beiden Schemel heran, die neben dem wackligen Tisch, den beiden Strohsäcken und ihrer Reisekiste das gesamte Mobiliar

der Stube darstellten und nahm den Deckel von der Schüssel, in der sich ihr Mittagessen befand.
Gerade, als sie in dem fetten Fleisch herumstocherte, das man hier anscheinend als genießbar ansah, sprang die Tür auf und Vincenzo stürmte herein. Sein Gesicht war dunkel vor Zorn, und er knirschte mit den Zähnen, während seine Rechte den Knauf des Degens knetete.
Giulia sah erschrocken auf. »Ist etwas Schlimmes passiert?«
Es dauerte noch einige Augenblicke, bis Vincenzo sich so weit gefasst hatte, dass er ihr antworten konnte. »Ich habe diesen Falkenstein eben wegen dieser Schweineställe von Zimmern hier angesprochen und bessere Unterkünfte verlangt. Weißt du, was dieser Kerl mir geantwortet hat?«
Er gab der morschen Tür einen Tritt, der sie beinahe aus den Angeln hob. »Er sagte, wir sollten froh sein, überhaupt ein Dach über dem Kopf zu haben. Schließlich hätte man uns nicht gerufen.«
»Das war mehr als unhöflich.«
Vincenzo starrte düster zu Boden. »Das ist noch nicht alles. Ich wollte den Mann für diese Unverschämtheit natürlich zur Rechenschaft ziehen.«
Giulia erschrak. »Du hast ihn zum Zweikampf gefordert?«
»Nicht sofort, aber als er einige weitere beleidigende Äußerungen fallen ließ, blieb mir keine andere Wahl.«
»Und wann wirst du dich mit ihm schlagen?«
Vincenzos böses Lachen fuhr Giulia wie eine Raspel über die Nerven. »Der Kerl ist zu feige, sich mir zu stellen. Er sagte, als Bärenführer einer Jahrmarktskreatur wäre ich nicht satisfaktionsfähig. Und das mir, Vincenzo de la Torre, dessen Ahnen bereits im Dienste der Kaiser standen, als die Vorfahren dieses Falkenstein noch Schweinehirten waren.«
»Jahrmarktskreatur?« Giulia sah ihn fassungslos an.
Vincenzo nickte. »Genau das hat er gesagt. Und er hat mir noch

andere Beleidigungen an den Kopf geworfen. Dafür werde ich mich rächen, das schwöre ich dir bei allem, was mir heilig ist.«
Giulia ließ den Kopf hängen. »Unsere Reise steht unter keinem guten Stern. Beppo ist krank, und wir werden angefeindet und beleidigt. Dabei haben wir diesen Leuten doch gar nichts getan.«
»Da du gerade Beppo erwähnst: Sollten Assumpta und ich nicht die Zimmer tauschen? Dann könnte sie sich besser um ihren Mann kümmern. Ich bin bei Gott kein guter Krankenwärter und weiß nicht, was ich tun soll, wenn der gute Alte vor Husten fast erstickt.«
Vincenzos Vorschlag war aus seiner Sicht die einzig vernünftige Lösung. Aber in der engen Kammer wäre es Giulia unmöglich gewesen, ihr wahres Geschlecht vor ihm zu verbergen. Dazu kam, dass sie sich ihrer selbst nicht sicher war. In letzter Zeit träumte sie immer häufiger von ihm und musste auch am Tag oft das Verlangen niederkämpfen, ihm um den Hals zu fallen und ihm die Wahrheit zu sagen. Selbst wenn Vincenzo so treu und zuverlässig war, wie sie annahm, war jetzt weder die Zeit noch der Ort für ein Geständnis. Draußen schlichen einfach zu viele Leute herum, und ein unbedachtes Wort oder ein allzu eindeutiges Geräusch konnte alles verraten.
Verzweifelt überlegte sie, wie sie ihre Ablehnung formulieren konnte, ohne seinen Argwohn zu erregen. Aber sie fand nicht die richtigen Worte. »Es tut mir Leid, Vincenzo. Es geht nicht«, konnte sie nur sagen. Vincenzo ballte die Fäuste. »Verdammt, Giulio, zier dich nicht wie ein Mädchen. Kannst du keinen Mann mehr ansehen, nur weil du selbst keiner mehr bist? Nimm dich doch zusammen. Es ist schließlich nur zu Beppos Besten.«
»Nein.« Giulia schämte sich ihrer Ablehnung, doch sie hatte keine andere Wahl.
Vincenzos Gesicht verfärbte sich erneut vor Ärger. »Du bist der egoistischste Bursche, der mir je untergekommen ist. Also gut, ich werde auch ein anderes Bett finden als die Strohschütte

Wand an Wand mit der deinen. Ich muss ja nicht in der Hofburg wohnen, und draußen gibt es genug Frauen und Mädchen, die mir etwas Besseres zu bieten haben als dieses Loch hier.« Er drehte sich auf dem Absatz um und verließ das Zimmer, ohne die Tür zu schließen.
Giulia weinte ihre Tränen wie immer in sich hinein und ärgerte sich über den Schmerz, der in ihr brannte. Sie hatte Vincenzo nicht wehtun wollen. Gleichzeitig hasste sie schon jetzt jene unbekannte Schöne, in deren Armen er seine Nächte verbringen würde.

## *II.*

Am Abend fand Giulia keine Gelegenheit, der Kaiserin ihre Bitte vorzutragen. Maria von Spanien kniete im Gebet versunken in ihrer kleinen Privatkapelle und sah nicht einmal auf, als Giulia eintrat. Eine Kammerfrau in strenger, spanischer Hofkleidung und einer weißen Halskrause führte Giulia wortlos in eine düstere Ecke und reichte ihr ein in Gold und Leder gebundenes Gebetbuch, in dem die Lieder angemerkt waren, welche die Kaiserin an diesem Abend zu hören wünschte.
Giulia versuchte, ihre persönlichen Schwierigkeiten zu vergessen und ihr Bestes zu geben. Sie wusste jedoch am Ende der Andacht nicht, wie gut sie gesungen hatte. Die Kaiserin saß noch immer in ihrem Gebetsstuhl, die Stirn auf die gefalteten Hände gelegt, und murmelte Gebete, obwohl Luis de Vega, ihr spanischer Priester, längst das letzte Amen gesprochen hatte. Giulia trat ins Licht und hoffte, dass die hohe Frau aufschauen und sie ansprechen würde. Die Kammerfrau kam jedoch auf sie zu, packte sie am Ärmel und führte sie hinaus. »Verzeihung, ich hätte gerne mit Ihrer Majestät gesprochen«, bat Giulia leise.

Die Kammerfrau schüttelte den Kopf. »Hoheit wünschen heute mit keinem Menschen mehr zu sprechen.«
»Vielleicht könnt Ihr mir helfen. Ich brauche dringend ein anderes Quartier. In feuchten und kalten Gemächern, wie man sie uns zugewiesen hat, wird meine Stimme leiden. Zudem ist mein Diener erkrankt und wird dort nicht gesund werden.«
»Da kann ich Euch nicht helfen. Wendet Euch an den Herrn von Falkenstein, der für die Unterbringung der Gäste am Hof verantwortlich ist.«
Giulia hätte ihr am liebsten ins Gesicht geschrieen, dass es dieser Falkenstein war, dem sie das feuchte Loch zu verdanken hatte. Doch die Kammerfrau ließ sie einfach stehen und kehrte in das Gemach der Kaiserin zurück. Giulia sah noch, wie sie drei Schritte hinter ihrer Herrin niederkniete und zu beten begann, dann schloss ein Diener die Tür und stellte sich beinahe drohend davor. Giulia begriff, dass sie für diesen Abend entlassen war, und ärgerte sich nicht nur über die abweisende Haltung der Kammerfrau. Sie kam sich vor wie ein Möbelstück, das man verwendet und wieder in die Ecke geschoben hatte. Selbst einem Tier klopfte der Besitzer nach einem anstrengenden Dienst kurz auf das Fell, um es zu loben. Hier aber waren ihre Dienste mit keinem einzigen Wort gewürdigt worden. Dabei zählte der Beifall für einen Künstler mindestens ebenso viel wie klingende Münze.
Mit trüben Gedanken kehrte sie in ihre Kammer zurück, wo Assumpta sich gerade vergebens bemühte, sie wohnlicher erscheinen zu lassen. Als Giulia eintrat, hob die alte Dienerin den Kopf. »Vincenzo hat ausrichten lassen, dass er diese Nacht nicht mehr zurückkommen wird, und ist dann weggegangen.«
Giulia spürte einen Stich in ihrem Herzen. Dennoch zwang sie sich zu einem Lächeln, denn sie wollte Assumpta, die an der Krankheit ihres Mannes bereits schwer genug zu tragen hatte, nicht noch ihr eigenes Leid aufhalsen. »Vincenzo hat das aus

Rücksicht getan. Er möchte, dass du dich in der Nacht um Beppo kümmerst, und ich konnte ihn ja schlecht in meiner Kammer schlafen lassen.«
Assumpta schnaubte. »Das wäre wirklich sehr ungehörig gewesen. Nicht, dass ich dich für leichtfertig halte. Aber Vincenzo ist nun einmal ein gut aussehender Mann, und du …« Sie schlug sich erschrocken auf den Mund und starrte die Wand an, hinter der sich Schritte näherten. Als sie verklangen, näherte sie ihren Mund Giulias Ohr. »Verzeih mir dummem altem Weib. Beinahe hätte ich dich verraten. Vorhin habe ich verdächtige Geräusche gehört, so als wenn jemand versucht hätte, uns zu belauschen. Oh Kind, in welches Natternnest hat dich der Heilige Vater nur geschickt?«
Giulia erschrak. Wenn Assumptas Verdacht stimmte, war sie hier wirklich in höchster Gefahr. Sie fragte sich, warum man sie wie Aussätzige behandelte und womöglich auch bespitzelte, konnte sich aber keinen Reim darauf machen. Es gab doch kaum etwas Harmloseres auf der Welt als einen Kastratensänger, der die Menschen mit seinen Liedern erfreute. »Wir müssen hier noch vorsichtiger sein als sonst«, raunte sie Assumpta zu. »Ich muss sagen, ich werde froh sein, wenn wir diesen Ort hier verlassen können.«
Assumpta nickte seufzend. »Und ich erst. Das ist kein Land für unsereinen. Je eher die Sonne Italiens wieder auf uns scheint, umso besser ist es für uns.«
Giulia wandte lauschend den Kopf und hob dann ihre Stimme wieder »Geh jetzt zu Beppo. Sollte Vincenzo in der Nacht zurückkommen, kann er das andere Bett in meiner Kammer nehmen. Obwohl ich diese Strohschütte nicht gerade Bett nennen würde. In unserer Heimat schläft ja ein Esel besser.« Bei den letzten Worten stieß sie ein gekünsteltes Lachen aus, um eventuelle Lauscher in die Irre zu führen.
Assumpta erkannte ihre Absicht und bleckte die Zähne. »Das

werde ich tun. Ich werde ihm aber auch sagen, dass er gefälligst nicht schnarchen darf. Du hast einen zu leichten Schlaf und darfst morgen nicht übermüdet zur Heiligen Messe kommen. Es würde deiner Stimme schaden.«

Die harmlos gemeinten Worte Assumpta ließen Giulia aufhorchen. Das hatte sie auch schon zu dem päpstlichen Gesandten gesagt. Jetzt aber wurde ihr klar, dass man mit der Einquartierung in diese Räume genau das bezwecken wollte. Sie erinnerte sich, diesen Graf Falkenstein heute bei der ketzerischen Morgenmesse gesehen zu haben. Er war einer von denen gewesen, die den Worten des Predigers mit sichtbarer Inbrunst gelauscht hatten. Hasste er sie, weil sie mit dem päpstlichen Gesandten gekommen war, und wollte von vornherein verhindern, dass sie mit ihrer Stimme das Aufsehen des Kaisers erregte?

Wenn es so war, sollte er sich getäuscht haben. Giulia war nicht bereit, sich widerstandslos beiseite schieben zu lassen. Es gab genug Mittel, die Stimme zu schützen und zu kräftigen. Sie beschloss, Assumpta am nächsten Morgen zum Markt zu schicken, um Fenchelknollen, Salbei und Honig zu holen. Dann lachte sie über sich selbst. Sie würde es selbst tun müssen, da Assumpta sich nicht mit den Marktweibern verständigen konnte und wegen ihrer fehlenden Kenntnis der Landessprache Gefahr lief, sich zu verirren.

Sie verabschiedete die treue Alte und verschloss sorgfältig die Tür hinter ihr. Da sie dem halb heraushängenden Riegel nicht traute, klemmte sie noch einen Stock gegen die Pforte und machte sich zum Schlafen zurecht. Assumpta schien sich wirklich große Sorgen um Beppo zu machen, dachte sie, denn bis jetzt hatte die Dienerin es sich noch nie nehmen lassen, ihr aus den Kleidern und dem lästigen Brustgurt zu helfen. Giulia kam aber auch allein zurecht. Bevor sie sich niederlegte, machte sie ihr Bett neu, denn sie wollte nicht unter den muffig riechenden Decken schlafen, die man ihr hingeworfen hatte. So legte sie ihre eigene Reisedecke auf den Strohsack und deckte sich mit ihrem großen Mantel zu. Mit einem Anflug von Humor sagte sie sich, dass sie in ihrem ganzen Leben noch nie unbequemer geschlafen hatte als am Hofe des mächtigsten Herrschers der Christenheit.

## *III.*

In den nächsten Tagen sang Giulia während jeder Morgenandacht die ihr von Piccolomini vorgegebenen Choräle und Teile aus bekannten, wenn auch oft schon sehr altmodischen Messen, und spät am Abend tat sie ihre Pflicht bei der Kaiserin. Aber sie gewann weder Anerkennung noch Dank. Der päpstliche Gesandte ließ ihr seine Befehle meist durch einen Diener übermitteln und behandelte sie auch sonst nur wie ein notwendiges Übel. Vom Hofstaat erfuhr sie kalte Verachtung, und Vincenzo schien sie vergessen zu haben, denn er tauchte kein einziges Mal mehr auf. Auch in eigener Sache kam sie nicht weiter, denn niemand war bereit, ihre Klagen wegen der feuchten Zimmer auch nur anzuhören. Ihr einziger Lichtblick war die Tatsache, dass dem Kaiser ihr Gesang zu gefallen schien, denn er gönnte ihr hie und da einen freundlichen Blick und manchmal auch ein melancholisches Lächeln. Die meiste Zeit aber schien der Herr des Römischen Reiches deutscher Nation in düsteres Grübeln versunken zu sein und seine Umgebung kaum wahrzunehmen.
Als Giulia schließlich versuchte, sich Seiner Majestät nach der Messe zu nähern, um ihn auf ihre untragbare Wohnsituation anzusprechen, traten Falkenstein und mehrere andere Höflinge dazwischen. »Du bist hier auf dem falschen Weg, Kastrat«, höhnte der Graf. »Ich habe eine dringende Bitte an seine Majestät.« Giulia bemühte sich, trotz des beleidigenden Tonfalls ruhig zu bleiben. »Der Kaiser hat etwas anderes zu tun, als sich mit einem Kretin wie dir zu befassen.« Falkenstein sagte es nicht

einmal besonders laut, doch etliche der Umstehenden vernahmen es und stimmten in sein verächtliches Lachen ein.
Giulia liefen die Tränen über die Wangen. Eine solch geballte Verachtung war ihr noch nie entgegengeschlagen. Gleichzeitig verwünschte sie sich selbst wegen dieses Moments weiblicher Schwäche, der einige Leute mit den Fingern auf sie zeigen ließ, und fühlte sich so hilflos wie nie zuvor. Mehr denn je sehnte sie sich nach Vincenzo. Nicht dass er ihr in dieser Situation hätte helfen können, denn er war ja ebenfalls an Falkensteins Arroganz und Bosheit gescheitert, aber allein seine Gegenwart hätte ihr Trost gespendet. So aber sah sie sich einer erbarmungslosen Front von Augen gegenüber, die sie wie ein ekelhaftes Insekt musterten. In ihrer Verzweiflung drehte sie sich um und rannte blindlings davon. Im Korridor übersah sie einen Mann, der ihr entgegenkam, prallte gegen ihn und stürzte vom eigenen Schwung getragen zu Boden.
Beschämt versuchte sie, sich auf die Beine zu kämpfen. »Verzeiht mir, Herr.«
Er reichte ihr lachend die Hand. »Steht erst einmal auf, bevor Ihr Euch entschuldigt. Ich glaube, Ihr habt mehr Schaden davongetragen als ich.« Er zeigte auf Giulias rechtes Knie, an dem Blut durch den zerrissenen Stoff rann. Jetzt erst spürte Giulia den Schmerz und verzog das Gesicht. »Trotzdem war es meine Schuld. Ich hätte darauf achten müssen, wohin ich laufe.«
Das Lachen des Mannes verstärkte sich. »Da seid Ihr nicht der Einzige.« Giulia sah ihn jetzt genauer an. Er war prachtvoll, wenn auch sehr altmodisch in Gelb und Schwarz gekleidet. Das unter seinem Barett hervorquellende Blondhaar war bereits leicht ergraut. Auch in seinem rötlichen Bart glitzerte es wie Schnee, und das Gesicht wies die ersten, scharfen Falten des Alters auf. Auf seiner Brust trug er ein schweres Medaillon, das von einer massiven Goldkette gehalten wurde. Jetzt erinnerte sich Giulia an ihn. Seinen Namen kannte sie nicht, wusste aber,

dass er einer der deutschen Fürsten war, die derzeit am Wiener Hof zu Gast weilten. Der Kaiser hatte ihn mehrfach dadurch geehrt, indem er ihm bei der Morgenmesse den Platz zu seiner Rechten angewiesen hatte. Jetzt war ihr der Zusammenstoß noch peinlicher. »Ich will Euch nicht länger aufhalten, Durchlaucht.« Sie verbeugte sich und wollte an ihm vorbeigehen. Er aber packte sie mit festem Griff am Arm. »Ihr seid der Kastratensänger, den Piccolomini aus Rom mitgebracht hat.«
Giulia nickte. »Casamonte, zu Euren Diensten, Herr.«
»Ihr habt eine bewundernswerte Stimme. Es ist ein Genuss, Euch zuzuhören.« Der Mann nickte wie bei einer angenehmen Erinnerung und sah Giulia fragend an. »Singt Ihr nur geistliche Lieder oder auch solche zur Erheiterung des Gemüts?«
»Ich singe, was meine Auftraggeber wünschen. In Italien hört man gerne die Lieder, die die Liebe und die Freude preisen.«
Der Edelmann nickte erfreut. »Nicht nur dort. Ich weiß nicht, ob Euch die Choräle bei den Gottesdiensten zu sehr erschöpfen, doch ich würde auch gerne etwas anderes von Euch hören. Was habt Ihr in Eurem Repertoire?«
Sein Interesse schmeichelte Giulia, und sie begann zu hoffen, dass sie auch einmal etwas anderes zu sehen bekäme als ihre kahle Kammer, die prunküberladene Hofkapelle und das düstere Gemach der Kaiserin. »Ich singe Motetten und Chansons verschiedener Komponisten, aber auch eigene Lieder in Italienisch, Latein und Französisch.«
»Auch auf Deutsch?« Als Giulia den Kopf schüttelte, klopfte ihr der Mann auf die Schulter. »Wenn Ihr Euch nicht darauf beschränken wollt, dem Kaiser und seinen Gästen den Kirchgang zu versüßen, solltet Ihr ein paar deutsche Lieder lernen.«
Giulia strahlte ihn an. »Das würde ich sehr gerne tun.«
»Dann kommt heute Nachmittag um drei Uhr zum Palais Koloban in die Sonnenfelsgasse. Ich werde Euer Erscheinen ankündigen, damit Ihr dort willkommen seid.«

Giulia wurde das Tempo, das der Edelmann anschlug, ein wenig unheimlich. »Ihr seid sehr gütig, Herr. Ich werde pünktlich erscheinen. Doch verzeiht mir eine Frage. Es hat mir noch niemand gesagt, wer Ihr seid.«
»Ich bin Christoph, der Herzog von Württemberg. Und nun bis heute Nachmittag.« Mit diesen Worten ließ er Giulia stehen.
Sie starrte ihm verwirrt nach. Dem wenigen nach, was sie von Piccolomini erfahren hatte, sollte Christoph von Württemberg das Oberhaupt der deutschen Ketzer sein. Der päpstliche Gesandte hatte ihn ihr als schreckliches Ungeheuer geschildert, als einen Erzketzer, der die Autorität des Heiligen Vaters leugnete und die Menschen in den deutschen Landen zwang, den Irrlehren Luthers nachzulaufen. Ihr war er wie ein freundlicher, älterer Herr erschienen, der sie weder als Kastrat verachtet hatte noch den Unterschied des Standes hatte fühlen lassen. Dennoch wusste sie nicht, was sie von seiner Einladung halten sollte. Was, wenn es eine Falle war, um sie wie ein lästiges Insekt zu beseitigen? In einem fremden Haus war dies einfacher als hier in der Hofburg. Vielleicht wollte man sie aber auch nur zu einer Ketzerin machen und sie so um ihr Seelenheil bringen. Sie schüttelte sich wie ein nasser Hund, um ihre Angst loszuwerden. Gewiss war der Herzog nur ein freundlicher, älterer Herr, der eine Vorliebe für ihren Gesang gefasst hatte und ihr die Chance geben würde, Lieder zu singen, die sie selbst auswählen durfte. Sie hatte es herzlich satt, wie eine Puppe am Faden zu agieren und nur das singen zu dürfen, was ein hochnäsiger Lakai Piccolominis oder ein überheblicher Höfling im Auftrag des Kaisers von ihr forderte. Gott hatte ihr die Sangesstimme schließlich auch deshalb gegeben, um den Menschen eine Freude zu bereiten. Bei dem Gedanken musste sie lachen. Piccolomini hatte ihr gesagt, dass ihre Stimme eine Waffe Gottes sei. Diese Tatsache zwang sie ja gerade dazu, vor den lutherischen Ketzern zu singen.

Wenn die Gäste im Palais Koloban in der Mehrzahl so freundlich waren wie der Herzog, würde sie wieder in der Atmosphäre singen, die sie so liebte, und auch den in Wien bisher so schmerzlich vermissten Beifall erhalten.
Zum ersten Mal, seit sie die Hofburg betreten hatte, wich die Schwermut von ihrem Gemüt. Geradezu beschwingt eilte sie durch die Gänge zu ihrer Kammer, um Assumpta von der unverhofften Einladung zu berichten. Beppos ersticktes Keuchen, dem ein schlimmer Hustenanfall folgte, dämpfte ihre gute Laune sofort wieder. Dem Diener schien es von Tag zu Tag schlechter zu gehen. Besorgt betrat sie die andere Kammer und fand eine in Tränen aufgelöste Assumpta vor. »Wir brauchen einen Dottore, Giulia. Beppo bekommt kaum noch Luft.«
»Ich kümmere mich darum.« Giulia drehte auf dem Absatz um und wollte schon loslaufen, als ihr einfiel, dass sie vielleicht Geld brauchen würde. Daher kehrte sie noch einmal in ihre Kammer zurück und nahm die kleine Summe an sich, die sie unterwegs bei einem Geldwechsler in einheimische Münze eingetauscht hatte. Kurz darauf winkte sie in einem der endlosen, dunklen Korridore der Hofburg einen Bediensteten zu sich und versuchte, ihm ihr Ansinnen klar zu machen.
Der Mann bemühte sich sichtlich, ihr mit vielen italienischen Begriffen durchsetztes gebrochenes Deutsch zu verstehen, und hob schließlich bedauernd die Hände. »Es gibt hier nur den Leibmedicus des Kaisers. Der kümmert sich aber nicht um so einfache Leute wie unsereinen. Ihr werdet wohl in die Stadt gehen und Euch dort einen Arzt suchen müssen.«
»Kennst du einen guten Dottore?«
»In der Stiegengasse wohnt einer, der sich ehrlich um die Kranken kümmern soll.« Der Diener beschrieb ihr den Weg und ließ sie sogar seine Worte wiederholen, damit sie sich nicht verirre.
»Ich danke dir.« Giulia lächelte ihm erleichtert zu und drückte ihm ein Dreihellerstück in die Hand. Sie verließ die Hofburg

durch das Michaelertor und erreichte ohne Probleme die ihr beschriebene Adresse. Es handelte sich um ein großes Gebäude mit winzigen Fenstern, dessen Erdgeschoss aus Steinen gemauert war, während die Stockwerke darüber aus dunklem Fachwerk mit Mörtelbewurf bestanden. Giulia hatte so ein Haus noch nie von nahem gesehen und stand für einen Augenblick staunend davor. Hier begriff sie erst richtig, wie weit sie Italien mit seinen Gebäuden aus warmem, hellem Sandstein hinter sich gelassen hatte.

Ein Schild neben dem Eingang verkündete in großen Lettern, dass der hochlöbliche Medicus Filibert Scharrnagl seine Praxisräume im zweiten Obergeschoss eingerichtet hatte. Nach kurzem Zögern öffnete sie die Tür und betrat ein erstaunlich sauberes Treppenhaus, in dem es kaum nach menschlichen Ausdünstungen roch. Die Stufen der engen, steilen Treppe waren ausgetreten und knarrten so laut unter ihren Füßen, dass ihr Schritt selbst Tote erwecken musste. Als sie das gesuchte Stockwerk erreichte, brauchte sie eine Weile, bis sie im herrschenden Dämmerlicht die richtige Tür gefunden hatte, und klopfte an.

Jemand rief ein paar deutsche Worte, die sie nicht verstand, und einen Augenblick später öffnete eine ältere stämmige Frau die Tür. Giulia konnte nicht erkennen, ob es sich um eine Hausmagd oder die Gattin des Arztes handelte, die sich zum Putzen ein altes Kleid angezogen hatte. Daher grüßte sie mit aller gebotenen Höflichkeit. »Buon giorno, Signora.«

Die Frau hob interessiert die Augenbrauen. »Der Herr ist Italiener?«

Giulia verneigte sich noch einmal und leierte die deutschen Worte herab, die sie sich auf dem Weg hierher zurechtgelegt hatte. »Casamonte, zu Ihren Diensten. Ich hätte gerne den Dottore Scharrnagl gesprochen.«

»Mein Bruder ist gerade nicht da. Aber Ihr könnt hier im Vor-

raum Platz nehmen, wenn Ihr warten wollt. Er kommt sicher recht bald zurück.« Die Frau zeigte einladend auf einen Stuhl, der fast die Hälfte des schmucklosen, von fünf Türen eingefassten Flures einnahm.
Giulia dankte ihr und setzte sich, während die Frau in einem der Zimmer verschwand und dort geräuschvoll weiterarbeitete. Ihre Auskunft, dass der Arzt bald erscheinen würde, erwies sich als allzu optimistisch. Es war wohl mehr als eine Stunde vergangen, als knarzende Schritte genau vor der Wohnungstür endeten. Kurz darauf trat ein hagerer, bleichgesichtiger Mann in einem kaftanähnlichen Mantel und einer schwarzen Filzkappe auf dem Kopf ein. »Ich bin wieder da, Traudi«, rief er laut. Dann entdeckte er Giulia und musterte sie mit hochgezogenen Augenbrauen. Ihre nach neuester italienischer Mode gefertigte Kleidung schien ein gutes Salär zu versprechen, denn er verbeugte sich übertrieben tief. »Einen wunderschönen Tag, edler Herr. Womit kann ich Euch dienen?«
»Mein Diener ist schwer krank geworden«, erklärte ihm Giulia auf Latein, da sie hoffte, sich in dieser Sprache besser mit dem Arzt verständigen zu können. »Euer Diener?« Scharrnagls Enttäuschung war für Giulia mit Händen zu greifen. Anscheinend hatte er gehofft, sie selbst würde seinen ärztlichen Beistand benötigen. Für die Behandlung eines Dieners erhielt er höchstens ein paar Groschen, während er bei einem Edelmann auf mehrere Dukaten rechnen konnte. »Mein Diener hat sich während der Reise erkältet und hustet jetzt zum Gotterbarmen. Außerdem bekommt er kaum noch Luft.« Giulia beschrieb ihm alle Symptome von Beppos Krankheit.
Der Arzt hörte aufmerksam zu und nickte anerkennend. »Ihr habt gut beobachtet, edler Herr. Ich kann Euch eine Medizin für den Mann mitgeben. Oder ist es Euch lieber, wenn ich mitkomme und mir Euren Diener ansehe?«
»Bitte, kommt mit mir und seht Euch Beppo an.« Zur Bekräfti-

gung ihres Wunsches zog Giulia zwei Talerstücke aus ihrer Börse und reichte sie ihm.
Die Münzen fachten den Eifer des Arztes sichtlich an. Er wirbelte in seiner Wohnung herum und kam schließlich mit einer großen Ledertasche zurück, die er sich an einem Riemen über die Schulter hing. »Ich habe alles, was ich benötige, edler Herr. Bitte geht voran und weist mir den Weg.«
Giulia nickte und lächelte ein wenig vor sich hin. Wie sie erwartet hatte, wurde das Gesicht des Arztes vor Ehrfurcht beinahe starr, als er erkannte, wohin sie ihn führte. Hatte er ihr auf der Straße noch lautstark, so dass die Passanten ringsum es mithören konnten, von seinen Erfolgen als Arzt berichtet, wurde er in den Gängen der Hofburg still wie ein Mäuschen. Selbst die elende Kammer, in die Giulia ihn führte, schien ihn nicht zu irritieren. Giulia hatte keinen besonders guten Eindruck von dem Mann gewonnen, doch die Sorgfalt, mit der er den Kranken untersuchte, stand im krassen Gegensatz zu dem marktschreierischen Wesen des Mannes. Hier war er ganz der Arzt, der sein Bestes geben und seinem Patienten helfen wollte. Er blickte in alle Kopföffnungen, hörte Beppos Brustkorb mit einem Hörrohr ab und verabreichte ihm schließlich ein scharf riechendes Gebräu. Der Geruch allein ließ Giulias Magennerven revoltieren. Beppo schien es nach ein paar pfeifenden Atemzügen schon besser zu gehen. Der keuchende Husten beruhigte sich, und er konnte leichter Luft holen.
Während Assumpta dem Arzt mit einer Fülle überschwänglicher italienischer Worte dankte, bemerkte Giulia seine viel zu ernste Miene. Doch er rückte erst mit der Sprache heraus, als sie wieder draußen auf der Straße standen. »Ich will Euch nicht belügen, Herr Casamonte. Aber es steht nicht gut um Euren Diener. Er hat eine schlimme Entzündung der Atemwege. Wenn er nicht gut gepflegt wird, kann sich diese zu einer Lungenentzün-

dung auswachsen, und ob er dann noch am Leben bleibt, weiß Gott allein.«

»Beppo ist ein kräftiger Mann. Er wird es schon überstehen.« Giulia sprach sich eher selbst Mut zu.

Der Arzt wirkte nachdenklich. »Wollen wir es hoffen. Betet für Euren Diener, denn das Gebet ist auf alle Fälle eine stärkere Waffe als mein Saft.«

Giulia sah ihn erstaunt an. »Aber das Medikament hat Beppo doch gut getan.«

»Es lindert nur sein Leiden. Besiegen muss er die Krankheit schon selbst.«

»Ich danke Euch, dass Ihr Euch Beppo angesehen habt, und würde mich freuen, wenn Ihr ihm dieses Mittel weiterhin verabreichen könntet. Vielleicht gewähren uns Gott und die Heilige Jungfrau ein Wunder.« Giulia reichte Scharrnagl noch ein paar Münzen in der Hoffnung, dass er sich nach Kräften für Beppo einsetzen würde.

Scharrnagl dankte ihr und versprach, jeden Tag mindestens einmal zu kommen und nach dem Kranken zu sehen. Danach verabschiedete er sich mit der Bemerkung, dass er einen anderen Kranken besuchen müsse.

Der Glockenschlag des Stephansdoms erinnerte Giulia daran, dass sie dem Herzog von Württemberg ihr Erscheinen zugesagt hatte. Ihr war nicht zum Singen zumute. Aber wenn sie nicht im Palais Koloban erschien, würde sie den einzigen Menschen vor den Kopf stoßen, der bisher in dieser Stadt freundlich zu ihr gewesen war. Wenn sie vor diesem Auftritt zurückschreckte, würde ihre Melancholie schlimmer werden und sie vielleicht sogar unfähig machen, ihren Pflichten nachzukommen. Bisher hatte sie solche Zustände mit eiserner Disziplin überwunden, und das durfte jetzt nicht anders sein. Sie musste sich der Welt stellen, ganz gleich, wie es in ihrem Innern aussah.

## IV.

Giulia sah an sich herab und fand, dass sie sich nicht noch einmal umziehen musste. Wams und Hosen waren trotz ihres Ausflugs sauber geblieben. So beschloss sie, sich sofort auf den Weg zum Palais Koloban machen. Unterwegs kam sie am Stephansdom vorbei und lenkte ihren Schritt unwillkürlich in die Kirche. Heute hatte sie keinen Blick für die hoch aufragenden Pfeiler und die kunstvollen Fenster aus farbigem Glas. An einem der Seitenaltäre, der der Heiligen Jungfrau geweiht war, kniete sie nieder und sprach ein stilles Gebet. Da keine Messe stattfand, hatten nur einige wenige den Weg in das Gotteshaus gefunden, um ihre Bitten an die Heiligen ihrer Wahl zu richten. Keiner störte den anderen, auch der Mönch nicht, der die abgebrannten Kerzen auf den Altären durch neue ersetzte. Als er damit fertig war, beugte er sein Knie vor dem Hauptaltar und verließ den Dom wie ein Schatten, der sich in nichts auflöst.

Als die Turmuhr die volle Stunde schlug, erhob Giulia sich und steckte etliche Münzen in den Opferstock. Dabei gelobte sie der Jungfrau Maria, ihr drei besonders schöne Kerzen zu stiften, wenn sie Beppo wieder genesen ließ. Nach der Ruhe im Gotteshaus schlug der Lärm der Straße wie eine Welle über ihr zusammen und reizte ihre angespannten Nerven. Dabei ging es in Wien noch nicht einmal so laut zu wie in den Straßen von Rom. Dennoch schien es Giulia, als würde sie sich nie an die Menschen hier gewöhnen können.

Das Palais Koloban in der Sonnenfelsgasse war nicht zu verfehlen. Erst vor kurzem im italienischen Stil erbaut, wirkte es auf Giulia wie ein Gruß aus der Heimat. Sie unterdrückte die Tränen, die in ihr aufsteigen wollten, und trat mit klopfendem Herzen auf das mächtige, mit zwei Löwenköpfen aus Bronze geschmückte Portal zu. Die beiden Wächter vor dem Tor schie-

nen sie schon erwartet zu haben, denn sie riefen einen Diener herbei. Der verneigte sich knapp und hielt ihr die Tür auf.
Im Vorraum verneigte sich ein weiterer Diener vor ihr. »Wen darf ich den Herrschaften melden?«
Giulia fühlte sich so nervös wie ein Füllen, das zum ersten Mal den Sattel spürt. »Ich bin Casamonte, der Sänger. Seine Hoheit, der Herzog von Württemberg, hat mich hierher bestellt.«
Der Lakai schien genau diese Antwort erwartet zu haben, denn er nickte zufrieden. Noch höflicher bat er sie, ihm zu folgen, und führte sie über eine breite Marmortreppe ins Obergeschoss, wo sich bereits etliche Leute in einem großen, reich mit Gemälden verzierten Raum versammelt hatten. Zu Giulias Erleichterung befand sich der Herzog bereits unter den Gästen. Als der Diener ihren Namen ausrief, kam er sofort auf sie zu und lächelte sie aufmunternd an. »Willkommen, Casamonte. Ich freue mich, dass Ihr meinem Wunsch entsprochen habt. Meine Freunde sind schon ganz begierig darauf, Euch zu hören.« Ohne ihre Antwort abzuwarten, fasste er Giulia am Arm und führte sie zu einer Gruppe von Frauen und Männern, die nach ihrem Gelächter zu urteilen in eine angeregte Unterhaltung vertieft waren. »Hier, meine Freunde, ist das versprochene Goldkehlchen. Darf ich Euch Herrn Casamonte aus Rom vorstellen?« Der Herzog beantwortete an Giulias statt ein paar launige Bemerkungen und stellte ihr die Herrschaften vor.
Giulia verneigte sich vor Gräfinnen und Baronen, deren Namen ihr mehr als fremdartig vorkamen. Am meisten wunderte sie sich über die große Anzahl weiblicher Gäste. In Italien war es Sitte, dass nur die Damen des gastgebenden Hauses, ihre weiblichen Verwandten und einige wenige ältere Frauen bei solchen Festlichkeiten anwesend waren. Die Deutschen schienen nicht so viel Angst um die Ehre ihrer Frauen zu haben. Dann musste sie an Paolo Gonzaga denken, den die sittsame Abgeschiedenheit der italienischen Schönen nicht daran gehindert hatte, willi-

ge Beute zu finden. Vielleicht war es sogar besser, die Frauen an gesellschaftlichen Ereignissen teilnehmen zu lassen, denn wenn sie zu sehr behütet wurden, konnten sie umso leichter Opfer gewissenloser Schurken werden. »Das ist unser Gastgeber, Graf Koloban.« Christoph von Württemberg wies auf einen Mann mittleren Alters von angenehmem Äußeren, der zu seinen grünen Hosen ein gelb unterfüttertes scharlachrotes Wams trug. Am meisten erstaunte Giulia jedoch das große silberne Kruzifix auf seiner Brust. Solche Kunstwerke wurden zumeist von den Silberschmieden Roms oder anderer berühmter Wallfahrtsstätten gefertigt. Sollte Graf Koloban ein gläubiger Katholik sein? Dagegen sprach sein freundschaftlicher Umgang mit dem Ketzer Württemberg.
Ihr blieb jedoch keine Zeit mehr, sich weitere Gedanken zu machen, denn die Frau des Grafen trat auf sie zu und reichte ihr die Hand zum Kuss. Sie überragte Giulia um mehr als eine Handbreit, wirkte mit ihrem hübschen Gesicht und ihren rötlichen Haaren jedoch sehr weiblich und attraktiv. »Ich freue mich, Euch unter unserem Dach zu sehen, Casamonte. Seit Ihr in Wien seid, weiß ich die Gnade Ihrer Majestät, bei ihren Abendandachten anwesend sein zu dürfen, erst so richtig zu schätzen.«
Wenn Maria von Spanien der Gräfin Koloban das Privileg zusprach, mit ihr die Abendmesse zu feiern, musste sie eine gläubige Katholikin sein. Giulia beschloss, sich über nichts mehr zu wundern, sondern zu versuchen, über dem Gesang für ein paar Stunden ihre persönlichen Probleme zu vergessen. »Es ist mir eine Ehre, hier sein zu dürfen«, erwiderte sie und verneigte sich galant vor der Gräfin. Auf deren Wink brachte ihr ein Diener ein Glas Wein. Giulia trank einen Schluck und sah dabei die erwartungsfrohen Augen der übrigen Gäste auf sich gerichtet. Da keine Musiker anwesend waren, musste sie ohne Begleitung singen. Daran war sie bei privaten Feiern gewöhnt, auch wenn sie

Musikbegleitung vorzog. Sie bat die Gastgeberin, ihr zu sagen, mit was sie beginnen sollte.
Die Gräfin lachte hell auf. »Ihr seid zu höflich, Casamonte. Wie sollte ich um Eure Kunst wissen, da ich nie in Italien war und daher auch nicht das Vergnügen hatte, Euch weltliche Lieder singen zu hören.«
»Der Kerl ist wahrscheinlich so arrogant, zu glauben, dass jeder weiß, was er von sich geben kann.« Die verächtlichen Worte zerrissen die gerade noch von fröhlichem Lachen erfüllte Atmosphäre.
Giulia fuhr herum und sah Baron Falkenstein, der mit energischen Schritten auf Graf Koloban zustach. Die blassen Augen des Kammerherrn funkelten sie hasserfüllt an, und er fragte den Gastgeber Koloban scharf, ob er die Anwesenheit dieses Krüppels als persönliche Beleidigung auffassen sollte. Dabei zeigte er mit dem Daumen auf Giulia.
Christoph von Württemberg trat zu Falkenstein und zog ihn beiseite. »Es war mein Wunsch, den Kastraten singen zu hören. Also beruhigt Euch wieder und entschuldigt Euch für Eure unbedachten Worte.«
Falkenstein musterte den Herzog mit einem Blick, der deutlich zeigte, dass sich der Höfling am Kaiserhof auch über einen regierenden Herzog erhaben fühlte. »Ich entschuldige mich höchstens vor Gott und vor sonst niemand.«
»Und das auch nur, wenn er gut gelaunt ist, und das ist eigentlich nie der Fall«, spöttelte eine Dame in Giulias Nähe leise.
Auch die Mienen der anderen Gäste zeigten, dass Graf Falkenstein nicht sonderlich beliebt war. Giulia atmete erleichtert auf, wenn auch die Beleidigung wie Säure in ihrem Herzen brannte.
Als ein aufmerksamer Diener dem Kammerherrn ein volles Weinglas reichte, ließ sie jenen Ton erschallen, dem schon etliche Gläser zum Opfer gefallen waren. Auch Falkensteins Glas hielt ihrer Stimme nicht stand und zerbarst in seiner Hand.

Im ersten Augenblick waren die Gäste wie erstarrt. Doch dann kicherten mehrere Damen leise, und die Gastgeberin warf Giulia einen dankbaren Blick zu. »Das war eine beeindruckende Kostprobe Eures Könnens, Casamonte. Ich hörte davon, dass es der menschlichen Stimme möglich sein soll, Glas zum Bersten zu bringen, hielt es aber für eine Übertreibung. Ihr habt mich eines Besseren belehrt.«
Falkenstein wollte auffahren, doch der eiserne Griff des Württembergers hielt ihn zurück. »Ihr seid hier zu Gast. Also benehmt Euch auch so oder verlasst das Haus.«
Der Kammerherr knirschte mit den Zähnen, schüttelte dann mit einer heftigen Bewegung die Hand des Herzogs ab und verließ grußlos den Saal.
Graf Koloban sah ihm achselzuckend nach. »Wegen seines Ranges musste ich ihn einladen. Doch ich gestehe, selbst ich sehe ihn lieber gehen als kommen. Bitte entschuldigt das peinliche Zwischenspiel und amüsiert Euch. Das Leben ist ohnehin ärgerlich genug.«
Einige der Gäste lachten pflichtschuldig und taten so, als wäre nichts geschehen. Giulia sah jedoch, dass der Zwischenfall sie beschäftigte. Ein Mann in gediegener, aber nicht übermäßig aufgeputzter Kleidung trat auf den Herzog zu und sprach ihn mit besorgter Miene an. »Wenn der historische Ausgleich zwischen den Konfessionen scheitern sollte, wird es an solchen Leuten wie Falkenstein liegen«, hörte sie ihn sagen. Dann war die Gastgeberin bei ihr und bat sie, zu singen, um die Gedanken ihrer Gäste auf angenehmere Dinge zu lenken.
Giulia begann mit einem witzigen französischen Chanson. Bei den ersten Takten vermisste sie Vincenzo mit seiner Laute. Sie hatten dieses Lied sonst immer gemeinsam vorgetragen. Doch ihr Begleiter war seit einigen Tagen nicht mehr zu ihr gekommen, und sie ärgerte sich, weil sie sich geradezu nach ihm sehnte. Ihre Stimme schlug die Menschen aber auch so in ihren Bann.

So schob sie die störenden Gedanken beiseite und konzentrierte sich auf ihren Gesang. Für ihr Gefühl gelang es ihr diesmal erst sehr spät, doch das schien der Wirkung ihrer Lieder keinen Abbruch zu tun. Die Leute applaudierten und ließen sie hochleben, und als sie auf besonderen Wunsch der Gräfin Koloban einen christlichen Choral sang, kannte die Begeisterung der Gäste keine Grenzen mehr.

Christoph von Württemberg eilte auf sie zu und schüttelte ihr die Hand. »Hervorragend, Casamonte. Wenn Ihr je den Dienst beim Papst verlassen wollt, dann kommt zu mir nach Stuttgart. Ihr werdet mir immer willkommen sein.«

»Eure Einladung ehrt mich, Hoheit, aber …«

»Ihr meint, weil Ihr ein Katholik seid und ich ein Lutheraner? Ich bin sicher, dass diese Unterscheidung nicht mehr lange zählen wird. Schließlich hat das Konzil in Trient Beschlüsse gefasst, die zwar nicht zu einer sofortigen Wiedervereinigung der beiden Konfessionen, aber zumindest zu einem freundschaftlichen Miteinander führen werden. Der Papst und der Kaiser werden für die Einheit der Christenheit sorgen müssen, denn sie haben mit den Türken einen gemeinsamen und, wie ich betonen muss, äußerst mächtigen und grausamen Feind. Wir müssen alle zusammen stehen, wenn wir nicht von den Heeren der Ungläubigen überrannt werden wollen.«

Das Gesicht des Württembergers leuchtete bei diesen Worten fast von innen heraus. Giulia spürte, dass er sich an Hoffnungen klammerte, die die meisten hier im Raum, auch Graf Koloban, mit ihm teilten. Sie aber hatte in Rom erlebt, wie der Papst mit Ketzern umging, und empfand für einen Augenblick das gleiche Grauen wie damals auf der Piazza dei Fiori.

Kolobans Gäste nahmen das Thema auf und lobten vor allem den Verzicht auf eine gewaltsame Rückbekehrung der Lutheraner, die in Ländern katholischer Herrscher lebten, als ersten, aber entscheidenden Schritt des großen Ausgleichs.

Doch nicht alle sahen die Lage so optimistisch. Ein älterer Mann aus dem Gefolge eines der regierenden Kleinfürsten verzog das Gesicht, als spüre er Galle auf der Zunge. »Es ist nur ärgerlich, dass sich Friedrich von der Pfalz den Lehren Calvins zugewandt hat. Er schwächt damit unsere Position bei den Verhandlungen. Die katholischen Fürsten und Bischöfe sprechen bei aller Rivalität, die zwischen ihnen herrscht, mit einer Sprache, nämlich der des Papstes. Wir aber spalten die Reformation, indem wir uns als Anhänger Luthers, Zwinglis, Calvins und anderer Reformatoren bezeichnen, von denen jeder die alleinige Wahrheit mit Löffeln gefressen haben will. Ich prophezeie Euch, dass wir für diese Zerrissenheit einen fürchterlichen Preis zahlen werden.«

»Ihr neigt zum Schwarzsehen, Freiherr Schwarzenburg. Das liegt wohl an Eurem Namen«, spottete Christoph von Württemberg und legte dem anderen den Arm um die Schulter.

Giulia verstand zu wenig deutsch und auch zu wenig von Politik, um die Bemerkungen der Leute um sie herum in voller Tragweite zu verstehen. Sie begriff jedoch, dass Männer wie der Herzog und Graf Koloban versuchten, die Gräben, die sich zwischen der päpstlichen Kirche und den Ketzern aufgetan hatten, wieder zuzuschütten, und wünschte ihnen von Herzen viel Erfolg. Aber sie musste auch daran denken, was Giancarlo Piccolomini gesagt hatte. Nichts von dem, was er in ihrer Gegenwart von sich gegeben hatte, ließ vermuten, dass der Papst und mit ihm die katholische Kirche sich auf Dauer mit den lutherischen Ketzern abfinden würden. Sie überlegte, ob sie den Württemberger darauf ansprechen sollte, und fragte sich im nächsten Moment, wem ihre Loyalität eigentlich galt, dem eigenen Glauben und dem Papst, in dessen Land sie unter einem seiner Vorgänger geboren worden war, oder einem Fremden, von dem sie nicht mehr wusste, als dass er freundlich zu ihr war und angenehme Manieren besaß.

Während sie noch stumm zuhörte und vor sich hinsann, öffnete sich die Tür und zwei verspätete Gäste traten ein. Giulia unterdrückte einen Ausruf der Erleichterung, als sie in einem der beiden jungen Männer Vincenzo erkannte. Er entdeckte sie nicht, sondern ließ sich von seinem Begleiter zu den Gastgebern führen und verbeugte sich fast übertrieben vor der Gräfin und dem Grafen Koloban. »Du überrascht mich, Danilo. Ich hätte nicht erwartet, dich hier zu sehen. Schließlich hast du mir gestern ja ausreichend klar gemacht, wie sehr es dich langweilt, wenn sich alte Männer über Religion und Politik unterhalten.« In Kolobans Stimme schwang ein leiser Spott mit, als er seinen jüngeren Bruder begrüßte.

Danilo Koloban verzog sein Gesicht zu einem breiten Grinsen. »Ich wollte dir einen Freund vorstellen, Ladislaus. Es ist Vincenzo de la Torre, der mit mir zusammen an der Universität in Padua studierte. Ich habe ihn heute zufällig in der Stadt getroffen und mitgebracht.« Er sah dabei aus wie ein junger Hund, der eben einen Knochen apportiert hatte und dafür Lob erwartete.

Graf Kolobans Miene drückte einen gewissen Zweifel aus. Trotzdem hieß er Vincenzo willkommen. »Ihr seid also der wilde Vincenzo. Mein Bruder hat mir schon viel von Euch erzählt.«

Vincenzo bedachte seinen Freund mit einem mörderischen Blick. »Könntet Ihr mit anderen Leuten sprechen, die das Vergnügen hatten, uns in Padua kennen zu lernen, würdet Ihr erfahren, dass viele der Streiche, die mir nachgesagt werden, von Danilo ausgeheckt wurden.«

Danilo schien fast ein wenig geschmeichelt zu sein, denn er klatschte Vincenzo lachend auf die Schulter. »Vincenzo, du bist ein schamloser Verräter.«

Giulia fragte sich, wer von den beiden der schlimmere Student gewesen sein mochte. Vincenzo hatte ihr einiges von seinen Jugendtorheiten erzählt, aber sie hatte ihn nur als vernünftigen, umsichtigen Menschen kennen gelernt, der keinerlei Unsinn im

Kopf hatte. Danilo Koloban hingegen sah so aus, als würde er sein Leben noch immer in vollen Zügen genießen.
Graf Kolobans Aufseufzen bestätigte Giulias Eindruck. Er schenkte seinem Bruder jedoch keine größere Beachtung, sondern wandte sich wieder an Vincenzo. »Ich bedaure, dass mein Bruder Euch erst jetzt in mein Haus brachte. Ihr habt eben einen Kunstgenuss höchster Güte verpasst. Wir haben nämlich den berühmten Sänger Casamonte bei uns zu Gast.«
»Giulio ist hier?« Vincenzo wirbelte herum und starrte Giulia an, als könne er es nicht begreifen, sie hier zu sehen.
Der Graf hob verwundert die Augenbrauen. »Ihr kennt euch?«
»Wir sind seit etlichen Jahren Reisegefährten.« Vincenzo lachte fröhlich auf. Es schien ihn nicht zu interessieren, ob die enge Gemeinschaft mit einem Kastraten sein Ansehen schmälerte.
»Dann seid Ihr glücklicher zu nennen als wir, die wir Casamontes Stimme wohl nur kurze Zeit lauschen werden können.« Ein trauriges Lächeln huschte über das Gesicht der Gräfin Koloban. Dann aber streckte sie sich und bat ihre Gäste zu Tisch.
Vincenzo eilte an Giulias Seite. »Wie bist du denn hierher gekommen?«
»Der Herzog von Württemberg hat mich eingeladen.«
»Der Ketzerführer?« Vincenzo war ehrlich erschrocken. »Sieh dich vor, Giulio. Wenn der Schwarzkittel das erfährt, bekommst du eine Menge Ärger.«
»Wer?« Giulia verstand im ersten Moment nicht, was Vincenzo damit sagen wollte. »Na wer wohl? Piccolomini natürlich. Der ist doch hierher gekommen, um die Ketzerei in Wien mit Feuer und Schwert auszutreiben. Wenn er dürfte, wie er wollte, würden morgen schon die Scheiterhaufen zu Hunderten brennen.«
Giulia wollte ihm berichten, dass der Herzog von Württemberg und seine Freunde die Lage ganz anders einschätzten, aber da meldete Danilo Koloban sich lautstark zu Wort. »Lieber Bruder, du hast doch sicher nichts dagegen, dass ich Vincenzo zu

uns eingeladen habe. Er wohnt derzeit in der Hofburg, doch hat man ihm wegen der vielen Gäste, die derzeit dort beherbergt werden, nur eine grässlich zu nennende Kammer zur Verfügung stellen können.«

»Deine Gäste sind meine Gäste, mein lieber Danilo.« Der Miene des Grafen war nicht anzusehen, ob er darüber erfreut war oder nicht.

Vincenzo führte Giulia ein wenig beiseite. »Ich hoffe, du hast nichts dagegen, wenn ich hier wohne. Aber nachdem du so getan hast, als könnte ich dich jeden Augenblick auffordern, mir deinen Hintern zum Gebrauch entgegenzustrecken, hielt ich es für das Beste, mir eine eigene Unterkunft zu suchen.«

Sein aggressiver Tonfall schockierte Giulia. Sie sah ihn an und fragte sich, ob das das Ende ihrer Freundschaft war. Als sie das Flackern in seinen Augen bemerkte und der Geruch nach Wein ihr verriet, dass er angetrunken war, schöpfte sie wieder etwas Hoffnung. Möglicherweise meinte er es nicht so, wie er es ausgedrückt hatte. Gleichzeitig fühlte sie sich elend, weil sie ihm nicht sagen durfte, warum sie ihr Zimmer nicht mit ihm teilen konnte. Am liebsten hätte sie Vincenzo bei der Hand genommen und ihm erklärt, wie Leid ihr das alles tat. Aber sie traute sich nicht, weil sie nicht wusste, wie er in seinem betrunkenen Zustand auf ihre Worte reagieren würde. So zwang sie sich zu einem knappen Schulterzucken. »Wie du meinst.« Sie hoffte, dass es kühl genug klang, um ihre Seelenqualen vor ihm zu verbergen, und wunderte sich über die jähe Blässe, die sich über sein Gesicht zog.

Giulia ahnte nicht, dass sich Vincenzos Gedanken weit stärker mit ihr befassten, als es seinen Gefühlen gut tat. Er fühlte sich in einer Weise zu Giulio Casamonte hingezogen, wie er es noch bei keinem Menschen, auch bei keiner Frau erlebt hatte. Immer wieder sagte er sich, dass es unnatürlich und eine Sünde sei, sich nach der Berührung eines Kastraten zu sehnen. Doch er konnte sein Verlangen nicht unterdrücken. In den letzten Tagen hatte er versucht, Giulio bei den hübschen Huren am Schottentor zu vergessen. Doch als er einem der Mädchen in ihre Kammer gefolgt war, hatte er nur diesen Nichtmann vor sich gesehen und es kaum vermocht, den Liebesakt mit Anstand hinter sich zu bringen. Für ihn sah es so aus, als habe ihn die Bekanntschaft mit dem Kastraten für ein intimes Zusammensein mit Frauen verdorben. Dafür hasste er Giulio. Gleichzeitig aber hätte er am liebsten um seine Zuneigung gebettelt. Aber wie sollte er das bei einem Wesen fertig bringen, das ihn kühl wie ein Eisblock musterte und so unsagbar fern von ihm erschien, so unberührbar wie eine heidnische Vestalin.

Da Vincenzo von seinen widersprüchlichen Gefühlen hin- und hergerissen wurde und kein Wort mehr über die Lippen brachte, drehte Giulia ihm den Rücken zu und sah sich nach dem Herzog von Württemberg um, der nicht weit von ihr entfernt am Tisch saß. Als er ihren Blick bemerkte, hob er fragend die Augenbrauen. »Ihr seht aus, als hättet Ihr etwas auf dem Herzen, Casamonte.«

»Ich möchte Euch eigentlich nicht mit meinen Problemen behelligen«, erwiderte Giulia etwas zögerlich. »Aber es scheint mir, als wenn Graf Falkenstein Euer Freund wäre.«

»Freund ist gewiss etwas übertrieben ...« Der Herzog machte eine kurze Pause, als müsse er sich seine weiteren Worte genau überlegen, bevor er weitersprach. »Nun, ich möchte sagen, ich komme ganz gut mit ihm aus. Warum fragt Ihr?«

»Mein Quartier in der Hofburg ist nicht besonders angenehm. Um es geradeheraus zu sagen, es ist sogar schrecklich. Nun ist aber mein Diener unterwegs krank geworden und siecht in der kalten und feuchten Kammer vor sich hin. Ich wollte Euch fragen, ob Ihr Euren Einfluss geltend machen könnt, damit ich eine bessere Unterkunft für mich und meine Diener bekomme.«

Sofort bot Graf Koloban ihr seine Gastfreundschaft an. »Meine

Einladung für Vincenzo de la Torre erstreckt sich natürlich auch auf Euch und Eure Bediensteten.«
Christoph von Württemberg schüttelte den Kopf. »Euer Angebot in Ehren, doch das geht nicht. Casamonte steht in den Diensten des Papstes und ist Piccolomini unterstellt. Ohne dessen Erlaubnis darf er die Hofburg nicht verlassen.«
»Aber Herr de la Torre …«, wandte Graf Koloban ein. »… steht zu seinem Glück nicht unter der Kuratel des päpstlichen Botschafters.« Der Herzog hob bedauernd die Arme und versuchte, Giulia zu trösten. »Ich werde auf Falkenstein einwirken, damit er Euch eine bessere Unterkunft zuweisen lässt.«
»Eure Hoheit sind zu gütig.« Giulia neigte den Kopf und fühlte sich um einiges besser. Es war angenehm, freundliche Menschen um sich zu haben. Während des Essens drehte sie sich mehrmals zu Vincenzo um. Doch dieser ignorierte sie jetzt hartnäckig und unterhielt sich mit Danilo Koloban über die Vergnügungen, denen sie hier in Wien nachgehen konnten.

## V.

Giulia kehrte erst spät am Abend in die Hofburg zurück. Auch wenn Vincenzos böse Worte sie schmerzten, ging es ihr besser als in den letzten Tagen. Das Gefühl der Zufriedenheit verflog jedoch rasch, denn im Korridor fing ein Diener sie ab und erklärte ihr hochnäsig, dass sie auf der Stelle bei Monsignore Piccolomini zu erscheinen hätte. Zunächst ärgerte Giulia sich, weil der päpstliche Gesandte ihr auf diese Weise wieder einmal klar machte, dass sie für ihn nicht mehr war als ein Lakai, den man beliebig hin und her beordern konnte. In dem Hochgefühl des gerade erlebten Erfolgs nahm sie sich vor, Piccolomini ihren Unmut ins Gesicht zu schleudern, aber als sie in seinem Gemächer sein zorniges Gesicht auf sich gerichtet sah, wurde sie kleinlaut.

»Wo wart Ihr, Casamonte? Schämt Ihr Euch nicht Eurer Pflichtvergessenheit? Ihre Majestät hat bei der Abendmesse vergebens auf Euch gewartet.«
Giulia hatte die Abendmesse bei der Kaiserin völlig vergessen. Schuldbewusst senkte sie den Kopf. »Ich war in der Stadt, Eure Eminenz, und habe nach einem Arzt gesucht. Mein Diener ist krank.« Sie hoffte, Piccolomini würde ihre Lüge nicht durchschauen, aber sie konnte ihm ja schlecht sagen, dass sie im Palais Koloban gesungen hatte.
Zu ihrem Glück interessierte der Gesandte sich nicht für den Grund ihrer Abwesenheit. »Ihr habt bei der Morgen- und der Abendmesse zu singen, ganz gleich, was geschieht. Das ist Eure heilige Pflicht. Jetzt geht und sorgt dafür, dass ich keine Klagen mehr höre, habt Ihr verstanden?« Er unterstrich seine Worte mit einer empörten Geste, die besagte, dass sie für heute entlassen war.
Giulia war so froh, ihm entkommen zu können, dass sie beinahe vergaß, sich vor ihm zu verbeugen. Sein ärgerliches Schnauben zeigte ihr, dass er ihre Verwirrung wohl bemerkt hatte. So war sie beinahe froh, in ihre feucht riechende Kammer zu schlüpfen und die Tür hinter sich verbarrikadieren zu können.
Assumptas leichter Schlaf machte es ihr möglich, am nächsten Morgen pünktlich zum Gottesdienst in der Hofkapelle zu erscheinen. Diesmal ließ Maximilian II. die Messe im lateinischen Ritus lesen. Giulia glänzte als Solosänger und versöhnte sowohl Kaiserin Maria wie auch Giancarlo Piccolomini. Den Rest des Tages blieb sie sich selbst überlassen, da Assumpta nicht von Beppos Lager wich. Am späten Nachmittag erschien ein sichtlich verärgerter Lakai und forderte sie kurz angebunden auf, ihm in die neue Unterkunft zu folgen. Die beiden Knechte, die er mitgebracht hatte, luden sich Giulias Reisetruhe auf und trotteten mit nichts sagenden Gesichtern hinter ihnen her.
Der Untergebene Falkensteins führte Giulia durch etliche Gän-

ge in den Schweizertrakt, der erst vor wenigen Jahren unter Kaiser Ferdinand im italienischen Stil errichtet worden war, und öffnete eine schwere, mit kunstvoll ausgeführten Schnitzereien verzierte Tür. Das Gemach dahinter war ebenso geräumig wie das des päpstlichen Gesandten, mit dem Giulia nun beinahe Tür an Tür wohnte. Giulia schüttelte das unangenehme Gefühl ab, das sie bei dem Gedanken beschlich, und wandte sich erfreut dem großen, gemauerten Kamin an der Stirnseite zu, in dem ein kleines Feuer vor sich hinschwelte.
An der rechten Wand stand ein ebenfalls mit Schnitzereien verziertes Bett, aus dem üppige Federbetten herausquollen und dessen gedrechselte Säulen einen hölzernen Baldachin trugen, an der linken ergänzten ein Tisch mit vier Stühlen, zwei große Kleidertruhen und ein durch einen Paravent vom übrigen Raum getrenntes Waschkabinett die Möblierung. Die Wände waren mit Bildern der christlichen Mythologie bemalt und verrieten, dass der Raum normalerweise Kirchenmännern als Unterkunft diente.
Der Lakai wies auf eine schmale Tür an der linken Wand. »Dort befindet sich die Kammer für Eure Dienstboten. Ich habe gehört, Euer Diener ist krank. Ich hoffe, es ist nicht ansteckend, denn sonst muss er die Hofburg verlassen und in ein Hospiz gebracht werden.«
Giulia beschloss, den unverschämten Ton des Mannes zu ignorieren und freundlich zu bleiben. »Es ist keine Seuche. Beppo hat sich schwer erkältet und ist in ärztlicher Behandlung. Er wird den Weg hierher jedoch nicht zu Fuß zurücklegen können.«
»Die beiden Knechte werden sich um ihn kümmern.« Die Stimme des Bediensteten wurde um keinen Deut höflicher.
Giulia schloss daraus, dass Falkenstein ihre Umquartierung nicht gerade aus freien Stücken beschlossen und seine Wut darüber an seinem Untergebenen ausgelassen hatte. Da der Mann

auch nur ein Opfer der schlechten Laune seines Herrn war, nahm sie ein Zweitalerstück aus der Tasche und steckte es ihm zu. Die beiden Knechte erhielten je eine Dreikreuzermünze als Trinkgeld.

Die Mienen der Knechte hellten sich sofort auf, während der Lakai nicht so recht wusste, ob er jetzt dankbar sein oder weiterhin mürrisch bleiben sollte. Er entschied sich für eine denkbar knappe Verbeugung und zog sich zurück. Giulia bat die Knechte, Beppo in das neue Quartier zu tragen. Nach einem kurzen Blick in die Dienstbotenkammer, die nur durch den Kamin im großen Gemach etwas Wärme abbekam, beschloss sie, dem Kranken ihr eigenes Zimmer zu überlassen. Wenn das Kaminfeuer den Raum erwärmte, wurde Beppo vielleicht doch bald wieder gesund.

Als die Knechte mit dem Kranken zurückkehrten, folgte ihnen eine völlig aufgelöste Assumpta. Die Dienerin bombardierte die beiden Männer mit einem Schwall italienischer Ausdrücke und Flüche, die sie zum Glück nicht verstanden. Anscheinend glaubte sie, man würde ihren Mann wegen seiner Krankheit aus der Hofburg weisen. Als sie Giulia entdeckte, eilte sie händeringend auf sie zu. »Was geschieht mit Beppo? Du darfst nicht zulassen, dass sie ihn auf die Straße werfen.«

Giulia schalt sich wegen ihrer Unachtsamkeit. Da Assumpta noch immer kein Wort Deutsch verstand, wäre sie besser mitgegangen, um ihr zu erklären, was geschah. »Hab keine Angst, es ist alles gut. Wir haben endlich ein besseres Quartier zugewiesen bekommen.«

Assumptas Miene hellte sich sofort auf. »Das war aber auch nötig. Das Loch, in dem wir hausen mussten, ist dem Palazzo eines hohen Herrn wie dem Imperatore Massimiliano unwürdig.« Damit glaubte sie, alles gesagt zu haben, und wollte Beppo in die Dienstbotenkammer tragen lassen.

Giulia fiel ihr in den Arm. »Nein, meine Gute. Ich schlafe ne-

benan. Dieses Zimmer ist für dich und Beppo. Ich sage den Knechten nur noch, dass sie den Kamin kräftig anheizen sollen.« Da zwei blanke Taler ihre Bitte unterstützten, zeigten sich die Knechte diensteifrig, und bald brannte ein lustiges Feuer im Kamin. Assumpta strahlte auf. »Hier in diesem warmen Zimmer wird es Beppo bald wieder besser gehen.«
Während sie es Beppo bequem machte, wärmte Giulia sich die klammen Hände am Kaminfeuer. Kurz darauf musste sie sich von ihrer angenehmen Beschäftigung losreißen, denn einer der beiden Knechte, die ihnen beim Umzug geholfen hatten, brachte den Arzt herein. Wenn sich Filibert Scharrnagl über die neuen Zimmer wunderte, zeigte er es nicht. Er grüßte höflich und trat dann sofort ans Bett, um den Kranken zu versorgen.
Giulia gab dem hilfreichen Knecht eine weitere Münze und musste sich dann Assumpta widmen, die von ihr jedes Wort, das der Arzt sprach, übersetzt haben wollte. »Sag dem Dottore, dass Beppo hier im Warmen bald wieder gesund werden muss«, verlangte sie.
Als Giulia dem Arzt die Bemerkung übersetzte, wiegte dieser den Kopf. »Ich hoffe es auch. Die Lunge des Kranken ist noch nicht zu stark angegriffen. Wenn er keinen Rückfall bekommt und die Muttergottes ihm hilft, wird er Wien gesund und munter verlassen können. Aber er muss unbedingt noch im Bett bleiben und braucht leichte, aber kräftige Kost.«
Assumpta zupfte Giulia am Ärmel. »Was hat er gesagt?«
»Wir sollen Beppo gutes Essen besorgen und zur Heiligen Jungfrau beten. Weißt du was, ich gebe dir Geld. Damit kannst du zum Stephansdom gehen, es dort in den Opferstock legen und Zwiesprache mit der Muttergottes halten.«
Die Dienerin schüttelte energisch den Kopf. »Bitte tu du es für mich, Kind. Ich muss bei Beppo bleiben.«
Giulia nickte verständnisvoll und begleitete den Arzt ins Freie. »Sagt, gibt es denn keine stärkere Arznei für meinen Diener? Ich

habe Eurem Gesicht angesehen, dass Ihr noch nicht von seiner baldigen Genesung überzeugt seid.«
Scharrnagl schüttelte betrübt den Kopf. »Das ist richtig, aber ich kann Euch nichts Besseres bieten. Meine Kunst ist zu begrenzt.«
»Vielleicht weiß ein anderer Arzt in Wien ein Mittel.« Noch während Giulia es sagte, hätte sie ihre Worte am liebsten zurückgenommen, denn sie wollte den Mann nicht kränken. »Natürlich könnt Ihr einen anderen Arzt hinzuziehen. Ich glaube jedoch nicht, dass der Euch helfen kann.« Scharrnagl verzog angewidert das Gesicht und sah sich um, ob jemand sie belauschen konnte. »Von den Kurpfuschern habt Ihr nichts anderes zu erwarten als Pulver aus Krötenaugen und Hühnerkot, in Jungfrauenpisse getauchte Brustwickel und Salben aus dem Fett von Gehängten. Das sind keine Heilmittel, die man einem Kranken zumuten sollte. Aber etwas anderes kennen diese Herren Doctores nicht. Ich bin als Kind von den Türken entführt worden und habe mehr als zwanzig Jahre meines Lebens als Sklave des Leibarztes von Selim Pascha verbracht. Dabei habe ich mehr gelernt, als die hiesigen Ärzte sich vorstellen können. Vor sieben Jahren wurde ich bei einem Angriff der Kaiserlichen befreit und praktiziere seitdem in Wien. Zuerst durfte ich es nur als Bader tun, wurde jedoch schon bald so bekannt, dass die Behörden mir erlaubt haben, als Arzt aufzutreten. Sie haben es nicht gerne getan, und meine Kollegen, wenn man sie so nennen kann, intrigieren noch immer gegen mich. Meine Patienten vertrauen mir jedoch, und das allein zählt für mich.« Scharrnagl machte dabei ein Gesicht, als hätte er schon zu viel gesagt.
Giulia senkte betroffen den Kopf. »Das tut mir Leid, Eure Sklaverei meine ich.«
Scharrnagl zuckte nur mit den Schultern. »Es war das Beste, was mir passieren konnte. Bei den Türken habe ich gelernt, dass Medizin nichts mit Aberglauben zu tun hat, sondern ein Hand-

werk darstellt, das man von der Pike auf lernen muss, wie alle anderen Berufe auch. Doch behaltet das, was ich Euch gesagt habe, für Euch. Man würde mir sonst einen Strick daraus drehen. Und damit Gott befohlen.« Mit diesen Worten verließ er Giulia und eilte mit langen Schritten davon.
Nachdenklich folgte sie ihm, bis die Türme des Stephansdoms ihr den Weg wiesen. Zu dieser Zeit waren nur wenige Gläubige in der Kathedrale, so dass sie sich ungestört ins Gebet versenken und darin zur Ruhe finden konnte. Ehe sie das Gotteshaus mit etwas leichterem Herzen verließ, legte sie etliche große Münzen in die Opferschale und lächelte dem Mönch zu, der neben ihr wachte, damit nicht die falschen Hände nach dem Geld griffen.

## VI.

Vincenzo fühlte sich nicht wohl in seiner Haut. Dabei ging es ihm so gut wie selten zuvor. Graf Koloban schenkte ihm eine mehr als großzügig zu nennende Gastfreundschaft, und sein Freund Danilo schleppte ihn von einem Vergnügen zum nächsten. Doch je mehr Ablenkung er suchte, umso schlimmer wurden seine Gewissensbisse. Ständig musste er gegen den Wunsch ankämpfen, zu Giulio zu eilen und ihn für seine unbedachten Worte um Verzeihung zu bitten. Aber der Gedanke an eine weitere kalte Abfuhr hinderte ihn daran. Dazu kam, dass er wenig Lust hatte, zufällig Graf Falkenstein zu begegnen, der ihn bei ihrem letzten Zusammentreffen verhöhnt und ihm ein sodomitisches Verhältnis mit dem Kastraten unterstellt hatte.
Nur das Auftauchen des Kaisers und einiger anderer Höflinge hatte Vincenzo davon abgehalten, dem Mann seinen Degen in den Wanst zu jagen. Die Beleidigung brannte seitdem wie Säure in seiner Seele, und er war sich sicher, dass Falkenstein diese Verleumdung fleißig unter die Leute brachte. Das spöttische

Lächeln, mit dem ihn einige Hofschranzen bedachten, denen er außerhalb der Hofburg begegnete, zeigte ihm, dass etliche Leute Falkensteins Verleumdungen für bare Münze nahmen.
Zum Glück fiel Danilo Vincenzos verbissene Wut auf, die er jedes Mal an den Tag legte, wenn er einem von Falkensteins Bekannten begegnete. So reagierte er rasch genug, als dieser auf offener Straße die Waffe ziehen und auf den Grafen losgehen wollte, der hoch zu Ross die kaiserliche Kutsche begleitete. Danilo erkannte die Gefahr, presste Vincenzos Schwerthand an seinen Körper und zerrte ihn in eine Seitengasse. Er musste den tobenden Freund gegen eine Hauswand pressen, um mit ihm fertig zu werden. »Verdammt, Vincenzo, hast du den Verstand verloren?« Er wies mit dem Kinn auf den hellen Spalt zwischen den eng beisammen stehenden Häusern, an dem gerade die kaiserliche Garde vorbeizog. »Du kannst doch nicht in Gegenwart des Kaisers die Waffe ziehen. Maximilian hat zu viele Feinde, und seine Leibwache schneidet jeden in Stücke, der auch nur eine falsche Handbewegung macht.«
Vincenzo schäumte. »Ich bringe diesen Falkenstein um! Hast du nicht gesehen, wie unverschämt er mich angegrinst hat? Es fehlt gerade noch, dass er mit den Fingern auf mich zeigt und mich öffentlich als Sodomiten bezeichnet.«
»Umbringen wird schwierig, wenn der Kerl nicht bereit ist, dir Satisfaktion zu geben. Wenn du ihn so aufschlitzt, wird man dich einen Kopf kürzer machen.«
»Der Kerl ist ein elender Feigling«, presste Vincenzo zwischen zusammengepressten Zähnen hervor.
Danilo nickte kühl. »Ich halte Falkenstein auch für eine Memme. Aber er steht nun einmal in der Gunst des Kaisers und wird sich bei Gefahr immer hinter diesem verstecken. Wenn du ihn treffen willst, musst du dir etwas anderes einfallen lassen.«
»Ich werde schon einen Weg finden, es dem Kerl richtig einzuschenken.« Vincenzo atmete tief durch, drückte Danilo von sich

weg und schnippte symbolisch ein Stäubchen von seinem Wams. »Der wird noch bereuen, sich mit mir angelegt zu haben, das schwör ich dir.«
Danilo nickte und lotste seinen vor Wut zitternden Begleiter unauffällig zum Palais Koloban. Dort ließ er zwei Pferde satteln und forderte Vincenzo zu einem Ausflug in das nordwestlich von Wien gelegene Dorf Grinzing auf. Vincenzo folgte ihm wie ein Hündchen, entgegen Danilos Hoffnung besserte auch der spritzige Wein, der in den Schenken des Dorfes kredenzt wurde, seine Laune um keinen Deut. Als sie in die Stadt zurückkehrten und Danilo schon verzweifelt überlegte, wie er seinem Freund helfen konnte, gerieten sie in die Menschenmenge, die zur Zeit der Abendmesse in den Stephansdom strömten, und wurden regelrecht eingekeilt.
Danilo sah sich ungeduldig nach einer Lücke um, durch die er sein Pferd ohne Gefahr für die Gläubigen treiben konnte, und richtete sich überrascht im Sattel auf, als er eine Person erspähte, die er hier nicht erwartet hatte. Sofort stieß er Vincenzo an und machte ihn auf die Dame aufmerksam, die ein Gebetbuch umklammert hielt und sich auf eine stämmige Dienerin stützte. Sie trug einen weiten Mantel, der ihre Gestalt fast vollständig verhüllte. In dem Augenblick aber blähte ein Windstoß ihre Kapuze auf, und man konnte ein hübsches, junges Gesicht mit angespannt wirkenden Zügen darunter erkennen. »Da soll mich doch der Türk holen! Die Dame da ist Falkensteins Frau Rodegard. Wenn dieser Erzketzer wüsste, dass sich seine holde Angetraute in die Messe der römischen Schwarzkittel schleicht, würde er an seiner eigenen Wut ersticken.«
Vincenzo musterte die Frau. Seines Erachtens trieb sie weniger religiöse Inbrunst in die Messe als die Langeweile und der Trotz einer sich vernachlässigt fühlenden Gattin. In dem Moment wusste er, was er Falkenstein antun konnte. Mit einem bösen Lächeln stieg er aus dem Sattel und reichte Danilo die

Zügel seines Pferdes. »Bitte nimm das Tier mit. Ich gehe zur Messe.«
Danilo grinste verständnislos. »Ist dein Sündenregister so angewachsen, dass du wieder einmal beichten musst?«
Vincenzo sah an sich herab und prüfte, ob seine Kleidung noch präsentabel war, strich sein verdrücktes Wams glatt und lachte dann wie befreit auf. »Dir würde es auch nichts schaden, deine Schandtaten vor Gott zu bekennen. Nur fürchte ich, es würde dem ehrwürdigen Priester, der es sich anhören muss, vor Entsetzen die Stimme verschlagen.«
»Jetzt tu doch nicht so, als seiest du der reinste Engel. Schließlich nannte man dich den wilden Vincenzo und nicht mich den wilden Danilo.« Dann starrte er Vincenzo mit zusammengekniffenen Augen an. »Hol mich doch dieser und jener! Du siehst wieder ganz so aus, als würdest du einen deiner verteufelten Streiche planen.«
Vincenzo prustete los, fing sich aber schnell wieder. »Rede nicht, sondern steig ab und komme mit, oder bring die Pferde in den Stall.«
Danilo sprang ab und sah Vincenzo herausfordernd an. »Du glaubst doch nicht, dass ich mir deinen nächsten Streich entgehen lasse. Sei aber bitte vorsichtig. Die Wiener Stadtbüttel können ganz schön eklig werden.«
»Wer sagt dir denn, dass ich mich mit den Bütteln anlegen will? Ich habe wirklich nichts anderes vor, als mein Haupt vor Gott zu neigen und zu beten.«
»Jedem anderen würde ich das glauben.« Danilo rief einen der Eckensteher und befahl ihm, die Pferde zum Palais Koloban zu bringen und sie dem Stallmeister mit einem schönen Gruß von Danilo Koloban zu übergeben. Der Mann grinste breit, denn er sah im Geist schon das reichlich fließende Trinkgeld vor sich, und führte die Tiere mit geübter Hand davon. Danilo schenkte ihm keinen zweiten Blick, sondern folgte Vincenzo durch das Singer-

tor in den Dom. Zunächst wurde er arg enttäuscht, denn sein Freund tat wirklich nicht mehr, als still auf seinem Platz zu knien und scheinbar ergriffen der Messe zu lauschen. Bald jedoch bemerkte er die Blicke, mit denen Vincenzo immer wieder zum Gestühl der Frauen hinübersah, und begriff, dass sie der Gräfin Falkenstein galten. Danilo bekam eine gewisse Vorstellung von Vincenzos Plan und lauerte auf das, was da kommen mochte.
Bis zum Ende der Messe geschah nichts. Als Rodegard von Falkenstein ihren Platz verließ und das Weihwasserbecken erreichte, wartete Vincenzo bereits lächelnd auf sie. Er schöpfte das Wasser mit der hohlen Hand und reichte es ihr. Zuerst zog sich ein abwehrender Ausdruck über das Gesicht der Frau. Ihr Blick aber schweifte über ihn, und ihre Miene hellte sich auf. Ein gut aussehender junger Mann in der Kleidung eines Edelmanns schien ihr wohl einer gewissen Aufmerksamkeit wert zu sein. Sie nahm das dargebotene Weihwasser mit einem freundlichen Lächeln an und berührte mit den Fingerspitzen seine Hand. »Ich danke Euch, mein Herr.« Es war nur der Hauch einer Antwort, aber Vincenzo hörte ihr Interesse heraus. »Ich danke Gott, weil er mich so etwas Schönes wie Euch erblicken lässt.« Vincenzo kannte die Wirkung seiner Stimme. Die meisten Frauen empfanden sie als sanftes Streicheln.
Sie vernahm zunächst nur seinen Akzent und musterte ihn neugierig. »Ihr gehört zu den Gästen am Kaiserhof?«
Vincenzo nickte und versuchte, seine Anspannung zu verbergen. »Leider habe ich Euch dort noch nie erblickt. Dabei würde ich Euch so gerne wiedersehen und Euch sagen, wie wundervoll Ihr seid.«
»Da ich nicht im Dienst der Kaiserin stehe, bin ich nur selten am Hof zu Gast. Aber Ihr könnt mich morgen zur Zeit der Abendmesse in der Ruprechtskirche treffen.« Sie lächelte ihm verheißungsvoll zu, beugte noch kurz das Knie in Richtung des Altars und verließ so hastig den Dom, als sei sie auf der Flucht.

Vincenzo folgte ihr und sah noch, wie sie zwei Schritt vor ihrer Dienerin über den Stephansplatz lief und in eine Seitengasse bog.
Danilo trat neben ihn und schlug ihn auf die Schulter. »Vincenzo, du bist ein Teufel. Wenn es dir gelingt, Falkensteins Frau aufs Kreuz zu legen, triffst du ihn damit härter, als wenn du ihm den blanken Stahl in die Eingeweide rammen würdest. Das wird ein Spaß, sage ich dir. Es gibt keinen Mann, dem ich es mehr vergönne, zum Hahnrei zu werden, als diesem impertinenten Kerl.«
Vincenzo funkelte ihn warnend an. »Noch ist es nicht so weit. Und wenn du es überall herumposaunst, wird es auch nie dazu kommen. Willst du, dass Falkenstein mir von seinen Knechten etwas Entscheidendes abschneiden lässt?«
»Das, was deinem Freund Casamonte bereits fehlt«, rief Danilo kichernd. »Dann würdet ihr beide wenigstens zusammenpassen.« Erst im letzten Moment sah er Vincenzos Faust auf sich zuschnellen und sprang zurück, denn der Hieb hätte ihn sonst einige Zähne gekostet.

## VII.

Die Nachricht von einem erneuten Einfall der Türken an der Ostgrenze ließ den Streit zwischen den papsttreuen Katholiken und den Protestanten am Kaiserhof fürs Erste verstummen. Kaiser Ferdinand, der Vater und Vorgänger Maximilians II., hatte noch vor seinem Tod einen Waffenstillstandsvertrag mit dem osmanischen Sultan abgeschlossen. Gerüchte aus dem Osten besagten jedoch, dass Süleiman der Prächtige bei seinem Eintritt ins Paradies seinem Propheten Mohammed den goldenen Apfel, wie die Türken Wien nannten, als Beute überreichen wollte.

In der Hofburg herrschte daher rege Betriebsamkeit. Der Kaiser beriet sich stundenlang mit seinen Beratern, ließ Dutzende Briefe an alle befreundeten und verbündeten Monarchen und die deutschen Reichsstände schreiben und neben den protestantischen Andachten auch Messen nach römischem Ritus lesen.
Während Vincenzo drauf und dran war, Danilos Beispiel zu folgen, der sich von seinem Bruder ausrüsten ließ, um mit den Truppen des Kaisers zu ziehen, kam Giulia kaum mehr aus der Hofkapelle heraus. Es war, als würden alle, vom Kaiser und der Kaiserin bis hin zum letzten Höfling, glauben, allein ihre Stimme könne Gott und alle Heiligen dazu aufrufen, der bedrohten Christenheit beizustehen. Man ließ sie sogar die Sonntagsmesse in Sankt Stephan singen, um die verängstigten Bürger von Wien zu beruhigen, und verwies dabei den Solosänger des Knabenchors, dem diese Aufgabe gewöhnlich zukam, in die Reihen seiner Kameraden.
Nach zwei Wochen fiel die hektische Betriebsamkeit in sich zusammen, denn es kam die erlösende Nachricht, dass die Türken sich wieder zurückgezogen hätten. Dutzende niedergebrannter und ausgeplünderter Dörfer zeugten von den Verheerungen, die die Ungläubigen angerichtet hatten, und etliche hundert Gefangene warteten darauf, von ihren Verwandten oder anderen barmherzigen Menschen ausgelöst zu werden, da sie sonst auf den Märkten des Orients als Sklaven angeboten würden.
In allen Kirchen wurde Geld für den Freikauf der armen Menschen gesammelt. Giulia opferte leichten Herzens die Perlenbrosche, die ihr die Kaiserin geschenkt hatte, um zu diesem Samariterwerk beizutragen. Salesianermönche sollten im Auftrag des Kaisers mit dem türkischen Pascha verhandeln, um so viele Gefangene wie möglich vor der Sklaverei zu bewahren. Gleichzeitig beschloss Maximilian II., die Grenzbefestigungen in eigener Person zu überprüfen, und verließ Wien mit dreitausend Söldnern zu Fuß und mehreren hundert Reitern.

Danilo Koloban schloss sich voller Begeisterung dem Heerbann an. Da es sich nur um eine Inspektionsreise handelte, die keine Aussicht auf Kampf und Ruhm bot, blieb Vincenzo zurück und warb weiter geduldig um die Gräfin Falkenstein, die tatsächlich zu ihrem vereinbarten Rendezvous in der Ruprechtskirche erschienen war. Da Falkenstein als Kammerherr den Kaiser begleiten musste, häuften sich nun Vincenzos Rendezvous mit der Dame. Rodegard erlaubte ihm mittlerweile, ihre Hände und Wangen zu küssen, und er war überzeugt, dass er noch vor der Rückkehr ihres Gemahls seine Rache vollenden konnte.

Mehr noch als an die Gräfin dachte Vincenzo an Giulio, denn er fühlte immer noch den scharfen Schmerz der Zurückweisung, obwohl er wirklich nur das Zimmer mit dem Kastraten hatte teilen wollen. Er verabscheute schon den Gedanken daran, mit einem Mann Zärtlichkeiten auszutauschen, auch wenn es ein Verschnittener war. Tief in seinem Herzen aber sagte ihm etwas, dass ihm an einer einzigen, liebevollen Geste Giulios zehnmal mehr gelegen war als an einem Dutzend Liebesnächte mit Rodegard von Falkenstein oder irgendeiner anderen Frau. Giulio konnte nichts für die Verirrung seiner Gefühle, das war Vincenzo klar. Aber je mehr er sich nach ihm sehnte, desto stärker wurde sein Wunsch, den Kastraten für seine abweisende Kälte zu bestrafen. So beschloss er, Giulio seinen Triumph über Falkenstein miterleben zu lassen.

Giulia dachte ebenso oft an Vincenzo wie dieser an sie. Immer wieder musste sie den Wunsch unterdrücken, zum Palais Koloban zu laufen, um nach ihm zu fragen. Sie hätte auch kaum gewusst, was sie ihm sagen sollte. Zudem schlug sie sich mit ganz anderen Sorgen herum. Ein paar Tage lang sah es so aus, als würde sie dem Kaiser ins Feldlager folgen müssen, wo sie ihr wahres Geschlecht kaum noch hätte verbergen können. Der energische Einspruch der Kaiserin aber bewahrte sie schließlich vor dieser Gefahr. Maria von Spanien beachtete Giulia zwar kaum mehr als ein Möbelstück, sagte dem Kaiser aber in aller Öffentlichkeit, dass sie bei ihrer Abendmesse nicht auf die Engelsstimme des Kastraten verzichten wolle. Giulia war ihr dafür dankbar und gab sich noch mehr Mühe, die hohe Dame zufrieden zu stellen.

Zur Verwunderung einiger blieb auch Piccolomini in Wien. Wie es hieß, habe ihn ein plötzliches Leiden daran gehindert, den Kaiser zu begleiten. Doch wenn er wirklich krank gewesen war, erholte er sich Giulias Meinung nach überraschend schnell. Er nahm schon am zweiten Tag nach der Abreise des Kaisers wieder an der Abendmesse der Kaiserin teil und bat danach um eine dringende Unterredung, die ihm auch sofort gewährt wurde. Da niemand daran dachte, Giulia zu entlassen, hörte sie einiges von der im Flüsterton geführten Unterhaltung mit, obwohl sie in der anderen Ecke des großen Zimmers stand.

Der päpstliche Gesandte forderte die Kaiserin eindringlich zu treuer Hingabe an die katholische Kirche, aber auch zu Geduld ihrem irrenden Gemahl gegenüber auf. »Gott wird den Kaiser auf den rechten Pfad lenken«, hörte Giulia ihn sagen. »Vertraut auf seine Macht, Eure Majestät, und denkt an Euren Sohn Rudolf, der am Hofe Eures Bruders im wahren Glauben erzogen wird.«

Bei dem Gedanken an ihren Sohn überzog ein Strahlen das Gesicht der Kaiserin. »Ich weiß, dass mein Sohn ein treuer Diener der einzigen und wahren Kirche ist. Um ihn mache ich mir keine Sorgen, um seinen Vater aber umso mehr. Solange mein Gatte von solchen Erzketzern wie Christoph von Württemberg umgeben ist, hängt das blutige Schwert der ewigen Verdammnis über ihm.«

Piccolomini ergriff die Hand der Kaiserin und hielt sie fest. »Habt Mut, Majestät. Gott wird nicht zulassen, dass die Seele des Kaisers der ewigen Höllenpein verfällt. Auch die Kirche bleibt in dieser Sache nicht untätig. Der Württemberger wird

den Kaiser nicht mehr lange mit seinen Lügen in Versuchung führen.«
In seiner Stimme schwang ein Unterton mit, der Giulia die Haare zu Berge stehen ließ. Sie hätte gerne noch mehr erfahren, doch da beendete Piccolomini das Gespräch und verließ die Burgkapelle. Als er an Giulia vorbeikam, blieb er kurz stehen. »Kommt in einer Stunde bei mir vorbei. Ich habe einige neue Lieder erhalten, die Ihr lernen müsst.« Dabei winkte er dem Priester Luis de Vega, ihm zu folgen.
Giulia sah den beiden nach und versuchte, ihre wirbelnden Gedanken zu ordnen. Wenn sie nicht alles täuschte, führte der Gesandte etwas gegen den Württemberger im Schilde. Was auch immer es sein mochte, es war bestimmt nicht im Sinne des Kaisers, der Frieden zwischen der katholischen Kirche und ihren abgespaltenen Teilen stiften wollte. Giulia vermutete, dass Piccolomini in Wien zurückgeblieben war, um seine Pläne unbeobachtet weitertreiben zu können. Aber sie konnte sich nicht erklären, was er in der Stadt ausrichten wollte, da Christoph von Württemberg wie die meisten anderen Edelleute den Kaiser begleitet hatte.
Die Kammerfrau der Kaiserin trat auf Giulia zu und wies auf die Tür. »Ihre Majestät wünscht, alleine zu sein.«
Giulia verbeugte sich vor der Kaiserin und der Dame und verließ den Raum so schnell, als stünde er in Flammen. Auf dem langen Weg in ihr Quartier stellte sie sich immer wieder die Frage, wie sie dem Herzog helfen könnte. Für sie stand fest, dass er in tödlicher Gefahr schwebte, aber sie konnte ihre Überzeugung nur aus dem Bauch heraus begründen und hatte überdies niemanden, den sie ins Vertrauen ziehen konnte.
Sie war so in Gedanken versunken, dass sie sich in der Abzweigung irrte und es erst vor der Tür zu Piccolominis Räumen bemerkte. Sie starrte das Holz an, als wäre es ihr Feind, und wollte schon umkehren, denn die Stunde, nach der sie erscheinen soll-

te, war noch nicht verstrichen. Dann aber überlegte sie, anzuklopfen, um die Begegnung mit dem Gesandten schnell hinter sich zu bringen. Da Piccolomini es sich ausdrücklich verbeten hatte, während wichtiger Gespräche gestört zu werden, legte sie ihr Ohr an das Holz, um festzustellen, ob er alleine war, und hörte jemanden erregt sprechen. Sie verstand die Worte nicht, erkannte aber de Vegas spanischen Akzent. Der Beichtvater der Königin schien ungewöhnlich echauffiert, der päpstliche Gesandte antwortete ihm dafür umso kühler, ja beinahe spöttisch.
»Beruhigt Euch doch, de Vega. Ich kenne die Umtriebe der Ketzer hier in Wien besser, als Ihr denkt. Unsere Stunde wird bald kommen. Ich warte nur noch auf Nachricht von dem Baiern.«
De Vega stieß heftig die Luft aus. »Soviel ich weiß, hat der Baier seine Pläne geändert. Er wird nicht erst nach Wien kommen, sondern sofort zum Heer des Kaisers stoßen. Mit ihm wird sich das Gewicht der kirchentreuen Fürsten hier am Hof zweifelsfrei wieder zu unseren Gunsten verschieben und die Ketzerei zurückgedrängt werden.«
»Nicht nur das. Sein Erscheinen gibt mir die Waffe in die Hand, den gefährlichsten unserer Feinde aus dem Weg zu räumen und dem Einfluss der übrigen das Rückgrat zu brechen.« Piccolominis Stimme klang so selbstzufrieden, dass Giulia das Schlimmste für den Württemberger befürchtete.
»Was habt Ihr vor?« De Vegas Stimme troff vor Neugier.
Piccolomini schwieg einen Moment, als überlege er, ob er den Spanier in das Geheimnis einweihen dürfe. »Mein Plan ist so einfach, dass dabei nichts schief gehen kann. Bevor ich nach Wien reiste, habe ich an unsere Brüder in Ingolstadt geschrieben und sie gebeten, einige zuverlässige Männer auszuwählen, die Herzog Albrecht an den Hof des Kaisers begleiten und Christoph von Württemberg mit einem gezielten Degenstoß aus dem Weg räumen sollen.«
»Ihr wollt den Württemberger ermorden lassen?« De Vega

schrie die Worte so laut hinaus, dass Giulia vor der Tür zusammenzuckte. »Narr, der Ihr seid! Mäßigt Eure Stimme. Oder wollt Ihr unsere Angelegenheiten in alle Welt hinausposaunen?«

»Verzeiht, Monsignore. Die Kühnheit Eures Planes hat mich erschreckt.« De Vegas Stimme klang zerknirscht. »Warum habt Ihr die Meuchelmörder denn nicht selbst mitgebracht? Das wäre doch sicherer gewesen, als diesen Umweg über Ingolstadt zu beschreiten.«

»Überlegt doch selbst. Was würde unserer Sache mehr schaden als der leiseste Hauch eines Verdachts, einer von uns könnte bei dem Tod des Württembergers die Hand im Spiel haben? Wenn der Ketzer Christoph von ein paar Baiern umgebracht wird, kann dies alle möglichen Gründe haben. Die beiden Herzöge sind sich bekanntermaßen spinnefeind, und auf jeder Seite gibt es Männer, die darauf lauern, den Streit zwischen ihnen mit einem schnellen Schwertstreich zu beenden.«

»Ihr seid nicht nur kühn, sondern auch klug.« De Vegas Stimme klang nun äußerst devot.

»Deswegen hat man mir diese schwierige Mission anvertraut.« Piccolomini schien das Lob des Spaniers geradezu einzusaugen.

Giulia starrte empört die Tür an und ballte die Fäuste. Am liebsten hätte sie dem päpstlichen Gesandten ihre Verachtung ins Gesicht geschleudert. Sie war so im Aufruhr ihrer Gedanken gefangen, dass sie zunächst nicht auf die Schritte achtete, die sich von innen der Tür näherten. Sie kam erst wieder in die Gegenwart zurück, als die Klinke niedergedrückt wurde. Zu ihrem Glück verharrte derjenige aber noch einen Moment, bevor er öffnete. Das reichte Giulia, um im Halbdunkel des Korridors zu verschwinden. Als de Vega kurz darauf das Zimmer des Gesandten verließ, achtete er nicht auf den Schatten, der sich hinter der nächsten Ecke gegen die Wand drückte.

Giulia hatte Angst, der spanische Priester würde im Vorbeigehen ihren Herzschlag hören, so laut pochte es in ihrer Brust.

Atemlos verharrte sie, bis seine Schritte in den Tiefen der Korridore verklungen waren. Dann kehrte sie zu der Tür zurück, hinter der Piccolomini gewiss schon auf sie wartete. Sie traute sich aber nicht anzuklopfen und einzutreten, denn sie war sich sicher, ihr Gesicht und ihre ganze Haltung würden ihm verraten, dass sie ein unerwünschter Mitwisser seines düsteren Geheimnisses geworden war. So entschloss sie sich, seinen Befehl zu missachten, und kehrte in ihre Kammer zurück.

Dort warf sie sich aufs Bett und barg den Kopf in den Händen. Verzweifelt fragte sie sich, was sie tun sollte. Als Untertanin des Papstes und noch dazu in seinen Diensten stehend hätte sie eigentlich vergessen müssen, was sie gehört hatte. Wenn Piccolominis Meuchelmörder Christoph von Württemberg niederstachen, so geschah das im Auftrag der allselig machenden Kirche und musste von ihr sogar gebilligt werden, denn es traf ja einen Feind des Papstes. Ihr ganzes Wesen lehnte sich jedoch gegen diese Vorstellung auf. Ein Mord war ein Mord, selbst wenn er im Namen des Glaubens ausgeführt wurde. Außerdem war der Herzog freundlich zu ihr gewesen, und sie empfand eine starke Sympathie für ihn. Dann sagte sie sich wieder, dass ihr die Hände gebunden waren. Sie selbst war nicht in der Lage, ins kaiserliche Heerlager zu reisen, um den Württemberger zu warnen, und es gab auch niemand, der diese Mission für sie übernehmen konnte. Für einen kurzen Moment dachte sie daran, Vincenzo aufzusuchen und ihn einzuweihen. Sie wusste jedoch weder, wie Vincenzo sich als Katholik zu der Sache stellen würde, noch, ob Christoph von Württemberg eine Warnung, die ihm ein ihm so gut wie unbekannter Italiener überbrachte, überhaupt ernst nehmen würde.

Plötzlich schlug sie sich mit der flachen Hand gegen die Stirn. Sie war ja eine Närrin. Es reichte, wenn sie diesen perfiden Plan an Graf Koloban weiterleitete, der im Auftrag des Kaisers in Wien geblieben war. Er würde wissen, was zu tun war.

Giulia war sich nicht sicher, ob sie nicht eine große Sünde beging, wenn sie sich den Plänen des Heiligen Vaters entgegenstellte. Aber vielleicht ahnte Pius IV. auch gar nichts davon, was sein Gesandter plante. Eines aber war sicher – der Gott, zu dem sie ihre Gebete erhob, würde niemals einen Meuchelmord gutheißen, ebenso wenig, wie er die Scheiterhaufen guthieß, auf denen in seinem Namen Menschen verbrannt wurden.
Kurz entschlossen machte sie sich auf den Weg. Die Wachen am Tor kannten sie und ließen sie wie immer anstandslos passieren. Obwohl es bereits dunkelte, erreichte sie das Palais Koloban ohne Schwierigkeiten. Vor dem Gebäude blieb sie noch einmal stehen und lauschte kurz in sich hinein, ob sie wirklich eintreten sollte. Der Wunsch, Christoph von Württemberg vor den Klingen einiger Mordbuben zu bewahren, war stärker als alle Bedenken. Sie schlug den Türklopfer an und erklärte dem Diener, der ihr öffnete, dass sie Graf Koloban sprechen wolle.
Der Lakai erkannte sie und ließ sie ein. »Nehmt bitte in der Vorhalle Platz. Ich werde Seiner Erlaucht von Eurer Ankunft berichten«, erklärte er und stolzierte mit gravitätischen Schritten davon.
Zu jeder anderen Zeit hätte Giulia sich über ihn amüsiert. Heute hatte sie jedoch weder einen Blick für den bunt uniformierten Diener noch für die prächtig ausgestattete Halle. Nervös lief sie hin und her und überlegte, wie sie dem Grafen ihre Warnung übermitteln sollte, ohne sofort Unglauben zu erregen. »Casamonte. Das ist aber eine Überraschung.« Ladislaus Koloban kam selbst die Treppe herab, um seinen unerwarteten Besucher zu begrüßen.
Giulia wirbelte herum, eilte auf ihn zu und küsste ihm dankbar die ihr entgegengestreckte Hand. »Der Madonna und allen Heiligen sei Dank, dass ich Euch antreffe.«
Koloban hob verwundert die Augenbrauen. »Ihr hört Euch an,

als wären sämtliche Teufel der Hölle hinter Euch her, wenn Ihr diesen Vergleich entschuldigen wollt.«
Giulia sah sich ängstlich um und fasste ihn dann am Ärmel seines violetten Wamses. »Ich komme, um Euch zu warnen.«
»Warnen, wovor?« Der Graf wirkte sofort angespannt.
»Ich habe erfahren, dass ein Mordanschlag auf den Herzog von Württemberg geplant ist.«
»Piccolomini!« Koloban sagte nur dieses eine Wort, doch es klang wie ein Fluch. Jetzt war es an ihm, sich umzusehen. Anscheinend war ihm die Halle nicht sicher genug, denn er packte Giulia seinerseits mit einem festen Griff am Arm und zog sie hinter sich her. Erst in seinem eigenen Zimmer ließ er sie los und bot ihr einen Stuhl an. »Jetzt erzählt mir, was Ihr erfahren habt.«
Giulia missachtete den angebotenen Stuhl und lief wie ein gefangenes Tier durchs Zimmer. »Ich weiß nicht, wie ich es Euch erklären soll. Ich habe nicht absichtlich gelauscht, aber die Worte waren deutlich für mich zu verstehen. Ich habe sehr gute Ohren, wisst Ihr.«
»Gut, dass Ihr mich warnt. Ich werde mich demnächst in Eurer Gegenwart vorsehen«, antwortete der Graf mit einem misslungenen Lachen.
Giulia fuhr empört auf. »Das ist nicht zum Lachen.«
»Damit habt Ihr Recht.« Der Graf starrte durch das Fenster ins Freie, drehte sich dann zu Giulia um und forderte sie auf, sich endlich hinzusetzen. »Mit Eurem Herumgerenne macht Ihr mich nervös«, behauptete er und tat dann genau das, was er eben bei Giulia kritisiert hatte.
Giulia sah ihm einen Moment bei seiner Wanderung durch das Zimmer zu und begann dann ihren Bericht. Graf Koloban unterbrach sie kein einziges Mal. Schließlich nickte er und bedankte sich bei ihr. »Ihr habt Euch großen Verdienst um das Reich erworben, Casamonte. Ich wage nicht auszudenken, was passie-

ren würde, hätte der Anschlag dieser feigen Mordbuben Erfolg. Es würde die Stellung des Kaisers bei den protestantischen Reichsständen und deren Vertrauen in die guten Absichten der ehrlichen Mitglieder der katholischen Reichsstände gründlich zerstören.«

Giulia atmete auf. »Ihr warnt also den Herzog. Ich meine, weil Ihr selbst Katholik seid.« Das Letzte war ihr eben erst eingefallen und ließ sie einen Augenblick lang das Schlimmste befürchten.

Koloban fuhr mit der Faust durch die Luft. »Natürlich warne ich ihn. Ich werde noch heute Nacht aufbrechen und ihm die Nachricht persönlich überbringen. Dann komme ich vor dem Baiernherzog und seinen Leuten dort an. Seid Ihr ganz sicher, dass die Mörder in Herzog Albrechts Gefolge zu finden sind?«

»Das hat Piccolomini zu de Vega gesagt.«

»Gut, dann gibt es nichts mehr zu bereden. Vergebt mir, wenn ich mich Euch nicht länger widmen kann. Doch Eure Information brennt mir auf der Seele.« Der Graf bedankte sich noch einmal bei Giulia, versicherte ihr, dass sie nun unbesorgt sein könne, und klingelte nach einem Lakaien, der sie hinausbegleiten sollte. »Gute Nacht, Erlaucht.« Giulia verbeugte sich erleichtert und folgte dem Diener, dessen Gesicht keinerlei Neugier wegen des nächtlichen Besuches verriet. Als sie in die Vorhalle traten, schlug draußen der Türklopfer dreimal an, und der Pförtner schoss aus seiner Kammer, als hätte er auf einen bestimmten Gast gewartet. Einen Augenblick später trat Vincenzo in die Halle. Er trug ein kostbares Wams aus senffarbener Seide mit dunkelblauem Ärmelfutter, ein mit einer Reiherfeder geschmücktes Barett und hautenge hellrote Hosen mit dunkelrot abgesetzter Schamkapsel. Er sah so gut aus, dass Giulia unwillkürlich der Atem stockte. Jetzt erkannte er sie, schien sich aber nicht so recht im Klaren darüber zu sein, ob er sich freuen oder die Begegnung bedauern sollte.

Giulia ärgerte sich über sein widerstrebendes Mienenspiel und wollte mit einem knappen Gruß an ihm vorbeigehen. Doch da lachte er plötzlich auf und hielt sie fest. »Das ist aber eine Überraschung, Giulio. Ich wollte dich nämlich morgen aufsuchen.«
»Aufsuchen. Warum? Um zu sehen, wie es Beppo geht?«
»Ist er immer noch krank?« Vincenzos Stimme klang ehrlich betroffen. »Das tut mir Leid. Aber ich wollte nicht wegen ihm kommen, sondern dich für morgen Abend einladen.«
»Wenn du es wünschst, gerne.« Giulia glaubte, er wolle irgendwo in Ruhe mit ihr sprechen, um ihr gutes Verhältnis wiederherzustellen. Gleichzeitig wunderte sie sich jedoch über das unstete Flackern in seinen Augen.
»Ich würde mich über deinen Besuch freuen. Komm bitte morgen Abend in die Korngasse. Ganz am Ende findest du ein kleines Haus, das meinem Gastgeber, dem Grafen Koloban, gehört. Es ist unbewohnt, aber mein Freund Danilo verwendet es manchmal für kleine Feste und hat es mir jetzt zur Verfügung gestellt.«
Giulias Laune sank sofort wieder. »Soll ich dort vor deinen Gästen singen?« Vincenzo schüttelte vehement den Kopf. »Nein, nein, ich habe keine Gäste eingeladen, oder sagen wir besser, nur einen.« Er zog Giulia näher an sich heran, damit er leiser sprechen konnte. »Ich werde mich an Falkenstein rächen und will, dass du meinen Triumph miterlebst. Aber du musst ganz still sein, denn mein Besucher darf dich nicht bemerken, verstehst du.«
»Eigentlich nicht ...«
»Dann verstehst du es morgen. Hauptsache, du folgst meinen Anweisungen. Es ist sehr wichtig für mich, dass du kommst.«
Giulia nickte, ohne zu begreifen. Unterdessen fuhr Vincenzo in seiner Erklärung fort. »Das Haus hat nur zwei Zimmer. Das größere enthält einen Raumteiler aus Latten, hinter dem man

alles mitbekommen kann, was vorne geschieht. Dahinter wirst du dich verbergen und dich nicht bemerkbar machen, egal, was auch geschieht. Hast du mich verstanden?«

»Verstanden schon, aber ich bin mir nicht sicher …«

»Kein aber«, unterbrach Vincenzo sie scharf. »Entweder du tust, was ich dir sage, oder du brauchst erst gar nicht zu kommen.«

Giulia starrte ihn hilflos an, wollte aber in Gegenwart der beiden Lakaien nicht mit ihm streiten. Sein angespanntes Gesicht verriet ihr, wie viel ihm an ihrem Besuch lag. »Also gut, ich komme«, wisperte sie ihm zu und schlüpfte durch das Tor, das ihr der Lakai öffnete.

Vincenzo sah ihr nach und spürte sofort Gewissenbisse. Er wusste allzu genau, wie überempfindlich dieser Nichtmann reagierte. Dann aber ballte er die Fäuste. Giulio musste endlich erwachsen werden. Die Lektion, die er ihm am nächsten Tag erteilen wollte, würde diesem mimosenhaften Kerl nur gut tun. Bei dem Gedanken an das, was er vorhatte, begann er zu grinsen. Es war ihm endlich gelungen, Rodegard von Falkenstein zu einem heimlichen Rendezvous zu bewegen, und er würde nicht eher nachgeben, bis er sein Ziel erreicht hatte. Irgendetwas in ihm fragte sich jedoch, ob es wirklich nötig war, Giulio als Zuschauer hinzuzuziehen. Es würde den Kastraten, der ja der körperlichen Liebe nicht mehr fähig war, verletzen, Zeuge einer Verführung sein zu müssen. Vincenzo hasste sich mit einem Mal wegen seiner inneren Zerrissenheit und sagte sich zum wiederholten Male, dass Giulio die Schuld an ihrem Zerwürfnis trug und diese Strafe verdient hatte. Trotzdem fühlte er sich so schlecht, dass nur sein Hass auf Falkenstein ihn daran hinderte, das Stelldichein mit dessen Frau abzusagen.

# VIII.

Am nächsten Morgen hatte Beppos Zustand sich unerwartet verschlechtert. Er rang so nach Luft, dass Assumpta überzeugt war, er müsse jeden Moment ersticken. Da ihm auch Filibert Scharrnagls Säfte und Tinkturen nicht mehr zu helfen schienen, drang sie darauf, dass Giulia einen anderen Arzt herbeiholen ließ. Einer der Lakaien holte den hochgelehrten Doktor Finkenbein herbei, der ein Freund des Leibarztes seiner Majestät sein sollte. Der Arzt sah den Kranken jedoch nur flüchtig an, hielt sich ein mit aromatischem Harz getränktes Tuch vor die Nase und murmelte sinnlose, lateinisch klingende Worte vor sich hin. Auf Giulias scharfe Frage, ob er eine Medizin gegen diese Krankheit wüsste, setzte er eine besorgte Miene auf und wiegte bedenklich den Kopf. »Der Mann ist mit einem höchst ansteckenden Fieber geschlagen, gegen das es keine Hilfe mehr gibt. Ihr werdet ihn auf der Stelle in das Hospiz der barmherzigen Brüder schaffen müssen, die für seine Seele beten und ihm den Weg zu Gott erleichtern werden.«
Giulia lachte hart auf. »Wenn mein Diener an einem ansteckenden Fieber leiden würde, lägen Assumpta und ich längst neben ihm. Laut Doktor Scharrnagl hat sich Beppo eine Entzündung der Atemwege zugezogen, aus der jetzt wohl doch eine Lungenentzündung geworden ist, wie er es schon befürchtet hat. Was Euch betrifft, so verzichte ich dankend auf Eure Dienste.«
Der Arzt starrte sie empört an. »Scharrnagl habt Ihr konsultiert? Ja, da ist es kein Wunder, dass Euer Diener sterbenskrank geworden ist. Der Kerl ist ein Scharlatan, sonst nichts. Er hat an keiner der großen Universitäten studiert, sondern geht mit Wissen hausieren, dass er von gottlosen Heiden und halbverrückten Kräuterweibern erworben hat. Hättet Ihr mich sofort gerufen, wäre der Mann hier jetzt schon wieder gesund.«
»Das bezweifle ich.« Giulia machte keinen Hehl daraus, wen sie

für einen Scharlatan hielt. Trotzdem zahlte sie dem Arzt die Summe, die er für seinen Besuch forderte, obwohl sie viermal so hoch war wie jene, die Scharrnagl für sein Kommen verlangte. Selbst Assumpta war froh, als der aufgeblasene Kerl wieder verschwunden war. »Es geht zu Ende, nicht wahr?« Beppo konnte die Worte kaum zwischen seinen pfeifenden Atemzügen hervorpressen. Assumpta jammerte sofort herzerweichend, Giulia aber schüttelte vehement den Kopf. »Red keinen Unsinn. Natürlich kommst du wieder auf die Beine. Dr. Scharrnagl hat uns doch gesagt, es könne noch einmal zu einem kleinen Rückschlag kommen, der aber nicht lange dauern wird. Du nimmst jetzt weiter deine Medizin und lässt dir von Assumpta Kräuterbrustwickel machen, dann bist du in ein, zwei Wochen wieder auf den Beinen.«

Über das abgezehrte Gesicht des Kranken huschte ein Lächeln. »Wenn ich sterbe, ist es Gottes Wille, mein Kind.«

»Red nicht so viel«, schalt Assumpta ihren Mann. »Sonst machst du es nur noch schlimmer.«

»Ich gehe zu Scharrnagl und frage, ob er noch ein Mittel hat, das Beppo helfen kann.« Giulia nickte dem alten Dienerpaar zu und verließ beinahe fluchtartig den Raum. Zu ihrem Glück war der Arzt zu Hause. Er konnte ihr jedoch nur einen Extrakt aus Mohnsamen mitgeben, der, wie er sagte, Schmerzen betäubte und den Kranken schlafen ließ. »Gebt ihm jedoch nicht zu viel, sonst wacht er nicht mehr auf«, rief er Giulia beim Abschied hinterher. Diese nickte und verließ mit wässrigen Augen das Haus in der Stiegengasse. Mit noch schwererem Herzen kehrte sie in die Hofburg zurück.

Dort schwirrten inzwischen die Gänge und Treppenhäuser von widersprüchlichen, aber durchaus positiven Gerüchten. Ein Kurier des Kaisers hatte der Kaiserin Nachrichten aus dem Feldlager gebracht, die die Hofdamen nun eifrig verbreiteten. Es hieß, die türkischen Truppen hätten sich aus dem Grenzgebiet zu-

rückgezogen, und der von ihnen angerichtete Schaden wäre zwar groß, könne aber verschmerzt werden. Allerdings bedauerten die meisten Höflinge, dass Maximilian II. darauf verzichtete, seinerseits einen Schlag gegen die Ungläubigen zu führen, eine Entscheidung, die dem Vernehmen nach auch bei seinen engsten Beratern nicht auf Gegenliebe stieß. Der Kaiser hatte seiner Gemahlin mitteilen lassen, dass er nur noch die Verhandlungen mit dem türkischen Pascha einleiten wolle, um den Rückkauf der Gefangenen zu ermöglichen, und danach so rasch wie möglich nach Wien zurückkehren würde.
Maria von Spanien war so erleichtert, dass sie eine Messe lesen ließ, die genau in die Mittagszeit fiel und den gewohnten Ablauf in der Hofburg völlig durcheinander brachte. Danach war das Essen verkocht, angebrannt und größtenteils auch wieder kalt geworden. Da man der Kaiserin und ihrer engsten Umgebung die besten Stücke vorsetzte, bekam die Dame natürlich nichts davon mit. Dafür waren die Sachen, die Giulia und ihrem Dienerpaar aufgetragen wurden, kaum mehr genießbar.
Während Assumpta Beppo ein paar Löffel pappiger Suppe einflößte, stocherte Giulia in einem zerfallenen Brei herum, in dem ein paar fette Fleischstücke schwammen. Schließlich schob sie den Teller zurück, legte sich für eine Stunde auf ihr Bett und hoffte darauf, dass Vincenzo seine Einladung mit einem umfangreichen Abendessen krönen würde.
Nach der Abendmesse zog sie sich um und eilte in die Korngasse. Das genannte Haus lag etwas versteckt hinter einigen Hecken und war wirklich sehr klein. Als sie klopfte, öffnete ihr ein Mann mittleren Alters in einem abgeschabten Wams und fleckigen Hosen. »Ah, der erste Gast des Herrn Vincenzo ist da. Tretet ein, edler Herr. Ich habe Euch eine kleine Brotzeit und einen Krug Wein hingestellt, damit Euch das Warten nicht so schwer wird.« Er führte Giulia quer durch das ganze Haus bis zu einer dünnen Trennwand aus Rohrgeflecht, durch die man

den Rest des geräumigen Zimmers überblicken konnte. In der Nische standen ein kleiner Tisch, auf dem ein eher karges Mahl angerichtet worden war, und als einziges anderes Möbelstück ein Stuhl. Der Raum jenseits der Trennwand enthielt nicht mehr als ein Bett, ein Umstand, der Giulia sehr nachdenklich stimmte.

Das Faktotum wies auf die kleine Öllampe, die gerade genug Licht spendete, dass Giulia ihren Teller sehen konnte. »Ich soll Euch von Herrn Vincenzo ausrichten, dass Ihr das Licht ausblasen sollt, wenn vorne die Tür aufgesperrt wird. Ihr dürft auf keinen Fall bemerkt werden, soll ich Euch noch einmal einschärfen.«

Giulia nickte gelassen, wand sich aber innerlich vor Zweifel. Ihr Gefühl hieß sie, aufzuspringen und zu gehen, ihr Verstand aber sagte ihr, dass sie es sich dann wohl endgültig mit Vincenzo verderben würde. Zudem roch das Essen, das vor ihr stand, nach der verdorbenen Mittagsmahlzeit geradezu verführerisch. Unschlüssig sah sie dem Diener zu, der im vorderen Teil des Raumes die Kerzen in einer unter der Decke hängenden Lampe anzündete und sich noch einmal prüfend umsah. Offensichtlich war alles zu seiner Zufriedenheit angeordnet, denn er rief noch ein »Gott befohlen« über die Schulter zurück und verließ hastig das Haus.

Giulia schob ihre Bedenken beiseite und widmete sich erst einmal dem Essen. Obwohl es nur aus Brot, Butter, kaltem Braten und fetter Wurst bestand, schmeckte es ausgezeichnet. Sie trank einen Becher des leicht säuerlichen Weins dazu und beschloss, abzuwarten und Vincenzos Treffen mit dem Unbekannten zu belauschen. Dazu hatte er sie ja schließlich eingeladen. Kaum hatte sie den letzten Bissen hinuntergespült, vernahm sie von draußen Geräusche. Sie blies die Lampe aus und spitzte die Ohren. Vincenzo schien nicht allein zu sein, denn er sprach begütigend auf jemand ein, der ihm jedoch nicht antwortete.

Einen Augenblick später wurde die Tür des Raumes geöffnet, und eine in einen weiten Mantel gehüllte Gestalt huschte herein, offensichtlich eine Frau, gefolgt von einem offensichtlich stark angespannten Vincenzo. Da er mitten unter der Lampe stehen blieb, konnte Giulia die tief in sein Gesicht gegrabenen Linien sehen. Glücklich sah er nicht aus. Während er der Frau aus dem Mantel half, blickte er ein paarmal verstohlen zu dem Verschlag hinüber. Giulia überlegte, ob sie sich ihm irgendwie bemerkbar machen konnte, ohne dass sein Gast etwas davon mitbekam, fand aber keine Möglichkeit dazu.
Vincenzo wurde jetzt ganz von der ängstlich wirkenden Frau in Anspruch genommen. Der schien das Arrangement in dem Raum auch nicht zu gefallen, denn sie sah sich kopfschüttelnd um und presste die Hand auf ihr Herz. Ihr Gesicht verriet, dass sie am liebsten davongelaufen wäre. »Ich hoffe, es hat uns keiner gesehen. Bei der Muttergottes, wenn ich gewusst hätte, wie bang mir jetzt ist, wäre ich nie gekommen.«
Vincenzo zog die Frau an sich. »Holde Gräfin! Liebste Rodegard von Falkenstein, sei versichert, dass uns niemand gesehen hat. Ich habe sogar meinen Diener weggeschickt, damit er dich nicht in Verlegenheit bringen kann. Wir sind jetzt ganz allein.«
»Aber was ist, wenn man zu Hause merkt, dass ich alleine unterwegs bin, ohne meine Dienerin?«
»Darüber haben wir doch schon gesprochen. Du bist in Sankt Ruprecht, um für eine glückliche Rückkehr deines Gatten zu beten, und hast deiner Dienerin freigegeben, damit sie ihre kranke Mutter besuchen kann. Niemand wird Verdacht schöpfen.«
»Der arme Falkenstein. Bei der Muttergottes, es ist schon eine Sünde gegen ihn, dass ich überhaupt hier bin.«
Vincenzo erkannte, dass die Frau ihm zu entgleiten drohte, und schob nach kurzem innerem Kampf den Gedanken an Giulio, der ihn mehr als alles andere beschäftigte, beiseite. Mit einem in seinen eigenen Ohren gespielt klingenden Aufstöhnen riss er

Rodegard von Falkenstein an sich und presste seinen Mund auf ihre Lippen. Seine rechte Hand wanderte über ihren Rücken bis zu ihren Pobacken und begann, diese sanft zu kneten.
Die Gräfin atmete schneller und erwiderte seine Küsse mit gleicher Heftigkeit. Ihre Leidenschaft schlug mit einer Schnelligkeit und Wildheit hoch, die auf lange Vernachlässigung schließen ließen. Vincenzo wurde davon überrascht und spürte, wie sein vorher schon allzu geringes Verlangen nach ihrem Körper schlagartig erlosch. Selbst die Vorstellung, nun seine Rache vollenden zu können, fachte sein Feuer nicht an. Wieder musste er an Giulio denken, der höchstwahrscheinlich hinter der Trennwand saß und dem Ganzen zusehen musste, und schämte sich. Verzweifelt versuchte er, sich an seine Wut und seinen Hass auf den Ehemann der sich unter seinen Händen genussvoll windenden Frau zu erinnern und sich auf das zu konzentrieren, was er tun musste. Doch seine Lenden blieben kalt. Heute war er zu weit gegangen, das wurde ihm mit einem Mal sehr deutlich klar. Wenn er sein Spiel mit der Gräfin bis zum bitteren Ende weitertrieb, würde er seinen sensiblen Freund Giulio demütigen und ihn endgültig verlieren.
Mit wachsendem Entsetzen stellte Vincenzo fest, dass ihn der Gedanke an den Kastraten unfähig zur körperlichen Liebe zu machen drohte, und er bäumte sich gegen diese Vorstellung auf. Nein, er durfte jetzt nicht versagen, denn dann würde er niemals mehr den weichen Körper einer Frau genießen können. So erwiderte er die Küsse der Gräfin mit einer Leidenschaft, von der er innerlich weiter entfernt war als je zuvor in seinem Leben, und betete darum, dass sein widerstrebendes Glied ihm nicht den Dienst versagen würde.
Während Vincenzo die Frau mit seltsam ungeschickten Händen entkleidete und ihr damit das Gefühl gab, vor Verlangen fast toll zu sein, saß Giulia starr vor Abscheu auf ihrem Stuhl. Sie erinnerte sich an eine ähnliche Szene vor Jahren in Mantua,

in der Paolo Gonzaga seine Rache an einem Mann ebenfalls an dessen Ehefrau vollzogen hatte, und fragte sich, ob Vincenzo die Gräfin Falkenstein zu jenen abscheulichen Dingen zwingen würde, die Gonzaga von Leticia Pollai verlangt hatte.

In diesem Augenblick hasste Giulia Vincenzo mit einer Inbrunst, die sie fast verzehrte. Gleichzeitig fühlte sie den brennenden Wunsch, hinauszustürmen und der Gräfin die Augen auszukratzen. Sie starrte Rodegard von Falkensteins üppig schwellende Formen an und fragte sich, ob es das war, was die Männer anzog. Gegen diese Frau empfand sie sich als zaundürr und fragte sich mutlos, ob je ein Mann an ihr Gefallen finden würde. Die Antwort, die sie sich selbst gab, war so niederschmetternd, dass sie sich glücklich schätzte, als Kastrat zu gelten.

Unterdessen war es den flinken Fingern der Gräfin gelungen, dem vorher noch schlaffen Glied Vincenzos die nötige Härte zu verleihen. Sie ließ sich schwer auf das Bett fallen und spreizte erwartungsvoll die Beine. Vincenzo, der jetzt wenigstens einen Hauch von Verlangen spürte, warf sich auf sie und drang heftig in sie ein.

Giulia schloss die Augen und presste die Hände auf die Ohren, um nichts mehr hören oder sehen zu müssen, doch die Geräusche ließen sich nicht ganz ausblenden, und ihre Phantasie machte alles umso schlimmer. Vor ihrem inneren Auge sah sie das Paar sich eng umschlungen über das Bett wälzen, und in ihrem Kopf hallten brünstige Schreie. Am liebsten wäre Giulia aufgesprungen und davongerannt. Dazu hätte sie jedoch den vorderen Teil des Raumes durchqueren und dabei ganz nah an dem schamlosen Paar vorbeigehen müssen. Das brachte sie nicht fertig. Jetzt hasste sie Vincenzo nicht nur aus ganzem Herzen, sondern verachtete ihn überdies noch. Er war genauso ein Tier wie die anderen Männer, immer nur danach strebend, seinen Geschlechtstrieb auszuleben.

Gleichzeitig machte ein Teil ihrer selbst ihr erbarmungslos klar,

dass sie an dieser Situation nicht ganz unschuldig war. Sie hatte Vincenzo all die Jahre belogen und hinters Licht geführt und ihn damit zu einer für ihn unwürdigen Eskapade getrieben. Hätte sie ihm vertraut und sich ihm offenbart, wäre sie es, die dort liegen und unter seinen Berührungen wohlig erschauern würde, und nicht diese fette, deutsche Kuh. Für einen Augenblick gab sie sich ganz der Vorstellung hin, Vincenzos Körper auf dem ihren zu spüren, zuckte aber zusammen, als sie das Kribbeln spürte, das sich von ihrem Busen und ihren Schenkeln aus über ihren ganzen Körper breit machte. Angeekelt fragte sie sich, ob sie nicht genauso schlecht war wie die Gräfin, die die Abwesenheit ihres Gatten nutzte, um in fremde Betten zu schlüpfen.
Giulia ahnte nicht, dass dieser Liebesakt für Vincenzo nur harte Arbeit war, an der er keine Freude mehr empfand. Viel zu früh für den Geschmack der Gräfin entlud sich sein Glied in einem für ihn wenig befriedigenden Orgasmus.
Während er keuchend zur Seite rollte, stemmte die Gräfin sich auf ihre Ellbogen und funkelte ihn an. »Man sagte mir, Italiener wären feurige Liebhaber. Doch bei Euch, mein Herr Vincenzo, scheint dieses Feuer arg klein geraten zu sein.«
Ihre Miene unterstrich die Verachtung, die aus ihren Worten sprach, und sie ließ ihn deutlich spüren, dass sie sich für die Gefahr, der sie sich ausgesetzt hatte, nur unzureichend entschädigt sah.
Vincenzo stand seufzend auf, schlüpfte in seine Hosen und half ihr, aufzustehen. Für einen Moment sah es so aus, als wolle sie ihn wieder aufs Bett ziehen und ihn mit ihren zu Krallen gespreizten Fingernägeln zwingen, ihr Verlangen zu stillen. Dann sah sie seinen abweisenden Gesichtsausdruck und spie äußerst undamenhaft vor ihm aus. Dennoch ließ sie sich von ihm in ihre Kleider helfen und lauschte den Zärtlichkeiten, die er der Sitte gemäß in ihr Ohr flüsterte. Nur Giulia bemerkte, dass Vincenzo dabei weniger die Gräfin ansah als die geflochtene Trennwand,

hinter der sie saß. Sie konnte seinem Gesicht ablesen, dass er seine Rache nicht sonderlich genossen hatte. Er wirkte so, als stieße ihn das, was er getan hatte, im Nachhinein ab. Oder war es nur seine Verachtung für die Frau, die auf seine Verführungskünste hereingefallen war? Giulia hatte genügend Bemerkungen von anderen Männern aufgeschnappt, um zu wissen, dass sie die Schuld für ihre Sünden im Nachhinein den von ihnen vorher so umworbenen Frauen in die Schuhe schoben. Sie hatte gehofft, Vincenzo würde sich als besserer Charakter erweisen, und fühlte sich von ihm enttäuscht. Als Vincenzo und Rodegard von Falkenstein das Haus verließen, hielt auch sie es nicht länger hier aus. Gegen ihre Tränen kämpfend lief sie eine Weile ziellos durch die Straßen, bis ihre Enttäuschung glühendem Zorn gewichen war.
Als Vincenzo in das kleine Haus in der Korngasse zurückkehrte, verrieten ihm nur der leer gegessene Teller und der halb volle Becher Wein, dass Giulio da gewesen war und alles miterlebt hatte. Ursprünglich hatte Vincenzo nach vollbrachter Tat mit dem Erfolg seiner Rache vor seinem Freund prahlen wollen. Doch jetzt wünschte er, er könne alles rückgängig machen. Während es Falkensteins Frau nicht gelungen war, seine Lust zu entfachen, flammte seine Begierde allein bei dem Gedanken an Giulio auf. Er sehnte sich nach der Nähe des Kastraten, danach, dessen Haut auf der seinen zu spüren und seinen feinen, fast weiblichen Duft einzuatmen.
Es war eine Todsünde, jemand zu begehren, der als Mann geboren wurde, doch Vincenzo war in diesem Augenblick bereit, alle Strafen der Hölle auf sich zu nehmen, wenn er Giulio nur einmal besitzen könnte. Die Erfüllung seines Wunsches aber hatte er sich mit seiner unbedachten Handlung, Giulio zum Zeugen seines Triumphes über Falkenstein machen zu wollen, wohl für immer verbaut. Vincenzo senkte den Kopf, schlich mit hängenden Schultern aus dem Haus und kehrte in die nächste Schenke ein, um im Wein Vergessen zu finden.

# IX.

In der Hofburg suchte Giulia sofort ihre Kammer auf und warf sich aufs Bett. Unterwegs hatte sie beschlossen, Vincenzo nicht mehr zu kennen, selbst wenn er ihr im Palais Koloban oder an einem anderen Platz über den Weg laufen würde. Sie wollte ihn vergessen und die Jahre mit ihm als ferne Erinnerung ganz tief in ihrem Innern vergraben. Doch je stärker sie versuchte, ihre Gedanken auf andere Dinge zu richten, wie zum Beispiel auf die neuen Lieder, die ihr ein sehr verärgerter Piccolomini durch einen Lakaien hatte überbringen lassen, umso mehr beschäftigte sie sich mit Vincenzo.
Wieder verglich sie ihn mit Paolo Gonzaga und musste zugeben, dass es doch einen großen Unterschied zwischen den beiden Männern gab. Vincenzo war sehr zärtlich mit der Frau umgegangen und hatte nur so mit ihr geschlafen, wie es einem Mann nach den Regeln der heiligen Kirche zukam. Paolo dagegen hatte seine Partnerin wie einen Gegenstand behandelt, sie zu seiner willenlosen Sklavin gemacht und sie auf ekelhafte Weise benutzt. Es war zwar nicht gerade ehrenhaft von Vincenzo gewesen, die Ehefrau seines Feindes aus Rache zu verführen, aber wenigstens hatte er ihr nichts angetan, das sie selbst in der Beichte verschweigen musste. So gesehen, war Vincenzo im Gegensatz zu Paolo Gonzaga ein Ehrenmann.
Giulia schnaubte bei dem Gedanken. Wenn sie so weitermachte, fand sie noch ein Dutzend weiterer Entschuldigungen für Vincenzo und würde zum Schluss noch zu ihm laufen und ihm den bösen Streich verzeihen, den er ihr gespielt hatte. Sie stand auf, schüttelte sich und ging in den großen Raum, aus der Beppos Husten und Assumptas Gejammer unablässig zu ihr hinüberdrangen. Auch wenn Assumpta ein Gesicht machte, als benötige ihr Mann jeden Augenblick die letzte Ölung, so hatte Giulia den Eindruck, als sei die Krankheit auf dem Rückmarsch.

Beppo wirkte erschöpft und ausgezehrt, aber seine Augen lagen nicht mehr ganz so tief in den Höhlen, und er konnte sich schon ohne Hilfe aufrichten. Noch war die Gefahr nicht vorbei, aber mit Gottes Hilfe würde er genesen. So zeigte sie sich sehr optimistisch und versuchte, die beiden alten Leute so gut zu trösten und aufzumuntern, wie es ihr in ihrem eigenen Kummer möglich war.

Die nächsten Tage verliefen im Gleichmaß der Messen in der Hofkapelle und bei der Kaiserin. Da Giulia keine weiteren Gönner gefunden hatte und wegen des Kriegszugs auch nur wenige private Feste stattfanden, gab es für sie keine weiteren Auftritte in der Stadt. So lernte sie in ihrer freien Zeit eine Reihe neuer Lieder, darunter auch ein paar deutsche, deren Noten ihr Graf Koloban geschickt hatte. Daneben kümmerte sie sich mehr als sonst um Beppo, dem ihr nur teilweise gespielter Optimismus sichtlich gut tat. Nach zwei Wochen brachte die Nachricht von der geplanten Rückkehr des Kaisers etwas Leben in die still gewordene Hofburg. Maximilian hatte einen Teil seiner Truppen in den Grenzbefestigungen zurückgelassen und marschierte mit dem Rest auf Wien zu.

Zum ersten Mal seit der Abreise ihres Gemahls lächelte die Kaiserin wieder gelöst. Sie trieb ihre Kammerfrauen an, alles für seine Ankunft und die Feierlichkeiten zu seinen Ehren vorzubereiten. Nachdem in den langen ruhigen Tagen ein gewisser Schlendrian Einzug gehalten hatte, kam die Dienerschaft nun kaum zum Verschnaufen. Selbst Assumpta wurde aufgefordert, mit anzupacken. Sie sagte mit einem erleichterten Aufatmen zu, um sich nicht immer nur der Verzweiflung am Bett ihres kranken Mannes hingeben zu müssen.

Die Ankunft des Kaisers erlebte Giulia im Gefolge Marias von Spanien am Stubentor. Maximilian zur Seite ritten die Herzöge Christoph von Württemberg und Albrecht von Baiern, welche symbolisch für die vom Kaiser vereinigten katholischen und

protestantischen Reichsstände standen. Diese Geste verfehlte jedoch ihre Wirkung, da der Baier seine Rolle mit einer sichtlich ablehnenden Haltung und einer höchst verärgerten Miene absolvierte.
Giulia empfand Herzog Albrecht von Anfang an als einen recht unangenehmen Herrn, auch wenn sie sich zweifelnd sagte, dass ein Mann, der einen so begnadeten Komponisten wie Orlando di Lasso als Hofkapellmeister nach München berufen hatte, kunstsinnig und großzügig sein musste. In den nächsten Tagen wurde ihr klar, dass ein großer Kunst- und Musikliebhaber wie Albrecht von Baiern gleichzeitig auch ein höchst ungehobelter Patron und ein rücksichtsloser Machtmensch sein konnte. So beleidigte er die evangelischen Gäste des Kaisers, indem er gegen Maximilians Bedenken durchsetzte, dass während seiner Anwesenheit in der Hofburg nur katholische Messen gelesen werden durften.
Giulia verstand nicht, wieso der Kaiser in diesem Punkt nachgegeben hatte, denn der Ärger über diese Zumutung stand deutlich in Maximilians Gesicht geschrieben. Christoph von Württemberg und seine Freunde saßen am äußersten Ende der Hofkapelle und versuchten, die Änderungen mit einem gewissen Gleichmut hinzunehmen. Falkenstein und sein engster Anhang fehlten hingegen, obwohl sie sich damit dem Wunsch der Kaiserin widersetzten. Giulia war sich sicher, dass der Graf dem Baiernherzog am liebsten jene feuchten Löcher als Quartier zugewiesen hätte, mit denen sie und ihre Begleitung in den ersten Wochen hatten vorlieb nehmen müssen. Doch als einem der bedeutendsten Fürsten im Reich stand Albrecht und seinem Gefolge das herrschaftliche Gästehaus zur Verfügung.
Herzog Albrecht lauschte sichtlich ergriffen der Messe und sah sich dabei mehrmals nach Giulia um. Als das letzte Amen verklungen war, richtete er sich auf und winkte sie zu sich. »Du singst ausgezeichnet, Kastrat. Ich habe nie eine lieblichere Stimme vernommen.«

»Eure Hoheit sind zu gütig.« Giulia verneigte sich nicht zuletzt deshalb so tief, damit er nicht in ihr Gesicht blicken konnte. Er hätte sonst ihre Abneigung gegen ihn erkennen können. »Wenn deine Zeit in Wien um ist, ist es mein Wille, dich in der Kirche Unserer Lieben Frau in meiner Residenzstadt München zu hören.« Albrecht V. ließ keinen Zweifel daran, dass es so zu kommen hatte.
Piccolomini trat von hinten an Giulia heran und schob sie einen Schritt auf den Herzog zu. »Wir werden Eurem Wunsch entsprechen, Eure Hoheit. Die Lerche von Santa Maria Maggiore in Rom wird ihre Stimme zur Lobpreisung Gottes auch in Eurer Stadt erheben.«
Giulia kochte innerlich und fühlte sich gleichzeitig so hilflos wie selten zuvor. Der päpstliche Gesandte behandelte sie mehr und mehr wie sein persönliches Eigentum und hielt es nicht für nötig, sie zu fragen, ob sie mit seinen Anordnungen einverstanden war. Ihr blieb jedoch nichts anderes übrig, als ihren Unmut zu verdrängen und dem Herzog zu erklären, dass sie sich durch seine Einladung sehr geehrt fühle. Dafür wurde ihr huldvoll die Hand zum Kuss gereicht. Giulia musste noch einige Fragen zu ihrem Repertoire über sich ergehen lassen, die sie offensichtlich zur Zufriedenheit des Herrn beantwortete. Als ein Höfling an ihn herantrat, um ihm etwas mitzuteilen, wurde sie mit einer ungeduldigen Handbewegung weggeschickt wie ein lästiger Bittsteller.
Draußen trat Graf Koloban an ihre Seite. »Der Herzog von Württemberg hätte gerne mit Euch gesprochen.« Er sprach so leise, dass ihn niemand außer ihr hören konnte. Erst jetzt erinnerte sich Giulia wieder an das Mordkomplott gegen Herzog Christoph. In ihrem Ärger über Vincenzo hatte sie es ganz vergessen. »Ist im Heerlager etwas vorgefallen?«
»Nicht hier«, beschied Koloban sie und fuhr mit lauterer Stimme fort. »Es wäre mir eine Freude, Euch am Nachmittag in mei-

nem Haus singen zu hören. Seid unbesorgt, Ihr werdet pünktlich zur Abendmesse Ihrer Majestät wieder zurück sein.«
Giulia nahm an, dass er ihr damit die Gelegenheit bieten wollte, ohne Aufsehen mit dem Württemberger zu sprechen. Jetzt, wo sie so direkt mit den Intrigen um den Kaiser konfrontiert wurde, war sie neugierig, ob Koloban und der Herzog etwas herausgefunden hatten.
Da eine von Piccolominis Äußerungen darauf hingedeutet hatte, dass sie am Nachmittag Albrecht von Baiern zur Verfügung stehen sollte, verließ sie die Hofburg schon kurz nach der Morgenmesse und schlenderte durch die Stadt. Ihr Mittagessen nahm sie in einer kleinen Schenke ein, die zwar nur einfache, aber kräftige Kost bot, und trank einen Becher Wein. Man bot ihr zwar auch Bier an, doch dieses Getränk war ihr zu bitter.
Sie betrat das Palais Koloban zur frühestmöglichen Stunde und fand dort einige wenige, aber sorgsam ausgesuchte Gäste vor, unter denen sich allerdings auch Graf Falkenstein befand. Ihr Gastgeber bat sie leise, zuerst einige Lieder für seine Gäste zum Besten zu geben und sich dann für ein kurzes Gespräch bereitzuhalten. Obwohl es keinen Grund dafür gab, klopfte Giulias Herz vor Aufregung bis zum Hals. Sie holte tief Luft und sang die von den Gästen gewünschten Stücke zu deren stürmisch kundgetaner Zufriedenheit. Sogar Falkenstein rang sich ein dürftiges Klatschen ab. Später führte Graf Koloban sie in einen Raum, in dem Christoph von Württemberg bereits auf sie wartete. Neben dem Herzog stand ein kräftiger junger Mann in kriegerischer Tracht, dessen Hand auffällig am Schwertknauf lag. Er musterte Giulia mit einer Mischung aus Misstrauen und Neugier. »Tragt Ihr eine Waffe?« Er trat auf sie zu und machte Miene, sie gründlich zu durchsuchen. Giulia zuckte zurück und griff unwillkürlich nach der Türklinke, um sich dem Zugriff zu entziehen. Da hob Herzog Christoph die Hand. »Lasst es gut sein, Fuhrenberg. Casamonte ist gewiss nicht der Mann, der

mich ins Paradies schicken soll, oder in die Hölle, wie es die Päpstlichen hoffen.«
»Man kann nicht vorsichtig genug sein.« Fuhrenberg stellte sich wieder breitbeinig neben dem Herzog auf, so dass er jederzeit sein Schwert ziehen und ihn verteidigen konnte.
Um die Lippen des Herzogs zuckte ein leichtes Lächeln. »Du tust ja direkt so, als hätte der junge Mann hier mich nur gewarnt, um mein Vertrauen zu erringen und mich dadurch leichter töten zu können. Und das ausgerechnet hier in einem Haus, in dem er keine Möglichkeit hätte, zu entkommen.«
»Fanatiker achten selten auf ihre eigene Sicherheit«, wandte Fuhrenberg ein, ohne die Hand vom Schwertknauf zu nehmen.
Der Herzog schmunzelte. »Casamonte ist sicher ein Fanatiker, aber ein Fanatiker der Musik und nicht des Glaubens.«
Giulia fand es an der Zeit, die unfruchtbare Diskussion zwischen dem Herzog und seinem Leibwächter zu beenden. Sie trat vor, verbeugte sich tief vor dem Württemberger und lächelte ihn an. »Ich bin sehr froh, Euch unversehrt wiederzusehen. Es ist also Gott sei Dank nichts geschehen.«
»Eure Botschaft erreichte mich wohl noch früh genug, denn es kam zu keinem Zwischenfall. Die Warnung hat meinen wackeren Fuhrenberg und einige andere Leute dazu gebracht, mich nicht mehr aus den Augen zu lassen. Manchmal war das ganz schön lästig, das könnt Ihr mir glauben. Aber sie war sicher nicht aus der Luft gegriffen, denn mehrmals sind Leute aus dem bairischen Heerlager verdächtig nahe um mein Zelt herumgeschlichen.«
Fuhrenberg nickte grimmig. »Wir gaben ihnen jedoch keine Möglichkeit, sich dem Herzog zu nähern.«
»Vielleicht hätten wir ihnen die Möglichkeit dazu bieten sollen, um sie dadurch ausschalten können. Jetzt müssen wir weiterhin auf der Hut sein.« Christoph von Württemberg ließ keinen Zweifel daran, dass ihm die übertriebene Vorsicht seiner Leib-

wache eher lästig war. Er winkte Fuhrenberg, der antworten wollte, zu schweigen, und wandte sich an Giulia. »Ich danke Euch für die Warnung, Casamonte. Dieser Schritt ist Euch gewiss nicht leicht gefallen, denn Ihr habt damit den Plänen Seiner Heiligkeit zuwidergehandelt.«

»Ich glaube nicht, dass Seine Heiligkeit Mord und Verbrechen gutheißen würde.« Giulia klammerte sich trotz einiger Zweifel an ihren Glauben, dass Pius IV. nichts von diesem Komplott wusste und es allein auf Piccolominis Bestreben hin zustande gekommen war. »Wie dem auch sei. Ihr habt damit dem Frieden im Reich einen großen Dienst erwiesen.« Der Herzog klopfte Giulia anerkennend auf die Schulter und ignorierte das scharfe Ausatmen Fuhrenbergs, dem diese sorglose Handlung wenig gefiel. »Ich will meinen Wert nicht zu hoch ansetzen. Mein Tod hier in Wien hätte jedoch Wellen im ganzen Reich geschlagen und das Verhältnis zwischen Protestanten und Katholiken von neuem erschüttert. Es gab schon einmal einen Krieg um der Religion willen. Kaiser Karl V. führte ihn gegen die Fürsten des Schmalkaldischen Bundes. Obwohl er siegreich blieb, konnte er den Protestanten seinen Glauben nicht mehr aufzwingen. Jeder weitere Versuch einer gewaltsamen Rückbekehrung würde in einer Katastrophe für das Reich enden. Wir müssen uns zusammenraufen, wie man bei uns in Deutschland sagt, auch mit einem Albrecht von Baiern, der die katholische Konfession bereits mit der Muttermilch aufgesogen und die Protestanten gnadenlos verfolgt und aus seinen Ländern vertrieben hat.«

Fuhrenberg lachte hart auf. »Seinen katholischen Untertanen hat das wenig gebracht, denn ihre Abgaben wurden um ein Mehrfaches erhöht, um die Steuereinnahmen des Herzogs auf dem früheren Stand zu halten. Ich sage Euch, mit Baiern wird es bald schon bergab gehen.«

»Das ist doch nur gut für uns. Solange Albrecht gegen seine eigenen Untertanen wütet, schwindet sein Einfluss im Reich, und der Kaiser ist dieses Ärgernis los.« Christoph von Württemberg atmete tief ein und bat Giulia, ihm genau zu berichten, was sie von dem geplanten Mordanschlag wusste. Sie konnte ihm jedoch nur die Worte wiederholen, die sie belauscht hatte. Dabei hatte sie das Gefühl, als würde es im Raum immer dunkler. Fuhrenberg bemerkte es auch, denn er sah sich so angriffslustig um, als bedrohe sogar die Laune des Wetters die Sicherheit seines Fürsten. »Man könnte meinen, die Nacht bräche bereits herein. Dabei ist es noch früh am Nachmittag.«

Der Herzog trat ans Fenster und blickte hinaus. Dicht über den Dächern der Stadt zogen pechschwarze Wolken auf und hüllten alles in Dunkelheit. »Es zieht ein schweres Unwetter auf.«

Wie zur Bestätigung seiner Worte brach sich der Donner eines Blitzes, dessen Widerschein die Düsternis durchzuckt hatte, in den engen Gassen und rüttelte an den Fenstern. »Wir sollten in die Hofburg zurückkehren, bevor der Himmel seine Schleusen öffnet«, sagte der Herzog und bot Giulia seine und Fuhrenbergs Begleitung an. Giulia schüttelte abwehrend den Kopf. Der Herzog machte eine Geste, als wolle er ihre Bedenken hinwegfegen. »Selbst Piccolomini wird nichts daran aussetzen können, wenn wir gemeinsam vor den Unbilden der Witterung fliehen.«

Das war so gut wie ein Befehl. Giulia fügte sich dem herzoglichen Willen und folgte den beiden Männern in die Vorhalle. Koloban erwartete sie bereits mit drei Dienern, die ihnen wasserdichte Übermäntel um die Schultern legten. Durch die offene Tür konnte man erkennen, dass es wie aus Kübeln goss. Dankbar nahm Giulia den schweren Filz entgegen und zog die Kapuze zurecht.

Koloban sah skeptisch hinaus. »Es wird immer schlimmer. Ihr solltet besser doch hier bleiben.«

Giulia schüttelte den Kopf. »Wer weiß, wie lange das Unwetter anhält. Ich darf nicht zu spät zur Abendmesse kommen.« Ohne

seine Erwiderung abzuwarten trat sie in den Gewittersturm hinaus. Der Herzog und Fuhrenberg folgten ihr auf dem Fuß.
Das Klatschen des Regens machte jedes Gespräch unmöglich. So liefen sie schweigend durch die menschenleeren Gassen, die Mäntel eng an sich gedrückt, und versuchten, den größten Pfützen auszuweichen, die das unebene Kopfsteinpflaster bedeckten. Giulia, die den anderen ein paar Schritte vorausgeeilt war, überkam beim Anblick der leergefegten Gassen ein seltsames Gefühl. Wenn jemand den Herzog töten wollte, musste diesem ein Unwetter wie dieses gerade recht kommen. Kaum war dieser Gedanke durch ihren Kopf geschossen, da hörte sie zwischen zwei Donnerschlägen das Klirren von Metall. Irgendjemand rief: »Der Große in der Mitte! Das muss er sein. Los, auf sie!«
Giulia schrie auf. »Vorsicht, Überfall!« Beinahe im selben Augenblick stürzten vier Männer aus einem Durchgang zwischen zwei Häusern. Zwei griffen den Herzog an, während ein Dritter auf Fuhrenberg losging. Der Letzte kam mit erhobenem Schwert auf Giulia zu.
Sie wich vorsichtig zurück, um nicht zu stolpern und dem Hieb des anderen völlig wehrlos ausgesetzt zu sein. Dabei wünschte sie, sie hätte die Pistole in der Tasche, die jetzt unerreichbar fern in ihrem Zimmer in der Hofburg lag. In einem Akt verzweifelter Selbstverspottung sagte sie sich, dass jene Waffe bei diesem Wetter höchstens als Wurfgeschoss zu brauchen gewesen wäre. Um ihren Angreifer besser im Auge behalten zu können, streifte sie die Kapuze ab. »Das ist doch der Kastrat. Lass den nur ja in Ruhe!«, rief einer der Meuchelmörder ihrem Gegner zu. Dieser wandte sich mit einem verächtlichen Auflachen dem Herzog zu. Im ersten Impuls wollte Giulia davonlaufen, doch dann gewann ihre Wut die Oberhand. Sie hatte den Württemberger nicht gewarnt, um ihn hier so einfach abstechen zu lassen. Fuhrenberg war so mit seinem Gegner beschäftigt, dass er seinem Herrn nicht zu Hilfe kommen konnte, während der Herzog trotz wil-

der Gegenwehr von seinen drei Feinden immer weiter gegen eine Hauswand gedrängt wurde. Verzweifelt sah Giulia sich nach etwas um, das sie als Waffe benutzen konnte. Aber in dem schlammigen Wasser, das um ihre Füße gurgelte, war noch nicht einmal ein loser Stein zu sehen.
Das Gewicht des nassen Übermantels brachte sie auf eine Idee. Rasch streifte sie den Umhang ab, warf ihn über den Schwertarm des Mannes, der gerade den tödlichen Stoß gegen den Herzog führen wollte, und zog den schweren Stoff sofort zurück. Der Arm des Meuchelmörders wurde beiseitegerissen, und seine Waffe schlitterte mehrere Schritte über den Boden, bis sie zu Giulias Füßen liegen blieb. Im ersten Schreck hob Giulia das Schwert auf und richtete es gegen seinen Besitzer. Der Mann schien nicht genau zu wissen, was er tun sollte. Obwohl seine Augen förmlich Blitze schleuderten, fürchtete er die Schwertspitze, die auf seinen Hals zielte.
Giulia hatte noch nie eine Waffe dieser Art in der Hand gehalten. Ihre Muskeln verkrampften sich und begannen zu zittern. Aus den Augenwinkeln sah sie, wie Fuhrenberg seinen Gegner mit einem Stoß in die Seite verletzte, und, ohne dem Sterbenden einen zweiten Blick zu schenken, seinem Herzog zu Hilfe eilte. Ihr eigener Widersacher bemerkte ihre Unaufmerksamkeit, sprang zurück und stürzte zu dem Gefallenen hin, um sich dessen Waffe zu bemächtigen. Giulia ahnte die Gefahr, in der sie gleich schweben würde, hob das Schwert mit beiden Händen und schlug einfach zu. Sie traf den Mann an der Hüfte, ohne mehr Wirkung zu erzielen als einen wütenden Aufschrei. In dem Moment aber, in dem er die Waffe seines toten Kameraden an sich raffte, traf ihn Fuhrenbergs Hieb im Nacken wie ein Henkersschwert. Giulia sah das Blut aufspritzen und musste sich übergeben.
Als sie sich aufrichtete, war alles vorbei. Die vier Angreifer lagen leblos am Boden. Der Herzog lehnte mit verzerrtem Gesicht an

der Hauswand und hielt sich den linken Ärmel, dessen zerfetzter Stoff sich immer mehr rot färbte. Während ihm der Regen in dichten Bächen über das Gesicht rann, lachte er Giulia zu. »Jetzt habt Ihr mir wirklich das Leben gerettet, Casamonte. Zum einen durch Eure Warnung, die früh genug gekommen war, und zum anderen dadurch, dass Ihr einen der Schurken von mir ablenken konntet. Es wäre genau der eine zu viel gewesen. Wenn Ihr einmal in Not geraten solltet, wisst Ihr, wohin Ihr Euch wenden könnt. Ich will in der Hölle braten, wenn ich Euch nicht mit allem helfen werde, das mir zur Verfügung steht.«

Fuhrenberg hatte unterdessen die Toten untersucht. »Die Kerle haben nichts bei sich, was darauf hindeuten kann, wer sie geschickt hat.«

Der Herzog zuckte mit den Schultern und stöhnte dann schmerzerfüllt auf. »Wer sie geschickt hat, wissen wir. Doch wir können es nicht beweisen und müssen uns auch um des Friedens willen zurückhalten.«

Er sah Giulia an und nickte ihr aufmunternd zu. »Es ist das Beste, Ihr kehrt rasch in die Hofburg zurück, damit Euch niemand mit dieser Sache in Verbindung bringt. Ich lasse die Schramme hier verarzten und alarmiere die Büttel, damit sie die Kerle da wegschaffen.«

Giulia ließ das Schwert fallen, das sie noch immer in der Hand hielt, und rannte wie von Furien gehetzt davon. Kurz darauf stolperte sie an den grinsenden Wachen vorbei, eilte in ihr Zimmer und riss sich dort die nassen Kleider von Leib. Mit klappernden Zähnen schlüpfte sie unter die Bettdecke und flehte die Heilige Jungfrau an, es möge alles nur ein Albtraum gewesen sein.

# X.

Offiziell wurde der Mordanschlag auf den Herzog von Württemberg totgeschwiegen. Es gab keine Untersuchung, und niemand forschte nach den Hintermännern. Die Gerüchteküche aber brodelte. Es gab in diesen Tagen kaum ein Thema, das so ausgiebig durchgekaut wurde wie dieses. Piccolomini, der kaum begreifen konnte, dass sein sorgsam durchdachter Plan fehlgeschlagen war, wurde immer wieder mit Vermutungen konfrontiert, die der Wahrheit gefährlich nahe kamen. Es gab genügend Leute, die die Hintergründe der Tat zu kennen schienen, doch niemand beschuldigte ihn oder klagte ihn an. Sogar die Katholiken am Hof, die den Protestanten nicht sonderlich gewogen waren, ließen ihn spüren, dass er zur Unperson geworden war, und die Kaiserin zeigte ihm die kalte Schulter.

Schlimmer traf es den Herzog der Baiern, in dessen Gefolge die Attentäter nach Wien gekommen waren. Auch ihm sagte niemand ins Gesicht, dass er den feigen Anschlag zu verantworten hätte. Aber Edelleute schnitten ihn und seine Begleiter, und er wurde zu keinem privaten Fest mehr eingeladen. Anders als der päpstliche Gesandte, der sich mit Bibelsprüchen und beredten Worthülsen aus der Affäre ziehen konnte, polterte der Baier bei der geringsten Andeutung los und wies jede Schuld empört von sich. Schließlich beschuldigte er seinerseits Christoph von Württemberg, vier brave bairische Soldaten umgebracht zu haben, um ihm am Zeug flicken zu können. Dabei trug er so dick auf, dass selbst die Gutwilligen an seine Schuld zu glauben begannen. Das Verhältnis zwischen dem selbstherrlichen Baiernherzog und dem Kaiser kühlte merklich ab, bis Maximilians Abneigung gegen Albrecht V. unübersehbar geworden war. Trotz seiner Dickfelligkeit begriff der Baier nach einigen Tagen, dass er am Wiener Hof nicht mehr erwünscht war, und kündete seine Abreise an.

Giulia hatte Württembergs Rat befolgt und sich von den Diskussionen um den Mordanschlag fern gehalten. Dennoch lebte sie in beständiger Angst, der Baiernherzog oder Piccolomini könnte herausfinden, welche Rolle sie bei dem vereitelten Überfall gespielt hatte. Dabei fürchtete sie den päpstlichen Gesandten weniger als den Baiern, denn Piccolomini konnte ja nichts gegen sie unternehmen, ohne sich selbst zu verraten. Dem Baiern aber war zuzutrauen, dass er seine Wut über den Tod seiner Männer und die Folgen an ihr auslassen würde. So war sie erleichtert, als sie von seinem Aufbruch hörte. Ihre Freude über seinen unrühmlichen Abgang hielt jedoch nicht lange an, denn an dem Abend, an dem sie die Neuigkeit erfahren hatte, befahl ihr de Vega, nach der Abendmesse den päpstlichen Gesandten aufzusuchen und sich neue Instruktionen abzuholen.
Der Spanier schien zu glauben, es handele sich um ein paar neue Lieder, die sie der Kaiserin vortragen sollte. Giulia aber schwante nichts Gutes. Als sie mit klopfendem Herzen Piccolominis Gemach betrat, deuteten offene Kisten und Truhen darauf hin, dass auch der päpstliche Gesandte Wien zu verlassen gedachte.
Piccolomini inspizierte den Inhalt mehrerer Truhen, bevor er sich Giulia zuwandte. »Ich muss nach Rom zurück, um Seiner Heiligkeit Bericht zu erstatten«, sagte er wie zu sich selbst. Es klang gleichzeitig wütend und niedergeschlagen.
Dann streifte er Giulia mit einem Blick, wie man ihn einem lästigen Domestiken schenkt, trat ans Fenster und starrte hinaus, als wolle er dem Dunkel der Nacht gewisse Geheimnisse entreißen. »Du wirst in drei Tagen im Gefolge des Herzogs von Baiern nach München reisen. Die Kaiserin wird zwar enttäuscht sein, dich so schnell zu verlieren, doch ich kann es mir nicht leisten, einen treuen Sohn der Kirche wie Albrecht V. zu verärgern.«
Giulia schwankte. Es reizte sie, mit Orlando di Lasso zusammenzuarbeiten, doch sie hatte wenig Lust, sich dafür direkt in die Höhle des Löwen zu wagen. Ihr Verstand sagte ihr, dass

München weit weg war und dort wohl keine Gefahr mehr bestand, der Baier könne etwas von der Verbindung zwischen ihr und dem Württemberger erfahren. Ihr Bauch aber suchte verzweifelt nach einem Ausweg. Wenn sie sich rundheraus weigerte, an den Hof Albrechts zu gehen, machte sie sich verdächtig. Bestenfalls verärgerte sie Piccolomini und damit auch den Papst und brauchte sich im Kirchenstaat nicht mehr blicken zu lassen. Also blieb ihr nur, den Zeitpunkt der Abreise hinauszuschieben, bis sich die Gemüter etwas abgekühlt hatten. »Verzeiht, Monsignore, aber ich kann Wien noch nicht verlassen. Mein Diener ist schwer erkrankt, und es wird nach Ansicht des Arztes noch mindestens zwei Wochen dauern, bis er das Bett verlassen kann. Ich kann erst aufbrechen, wenn er reisefähig ist.«
Piccolomini lief rot an und schlug mit der flachen Hand auf den Tisch. »Du pflichtvergessene Missgeburt von einem Kastraten wirst mir gehorchen, hast du verstanden? Der Baiernherzog will dich haben, also bekommt er dich auch. Wenn du dich weigerst, werde ich dafür sorgen, dass kein Hund mehr einen Knochen für deinen Gesang gibt.«
»Ich bitte Euch doch nur um ein paar Tage Aufschub.«
»Nein! Du begleitest den Herzog, oder du wirst deinen Ungehorsam bis an das Ende deiner Tage bereuen.«
Giulia war nicht bereit, Beppo und Assumpta im Stich zu lassen. Für einen Moment überlegte sie, sich dem Gesandten zu Füßen zu werfen und ihn anzuflehen, sie bleiben zu lassen. Sein Gesicht verriet ihr aber auch so, dass mit ihm nicht zu reden war. Er sah aus wie ein Mann, der eine bittere Niederlage erfahren hatte und nun nach jedem Strohhalm griff, um sich selbst vor dem Abgrund völligen Scheiterns zu bewahren. Dafür war er offensichtlich bereit, alles und jeden zu opfern, und dazu gehörte auch sie. Sie schluckte die Tränen hinunter, die ihr in die Augen stiegen, und verließ nach einer knappen Verbeugung das Zimmer.

Während sie durch die Korridore der Hofburg eilte, wirbelten ihre Gedanken wie aufgescheuchte Vögel durch den Kopf. Wenn sie allein reiste, ohne Assumpta, würde sie ihre Maske kaum lange aufrechterhalten können, aber sie konnte die Dienerin nicht zwingen, ihren kranken Mann zurückzulassen. Man würde Beppo kurzerhand in eines der überfüllten Armenhospize schaffen und dort sterben lassen. Missachtete sie Piccolominis Befehl, würde er seine Drohung gewiss wahr machen. Für einen Augenblick dachte sie daran, Christoph von Württemberg um Hilfe zu bitten. Der konnte ihr höchstens anbieten, sie mit in seine Heimat zu nehmen. Von dem Moment an würde sie als Ketzerin gelten und dürfte sich weder im Kirchenstaat noch in einem anderen katholischen Land sehen lassen. Wie sie es auch drehte und wendete, es schien keinen Ausweg aus dieser fatalen Situation zu geben.
Sie musste daran denken, mit welch hoch gesteckten Erwartungen sie nach Wien gekommen war. Es hätte der Beginn einer wirklich großen Karriere sein können, die sie von Fürstenhof zu Fürstenhof geführt hätte. Nun aber war sie in Gefahr, alles zu verlieren. Vincenzo war ihr bereits entglitten, und daran musste sie sich allein die Schuld geben. Nun bräuchte sie ihn dringender denn je. Wie es aussah, hatte sie nur noch die Wahl zwischen dem Gehorsam, den sie dem Papst und damit auch seinem Gesandten schuldig war, und dem Wohlergehen der beiden Menschen, die sie seit ihrer Kindheit geliebt und behütet hatten. Wenn sie Beppo in Vincenzos Obhut zurücklassen konnte, würde noch alles gut werden. Assumpta würde sie niemals alleine ziehen lassen, das wusste sie, aber es würde ihr das Herz zerreißen, Beppo im Ungewissen zurücklassen zu müssen. Und nicht nur ihr. Giulia war klar, dass sie zu so einer grausamen Handlung nicht fähig war. Piccolomini aber würde seine Drohung wahr machen und sie zu einer unerwünschten Person erklären lassen.

Sie erinnerte sich zu gut daran, wie es ihr in Mantua ergangen war, nachdem sie den Wettstreit gegen Giacomo Belloni verloren hatte. Damals hatten ihr selbst die einfachen Bürger die kalte Schulter gezeigt. So würde es auch diesmal sein, nur viel schlimmer. Ohne die Empfehlung einer hoch gestellten Persönlichkeit gab es für sie kein lukratives Engagement, und wenn sie sich Piccolominis Willen und dem des Baiernherzogs widersetzte, würde sie nur noch auf Jahrmärkten singen dürfen oder sogar betteln gehen müssen. Das sagte sie zu Assumpta, nachdem sie ihr von Piccolominis Forderung berichtet hatte.

Die Dienerin starrte sie entsetzt an und schlug das Kreuz. »Heilige Maria! So grausam kann der hohe Herr doch nicht sein. Nein, nein, du musst ihn missverstanden haben. Auf ein paar Tage kommt es doch gewiss nicht an. Schau dir Beppo an. Ihm geht es schon viel besser. Du wirst sehen, in einer Woche springt er wieder herum wie ein junger Mann. Dann mieten wir uns eine Kutsche und fahren in aller Gemütlichkeit nach München.«

Beppo setzte sich auf und nickte bekräftigend. »Assumpta hat Recht. Wir haben deiner Mutter vor Gott geschworen, dich nie im Stich zu lassen, und das werden wir auch nicht. Die Arzneien des Doktors haben mir gut getan, und es geht mir schon sehr viel besser.«

Er hatte tatsächlich große Fortschritte gemacht, doch er sah noch so schwach aus, dass es Giulia schier das Herz zerriss. Aber seine Augen glänzten nicht mehr fiebrig, und sein Atem ging leichter. Es mochte noch Wochen dauern, bis er reisen konnte. Mit einem Mal wusste Giulia, was sie tun musste, auch wenn es ihr nicht gefiel. Sie trat an sein Bett und ergriff Beppos Rechte. »Treuere Menschen als euch hat es niemals gegeben. Ihr lasst mich nicht im Stich und ich euch auch nicht. Ich kann mich dem Ruf nach München nicht verweigern, sonst laufe ich tatsächlich Gefahr, kein Engagement mehr zu bekommen. Dann würdet auch ihr kein Auskommen mehr haben. Das kann ich euch nicht antun. Aber ich weiß, wer uns helfen kann. Ich werde heute noch zum Grafen Koloban gehen und ihn bitten, sich eurer anzunehmen. Bestimmt hat er ein warmes Stübchen für euch, in dem du richtig gesund werden kannst, Beppo, und wenn du wieder reisefähig bist, wird er euch in eine Kutsche setzen und nach München bringen lassen. Sicher wird Herzog Albrecht mir einen Diener oder eine Magd zur Verfügung stellen, der sich um meine Kleider kümmern wird. Ein paar Wochen lang werde ich mir wohl allein zu helfen wissen.«

Ihre Stimme klang nicht so sicher wie ihre Worte, das merkte sie selbst. Aber sie musste daran glauben und so stark sein, wie sie es noch nie gewesen war. Assumpta zog die Schultern hoch, als fröre sie trotz des Feuers im Kamin. »Ich mag nicht unter diese fremden Menschen, die ich nicht verstehe.«

»In Wien gibt es genug Leute, die der italienischen Sprache mächtig sind. Ich lasse euch so viel Geld da, dass ihr angenehm leben und den Arzt bezahlen könnt, und werde Graf Koloban noch eine Summe für eure Reise hinterlassen. Ich bin überzeugt, dass ihr bei seinen Leuten gut aufgehoben seid. Ich werde morgen so früh zu ihm gehen, wie es die Höflichkeit erlaubt, und ihm meine Bitte vortragen.«

Giulia warf einen Blick auf Beppos Medizinvorräte und fand, dass sie sie vor ihrer Abreise ergänzen musste. Das war sie dem braven Diener schuldig. Assumpta war einfach zu hilflos, und auf fremde Dienstboten wollte sie sich da nicht verlassen. Sie drückte die Alte an sich und küsste sie auf die faltige Wange. »Es wird alles gut gehen. Verlass dich darauf.«

Sie wünschte ihr eine gute Nacht und floh fast in ihre Kammer. Als sie sich an der Tür noch einmal umdrehte, schniefte Assumpta vernehmlich und starrte noch einen Augenblick düster vor sich hin, bevor sie sich schwerfällig erhob, um Giulia beim Auskleiden zu helfen.

Am nächsten Vormittag suchte Giulia als Erstes den Arzt auf

und kaufte reichlich Säfte und Salben. Filibert Scharrnagl versprach, mindestens zweimal in der Woche nach Beppo zu sehen, und nickte ihr ermutigend zu. »Als ich gestern Morgen Euren Diener untersuchte, schien es mir, als käme er bald wieder auf die Beine. Ich glaube, Gott oder die Heilige Jungfrau haben doch noch ein Wunder vollbracht.« Giulia lächelte erleichtert. »Wenn der Mensch nicht mehr an Wunder glauben würde, wäre das Leben kalt und leer. Ich danke der Madonna und allen Heiligen für ihre Hilfe. Aber auch Euch bin ich zu großem Dank verpflichtet. Ihr habt viel dazu getan, dass dieses Wunder geschehen konnte.«
Scharrnagl reichte ihr die Hand. »Das war meine Pflicht. Euch wünsche ich eine gute Reise, Casamonte, und viel Erfolg in München. Herzog Albrecht soll ein Kunstkenner sein und sich denen gegenüber, die sein Wohlwollen erringen, mehr als großzügig zeigen.«
»Es würde mich freuen. Doch nun Gott befohlen.« Giulia nahm das Päckchen mit den Arzneien und verließ die kleine, enge Praxis in der Stiegengasse. Als sie sich auf der Straße noch einmal umdrehte, sah sie den Arzt an einem der kleinen Fenster im zweiten Stockwerk stehen und ihr nachsehen. Sie winkte hinauf und kehrte anschließend mit festen Schritten zur Hofburg zurück. Kurz, bevor sie ihre Zimmertür erreichte, kam ihr der Diener entgegen, der ihr sonst die Anweisungen Piccolominis überbracht hatte. Giulia sah ihm mit klopfendem Herzen entgegen, doch der Mann sah sie nur schief an und drückte sich stumm in den nächsten Gang, so als hätte er ein schlechtes Gewissen. Misstrauisch geworden fragte Giulia Assumpta, ob Piccolominis Lakai bei ihnen gewesen sei.
Die Dienerin schüttelte verärgert den Kopf. »Ich habe geglaubt, ein Geräusch an der Tür gehört zu haben, und bin hinausgegangen. Da stand der Mann direkt vor mir und hat Beppo über meine Schulter angestarrt, als wolle er ihn auf der Stelle hinauswer-

fen. Ich habe ihn noch gefragt, was er hier wolle, aber er hat sich umgedreht und ist davongelaufen.«
Giulia fauchte wie ein kleines Kätzchen. »Piccolomini wollte wohl kontrollieren, ob wir Beppo schon ins Hospiz geschafft haben. Aber ich werde mich von ihm nicht unter Druck setzen lassen. Keine Sorge, gleich nach dem Mittagessen gehe ich los, euch eine Unterkunft zu beschaffen.«
Assumpta und Beppo beruhigten sich sofort wieder und wünschten Giulia viel Erfolg, als sie nach dem Mittagessen zum Palais Koloban aufbrach. Insgeheim hoffte sie, Vincenzo dort anzutreffen, aber er war nirgends zu sehen, und der Diener, der sie zu den Herrschaften brachte, wusste auch nicht zu sagen, wann er wieder auftauchen würde.
Der Graf und die Gräfin begrüßten Giulia gleichzeitig erfreut und ein wenig traurig, da sie wussten, dass sie den Sänger nun für längere Zeit nicht wiedersehen würden.
Nachdem sie ein paar höfliche Floskeln ausgetauscht hatten, trug Giulia ihre Bitte vor. Die Gräfin sah ihren Mann freundlich nicken und lächelte Giulia begütigend zu. »Sorgt Euch nicht weiter. Wir haben ein kleines Häuschen hinten im Garten mit einem Kamin und einer einfachen Rauchküche. Dort können die alten Leutchen wohnen, bis wir sie Euch nachsenden können. Ich sorge dafür, dass sie genügend Feuerholz und Lebensmittel bekommen. Ich will auch Euer Geld nicht. Aber Ihr könnt mir eine andere Bitte erfüllen.«
Giulia küsste ihr die Hand und sah sie fragend an. »Gerne, wenn es in meiner Macht steht.«
»Bitte singt noch einmal für mich. Ich will mich an etwas Schönes erinnern können, wenn ich an Euch denke, Casamonte. Nicht nur an Mord und Totschlag und ähnlich hässliche Dinge.«
»Du tust so, als hätte Casamonte noch nie bei uns gesungen«, wandte Koloban ein.

Die Gräfin sah ihn mit leuchtenden Augen an. »Aber noch nie für mich allein.«
Koloban seufzte. »Ich bin froh, dass Ihr kein Mann seid, Casamonte. Ich müsste sonst vor Eifersucht glühen. Oh, verzeiht! Ich wollte Euch nicht kränken, aber hier in Wien sind wir den Umgang mit Ka…, mit Euresgleichen nicht gewöhnt.«
»Ihr habt mich nicht gekränkt.« Giulia schenkte ihm ein Lächeln und stellte sich in Pose. Die nächsten zwei Stunden versank sie im Rausch ihrer Musik und wurde ihre Gastgeber erst wieder gewahr, als sie das letzte Lied beendet hatte.
Koloban musterte sie, als sähe er sie zum ersten Mal, und verbeugte sich vor ihr. »Schöner als Ihr kann kein Engel singen!« Seine Frau knickste vor Giulia, als wäre sie der Kaiser persönlich. »Ihr seid wunderbar, Casamonte. Ich bedaure, dass Ihr Wien verlassen müsst, und bete, dass Ihr irgendwann wieder zu uns zurückkommt.«
»Ich danke Euch.« Giulia schloss für einen Moment die Augen und atmete tief durch. Es war schön, Freunde und Bewunderer zu haben, die ihre Musik um ihrer selbst willen liebten und nicht deshalb, weil sie zum höheren Ruhm Gottes erklang. Sie wollte sich schon verabschieden, als sich Koloban an etwas erinnerte.
»Wartet einen Moment«, bat er und verließ kurz den Raum. Als er zurückkam, hielt er zwei Päckchen in seiner Hand. »Ich soll Euch das von Christoph von Württemberg geben. Er bedauert, dass er sich nicht persönlich von Euch verabschieden konnte, doch er hat Wien verlassen, um jeden weiteren Streit mit dem Baiernherzog zu vermeiden.« Koloban reichte Giulia zuerst das größere der beiden Päckchen und danach das andere. »Dieses hier ist von meiner Frau und mir als kleiner Dank für etliche wunderschöne Stunden.«
Giulia starrte auf die beiden Geschenke und wusste nicht, was sie dazu sagen sollte. Ihre Augen füllten sich mit Tränen. »Es tut mir sehr Leid, aus Wien scheiden zu müssen.«

»Uns auch«, erwiderte die Gräfin und reichte ihr ein Seidentuch. »Behaltet es. Es soll Euch immer an mich erinnern.«
»Danke! Danke für alles. Ihr seid so gütig, wie ich nur wenige Menschen kennen gelernt habe.« Giulia musste sich erneut die Tränen abwischen, aber auch in den Augen der Gräfin glitzerte es. Als sie dem Diener folgte, der sie hinausgeleiten sollte, bemerkte sie, wie schwer es ihr fiel, das gastfreundliche Haus zu verlassen, und sie fragte sich, ob sie je wieder so warm empfangen werden würde wie hier.
Eine Stunde später stand sie auf ihrem gewohnten Platz in der Hofkapelle, um die Abendmesse zu singen, die seit Herzog Albrechts Ankunft dreimal in der Woche in der Kapelle stattfand. Albrecht V. saß ganz vorne in der Nähe des Kaisers und betrachtete Giulia mit sehr zufriedener Miene, so als wäre sie ein wertvoller Gegenstand, den er erst kürzlich erworben hatte.

## XI.

Am nächsten Morgen, dem Tag vor ihrer Abreise, wurde Giulia durch einen gellenden Schrei aus dem Schlaf gerissen. Schlaftrunken sprang sie aus dem Bett und taumelte in das andere Zimmer. Dort hatte sich Assumpta über Beppo geworfen und schlug verzweifelt die Stirn gegen das Holz. »Er ist tot!«, schrie sie mit einer Stimme, die nichts Menschliches mehr an sich hatte. »Gestern ging es ihm doch noch so gut! Wie kann Gott nur so grausam sein?« Giulia hob sie auf und zog sie tröstend an sich. Dabei sah sie direkt in Beppos wachsbleiches, starres Gesicht. Es sah seltsam verzweifelt aus, als habe der alte Mann sich bis zur letzten Minute gegen den Tod gewehrt. Unwillkürlich griff sie nach der Flasche mit dem Mohnsaft, die sie erst gestern vom Arzt geholt hatte. Bis auf einen winzigen Rest war sie leer. Mit einem Mal fühlte Giulia eine fürchterliche Leere im Kopf. Hatte

Beppo das Elixier, das in kleinen Dosen heilend, in voller Menge aber tödlich wirkte, selbst zu sich genommen, um ihr keine Last zu sein? Sie konnte es sich kaum vorstellen, denn als sie ihm und Assumpta von dem kleinen Haus im Garten der Kolobans berichtet hatte, war Beppo richtig aufgelebt. Das Eingesperrtsein zwischen den dicken Mauern des Palasts hatte ihn schon seit dem Tag bedrückt, an dem er wieder ein paar Schritte im Zimmer hatte auf und ab gehen können.

So blieb Giulia nur ein Schluss übrig. Jemand musste am Abend zuvor Assumptas kurze Abwesenheit genutzt und sich ins Zimmer geschlichen haben, um den wehrlosen, alten Mann mit seiner eigenen Medizin zu vergiften. Das, was sie und Assumpta später am Abend für einen Heilschlaf gehalten hatten, war in Wirklichkeit schon das Wegdämmern in den Tod gewesen. Giulia ballte die Fäuste und biss die Zähne zusammen, denn sie erinnerte sich noch deutlich an das Zusammentreffen mit dem Lakaien am Vortag. Sie wollte niemand verdächtigen, doch es gab durchaus Menschen, die unter allen Umständen verhindern wollten, dass sie aus Sorge um den Diener zurückblieb.

Dieser Sorge war sie jetzt auf grausame Art enthoben worden. Während sie beruhigend auf Assumpta einredete, ließ sie die Flasche unauffällig in ihrer Tasche verschwinden, in der Hoffnung, dass ihr Fehlen der alten Frau nicht auffiel. Sie wollte sie in dem Glauben lassen, dass Beppo von Gott abberufen worden war und nicht durch eigene Hand oder die eines Mörders umgekommen war. Beides würde sie weit über den Verlust ihres Mannes hinaus unglücklich machen.

Als Assumpta sich wieder halbwegs gefasst hatte und nur noch still weinend auf der Bettkante saß, stand Giulia auf. »Ich werde jetzt einen Priester holen und mich erkundigen, wo wir Beppo begraben können.«

Assumpta richtete sich auf, warf den Kopf hoch und starrte Giulia an, als besänne sie sich darauf, dass das Leben noch

Pflichten für sie bereithielt. Sie deutete auf Giulias Hemd, unter dem ihre weiblichen Formen deutlich zu erkennen waren, und schüttelte den Kopf. »So entblößt? Dann schreien es die Spatzen von den Dächern, wer du wirklich bist. Du gehst jetzt in deine Kammer zurück und ziehst dich an. Komm, ich helfe dir. Dann kannst du nach einem Priester rufen.«
Giulia sah an sich herab und huschte erschrocken in ihr Schlafgemach. Assumpta folgte ihr schnaufend und ließ sie nicht eher gehen, als sie mit ihrem Aufzug zufrieden war.
Piccolomini hatte einen Priester zu Gast, der sich sofort bereit erklärte, Giulia beizustehen und die notwendigen Zeremonien abzuhalten. Das und Piccolominis allzu zufrieden wirkende Miene bestärkten Giulias Verdacht, dass Beppo nicht Hand an sich gelegt hatte. Es wäre ihr auch schwer gefallen, mit diesem Glauben zu leben, denn schließlich blieb einem Selbstmörder das Paradies verschlossen, mochte er sonst auch der beste Mensch auf Erden gewesen sein. An und für sich fand Giulia auch dieses Dogma äußerst ungerecht. Warum sollte einem Mann, der immer treu und ehrlich gewesen war und niemand anderem geschadet hatte als sich selbst, der ewigen Verdammnis verfallen sein, während ein Mörder und Räuber, der erst in seiner Todesstunde Reue zeigte, von Gott in Gnaden aufgenommen wurde?
Giulia fragte sich, ob nur Piccolomini oder auch Herzog Albrecht für Beppos Tod verantwortlich waren. Beide hatten nicht wissen können, dass sie ein gutes Arrangement für ihren Diener getroffen hatte, um dem Ruf nach München trotz allen Widerwillens folgen zu können. Lakaien des Baiers hatten erfahren, dass sie sich wegen Beppos Krankheit geweigert hatte, Wien zu verlassen, und konnten ihren Herrn durchaus informiert haben. Für einen Mann wie Albrecht V., der keinen Widerstand vertragen konnte, war ein kranker Diener ein Hindernis, das man leicht beseitigen konnte, und anders als dem päpstlichen Ge-

sandten standen ihm genug Menschen zur Verfügung, die sich nicht scheuten, einen Mord zu begehen.
Um sich nicht in einem Wust von Verdächtigungen zu verlieren, richtete Giulia ihre Gedanken ganz auf das Begräbnis. Es war eine jämmerlich kleine Trauergemeinde, die Beppo fern seiner Heimat zu Grabe trug. Außer ihr und Assumpta waren neben dem Priester nur noch ein Totengräber und dessen Gehilfe anwesend. Am meisten ärgerte sich Giulia über Vincenzos Fernbleiben. Sie hatte noch auf dem Weg zu Piccolomini einen Diener zum Palais Koloban geschickt, um ihm Bescheid zu geben. Doch er war nicht gekommen.
Es regnete, und ein kalter Wind strich durch die Bäume, so dass nasse Blätter herumwirbelten. Der Priester haspelte seine Worte kaum verständlich herunter und lief schon in Richtung Sakristei, bevor er das letzte Amen ausstieß. Giulia wischte sich den Regen und ihre Tränen aus dem Gesicht und drückte die zitternde Assumpta an sich. »Egal, wohin wir reisen werden. In unseren Herzen wird Beppo immer bei uns sein.«
Assumpta fasste ihre Hände, als wären sie ihr einziger Halt. »Beppo und ich waren über zwanzig Jahre zusammen. Ich kann es nicht glauben, dass es jetzt auf einmal zu Ende sein soll.«
Jedes Wort, das Giulia durch den Sinn schoss, erschien ihr in diesem Augenblick unpassend. Sie sah dem Totengräber zu, der bei seiner Arbeit ächzte und stöhnte und laut über das Wetter schimpfte, und steckte ihm einige Münzen zu, damit er endlich still war. Seinem Bückling und dem breiten Grinsen zufolge schien der Mann mit seinem Trinkgeld sehr zufrieden zu sein.
Als sich auch die Totengräber ins Trockene zurückgezogen hatten, legte Assumpta ihre Blumen auf den kleinen Erdhügel, unter dem ihr Mann begraben lag, und sprach ein Gebet in ihrer Muttersprache. Giulia faltete die Hände und betete so inbrünstig mit, dass sie nicht auf ihre Umgebung achtete. Daher zuckte sie zusammen, als plötzlich eine dritte Stimme in die Worte mit

einfiel. Sie drehte sich um und sah Vincenzo hinter sich stehen, der trotz des schlechten Wetters barhäuptig und nur mit Hemd und Hose bekleidet erschienen war und mit brennenden Augen auf das Grab starrte. Als die letzte Strophe des langen Gebets verklungen war, umarmte er Assumpta stumm und blickte Giulia dabei mit dem Blick eines geprügelten Hundes an. »Ich habe erst vorhin die Nachricht von Beppos Tod erhalten. Wenn ich gewusst hätte, wie schlimm es um ihn steht, wäre ich früher gekommen.«

Giulia glaubte, einen leisen Vorwurf in seiner Stimme zu hören, und verzog ärgerlich das Gesicht. »Beppo schien schon auf dem Weg der Besserung zu sein. Niemand konnte ahnen, dass er in dieser Nacht sterben würde.«

Vincenzo streckte die Hand nach Giulia aus, wagte aber nicht, sie zu berühren. »Du bist mir immer noch böse, ja? Ich wollte schon die ganze Zeit zu dir kommen und dich um Vergebung bitten. Aber ich hatte Angst, du würdest mich zurückweisen.«

Das klang so verzweifelt und ehrlich, dass Giulias Unmut gegen ihren Willen schwand. Sie warf den Kopf in den Nacken und sah ihn an, konnte aber seinem flehenden Blick nicht standhalten. Er sah wirklich elend aus. Abgerissen, mager und mit tief in den Höhlen liegenden Augen wirkte er selbst wie jemand, der eine schwere Krankheit durchgemacht hatte. Giulia vermutete zwar, das sein Äußeres eher von zu viel Alkohol und zu wenig Schlaf herrührte, aber es war nun einmal die Art der Männer, im Wein Vergessen zu suchen. Ihr Verstand hielt ihr die erlittene Demütigung vor, ihr Herz aber schlug so stark für ihn, dass sie ihm die Hände entgegenstreckte. »Tu mir so etwas nie wieder an, sonst sind wir endgültig geschiedene Leute«, sagte sie, wusste dabei aber selbst nicht, ob sie ihn warnen wollte, sie noch einmal in eine kränkende Situation zu bringen, oder ob sie von ihm verlangen wollte, sich von anderen Frauen fern zu halten.

Assumpta sah Giulia an und schüttelte unwillig den Kopf. Dann

trat sie auf Vincenzo zu und begrüßte ihn mit sichtlicher Erleichterung. »Es ist schön, dass Ihr wieder bei uns seid, Herr Vincenzo. Ich hatte Angst, Giulio und ich müssten von nun an alleine reisen.«
Vincenzo lächelte jetzt geradezu fröhlich und klopfte ihr auf die Schulter. »Keine Sorge, ich passe schon auf euch beide auf. Danilo hat mir berichtet, dass München eine hübsche, kleine Stadt sein soll. Sie wird uns sicher gefallen.«
Mit einem Mal hatte auch für Giulia die Reise nach München ihre Schrecken verloren. Es war, als würde sie aus einem Albtraum erwachen und feststellen, dass draußen die Sonne scheint. Sie sandte Beppo in Gedanken noch einen letzten, wehmütigen Gruß und verbannte alle bösen Vermutungen über seinen Tod in den hintersten Winkel ihres Gedächtnisses. Jetzt galt es, sich der Zukunft zu stellen.
Als sie in die Hofburg zurückkehrten, wurden auf dem Schweizerhof bereits die Reisewagen des bairischen Herzogs beladen. Es war der letzte, sichtbare Beweis, dass ihre Zeit in Wien zu Ende ging.
Keiner der drei bemerkte Baron Falkenstein, der ihnen mit hasserfüllten Augen nachstarrte. Der Kammerherr hatte mittlerweile von den Gerüchten erfahren, die sich um seine Frau und Vincenzo rankten, und er schwor ihm und dem Kastraten blutige Rache.

# Sechster Teil

## *Vincenzo*

## I.

Giulia öffnete den Wagenschlag und blickte nach Süden. Endlich gab es vor ihnen keine hohen Berge mehr, deren Anblick sie zuletzt mehr und mehr bedrückt hatte. Unter ihnen lagen das blaue Glitzern des Gardasees und dahinter die weite, vom Po durchflossene Ebene. Eigentlich hätte sie glücklich sein müssen, wieder in vertrauten Gefilden zu sein und die kalten Länder des Nordens weit hinter sich zu wissen.

Sie musste jedoch an Beppo denken, der nun schon viele Monate in fremder Erde ruhte. Nach seinem Tod war Assumpta zu einer alten Frau geworden, die unter mancherlei Beschwerden litt und immer wieder vom Tod und vom Himmel redete, in dem sie Beppo einst wiederzusehen hoffte. Wie schon so oft fragte Giulia sich, ob der Preis, den sie für ihren großen Erfolg als Kastratensänger bezahlt hatte, nicht zu hoch war.

Sie erinnerte sich nur allzu gut an den Applaus und die Belohnungen, die ihr in der letzten Zeit zuteil geworden waren, und sie musste zugeben, dass sie beides genossen hatte. Als sie im letzten Herbst von Wien aufgebrochen war, hatte zunächst nichts darauf hingedeutet, dass ihre weitere Reise zu solch einem Triumphzug werden würde. Ihr Aufenthalt in München war jedoch viel besser verlaufen, als sie es erwartet hatte. Albrecht V. mochte ein intoleranter Herrscher sein, schroff, unduldsam und engherzig. Denen gegenüber, die Gnade vor seinen Augen fanden, zeigte er sich jedoch großzügig. Giulia hatte diese Gnade gefunden, so sehr, dass der Herzog sie am liebsten auf Dauer an seinem Hof behalten hätte, so wie Orlando di Lasso, der als oberster Kapellmeister in München wirkte.

Der Flame war ein ganz anderer Mensch als der in Italien so verehrte Palestrina. Giulia erinnerte sich gerne an ihn und seine Musik. Sie hatte in München sowohl in der Kapelle des Herzoglichen Hofes wie auch in der Kirche Unserer Lieben Frau etliche seiner Werke gesungen und dabei viel von ihm gelernt. In ihrem Repertoire gab es neben neuen lateinischen nun auch etliche deutsche Lieder, die sie hier in Italien wohl nur noch zum eigenen Vergnügen würde singen können. Di Lasso hatte ihr nicht nur fromme Stücke, sondern auch einige Texte mit äußerst pikantem Inhalt beigebracht, wie Männer sie gerne hörten, wenn sie unter sich waren und dem Wein zusprachen. Zu Giulias Verwunderung hatten ihr sogar Kirchenmänner begeistert Applaus gespendet, obwohl sie sonst den Gläubigen jede Verirrung der Gedanken als halbe Todsünde hinstellten.
Giulia lächelte bei dem Gedanken. Irgendwie ähnelten sich die Männer in jedem Land, ganz gleich, ob sie das Gewand eines Bürgers, das eines Edelmanns oder eine Soutane trugen. Auch Vincenzo war da nicht anders, denn er hatte sie bei den zweideutigen Liedern oft auf der Laute begleitet und ihr dabei verschwörerisch zugezwinkert.
Ihr Blick wanderte zu ihrem Begleiter hinüber, der es sich auf der gegenüberliegenden Seite der Kutsche so bequem gemacht hatte, wie es auf dieser Fahrt möglich war. Nach all dem Kummer, den er ihr in Wien bereitet hatte, herrschte zwischen ihnen nun eitel Sonnenschein. Es konnte keinen aufmerksameren und freundlicheren Gefährten geben als Vincenzo.
Er hatte ihr und Assumpta die Reisen und den Aufenthalt in den verschiedenen Städten so angenehm wie möglich gestaltet. Giulia schien es, als versuche er ständig, all die hässlichen Dinge, die in Wien geschehen waren, vergessen zu machen. Ganz war ihm das zwar nicht gelungen, aber sie hatte ihm inzwischen verziehen und fühlte sich in seiner Gegenwart glücklich und gelöst. Wenn sie allein war, überfielen sie jedoch Zweifel und Ängste,

die sie sich nicht erklären konnte. Dabei hatte es bisher keine zweite Gräfin Falkenstein mehr gegeben, und soweit sie wusste, hatte Vincenzo sich mit keiner der vielen Frauen eingelassen, die ihm schöne Augen gemacht oder sich ihm sogar schamlos angeboten hatten.

Trotzdem war Giulia ein paarmal so eifersüchtig auf die ihn anhimmelnden Weiblichkeiten geworden, dass sie schon drauf und dran gewesen war, ihm ihre wahre Natur zu offenbaren und sich ihm ihrerseits an den Hals zu werfen. Doch sie fürchtete sich vor seiner Reaktion. Würde er ihr nicht den jahrelangen Betrug und all die Lügen, die zwischen ihnen standen, übel nehmen? Und selbst wenn er ihr verzieh, würde es niemals mehr so sein wie bisher. Wenn sie ihm reinen Wein einschenkte, wenn sie ihm sagte, wie sehr sie sich nach seiner Liebe sehnte, zerstörte sie womöglich all das andere, das sie sich mühsam aufgebaut hatten. Männer reagierten oft so sinnlos emotional und ließen eher gekränkten Stolz oder Eitelkeit über ihr Handeln bestimmen als die Notwendigkeiten des Lebens. Zudem nahmen sie Frauen niemals wirklich ernst. Daher wagte sie es nicht, Vincenzo jenen letzten Rest von Vertrauen zu schenken, der notwendig gewesen wäre, ihn hinter ihre Maske blicken zu lassen.

Sie hatte keinen handfesten Grund, die Situation zu ändern, und war nicht bereit, um ihrer Eifersucht willen alles andere aufs Spiel zu setzen. Ein Freund wie Vincenzo, mit dem sie die Liebe zur Musik teilen konnte und der jederzeit bei ihr war, wenn sie ihn brauchte, war ein Gottesgeschenk, für das sie der Madonna jeden Tag dankte. Gleichzeitig aber war die Tatsache, dass er nicht mehr für sie sein durfte, ein bitterer Trank auf einer Tafel voll herrlichster Speisen.

Die warnende Stimme in ihrem Innern war immer noch stärker als ihre Sehnsucht nach Vincenzos Nähe. Auf ihrer ganzen Reise hatte sie nur bei den Ketzergottesdiensten in Wien Frauen in der Öffentlichkeit singen gehört, wenn sie von ein paar schmut-

zigen Zigeunerinnen absah, die in primitiven Buden auf den Jahrmärkten einfache Liedchen trällerten, um die Kunden auf exotische Tiere, Feuerspeier oder skurrile Missgeburten aufmerksam zu machen. Würde sie sich Vincenzo gegenüber offenbaren, durfte sie vielleicht nie mehr das Hochgefühl genießen, das die Musik eines Palestrina, eines Gabrieli oder eines Orlando di Lasso in ihr auslösten. Ihr würden die großen Kirchen und Dome, in denen sie ihre Messen, Choräle und Psalmen sang, von da an für immer verschlossen bleiben. Nein, das Risiko konnte und wollte sie nicht eingehen. Schlimmer noch, ein falsches Wort von Vincenzo oder eine Geste der Zuneigung in Gegenwart anderer würden sie verraten und vor ein Kirchengericht bringen, das für Hexen, Ketzer oder Sodomiten nur eine Strafe kannte: die Folter und den Tod im Feuer.
Sie versuchte, die Melancholie abzuschütteln, die sich ihrer wieder bemächtigen wollte, lehnte sich zurück und dachte an ihre Erfolge, die sie seit ihrem Abschied aus München gefeiert hatte. Sie waren über Salzburg, Bozen und Trient nach Süden gereist und hatten sich in jeder der Bischofsstädte mehrere Wochen aufgehalten. Bis auf Salzburg, dessen Fürstbischof Johann Jacob von Kuen-Belasy sich als wenig großzügig erwiesen hatte, war sie überall herzlich willkommen geheißen und von manchen sogar mit Tränen in den Augen verabschiedet worden. Der Salzburger dagegen hatte, was die Anerkennung ihrer Leistung und den Lohn anbetraf, seinen Koch für bedeutender gehalten als einen Sänger.
Jetzt war sie auf dem Weg nach Verona, wo man den Worten eines Boten zufolge schon sehnsüchtig auf sie wartete. Giulia freute sich, dort zu singen, und überlegte sich, ob sie danach nicht einen Abstecher nach Venedig machen sollte. Den Anweisungen nach, die sie aus Rom erhalten hatte, sollte sie spätestens zur Vorweihnachtszeit in die heilige Stadt zurückgekehrt sein, um dort bei den verschiedenen Feierlichkeiten und den großen Mes-

sen zu singen. Bis dahin war es ihr bis auf einige ihr vorgeschlagene Auftritte freigestellt, wo sie Engagements annahm. Sie beschloss, mit Vincenzo über die Reiseroute zu diskutieren, und schloss die Augen, um noch ein wenig ihren schönen Erinnerungen nachzuhängen.

Ein heftiges Rumpeln der Kutsche riss sie aus ihren Tagträumen. Erschrocken sah sie zum Fenster hinaus und blickte in eine schier in die Eingeweide der Erde führende Schlucht. Die Straße schraubte sich in einer engen, steilen Serpentine in die Tiefe, und der Kutscher hatte alle Mühe, sein Gespann zu halten. Sein Gehilfe sprang wie ein Schachtelteufel umher, um den Hemmschuh unterzulegen und wieder zu entfernen, und klammerte sich dabei wie ein Affe an den Kutschkasten. Als er sich dicht an der Wagentür vorbei schob, grinste er Giulia mit ein paar schwarzen Zahnstummeln an und sagte etwas in einem völlig unverständlichen Dialekt. Giulia nickte ihm freundlich zu und wandte sich an Vincenzo. »Ich bin froh, wenn wir in Verona sind. Die Straßen hier am Südhang der Alpen sind noch schlechter, als ich sie in Erinnerung habe. Mein Körper fühlt sich an, als hätte ich keinen gesunden Knochen mehr darin.«

Assumpta, die den Blick nicht von dem Abgrund wenden konnte, nickte eifrig und schlug das Kreuz. »Es ist, als führen wir dicht am Rachen der Hölle vorbei. Wenn der Kutscher einen Fehler macht oder wir den Hemmschuh verlieren, liegen wir zerschmettert in der Tiefe.« Giulia glaubte, eine gewisse Todessehnsucht in der Stimme ihrer Dienerin schwingen zu hören, und schüttelte sich. »Ich würde lieber aussteigen und zu Fuß gehen.«

Vincenzo lachte halb spöttisch, halb aufmunternd. »Dann bräuchtest du aber mindestens sechs Tage bis Verona, während wir auf diese Weise morgen ankommen werden. Sei doch nicht so ängstlich wie ein Mädchen, Giulio. Es wird schon alles gut gehen.«

»Und wenn nicht, ist es Gottes Wille«, antwortete Assumpta und schlug gleich zweimal das Kreuz.
»Ich hoffe, es ist Sein Wille, uns unbeschadet nach Verona reisen zu lassen.« Giulias Auflachen klang reichlich kläglich, und ihr Mut sank, als hinter der nächsten Biegung ein weiteres, noch gefährlicher wirkendes Stück Weg sichtbar wurde. In den nächsten Stunden verschlugen überhängende Felswände und der Blick in die Tiefe ihr so oft den Atem, dass sie ebenso erschöpft wie erleichtert war, als sie am Abend die kleine Stadt Dolcé erreichten, in der sie übernachten wollten.
Anders als früher erwartete Giulia, ein sauberes Zimmer und ein weiches, gut gelüftetes Bett vorzufinden, und freute sich deswegen auf die Herberge. Die hohen Gagen der letzten Zeit erlaubten es ihnen, im besten Haus am Ort abzusteigen. Schon als die Kutsche in den Hof fuhr, zeigte sich der Unterschied zu früheren Zeiten. Mehrere dienstbare Geister eilten herbei, um ihnen aus dem Wagen zu helfen und ihr Gepäck abzuladen. Eine Magd in einem sauberen roten Rock und weißer Bluse bot ihnen Wasser und trockene Tücher an, damit sie sich Gesicht und Hände waschen konnten, während eine andere ihnen ein Tablett mit mehreren Bechern Wein und einem Teller voller Schmalzküchlein als Willkommen reichte.
Giulia aß eines der Küchlein und spülte es mit dem weichen, aromatischen Wein dieser Gegend hinab. Während Vincenzo mit dem Wirt sprach, wanderte sie über den sorgfältig gefegten Hof und bewunderte das große Gasthaus mit seinen weißen Wänden und dem flachen, nach römischer Art gedeckten Dach, das sich mit seiner sanften, rosa schimmernden Farbe doch sehr von den dunklen Schindeldächern des Nordens unterschied. Giulias Blick streifte einen Kräutergarten, aus dem ihr vertraute Düfte entgegen wehten, und glitt weiter zu einem dicht bewachsenen Hang, dessen Bäume und Sträucher sie an ihre Kindheit in Saletto erinnerten. Ja, dies war unzweifelhaft Italien. Doch

die Freude, wieder in der Heimat zu sein, blieb aus. Es war ihr, als läge ein Schatten über der vertrauten Landschaft. Oder auf ihrer Seele.
Wehmütig aufseufzend betrat Giulia die Herberge und folgte einer kecken Magd auf ihr Zimmer. Vincenzo hatte den Raum neben ihr gewählt, und sie sah, dass ihre Betten Wand an Wand standen. Unwillkürlich musste sie daran denken, dass eine weit dickere Wand sie trennte als diese Hand voll Holz und Stein.
»Seid Ihr ein Kastrat?«, unterbrach die Magd Giulias Sinnen. »Ihr seht aus wie eine Frau und zieht Euch an wie ein Mann.«
Giulia zuckte zusammen. Sie hatte alles getan, um so männlich wie möglich zu wirken, aber in der letzten Zeit waren ihre Züge weicher und ihre Formen an den für Frauen richtigen Stellen üppiger geworden. Sie musste an Sebaldi denken, dem man die Folgen der Kastration nicht angesehen hatte und der jeden glauben machen konnte, er sei ein normaler Mann, zumindest so lange, wie er seine Stimme nicht erhob. Da die Magd sie noch immer neugierig musterte, lächelte ihr Giulia zu. »Ich bin Camonte, der Sänger.« Aus dieser Antwort konnte das Mädchen herauslesen, was es wollte. Um das kecke Ding von weiteren Fragen abzuhalten, wollte Giulia wissen, wo ihr Gepäck sei.
»Dort steht es, Herr!« Die Magd zeigte auf den großen Lederkoffer an der Wand, den sich Giulia in München hatte anfertigen lassen, da er bequemer war als ihre alte Holztruhe, die unter den Reisen bereits arg gelitten hatte.
Giulia steckte dem Mädchen eine Münze zu. »Sag dem Wirt, er soll das Abendessen in einer halben Stunde servieren.«
Die Magd nickte und verschwand. An ihrer Stelle kam Assumpta herein, um Giulia beim Umziehen zu helfen. Das Gesicht ihrer Dienerin wirkte genauso verschlossen und düster wie an jenem Tag, an dem Beppo begraben worden war. Giulia hatte gehofft, dass die alte Frau aufleben würde, wenn sie sich wieder unter Menschen befand, deren Sprache sie verstand, aber es sah

aus, als hätte sie sich geirrt. Da Assumpta schweigend ihre Pflicht tat, blieb Giulia ebenfalls stumm. Sie wollte nicht an ihren Kummer rühren, sondern gab sich damit zufrieden, dass sie mit gewohnter Sorgfalt angekleidet wurde. Als Assumpta ihr schließlich die Tür aufhielt, dankte sie ihr mit einem aufmunternden Lächeln und strich ihr tröstend über die runzlige Wange.

Vincenzo hatte einen Speiseraum für sie allein anmieten können und es sich dort schon bequem gemacht. Die Mägde tischten ihm eifrig auf und bedienten auch Giulia sehr zuvorkommend. Eine von ihnen warf ihr einen taxierenden Blick zu und schien zu entscheiden, dass Vincenzo der interessantere der beiden Gäste war, denn sie schäkerte mit ihm, beugte sich vor, so dass er mühelos tief in ihren Ausschnitt sehen konnte, und tat auch sonst alles, um ihm wortlos klar zu machen, dass sie ihm auch in der Abgeschiedenheit seines Zimmers zu Diensten zu sein würde.

Giulia quittierte das schamlose Benehmen der Frau mit einer angeekelten Geste. Vincenzo bemerkte es und zog seine eigenen Schlüsse daraus. Lange Monate hatte er sich darauf beschränkt, der selbstlose Freund und Begleiter Giulio Casamontes zu sein und seine Sehnsucht nach mehr tief in seinem Innern begraben. Die warme, würzige Luft Italiens und der schwere Wein, der wie Öl durch die Kehle rann, machten es ihm schwer, sich weiterhin so zurückzuhalten. Giulios Reaktion konnte er sich nur mit Eifersucht erklären, und das ließ die mühsam hochgezogenen Mauern in seinem Innern bröckeln. Mit einem übermütigen Auflachen prostete er dem Kastraten zu und freute sich unbändig über das Lächeln, mit dem Giulio ihm antwortete. Es schien alle Verheißung der Welt zu enthalten. Da sie aber nicht alleine waren, bemühte er sich, während des Essens einfach nur ein angenehmer Gesprächspartner zu sein.

Etwas später saßen sie zu dritt auf der Veranda, blickten in den

mit Sternen übersäten Himmel und genossen den besten Wein aus dem nahen Valpolicella. Beschwingt unterhielten sie sich über etliche angenehme Aspekte ihrer langen Reise. Sogar Assumpta zeigte einen Anflug guter Laune, zog sich jedoch als Erste zurück, um beim Aufbruch früh am nächsten Morgen wieder frisch zu sein. Da Giulia sich angewöhnt hatte, sich abends ohne fremde Hilfe auszukleiden, um die alte Dienerin zu entlasten, glaubte diese, sie könne ihre Herrin unbesorgt zurücklassen.
Keine Viertelstunde nach Assumpta drängte auch Vincenzo darauf, ins Bett zu gehen. Giulia hätte die wundervolle Stimmung dieser Nacht gern noch länger genossen, doch Vincenzo schickte die Magd weg, die ihnen leuchten wollte, und nahm die Lampe selbst zur Hand. Zu Giulias Verwunderung verabschiedete er sich nicht auf dem Korridor von ihr, sondern bat sie, einen Augenblick mit auf ihr Zimmer kommen zu dürfen. »Ich muss deine Lampe anzünden«, erklärte er lächelnd. In seiner Stimme schwang ein Unterton mit, der Giulia aufhorchen ließ. Am liebsten hätte sie ihn weggeschickt. Aber dann hätte sie die Magd rufen müssen und ihn damit beleidigt. So öffnete sie die Tür und trat beiseite, damit Vincenzo den Docht der von der Decke hängenden Öllampe mit seiner Flamme entzünden konnte. Als das Licht aufleuchtete, stellte er seine Lampe auf den Tisch, zog die Vorhänge zu und schloss die Tür von innen.
»Endlich bin ich mit dir allein, Giulio. Darauf habe ich schon lange gewartet.« Er sah sie dabei so verlangend an, dass sie bereits dachte, er hätte ihr Versteckspiel durchschaut und wollte ihre Hingabe für sein Schweigen fordern. Aber er hatte sie Giulio genannt. Sie spürte, wie ihr ganzer Körper sich abwehrend verkrampfte, und schluckte. »Wir waren schon oft allein, Vincenzo.«
»Ja, tagsüber in Frühstückszimmern oder Salons der Herbergen, wo jederzeit jemand hereinkommen konnte. Heute aber wird uns nicht einmal Assumpta stören. Diese Nacht gehört nur

uns beiden.« In Vincenzos Augen glitzerte unverhohlene Gier.
»Was willst du von mir?« Giulias Herz klopfte bis zum Hals, und sie fühlte Ärger in sich aufsteigen. Sie hasste es, so unvermittelt in eine kritische Situation zu geraten.
Plötzlich kniete er vor ihr nieder und fasste ihre Hände. »Giulio, ich liebe dich. Ich habe lange gegen dieses Gefühl angekämpft. Doch ich kann es nicht länger ertragen, einfach nur neben dir her zu leben. Ich sehne mich danach, dich zu berühren, deine sanfte Hand auf meiner Haut zu spüren und ... und dich zu umarmen. Ich vergehe vor Sehnsucht nach dir, spürst du das denn nicht? Bitte, Giulio, weise mich nicht ab. Es kann doch nicht so schwer für dich sein, mir deine Zuneigung zu schenken!«
Giulia erstarrte. Für einen Augenblick hatte sie gehofft, Vincenzo hätte ihre Maske durchschaut, aber er meinte tatsächlich nicht sie, sondern das unnatürliche Wesen, das sie spielte – spielen musste. Sie wies mit dem Kinn auf die Tür. »Solltest du die Befriedigung deiner Bedürfnisse nicht besser bei der jungen Magd suchen, die dich heute Nachmittag angegurrt hat? Wie hieß sie gleich wieder? Ach ja, Filippa. Sie war doch ganz offensichtlich zu allem bereit.«
Vincenzo schüttelte heftig den Kopf. »Ich will keine Frau, Giulio. Ich will dich, so wie Gott dich geschaffen und das Messer des Barbiers dich verstümmelt hat. Glaube nicht, dass es zwischen uns keine Liebe geben kann. Ich will meine Sehnsucht bei dir stillen und alles tun, um auch dir Erfüllung zu geben.« Bei den letzten Worten zog er Giulia an sich und versuchte, sie zu küssen.
Giulia schluckte. Seine Worte hatten nicht aggressiv und drängend geklungen, sondern so sanft und zärtlich, dass ihr für einen Moment ganz anders wurde. Doch was er von ihr verlangte, was er sich vorstellte, erfüllte sie mit Abscheu. Das war schmutzige Sodomie, nichts anderes. Sie stieß Vincenzo zurück und funkel-

te ihn mit zornglühenden Augen an. »Du willst mich doch nur benutzen wie ein Tier! Aber das mache ich nicht mit. Geh weg, du widerst mich an. Ich will dich nie mehr sehen!«
Vincenzo wollte Giulio seiner Liebe versichern und ihm sagen, dass er nichts von ihm fordern würde, was er nicht freiwillig zu geben bereit wäre. Doch ein Blick in das Gesicht des Kastraten ließ ihn jede Hoffnung verlieren. Seine Schultern sanken herab, und Tränen traten in seine Augen. »Ich dachte, du wärst mein Freund, Giulio, und würdest mehr für mich empfinden als für einen bloßen Weggefährten. Stattdessen wirfst du mir meine Treue und meine Zuneigung vor die Füße, als wäre ich plötzlich vom Aussatz befallen. Nun, so lebe wegen mir weiter dein kleines, liebeleeres Leben. Aber von jetzt an wirst du es ohne mich leben müssen. Du hast mich das letzte Mal von dir gestoßen.«
In seiner Stimme mischte sich Trauer mit heißer Wut über die schroffe Zurückweisung, und der genossene Wein ließ Vincenzos Worte melodramatisch klingen. Er wandte Giulia abrupt den Rücken zu und verließ wortlos das Zimmer.
Draußen blieb er stehen und ballte die Fäuste. Er war bereit gewesen, Giulio Casamonte all seine Liebe und sein ganzes Leben zu weihen, und war in einer Art und Weise abgewiesen worden, die er normalerweise nicht hinzunehmen bereit gewesen wäre. Für einen Augenblick erwog er, zurückzukehren und dem Kastraten seine ganze Verachtung ins Gesicht zu schleudern. Doch ihm war klar, dass er Giulio noch nicht einmal jetzt wehtun konnte. Eher würde er sich ihm zu Füßen werfen, sich wie ein Wurm krümmen und um seine Zuneigung flehen. Dagegen aber bäumte sich sein Stolz auf. Er machte ein paar unentschlossene Schritte und starrte seine eigene Zimmertür an.
Nein, er konnte hier nicht bleiben. Keine Nacht, ja keinen weiteren Augenblick wollte er unter demselben Dach wie Giulio verbringen. Er brachte es nicht einmal mehr fertig, sein Zimmer

zu betreten und wenigstens einen Teil seiner Habseligkeiten mitzunehmen, so brannte die Schmach in ihm. Er stürmte die Treppe hinab, klopfte den Torwächter heraus und befahl ihm barsch, ihn ins Freie zu lassen. »Ihr könnt wohl nicht schlafen?«, fragte der Mann sanftmütig, während er ihm die Hoftür öffnete. »Es liegt sicher am Vollmond. Da liege ich auch öfter wach. Wenn Ihr wieder hereinkommen wollt, klopft ruhig. Ich mache Euch dann auf.«

Als er keine Antwort bekam, zuckte er nur mit den Schultern. Es gab nun einmal recht eigenartige Reisende. Wenn der Herr sich einen Teil der Nacht um die Ohren schlagen wollte, war das nicht seine Sache. Hauptsache, er gab ihm bei der Rückkehr ein gutes Trinkgeld.

Vincenzo kehrte jedoch nicht in die Herberge zurück, sondern wanderte die Straße weiter Richtung Süden. Der helle Mond erleichterte ihm den Weg. Einige Zeit später, als das Wasser des Gardasees zu seiner Rechten den Mond und die Sterne spiegelte, bog er von der Hauptstraße ab. Er hatte kein Ziel, aber er wollte verhindern, dass Giulio Casamonte ihn am nächsten Tag mit der Kutsche überholte. In diesen Stunden schwor er sich, nichts mehr mit dem Kastraten zu tun haben zu wollen.

## *II.*

Giulia machte in dieser Nacht kein Auge zu. Ihr anfängliches Entsetzen über Vincenzos Vorschlag, mit ihr in Sodomie zu verkehren, machte allmählich Gewissensbissen Platz. Sie warf sich vor, dass sie allein die Schuld an dieser scheußlichen Szene trug. Längst hätte sie ihm sagen müssen, wer sie in Wirklichkeit war. Immerhin kannte sie Vincenzo nun über Jahre und war lange Zeit mit ihm zusammen gereist. In all der Zeit war er ein zuverlässiger, hilfsbereiter Begleiter gewesen, der sich um alle

Notwendigkeiten des Lebens gekümmert hatte. So einen Menschen schickte man nicht mit bösen Worten von seiner Schwelle. Außerdem brauchte sie dringend jemanden, dem sie vertrauen konnte. Es war abzusehen, wann Assumpta nicht mehr mit ihr kommen konnte. Das Reisen fiel der alten Frau jetzt schon sehr schwer.

Giulia ärgerte sich zwar immer noch, weil Vincenzo all die Jahre nur den Schein angesehen hatte und nie darauf gekommen war, dass sie eine Frau sein könnte. Andererseits war ihr klar, dass sie nun den ersten Schritt machen und ihm alles beichten musste. Kurz nach Mitternacht schob sie alle Ängste und Zweifel beiseite, schlich zu Vincenzos Tür und klopfte. Drinnen war alles still. Mit einem eigenartigen Gefühl in der Brust tastete sie nach der Klinke und drückte sie nieder. Die Tür war unverschlossen. Als sie ins Zimmer trat, standen die Vorhänge offen, und das Bett war unberührt. Im ersten Augenblick glaubte sie, Vincenzo hätte wirklich die Magd Filippa aufgesucht, um bei ihr die Entspannung zu finden, die ihm der Kastrat Casamonte versagt hatte. Die Eifersucht schlug wild über ihr zusammen, und sie musste an sich halten, um ihren Gefühlen nicht in einem wütenden Wortschwall Ausdruck zu verleihen.

Nach einer Weile wurde sie ruhiger und überlegte, was sie tun sollte. Sie starrte auf das leere Bett und schlüpfte hinein. Wenn Vincenzo zurückkam, sollte er die Wahrheit erfahren. Giulia war bereit, sich voll und ganz in seine Hände zu geben, ganz gleich, was er von ihr fordern mochte. Alles war besser, als ihn zu verlieren.

Am nächsten Morgen war Vincenzo noch immer nicht zurückgekehrt. Giulia hatte die schlimmste Nacht ihres Lebens durchlitten und fühlte sich müde, enttäuscht und innerlich wund. Sie hasste Vincenzo für das, was er ihr angetan hatte, und vermisste ihn gleichzeitig in einer Art und Weise, die kaum zu ertragen war. Als jemand die Tür öffnete, hoffte sie, er wäre es. Doch statt seiner kam Assumpta herein. Die Dienerin wirkte keineswegs überrascht, sie in Vincenzos Bett anzutreffen. »Hast du dich endlich entschlossen, deine Maske fallen zu lassen?« Ihre Stimme klang erleichtert, aber ihr Lächeln wirkte auf Giulia wie das Grinsen eines Totenkopfs.

Sie schluchzte auf. »Ich fürchte, ich habe alles kaputt gemacht. Vincenzo ist weg.«

Assumpta lachte ungläubig. »Vincenzo weg? Das glaube ich nicht. Nicht nachdem ich gesehen habe, wie er dich betrachtet hat, wenn er sich unbeobachtet glaubte.«

»Er war in den Kastraten verliebt, in Giulio Casamonte, nicht in mich.«

Assumpta wackelte mit dem Kopf. »Hast du ihn denn nicht eines Besseren belehrt?«

»Nein, ich habe eine große Dummheit begangen. Er sagte, es sei doch keine so große Sünde, wenn Männer es miteinander treiben, und ich bin sofort böse geworden, weil er mich wie ein Tier benutzen wollte.«

»Seine Worte haben dich gewiss erschreckt, aber …« Assumpta zuckte mit den Schultern und hob hilflos die Hände. »Es hat keinen Sinn, sich darüber zu beklagen. Es ist nun einmal geschehen. Ich bin sicher, ihr beide werdet euch bald wieder vertragen. Dann wird er dich nicht mehr auf so sündige Weise begehren, wenngleich es auch nicht ganz ohne Sünde ist, wenn eine Frau und ein Mann zusammenleben, ohne dass ihr Bund von der Kirche gesegnet wurde. Aber das könnt ihr wohl kaum tun, ohne dich zu verraten.«

Assumptas Worte ließen Giulia wieder etwas Hoffnung schöpfen. »Danke. Ich wüsste nicht, was ich ohne deinen Rat täte.«

»Erst einmal in dein Zimmer gehen und dich anziehen. Wenn dich hier jemand mit dem da«, sie tippte dabei gegen Giulias Brüste, »herumlaufen sieht, fliegt dein Maskenspiel sofort auf. Danach frühstücken wir und fahren weiter. Entweder ist Vin-

cenzo bis dahin zurückgekehrt, oder aber wir treffen ihn unterwegs.«
Giulia nickte erleichtert und hastete in ihr Zimmer zurück, nachdem Assumpta nachgesehen hatte, ob jemand auf dem Korridor war. Schnell machte sie sich zurecht und eilte in den Frühstücksraum, in der Hoffnung, Vincenzo dort anzutreffen. Doch er war auch hier nicht zu finden. Bei Filippa schien er auch nicht gewesen zu sein, denn die Magd sah enttäuscht aus und antwortete sehr schnippisch. Giulia fühlte sich elend und brachte kaum einen Bissen des ausgezeichneten Frühstücks hinunter, klammerte sich aber an die Hoffnung, Vincenzo auf den nächsten Meilen neben der Straße auflesen zu können.
Als sie weiterfuhren, bedauerte sie es, nur einen Kopf zu haben und nicht zugleich auf beiden Seiten des Wagens hinausschauen zu können. Assumpta beruhigte sie und tat so, als müsse Vincenzo hinter der jeweils nächsten Biegung stehen und ihnen zuwinken. Doch sie legten Meile um Meile zurück, ohne eine Spur von ihm zu entdecken.
Als sie Verona erreichten, war Giulia kurz vor dem völligen Zusammenbruch. Sie musste sich gewaltsam zusammenreißen, um mit dem raffgierigen Wirt zu verhandeln, eine nicht gerade einfache Sache, die Vincenzo ihr sonst immer abgenommen hatte. Als sie aber ihren Namen nannte, war der zunächst berufsmäßig ablehnende Wirt wie umgewandelt. »Ihr seid der Sänger Casamonte? Das ist ja wunderbar!«
Wortreich erklärte er ihr, dass die besten Zimmer, das beste Essen und der beste Wein für sie bereitständen. Danach winkte er einen jungen Knecht heran und befahl ihm, den Grafen zu informieren. »Welchen Grafen?«, fragte Giulia in der Erwartung, er würde Vincenzos Namen nennen. »Es handelt sich um einen ehrwürdigen älteren Herren, der erfahren hat, dass Ihr nach Verona kommt, und der mir auftrug, ihn sofort von Eurem Er-

scheinen in Kenntnis zu setzen«, berichtete der Wirt und zerstörte damit Giulias Hoffnung.
Enttäuscht winkte sie ab. »Ich bin müde und will bald zu Bett.«
»Bitte bleibt noch ein wenig. Ich lasse Euch einen stärkenden Krug Wein bringen. Der hohe Herr wird gleich kommen und wäre sehr enttäuscht, Euch nicht vorzufinden.« Der Wirt wartete Giulias Zustimmung gar nicht erst ab, sondern befahl einer Magd, das Mahl für Messer Casamonte aufzutragen. Das Mädchen knickste und sauste davon.
Giulia wollte zwar nichts von Essen wissen, doch Assumpta fasste sie resolut am Arm und schob sie vor sich her. »Du wirst jetzt eine Kleinigkeit zu dir nehmen, sonst klappst du mir noch zusammen. Oder willst du, dass ein Arzt an dir herumtastet?«
Daran hatte Giulia nicht gedacht. Sie war mit einer blühenden Gesundheit gesegnet und nie auf die Idee gekommen, irgendwann einmal selbst einen Arzt zu benötigen. Der würde sofort erkennen, dass er es mit einer Frau zu tun hatte. Zum ersten Mal begriff sie, wie gefährdet ihre Maske war. Tagtäglich konnte ihre Karriere als Kastratensänger ein unrühmliches Ende finden. Nein, sie durfte sich keine Schwäche erlauben, besonders jetzt nicht, wo der Kummer um Vincenzos Verschwinden sie innerlich zu zerfressen drohte.
Assumpta begleitete sie in das vorbereitete Speisezimmer und legte ihr eigenhändig vor. Giulia aß, ohne irgendetwas zu schmecken, und spülte alles mit einem leichten, mit Wasser vermischten Wein hinunter. Sie war noch nicht fertig, als der Wirt an die Tür klopfte und die Ankunft des Grafen meldete. Im nächsten Augenblick trat ein älterer Herr von Stand ein. Er trug ein nicht besonders modisches, silbergraues Wams und schlichte, schwarze Hosen aus bestem Stoff und erinnerte Giulia an jemand, ohne dass ihr einfiel, an wen. Sein schmales Gesicht wirkte bleich und angespannt, so als wäre er in großer Sorge. Trotz-

dem beachtete er die Gesetze der Höflichkeit mit einer fast lächerlichen Pedanterie. »Buon giorno, Messer Casamonte. Ich danke Euch, dass Ihr mich nach Eurer gewiss anstrengenden Reise sofort empfangen habt.«
Giulia schob den Teller zurück und wies Assumpta an, ihrem Gast ein Glas Wein zu reichen. »Der Wirt hat mich auf die Dringlichkeit Eures Besuchs hingewiesen.«
»Ich bin der Comte Biancavallo«, stellte sich der alte Herr vor. »Meine Schwester, die verstorbene Gräfinwitwe von Falena, hat in mehreren Briefen von Eurer Zauberstimme geschwärmt, die ihr in schweren Stunden sehr geholfen hat. Nun bitte ich Euch, mir zu helfen.«
»Zu meinem Bedauern wird dies nicht so rasch möglich sein. Ich wurde nämlich an die Abtei San Lassaro berufen, um dort zu singen.« Giulia hoffte, das Gespräch mit diesem Hinweis beenden zu können, ihr Besucher ließ sich jedoch nicht beirren. »Ja, ich weiß, aber das habe ich schon geregelt. Der ehrwürdige Herr Marcello Fibione, der Probst von San Lassaro, kennt mein Problem und war sofort bereit, Euch für die nächsten Wochen Urlaub zu gewähren. Hier ist sein Schreiben, das meine Worte bestätigen wird.«
Giulia sah auf das Pergament, das mit einem kunstvollen Siegel versehen war, und hob abwehrend die Hand. »Ich mag es nicht, wenn über meinen Kopf hinweg entschieden wird.«
Ihr Besucher rang in einer verzweifelten Geste die Hände. »Wenn Ihr erst gehört habt, wozu ich Eure Hilfe benötige, werdet Ihr Verständnis für meinen Schritt aufbringen, dessen bin ich mir sicher. Es geht um meine Schwiegertochter. Sie soll in zwei Monaten gebären. Leider hat sie in den letzten Jahren bereits mehrere Kinder wenige Wochen vor der Niederkunft verloren und ist auch bald über das fruchtbare Alter hinaus. Bitte helft ihr und mir. Es geht um das Weiterbestehen meines Hauses.«

Giulia starrte ihn mit großen Augen an. »Wie kann ich Euch denn dabei helfen? Ich bin doch kein Arzt.«
»Eure Stimme hat meine Schwester von den schwarzen Abgründen ihrer Melancholie zurückgerissen und ihr die letzten Jahre ihres Lebens angenehm gemacht. So werdet Ihr auch Norina aufheitern und ihr die Angst nehmen können, auch dieses Kind zu verlieren. Eure Stimme wird ihr die Kraft geben, es gesund zur Welt zu bringen, daran glaube ich fest.«
Giulia wurde klar, dass Comte Biancavallo nicht nachgeben würde. Da ihm der Probst von San Lassaro bereits seine Zustimmung erteilt hatte, blieb ihr nichts anderes übrig, als auf seine Bitte einzugehen. »Ihr bürdet mir eine Verantwortung auf, die ich kaum tragen kann.«
Der Graf fasste ihre Hand, was sonst in Italien selten ein Mann getan hatte. »Gott wird uns beistehen.«
»Betet lieber zur Heiligen Jungfrau. Sie ist für solche Sachen zuständig«, warf Assumpta bissig ein. Ihr gefiel diese Entwicklung ebenso wenig wie Giulia.
Comte Biancavallo nickte der alten Dienerin zu. »Da hast du Recht, gute Frau. Bitte schließe meine Schwiegertochter und meinen ungeborenen Enkel in deine Gebete zur Muttergottes ein, damit die Hohe Frau sich ihrer erbarmt. Ich werde an diesem Abend noch in mein Stammschloss zurückkehren und Euch, Messer Casamonte, eine bequeme Kutsche schicken, die Euch und Eure Dienerin zu mir bringen soll. Sie wird gegen acht Uhr hier vor der Tür stehen.«
Mit diesen Worten verabschiedete er sich freundlich und stapfte sichtlich erleichtert aus dem Haus.
Giulia sah ihm durch das Fenster nach und fluchte leise vor sich hin. »Das hat mir gerade noch gefehlt. Wenn wir jetzt mehrere Wochen auf einer abgelegenen Burg bleiben müssen, findet uns Vincenzo nie.«
Assumpta wackelte greisenhaft mit dem Kopf. »Vielleicht fragt

Vincenzo hier nach uns. Er weiß doch, wo wir übernachten wollten. Wir sagen also dem Wirt Bescheid, damit er ihn zum Schloss des Grafen schickt.« Statt einer Antwort erhielt sie von Giulia einen Kuss.

## *III.*

Ein junger Mann schlenderte unschlüssig vor dem Palazzo Nespola in Rom hin und her und starrte dabei immer wieder auf das bronzebeschlagene Portal. Er war untersetzt und kräftig gebaut und hatte ein derbes Gesicht mit ausgeprägten Kiefern und eng zusammen stehenden Augen. Seine Kleidung wies ihn als Bediensteten eines Herrn von Stand aus. Doch heute war er nicht im Auftrag seines Patrons, sondern in eigenem Interesse unterwegs und schien sich seiner Sache zunächst alles andere als sicher zu sein. Nach einer Weile hieb er ärgerlich mit der Faust durch die Luft und fluchte leise vor sich hin. Dann schritt er schnurstracks auf das Portal zu und schlug den von einem Bärenmaul gehaltenen Klopfer an.

Kurz darauf öffnete sich das Tor, und ein Diener schaute heraus. Als er einen Standeskollegen entdeckte, verlor sich der devote Ausdruck seines Gesichts. »Was willst du?«

»Ich muss mit Seiner Eminenz reden«, presste der Besucher hervor. »Es ist sehr wichtig.«

»Ich glaube nicht, dass Seine Eminenz heute für deinesgleichen zu sprechen ist«, beschied ihn der Pförtner und wollte das Tor wieder schließen.

Der junge Mann stellte kurz entschlossen den rechten Fuß auf die Schwelle. »Ich komme vom Grafen Corrabialli.«

Der Pförtner wusste, dass Gisiberto Corrabialli ein guter Bekannter seines Herrn war, und trat beiseite. »Warum hast du

das nicht gleich gesagt, Dummkopf? Ich werde dich Seiner Eminenz melden.«
Er ließ ihn im Vorraum zurück und blieb so lange fort, dass der junge Mann unruhig wurde.
Als der Pförtner wieder erschien, war er um eine Spur freundlicher. »Seine Eminenz ist bereit, dich zu empfangen.«
Der junge Mann nickte erleichtert und folgte ihm über eine breite, schön geschwungene Treppe nach oben. Kurz darauf standen sie vor einer mit aufwändigen Schnitzereien verzierten Tür, die nach kurzem Klopfen geöffnet wurde und den Blick in ein großes, prachtvoll ausgestattetes Gemach freigab. Der Besucher hatte jedoch keinen Blick für die in sanften Blautönen gehaltenen Wände, die Bilder der großen Heiligen und die reich verzierten Möbel, sondern starrte Bischof della Rocca verunsichert an, der ihn seinerseits mit freundlicher Miene musterte. »Was wünscht mein verehrter Freund, der Graf von Saletto, von mir?«
Der Besucher schluckte nervös. »Ich komme nicht im Auftrag des Comte Corrabialli, Euer Eminenz, sondern aus eigenem Antrieb. Ich habe eine wichtige Information für Euch …« Er brach nervös ab und blickte della Rocca beinahe flehend an.
Der Bischof hob die Augenbrauen. »Ich hoffe, du stiehlst mir nicht meine Zeit. Ich bin sehr beschäftigt.«
Der Besucher spürte die Drohung, die in diesen Worten mitschwang, und wurde noch unsicherer. »Ich wollte Euch schon im letzten Sommer aufsuchen, als ich jene abscheuliche Entdeckung gemacht habe. Doch mein Herr kehrte überraschend in seine Grafschaft zurück, und ich musste ihn begleiten. Später zog der Comte es vor, nach Urbino zu reisen, anstatt nach Rom zurückzukehren.«
»Du bist sicher nicht gekommen, um mir von den Reisen deines Herrn zu berichten«, unterbrach ihn della Rocca, dessen freundliche Miene sich von einem Augenblick zum anderen verdüstert hatte. »Nein, gewiss nicht, Euer Eminenz«, beeilte sich

der Besucher zu versichern. »Ich wollte damit nur erklären, warum ich erst jetzt zu Euch kommen konnte, obwohl ich ein schlimmes Vergehen gegen die Gesetze der Heiligen Kirche zu melden habe.«

Er atmete kurz und heftig durch. »Ihr erinnert Euch gewiss an das Fest des heiligen Ippolito vor mehreren Jahren, zu dem Ihr eine eigens von Palestrina dafür geschriebene Messe aufführen ließet.«

Della Roccas Miene wurde noch finsterer. Es gab Gerüchte um diese Uraufführung, an die er ungern erinnert werden wollte.

Der Besucher spürte, dass der Bischof kurz davor war, ihn durch seine Diener hinauswerfen zu lassen, und sank auf die Knie. »Ich bin Ludovico Moloni. Ich hätte damals die Solostimme singen sollen, aber der Chorleiter Pater Lorenzo sperrte mich ein und ließ an meiner Stelle Giulia Fassi auftreten, die Tochter des gräflichen Kapellmeisters.«

Della Roccas Laune wurde noch schlechter. »Ein übles Gerücht, von dem es heißt, du hättest es aus Eifersucht und Neid in die Welt gesetzt.«

Ludovico war sich im Klaren darüber, dass er kurz davor war, sich um Kopf und Kragen zu reden. Für einen Augenblick erwog er, die Sache auf sich beruhen zu lassen, denn was er zu sagen hatte, klang im Angesicht des Bischofs geradezu vermessen. Sein Hass und das Gefühl der Demütigung, das auch nach Jahren noch in ihm schwelte, waren jedoch zu groß. »Ich habe Giulia Fassi wiedergesehen. Sie hat sich als Mann verkleidet und nennt sich Giulio Casamonte. Sie ist der berühmte Kastratensänger! Ich schwöre es!« Er schrie es heraus.

Der Bischof begann zu lachen und ließ seine Hand vor der Stirn kreisen. »Mann, du bist wohl pazzo geworden. Ich glaube, ich sollte dich in ein Narrenhaus stecken lassen.«

Ludovico hatte genug über della Rocca gehört, um zu wissen, dass er Drohungen schnell wahr machte. »Nein! Nein, hoher

Herr, es ist die reine Wahrheit. Ihr müsst mir glauben. Natürlich hat die Hexe sich in den Jahren verändert. Aber ich habe sie sofort erkannt. Schließlich stamme ich aus demselben Dorf und habe sie früher fast täglich gesehen und auch singen gehört.«

Della Rocca schüttelte ungläubig den Kopf. »Casamonte eine Frau? Nein, das kann ich mir nicht vorstellen. Kein Weib besitzt eine solch göttliche Stimme.«

Ludovico spürte jedoch die Unsicherheit in der Stimme des Bischofs und fasste Mut. »Diese Hexe schon. Der Teufel muss sie ihr geschenkt und dafür gesorgt haben, dass man sie mir vorzog. Erinnert Euch daran, dass man mich die beste Stimme nannte, die je in San Ippolito di Saletto ausgebildet worden war.«

Der Bischof lachte spöttisch auf. »Bescheidenheit ist wohl nicht deine Zier, Mann.«

»Es ist die reine Wahrheit«, brauste Ludovico auf. All die Jahre hatte er sich an den Glauben geklammert, ungerecht behandelt worden zu sein, und wollte sich auch von einem Bischof nicht eines anderen belehren lassen.

»Ach nein? Du bist doch der Bursche, der damals in einer unchristlichen Situation mit einem anderen Chorknaben aufgefunden wurde.« Della Rocca hatte seine gute Laune wiedergefunden. Er betrachtete Ludovico wie ein Gelehrter einen besonders hässlichen Wurm, verzog aber die Lippen zu einem gönnerhaften Lächeln. »Wie es scheint, hat mein Freund Corrabialli dir diese Sünde nicht verargt, sonst ständest du nicht in seinen Diensten.«

Ludovicos Gesicht verzerrte sich vor Wut. »Ich bin nur ein lumpiger Lakai geworden. Dabei hätte ich in Rom und Padua studieren und später der neue Kapellmeister des Grafen werden sollen. Das hat mir dieses Teufelsliebchen von einer Giulia Fassi angetan. Sie hingegen ist reich und berühmt und wird selbst am Hofe des Heiligen Vaters empfangen. Das ist eine Schande, die zum Himmel stinkt. Wie viel Übles soll diese Hexe denn noch anrichten können?«

»Wenn das stimmt, ist deine Empörung verständlich«, stimmte ihm della Rocca freundlich zu. »Allerdings wirst du verstehen, dass niemandem, weder dem Heiligen Vater noch mir, daran gelegen sein kann, diese Sache vor allem Volk auszubreiten. Irrst du dich, und Casamonte ist tatsächlich der Kastrat, der zu sein er vorgibt, wäre ich der Blamierte und würde vor dem Papst mein Gesicht verlieren.«

»Casamonte ist kein Kastrat, sondern ein Weibsdämon, der auf den Scheiterhaufen gehört«, rief Ludovico beschwörend.

»Das sagst du. Doch in deiner Stimme schwingt ein starker Wunsch nach Rache. Ich darf nicht auf das Wort eines vor Zorn verblendeten Menschen hin handeln, sondern brauche handfeste Beweise.« Della Rocca ließ keinen Zweifel daran, dass er diese delikate Sache so unauffällig wie möglich behandeln wollte. Er musterte Ludovicos verzerrtes Gesicht und beschloss, ihn zu seiner eigenen Sicherheit bei sich zu behalten. Es durfte kein Gerede entstehen, sonst würden seine Gegner die Situation ausnutzen und ihn kaltstellen lassen. »Gut, ich will dir glauben, und du sollst mir helfen, diese Hexe zu überführen. Du wirst heute noch den Dienst beim Comte Corrabialli aufgeben und in meinen treten. Aber wehe dir, wenn du mich belogen hast. Stellt sich heraus, dass Giulio Casamonte ein echter Kastrat ist, wirst du meinen Zorn zu spüren bekommen.«

Die Worte sprachen dem sanften Tonfall und der milden Miene des Bischofs Hohn, und Ludovico begriff, dass sie ernst gemeint waren. Da er sich seiner Sache vollkommen sicher war, machte er sich jedoch keine Sorgen, sondern stand auf, verbeugte sich und legte die rechte Hand auf sein Herz. »Ich bin Euer ergebener Diener, Eminenz.«

## IV.

Vincenzo fühlte sich an die frühen Tage seiner Wanderschaft erinnert. Nur machte es ihm jetzt weitaus weniger Spaß, ohne Geld in der Tasche zu Fuß seiner Wege zu ziehen. Wenn er, was oft genug geschah, auf einem Meilenstein saß und seine Stiefel auszog, um die wundgelaufenen Füße zu kühlen, sehnte er sich nach einer bequemen Kutsche oder zumindest einem Pferd. Auch sagten ihm die billigen Garküchen bei weitem nicht mehr so zu wie früher. Die Jahre mit Giulio Casamonte hatten ihn ganz offensichtlich verweichlicht und verwöhnt.
Er versuchte, die Situation als Buße anzusehen, und trat in den ersten Tagen seiner Reise in jede Kirche, an der er vorbeikam, um Gott dafür zu danken, dass er ihn vor der Sünde der Sodomie bewahrt hatte. Leider zwang ihn diese Sicht auch, die Seelenstärke des Kastraten zu bewundern. Denn es hatte nicht an ihm, sondern an Giulio gelegen, dass es nicht dazu gekommen war. Wenn er jedoch in den Nächten auf einem Heuhaufen lag und die Sterne über sich betrachtete, träumte er davon, dass seine Hand über Giulios Hüften glitt und er ihn an sich zog.
Diese Vorstellung wurde so quälend, dass sie Vincenzo sogar am hellen Tag verfolgte. Schließlich wusste er sich keinen anderen Rat mehr, als sein Leben völlig zu ändern. Er beschloss, nach Hause zurückzukehren und die erstbeste Erbin zu heiraten, die sein Bruder Andrea ihm nennen würde, und mit ihr Kinder in die Welt zu setzen, so wie es Gottes Wille war. Dieser Vorsatz hielt so lange an, bis er von einem Hügel aus seine Heimatstadt Torre de´ Busi vor sich liegen sah. Nun graute ihm allein schon bei dem Gedanken, vor seinen Bruder treten und sich dessen Vorträge über einen der Familie de la Torre gemäßen Lebensstil anhören zu müssen. Eine Meile vor dem Ort drehte er wieder um und wanderte den ganzen Weg bis Verona zurück. Er wusste nicht, wie Casamonte ihn empfangen würde, doch er wollte

ihm wenigstens nahe sein. Als er jedoch den Küster von San Lassaro nach Giulio fragte, hob dieser nur bedauernd die Arme. »Messer Casamonte ist leider nicht zu uns gekommen. Wie es heißt, hat er ein anderes Engagement angenommen. Wo, weiß ich leider nicht.«

Vincenzo fühlte sich wie vor den Kopf geschlagen. Es gab nur einen Grund, weshalb Giulio Verona gemieden hatte: Er wollte ihn nicht mehr wiedersehen. Verzweifelt schlug Vincenzo die Hände vors Gesicht und überhäufte sich selbst mit Vorwürfen. Wie sehr musste er seinen Freund verletzt haben, damit dieser den reichen Lohn und die Ehre ausschlug, hier in San Lassaro zu singen?

Ohne ein weiteres Wort zu verlieren, wandte er sich ab und streifte ziellos durch die Stadt. Eine Schar deutscher Pilger, auf die er durch Zufall traf, brachte ihn auf eine Idee. Giulio stand in den Diensten des Papstes und würde über kurz oder lang nach Rom zurückkehren müssen. Vincenzo beschloss, dort auf ihn zu warten. Kurz entschlossen trat er auf die Pilger zu und begrüßte sie in ihrer Sprache.

Der Pilgervater, ein hagerer Ordensmann mittleren Alters, hatte bereits verzweifelt versucht, sich mit seinem Latein bei dem Wirt der Herberge, in der sie unterkommen wollten, verständlich zu machen. Als er vertraute Worte hörte, atmete er sichtlich auf. »Gott zum Gruß, werter Freund. Ihr kommt wie gerufen. Ich weiß nicht, wie ich diesem guten Mann hier beibringen kann, uns Unterkunft und Verpflegung zu geben.«

»Wenn Ihr Geld habt, ist dies kein Problem. Wenn nicht, müsstet Ihr zum Pilgerhof der Deutschen weitergehen, der neben der Kirche San Carlo liegt.«

»Ich dachte, das hier wäre der Pilgerhof. Kurz vor der Stadt habe ich einen Mann danach gefragt, und er hat uns hierher geschickt.«

»Entweder hat er Euch nicht verstanden, oder er wird vom Wirt bezahlt, Reisende zu ihm zu schicken.« Vincenzo klopfte dem Ordensmann lachend auf die Schulter und forderte ihn auf, ihm zu folgen. Er führte die Deutschen zur Pilgerherberge, wo sie für ein paar Münzen Essen und Unterkunft erhielten. Da einer der dortigen Mönche der deutschen Sprache mächtig war, wurde Vincenzo nun nicht mehr gebraucht. Zu seiner Belustigung behandelten ihn die Leute in der Herberge jedoch wie einen der Deutschen. Sie drückten ihm einen Napf mit Gemüse und ein Fladenbrot in die Hand und zeigten ihm eine Stelle im Schlafsaal, wo er übernachten konnte.

Da er nichts anderes vorhatte, blieb Vincenzo bei den deutschen Pilgern, die, wie er erfuhr, aus der Gegend um Würzburg stammten. Die meisten von ihnen waren Mönche und Priester, die wenigstens einmal im Leben den Petersdom sehen und dort an der Heiligen Messe teilnehmen wollten. Die anderen waren Bürger mittleren Alters, die sich den Mönchen angeschlossen hatten und sich von der Romfahrt die ewige Seligkeit erhofften oder irgendwelche Sünden abgelten wollten. Es befanden sich auch einige adlige Nonnen bei der Gruppe, die sich jedoch meist etwas abseits hielten.

Vincenzo empfand die Leute als schwatzhaft und so neugierig, dass sie ihm lästig zu werden begannen. Er beschloss, sich am Morgen von ihnen zu trennen, doch die Gruppe erwies sich als recht anhänglich. Beim Frühstück, das aus einer dünnen Mehlsuppe bestand, bat ihn der Pilgervater, sie bis Rom zu begleiten und unterwegs für sie zu übersetzen. Da sich auch andere aus der Gruppe dieser Bitte anschlossen, stimmte Vincenzo nach kurzem Zögern zu. Es war angenehmer, in Gesellschaft zu reisen, und auf diese Weise würde er sich nicht um Verpflegung und Unterkunft kümmern müssen, was seiner schmalen Börse gut tat.

Jetzt ärgerte er sich doch ein wenig, dass er seine Geldkatze mit den großen Münzen nicht aus dem Koffer geholt hatte, als er

Giulio Casamonte verließ, und überlegte, ob er nicht zu einem Bankhaus gehen und sich Geld von Giulios Bankier besorgen sollte. Giulio hatte ihm das Recht zugesprochen, jederzeit auf seine Gelder zugreifen zu können, und so hatte er all die Jahre darauf verzichtet, eine größere Summe beiseite zu legen und auf seinen Namen anzulegen. Doch in seiner jetzigen Situation wäre ihm ein Zugriff auf Giulios Vermögen wie Diebstahl vorgekommen.

Während der Reise überlegte Vincenzo, ob seine Begegnung mit der Pilgergruppe nicht ein Zeichen Gottes wäre, der Welt zu entsagen und in den Dienst der Kirche zu treten. Vielleicht würde er Giulio Casamonte im Gebet vergessen. Er nahm daher an den Bußübungen der Deutschen teil, beugte seine Knie vor unzähligen Heiligenfiguren und fastete, um die selige Entrückung zu erlangen, die ihn von allen fleischlichen Gedanken reinigen sollte. Giulios Bild ließ sich jedoch auch damit nicht vertreiben. Als sie sich schließlich Rom näherten, fieberte Vincenzo in der Hoffnung, bald etwas von dem Kastraten zu hören.

Da er den Pilgern von den Untaten des Räubers Alessandro Tomasi erzählt hatte, standen seine Begleiter tausend Ängste aus, kurz vor dem Ziel ein Opfer des Banditen zu werden. Die kleine Schar deutscher Fußpilger in ihren schweißfleckigen grauen Mänteln übte jedoch keinen Reiz auf den Räuber aus, zumal die päpstlichen Wachen auf den Straßen patrouillierten und den Reisenden ein Gefühl von Sicherheit vermittelten. Vincenzo wusste zwar nur allzu gut, dass Tomasi den Berittenen jederzeit eine Nase drehen konnte, doch die Deutschen atmeten beim Anblick der Soldaten mit dem päpstlichen Wappen auf und priesen die Heiligen, weil sie allen Gefahren und Schrecknissen der langen Reise nun glücklich entronnen waren. Psalmen singend zogen sie in Rom ein.

Vincenzo brachte sie zum Sammelpunkt der deutschen Pilger und übergab sie dort einigen Mönchen, die sich um sie kümmern konnten. Er selbst hatte genug von ihrer Gesellschaft und verließ sie nach kurzem Abschied und dem nicht ernst gemeinten Versprechen, bald zurückzukommen. Er wollte Meister Galilei aufsuchen, in der Hoffnung, bei ihm wohnen zu können. Zu seinem Pech jedoch hatte der Musiklehrer mit seiner Familie Rom vor mehreren Wochen verlassen, um in Piacenza zu lehren.

Es blieb Vincenzo daher nichts anderes übrig, als sich eine billige Herberge zu suchen. Als er schließlich auf einem wanzenverseuchten Strohsack lag, sehnte er sich fast in die übervollen und von den Ausdünstungen unzähliger Menschen erfüllten Schlafsäle der Pilgerhospize zurück.

Am nächsten Morgen beglich er seine Zeche und schlenderte auf der Suche nach Informationen über Casamonte kreuz und quer durch die heilige Stadt. Zuerst wollte er in der Kirche Santa Maria Maggiore, in der Giulio bei seinem ersten Romaufenthalt gesungen hatte, Erkundigungen einziehen. Er traf jedoch nur einen Diener an, der den Fußboden des Probenraums säuberte und über die Störung sichtlich verärgert war. Vincenzo opferte schweren Herzens eine Münze, um überhaupt eine Antwort zu erhalten. »Giulio wer? Kenne ich nicht«, brummte der Knecht nach mehreren Augenblicken des Nachdenkens.

Vincenzo zitterte vor Ungeduld. »Er hat im letzten Sommer hier gesungen und war bei der Uraufführung der Missa Papae Marcelli dabei.«

Der Knecht zuckte bedauernd mit den Schultern. »Im letzten Sommer war ich noch nicht da. Da habe ich noch in Trevi auf dem Zehnthof des Klosters gearbeitet.«

»Aber es muss doch jemand geben, der sich an den Kastraten erinnern kann.«

»Ach so, den Kastrat meint Ihr. Ich hab von ihm gehört, als ich hier angefangen habe. Er soll die Stimme eines Engels besitzen.«

Vincenzo nickte erleichtert. »Ja, er hat die Stimme eines Engels. Bitte sag mir, was du über ihn weißt.«

»Nur dass er zu den Tedesci gereist ist. Ich glaube auch nicht, dass die ehrbaren Mönche des Chores mehr wissen. Da müsst Ihr schon den Heiligen Vater selbst fragen.«
Die Bemerkung sollte wohl ein Witz sein, brachte Vincenzo jedoch auf eine Idee. Hastig verabschiedete er sich von dem Knecht, der brummend seine Arbeit wieder aufnahm, und eilte zu den päpstlichen Behörden im Lateranviertel. Die Auskunft, die er dort erhielt, stellte ihn jedoch auch nicht zufrieden. Ein sichtlich gelangweilter Schreiber, den zum Sprechen zu bewegen ein großes Loch in Vincenzos Börse riss, erklärte ihm umständlich, dass Casamonte zwar noch immer in den Diensten Seiner Heiligkeit stünde, derzeit aber durch das Land ziehen würde, um mit seiner Stimme das Lob des Herrn zu verbreiten.
Vincenzo verließ das Gebäude in einem Zustand innerlicher Auflösung und streifte zunächst ziellos durch die Gassen. In einer Schenke bestellte er sich schließlich einen Krug billigen Weines. Er brachte das säuerliche Getränk kaum über die Lippen, doch der Durst und sein Wunsch, im Wein Vergessen zu finden, waren stärker als seine Abneigung. Er wollte bereits nach dem zweiten Krug rufen, als er sich plötzlich mit der flachen Hand gegen die Stirn schlug.
Ihm war eingefallen, dass Giulios Vater hier in Rom lebte. Von diesem würde er sicher Auskunft über den Kastraten erhalten. Das Verhältnis zwischen Vater und Sohn war nicht besonders gut gewesen, der reichlich genossene Wein ließ diese Tatsache jedoch als nebensächlich erscheinen. Selbst wenn Girolamo Casamonte nichts von Giulio gehört hatte, würde er ihm gewiss genug Geld leihen, um anständig versorgt auf den Kastraten warten zu können. Irgendwann musste der Heilige Vater ihn ja zurückbeordern.
Vincenzo versuchte sich an das Kurtisanenhaus zu erinnern, in dem Girolamo Casamonte Unterschlupf gefunden hatte. Es dauerte eine Weile, bis er auf den Namen kam und er nach Do-

natella Rivaccios Haus fragen konnte. Aber niemand schien sie zu kennen. Nach einer Weile wies ihm ein älterer Mann, den er vor der Kirche Santa Anna anhielt, den Weg.
Unterwegs zupfte Vincenzo seine Kleidung zurecht, die auf der Reise stark gelitten hatte, und hoffte, dass ihm der Pförtner nicht von vornherein die Tür vor der Nase zuschlug. Er hatte jedoch Glück, denn die Zehnscudimünze in seiner Hand glänzte zu verlockend. »Womit kann ich dienen?«, fragte der Türsteher, ein kleiner älterer Mann, ohne allerdings den Weg freizugeben. Dafür sah ihm Vincenzos Kleidung doch nicht vornehm genug aus. »Mein Name ist Vincenzo de la Torre«, stellte sich Vincenzo vor. »Ich hätte gerne Messer Casamonte oder die Signora Rivaccio gesprochen.«
»Casamonte? Den kenne ich nicht«, beschied ihn der Pförtner kopfschüttelnd. »Und was die Signora Rivaccio betrifft, so lebt diese nicht mehr hier.«
Vincenzo starrte ihn aus weit aufgerissenen Augen an. »Aber das Haus gehört ihr doch.«
»Es hat ihr gehört. Im letzten Herbst hat sie es an Messer Alcide Fiorelli verkauft, dessen Frau das Geschäft mit ihren eigenen Mädchen weiterführt.«
Noch wollte Vincenzo den letzten Funken Hoffnung nicht aufgeben. »Weißt du, wohin Signora Rivaccio gezogen ist?«
»Leider nicht. Mir hat sie erzählt, sie würde mit ihrem Gatten, dem Signore Giroli, nach Mantua gehen. Der Patronin nannte sie jedoch Neapel als Ziel und dem Signore Matoni, dem Steuereinnehmer dieses Stadtviertels, erzählte sie gar, sie wolle Italien verlassen, um bei den Barbaren im Norden ein neues Haus zu eröffnen.«
Mit der Auskunft gab Vincenzo sich nicht zufrieden und erreichte es durch seine Hartnäckigkeit, Clarissa Fiorelli selbst zu sprechen. Doch auch sie konnte ihm nicht mehr mitteilen, als er bereits von ihrem Türsteher erfahren hatte.

Wie sollte die Dame auch wissen, dass Giulias Vater in einer intimen Stunde seiner Frau die Geschichte um seinen falschen Sohn erzählt und ihr damit einen gewaltigen Schrecken eingejagt hatte. Donatella Giroli kannte die Gründlichkeit, mit der die heilige Inquisition vorging, und wusste, dass sie und ihr Mann ebenfalls in deren Folterkellern landen würden, wenn eines Tages die Wahrheit ans Licht kam. So hatte sie kurz entschlossen ihr Haus verkauft und ihre und ihres Mannes Spur so gut es ging verwischt, um weit außerhalb des Kirchenstaats unter einem anderen Namen neu anzufangen.
Vincenzo blieb zuletzt nichts anderes übrig, als sich mit einer tiefen Verbeugung von Donatellas Nachfolgerin zu verabschieden. Einige Häuserzeilen weiter setzte er sich entmutigt auf den Stumpf einer antiken Säule. Er hatte zwei Möglichkeiten. Entweder begab er sich auf Reisen, um Giulio Casamonte zu suchen, oder er blieb hier in Rom und wartete, bis er kam. Allerdings besaß er weder für das eine noch für das andere das nötige Geld. Hier in der Stadt war es allerdings leichter, sich das Notwendigste zum Lebensunterhalt zu verdienen. Notfalls musste er eben jenen Narren das Fell über die Ohren ziehen, die glaubten, das Glück im Würfelspiel gepachtet zu haben, und nicht wussten, wie sehr Geschicklichkeit die Würfel beeinflussen konnte. Aber das behagte ihm nicht sonderlich. Lieber wollte er den Versuch wagen, in der päpstlichen Verwaltung als Schreiber unterzukommen. Eine solche Arbeit war zwar eines de la Torre unwürdig, aber er würde auf diese Weise am ehesten von Giulio Casamontes Rückkehr erfahren. Heute war es allerdings zu spät, um bei den entsprechenden Stellen nachzufragen. Doch Vincenzo nahm sich fest vor, sich am nächsten Tag um einen Posten zu bewerben.

## V.

Giulia empfand ihren Aufenthalt im Castello Biancavallo als öde und aufreizend zugleich. Die Schwiegertochter des Grafen war eine verhuscht wirkende Frau mit eingefallenem Gesicht und dünnen, brünetten Haaren, der die vielen, vergeblichen Schwangerschaften bereits schwer zugesetzt hatten. Sie erinnerte Giulia an eine ängstliche Maus, die den Stiefel, mit dem man sie zertreten will, über sich schweben sieht. Norina Biancavallo war sich im Klaren darüber, dass ihr Gemahl Roberto sie nach einer weiteren Fehlgeburt als Gefahr für den Fortbestand seines Geschlechts ansehen würde. Da er sich nicht von ihr scheiden lassen konnte, um eine andere Frau zu heiraten, die ihm den heiß ersehnten Erben gebären konnte, würde er wohl über kurz oder lang danach streben, Witwer zu werden.
Giulia konnte die Gedanken der Gräfin an ihrem Gesicht ablesen und musste ihr innerlich beipflichten. Die Blicke, mit denen der junge Graf seine Frau maß, waren von tödlicher Verachtung, und man konnte ihm ansehen, dass er sie lieber heute als morgen loswerden wollte. Er war viele Jahre jünger als seine Frau und hatte sie nur wegen ihrer Mitgift geheiratet. Jetzt zeigte er deutlich, wie sehr sie ihn enttäuscht hatte, stieg offen den Mägden im Schloss nach und prahlte mit den Bastarden, die er bereits in die Welt gesetzt haben wollte. Giulia konnte bald erkennen, dass schon seine Anwesenheit die junge Gräfin in heillosen Schrecken versetzte. So würde es mit Gewissheit zu einer weiteren Fehlgeburt kommen. Nach einem besonders schlimmen Angstanfall der Schwangeren suchte sie den Vater des Grafen auf.
»Verzeiht, Erlaucht. Ihr habt mich gerufen, um Eure Schwiegertochter zu beruhigen. Doch ich glaube nicht, dass mein Singen allein helfen wird.«
Der Graf reagierte verärgert, doch Giulia ließ sich nicht abschrecken. »Es geht um Euren Sohn. Die vielen Enttäuschungen der

Vergangenheit haben die Nerven Eurer Schwiegertochter stark in Mitleidenschaft gezogen. Sie zittert vor Angst, vor ihrem Gemahl neuerlich zu versagen. Meiner Ansicht nach wäre es besser, wenn Comte Roberto die Burg verlassen und an anderer Stelle auf die Nachricht vom guten Ausgang der Schwangerschaft warten würde.« Giulia versuchte, es diplomatisch auszudrücken. An der jähen Änderung der Miene des Grafen erkannte sie jedoch, dass er sie sehr genau verstanden hatte. Er atmete scharf ein und nickte schließlich. »Es wird wohl das Beste sein, wenn Roberto das Schloss für einige Wochen verlässt. Ich gebe zu, dass die vielen Fehlgeburten seiner Frau ihn in Sorge versetzt haben, nie einen Erben zu erhalten. Er traut es Norina wohl auch diesmal nicht zu.« Er schien noch mehr sagen zu wollen, schwieg aber und wandte sich ab.

Giulia wusste, an was er dachte, denn die Zofe der jungen Gräfin hatte ihr erzählt, dass Roberto Biancavallo schon vor mehreren Jahren von seiner Frau verlangt hatte, im Falle einer weiteren Fehlgeburt diese zu verschweigen und einen seiner neugeborenen Bastarde als ihren Sohn auszugeben. Zu seinem Pech aber hatte die dafür vorgesehene Magd nur ein Mädchen zur Welt gebracht. Auf alle Fälle war sie froh, dass der alte Graf seinen Sohn wegschicken wollte, und sah erfreut, dass schon die Nachricht von seiner bevorstehenden Abreise die Schwangere beruhigte.

Für Giulia wurde die Arbeit jedoch nicht leichter. Norina Biancavallo schrak bei jedem Hauch zusammen und verkroch sich fast in ihrem Bett, wo sie von den Weihrauchschwaden umgeben, die der Priester ihres Schwiegervaters verbrannte, in fast völliger Dunkelheit die Heilige Jungfrau anflehte, ihr wenigstens diesmal beizustehen.

Assumpta hielt diese Haltung der Schwangeren für mehr als ungesund. Doch erst die Androhung, dass Giulias Stimme im dumpfen Dunst des Schlafzimmers versagen würde, brachte die junge Gräfin dazu, wenigstens eines der Fenster öffnen zu lassen, so dass frische Luft hereinströmen konnte. Da Norina Biancavallo von ihrem Schwiegervater wusste, dass Giulia dessen Schwester mit der Macht ihrer Stimme vor Trübsinn und Depressionen bewahrt hatte, verlangte sie fast ständig die Anwesenheit des Sängers. Dabei war sie kaum an den Liedern interessiert, die ihr vorgetragen wurden, sondern nur mit ihrem eigenen Leid beschäftigt.

Für Giulia war es nicht einfach, immer wieder von den hysterischen Ausbrüchen der Schwangeren unterbrochen zu werden. Bald fand sie sich in der Rolle eines Arztes und Seelentrösters wieder. Sie musste die junge Gräfin nicht nur beruhigen, sondern auch dafür sorgen, dass diese genug Nahrung zu sich nahm, damit das Kind in ihrem Leib gedeihen konnte. Zum Glück kam sie sowohl mit der Zofe als auch mit der Schlossmamsell gut zurecht. Die Bediensteten hofften nicht weniger als ihre Herrschaft auf einen Erben und taten alles, was in ihrer Macht stand, um die Schwangere zu hegen.

Die Mamsell war Giulia überaus dankbar für ihr Eingreifen und sorgte dafür, dass ihr Zimmer stets zu den saubersten und angenehmsten im ganzen Schloss gehörte. Das Bett war immer frisch gelüftet, und jeden Abend standen Blumen auf dem Tisch. Giulia freute sich über diese kleinen Aufmerksamkeiten, denn sie gaben ihr das Gefühl, willkommen zu sein. So hart ihr die stete Sorge um die junge Gräfin oft auch ankam, so war sie andererseits auch dankbar dafür, denn sie lenkte sie zumindest tagsüber von ihrem eigenen Kummer ab. In den Nächten aber wurde es umso schlimmer. Immer wieder musste sie an Vincenzo denken, und sie verfluchte sich, weil sie kein Vertrauen zu ihm gehabt hatte. Oft wachte sie morgens auf und sah noch die Bilder ihrer Albträume vor sich, durch die Vincenzo in allerlei unglücklichen Situationen geisterte. Oft sah sie ihn sterbend oder als Toten vor sich, und wenn sie dann aufwachte, musste sie gegen die Tränen ankämpfen.

Jetzt, wo sie Vincenzo endgültig verloren zu haben glaubte, begriff sie erst, wie sehr sie ihn liebte. Doch sie hatte ein falsches Spiel mit ihm getrieben und ihn mit beleidigenden Worten von sich gewiesen. Manchmal fragte sie sich, wo er jetzt wohl sein mochte. In den ersten Wochen auf Castello Biancavallo hatte sie noch gehofft, dass er ihr folgen würde. Mittlerweile aber war sie überzeugt davon, dass er nichts mehr von ihr wissen wollte, und konnte es sogar verstehen. Sie hatte ihn allzu sehr verletzt und von sich gestoßen. Dieser Gedanke fraß sich wie Säure in sie hinein, und sie konnte ihn nur dadurch bekämpfen, indem sie all ihre Kraft für die junge Gräfin einsetzte.
Zur großen Freude ihres Schwiegervaters überstand Norina die kritische Zeit. Giulia durfte jedoch kaum mehr von ihrer Seite weichen und musste zuletzt im Schlafzimmer der Gräfin auf einem Feldbett schlafen, das die Mamsell für sie aufschlagen ließ. Der Prediger machte seinem Herrn zwar Vorhaltungen deswegen, da Casamonte ja als Mann geboren worden sei und es daher Sünde wäre, im selben Raum wie eine verheiratete Frau zu nächtigen. Als er jedoch merkte, dass er mit dieser Kritik seine angenehme Pfründe riskierte, zog er sich mit tausend Entschuldigungen zurück und bestand nur darauf, dass die Zofe oder die Mamsell anwesend sein mussten, wenn Giulia im Zimmer der Gräfin weilte.
Es war für Giulia in diesen Tagen nicht leicht, ihr wahres Geschlecht vor den anderen Frauen zu verbergen, auch wenn diese sehr viel Rücksicht auf die Launen und Eigenarten eines Kastraten nahmen. Ohne die treue Unterstützung Assumptas wäre ihr Geheimnis trotzdem aufgedeckt worden. So atmete sie auf, als die schwere Stunde der Gräfin sich näherte und sie etwas in den Hintergrund treten konnte.
Die Hebamme des Dorfes wurde geholt und ergriff rasch das Regiment. Zuerst wollte sie Giulia aus dem Raum scheuchen, doch die Schwangere bestand auf ihrer Anwesenheit und wollte

sogar dann noch Giulias Stimme hören, als sie sich bereits in den ersten Wehen wand.
Auf dem Land aufgewachsen, hatte Giulia bereits als Kind gesehen, wie Welpen und Kälbchen geboren wurden, und sie hatte auch die Geburt ihres jüngsten Bruders erlebt. Doch weder die Tiermütter noch ihre eigene, kränkliche Mutter hatten sich so wild gebärdet wie die Gräfin. Obwohl das Kreischen und Schreien Norina Biancavallos an ihren Nerven zerrte, sang Giulia ohne Pause. Sie versuchte, das Geschehen um sich zu vergessen und sich ganz auf ihre Lieder zu konzentrieren. Die Zeit verging jedoch, ohne dass das Kind kam. Die Hebamme war bereits am Verzweifeln, und das Schreien der Wöchnerin war längst einem erschöpften Wimmern gewichen.
Giulia sang nach der Missa San Ippolito auch die vollständige Missa Papae Marcelli. Ihre Kehle war heiser und ihr Kopf wie leer gesaugt. Sie glaubte schon, keinen Ton mehr über die Lippen bringen zu können, als ein letzter, gellender Schrei durch die Burg hallte. Sekunden später hielt die Hebamme das Kind in den Händen. Sofort sah sie nach seinem Geschlecht, denn je nach dem, ob es ein Mädchen oder ein Knabe war, würde ihr Lohn normal oder großzügig ausfallen.
Erleichtert warf sie den Kopf zurück. »Es ist ein Knabe!« Freudestrahlend präsentierte sie ihn der halb bewusstlosen Gräfin. »Preiset den Herrn! Er hat Euch einen Sohn geschenkt.«
Norina Biancavallo nickte kraftlos und schloss sofort wieder die Augen. Während die Hebamme das Kind versorgte, eilte die Mamsell hinaus, um dem alten Grafen Bescheid zu geben. Kurze Zeit später kam dieser herein und sah zufrieden auf das kleine Bündel Mensch mit seinem hochroten, verknitterten Gesicht.
Er würdigte seine Schwiegertochter kaum eines Blickes, sondern wandte sich an die Mamsell. »Wo ist die Amme?«
»Sie wartet bereits in der Küche, gnädiger Herr.«

Der Graf zog die Stirn kraus. »Was tut sie denn dort, wenn sie hier gebraucht wird?«
»Sie isst, um sich für ihre Aufgabe zu stärken. Sie muss gute Milch haben, um Euren Enkel zu nähren.«
»Dann sorge dafür, dass sie reichlich Nahrung zu sich nimmt.« Der Graf wandte sich nun an Giulia, die nach vielen Stunden endlich schweigen durfte. »Ich danke Euch, Casamonte. Eure Stimme besitzt wirklich Zauberkraft.« Erst dann schien er sich seiner Schwiegertochter zu erinnern, die schweißüberströmt und mit blutigem Nachthemd auf dem nassen Bett lag. »Ihr habt Eure Aufgabe erfüllt, meine Liebe.«
In Giulias Ohren klangen seine Worte herzlos, so als sei es ihm gleichgültig, was jetzt mit der Mutter seines Enkels geschah. Der Graf hielt sich auch nicht lange im Zimmer der Wöchnerin auf, sondern ging eilig davon. Draußen auf dem Flur hörte Giulia ihn nach seinem Schreiber rufen.
Giulia fühlte sich mit einem Mal überflüssig und wusste nicht, was sie tun sollte. Ein Blick auf das Kind, das eben von der Hebamme gewickelt wurde, ließ sie die schlimmen Umstände der Geburt vergessen. »Darf ich den Kleinen einmal im Arm halten?«
Die Wehmutter blickte kurz zu ihr auf und reichte ihr den Knaben, achtete jedoch genau darauf, ob Giulia ihn richtig hielt. Giulia sah in das kleine Gesichtchen und kämpfte mit den Tränen. Sie würde wohl nie ein eigenes Kind in den Armen tragen. Vincenzo, warum habe ich dich fortgejagt?, dachte sie verzweifelt.
Die Hebamme sah den Kampf der Gefühle auf ihrem Gesicht und nahm ihr das Kind ab. »Es muss schwer für Euch sein, zu wissen, dass Ihr nie einen Sohn zeugen werdet.«
Giulia versuchte, ihre Schwäche abzuschütteln, und nickte. »Ja, das ist es. Wenn ich hier nicht mehr gebraucht werde, würde ich mich gerne zurückziehen. Ich bin müde.«

Die Hebamme nickte mitleidig. »Das glaube ich gerne. Ihr habt geschlagene zwölf Stunden gesungen, damit der Erbe gesund auf die Welt kommt. Dafür wird der Graf Euch gewiss reichlich entlohnen.«
Das war Giulia im Augenblick herzlich egal. Sie wollte nur allein sein. Jetzt, wo ihr Auftrag hier erfolgreich abgeschlossen war, musste sie wieder an die Zukunft denken. Da die Einladung der Abtei von San Lassaro noch immer galt, würde sie wohl als Erstes dorthin reisen, auch wenn sie dadurch noch stärker an Vincenzo erinnert wurde. Sie konnte nur hoffen, dass ihr die Musik Trost spenden konnte. Ihre Lieder waren das Einzige, was ihr noch geblieben war.

## VI.

Bischof della Rocca hatte die Affäre Casamonte bislang völlig nebensächlich behandelt und es auch unterlassen, Ludovico Molonis Verdacht an die päpstliche Gerichtsbarkeit weiterzuleiten, die eigentlich für solche Fälle zuständig war. Irgendwie hoffte er immer noch, dass das Ganze im Sand verlaufen würde. Schließlich hatte er Casamonte ja selbst singen gehört. Ein Mädchen konnte vielleicht die Reinheit einer Knabenstimme erringen, eine Frau jedoch niemals mit einem Kastraten konkurrieren. Dies widersprach allen Lehren der heiligen Kirche, die dem weiblichen Geschlecht den entsprechenden Verstand, die Kraft und auch den Willen dazu absprach.
Aus diesem Grund war der Bischof froh, Ludovico in seine Dienste genommen zu haben. Der Bursche war nicht ungeschickt, außerdem zuverlässig und bemüht, die Aufträge seines Herrn nicht nur wortgetreu, sondern auch sinngemäß zu erfüllen, ohne dass ihn dabei hinderliche Skrupel plagten. Ein paar nebenbei hingeworfene Bemerkungen, ihn im Rang auf-

steigen zu lassen, hatten Ludovicos Ergebenheit sogar noch gesteigert.

Als Ludovico an diesem Morgen ins Zimmer trat und vor della Roccas Arbeitstisch stehen blieb, nickte ihm der Bischof daher leutselig zu. »Guten Morgen, Ludovico. Wie ist das Wetter draußen? Ich hoffe, es ist schön, denn ich will heute zum Pferderennen fahren.«

Ludovico kniete nieder und führte die Rechte des Bischofs an die Lippen. »Buon giorno, Euer Eminenz. Erinnert Ihr Euch noch an Casamonte?«

Obwohl ihn diese unvermittelte Frage verblüffte, nickte della Rocca. »Aber ja. Ich verfolge die Sache bereits mit aller Strenge.« Sein Lächeln war dabei ebenso falsch wie der Wahrheitsgehalt seiner Worte. »Ich danke Euch, Herr. Übrigens gibt es da neuerdings einen Schreiber, der wegen seiner Kenntnisse der deutschen Sprache eingestellt wurde und immer wieder nach Casamonte fragt. Der Mann nennt sich Torelli, doch ich habe in Erfahrung gebracht, dass es sich um einen verarmten Adligen namens Vincenzo de la Torre handelt.«

Der Bischof hob ruckartig den Kopf. »De la Torre? Der war doch Casamontes Bärenführer!«

Ludovico nickte. »Genau der. Anscheinend hat er sich von Casamonte getrennt und will nun in Erfahrung bringen, wo der angebliche Kastrat sich aufhält. Nun, ich weiß es. Ich habe nämlich ein paar Nachforschungen angestellt und sogar mit dem ehrwürdigen Pater Spinelli aus dem Dominikanerkolleg darüber gesprochen.« Er sah della Rocca triumphierend an. Spinelli gehörte zur päpstlichen Inquisition. Della Rocca ärgerte sich über Ludovicos Eigenmächtigkeit, wusste aber gleichzeitig, dass er jetzt nicht mehr um eine Entscheidung herumkam. Um Zeit zum Nachdenken zu gewinnen, forderte er Ludovico auf, ihm alles zu berichten, was dieser über Giulio Casamonte erfahren hatte. »Giulia Fassi hält sich derzeit beim Comte Biancavallo in der Nähe von Verona auf. Sie soll mit ihrer Hexenstimme dafür sorgen, dass dessen Schwiegertochter einen gesunden Sohn zur Welt bringt. Wir können die Verbrecherin dort jederzeit festnehmen lassen.«

»Ich kenne den Grafen. Er ist ein ehrenwerter Mann und durch die vielen Fehlgeburten seiner Schwiegertochter arg gestraft. Wenn wir Casamonte von dort wegholen, bevor Gott seine Hoffnungen erneut enttäuscht hat, wird er in seiner Verzweiflung mir die Schuld daran geben, denn an einem Menschen zweifelt man nun einmal eher als an Gottes Gerechtigkeit. Wir werden also nichts unternehmen, bis Casamonte das Castello Biancavallo verlassen hat.«

Ludovico nahm die Entscheidung zähneknirschend zur Kenntnis, auch wenn er sich sagte, dass selbst die längste Schwangerschaft kaum mehr als neun Monate dauern konnte. Dann wäre die Zeit seiner Rache gekommen. Er musste nur das Eisen schmieden, bis auch der Bischof nicht mehr umhin kam, das gotteslästerliche Weib der irdischen Gerechtigkeit zu überantworten. Er zwang sich zu einem untertänigen Lächeln. »Mir sind überdies noch Gerüchte aus Wien zu Ohren gekommen, die Casamonte ...« Er sprach diesen Namen wie einen Fluch aus und verbesserte sich sofort »... die die Hexe Giulia Fassi in ein äußerst schlechtes Licht setzen.«

Della Rocca sah seufzend auf und fand, dass Ludovico manchmal sehr anstrengend sein konnte. »Und was sind das für weltbewegende Neuigkeiten?«

»Graf Falkenstein, der lange Jahre der ketzerischen Irrlehre anhing und erst vor wenigen Monaten in den Schoß der heiligen katholischen Kirche zurückgekehrt ist, beschuldigt Giulia Fassi und Vincenzo de la Torre der Sodomie.«

Das schallende Gelächter des Bischofs unterbrach Ludovico, bevor er weitersprechen konnte. »Sodomie, sagst du? Nun, wenn das nicht ein Beweis dafür ist, dass es sich bei Casamonte um

einen Beschnittenen und nicht um deine Giulia Fassi handelt, dann weiß ich keinen besseren.«
Ludovico ließ jedoch nicht locker. »Es kann aber auch etwas anderes bedeuten, nämlich dass dieser de la Torre und Giulia ein Verhältnis wie Mann und Frau pflegen. Außerdem ist diese Anklage, der in jedem Fall nachgegangen werden muss, nicht alles. Giulia Fassi soll zusammen mit de la Torre einige Baiern wahren Glaubens bei dem Erzketzer Christoph von Württemberg verleumdet und so deren Tod verursacht haben. Außerdem beschwor Falkenstein, dass der angebliche Casamonte und de la Torre sich dem lutherischen Irrglauben ergeben und an den widerlichen Riten der Ketzer teilgenommen haben.«
Ludovico würde mit seiner kraftvollen Stimme einen guten Ankläger des Inquisitionsgerichts abgeben, dachte della Rocca seufzend. Er fragte sich aber auch, warum das Heilige Offizium trotz dieser Anklagen nichts gegen de la Torre und Casamonte unternommen hatte, und fand die Antwort etwas später am Nachmittag in einem Bericht des päpstlichen Gesandten Piccolomini, dessen Kommentar darauf hinwies, dass Falkenstein unglaubwürdig sei, weil ihm von de la Torre Hörner aufgesetzt worden sein sollten. Gerüchten zufolge sei Casamonte dabei zugegen gewesen. Da eine solche Handlung für einen Kastraten nicht ungewöhnlich war, nahm der Bischof sie als weiteren Beweis, dass Ludovico von seinem Hass auf Giulia Fassi verblendet war und die Wahrheit nicht sehen wollte. Da aber die Nachforschungen des Burschen bereits bei den Behörden Aufsehen erregt hatten, musste er rasch handeln, wenn er einen Skandal vermeiden wollte.
Den Ärger, den Ludovico ihm eingebrockt hatte, sollte der Bursche ihm jedoch bezahlen. Della Rocca beschloss, ihm einen Platz in der Gesandtschaft zu besorgen, die den Kaiser von China zum christlichen Glauben bekehren sollte. Doch zuerst musste er das Problem Casamonte lösen, ohne sich selbst zu be-

schmutzen. Er sagte sich, dass er nicht zuletzt deshalb so weit aufgestiegen war, weil er sich stets auf alle Eventualitäten vorbereitet hatte. Wenn Casamonte tatsächlich Giulia Fassi war, musste er auch für diesen Fall vorbauen. Zu seinem Ärger gab es in dem Bericht aus Wien einen Punkt, der für Ludovicos Theorie sprach. Della Rocca schenkte Piccolominis Beteuerungen, dass Casamonte nichts von dem geplanten Anschlag auf den Herzog von Württemberg gewusst hätte, keinen Glauben. Schließlich konnte schon ein zufällig aufgeschnapptes Wort jemand auf die richtige Spur bringen. War Casamonte etwas über den Anschlag zu Ohren gekommen, war es der schwachen und irrenden Seele einer Frau eher zuzutrauen, den Württemberger zu warnen, als einem Kastraten, der ja immerhin als Mann geboren worden war.

Als della Rocca in seinen Palazzo zurückkehrte, befahl er seinem Leibdiener, Ludovico und einen Hauptmann der päpstlichen Garde zu rufen.

Der Mann verbeugte sich und blinzelte listig. »Benötigt Ihr den Herrn Gonzaga?«

Der Bischof schüttelte unwirsch den Kopf. »Nein, nicht ihn. Der Mann tratscht mir zu viel von seinen angeblichen Heldentaten in der Kneipe aus. Hole mir einen der Schweizer. Die sind am zuverlässigsten.« Während der Diener eilfertig den Raum verließ, dachte della Rocca daran, dass Geheimhaltung das höchste Gebot für diesen Fall war. Egal, wie es ausging, über einen kleinen, eingeweihten Kreis hinaus durfte niemand etwas erfahren.

## VII.

Giulia konnte das Castello Biancavallo nicht so rasch verlassen, wie sie gehofft hatte. Die junge Gräfin war nach der schweren Geburt leidend und ließ sich nur durch ihre Lieder beruhigen.

Erst als Roberto Biancavallo zurückkehrte, sich den Knaben ansah und lauthals verkündete, dass er zufrieden sei, wich die Anspannung seiner Gemahlin. Der junge Graf verschwand auch bald wieder, um sich seiner derzeitigen Mätresse zu widmen. Erst mit seiner Abreise wurde es ruhiger im Schloss, so dass Giulia endlich weiterreisen durfte.

Comte Biancavallo zeigte sich mehr als großzügig. Giulia erhielt eine so große Summe von ihm, dass sie davon mehrere Jahre in angenehmen Verhältnissen leben konnte. Als sie die schwere Börse in der Hand hielt und sich artig bedankte, empfand sie große Sehnsucht nach einem einsamen Bergdorf, in dem sie niemand kannte und in das sie sich für einige Zeit mit Assumpta zurückziehen könnte. Die alte Frau vertrug die anstrengenden Reisen nicht mehr, und sie hatte nun Besseres verdient, als in unbequemen Reisewägen über schlechte Straßen halb zu Tode geschaukelt zu werden. Giulia dachte mit Dankbarkeit daran, wie treu Assumpta ihr all die Jahre zur Seite gestanden war, und nahm sich vor, ihr noch einige schöne Jahre zu bereiten.

Der Abschied von der jungen Mutter und den Frauen im Schloss war um einiges herzlicher als der von dem Grafen. Die Mamsell schleppte einen riesigen Korb mit Lebensmitteln und Naschereien herbei, damit Giulia auf der Fahrt nach Verona nicht hungern musste, und wischte sich dabei die Tränen aus den Augen. »Fahrt mit Gott, Messer Casamonte. Ihr habt uns das schönste Geschenk gemacht, das wir uns wünschen konnten.«

»Dankt Gott, nicht mir«, erwiderte Giulia leise.

Der Kutscher schnalzte nun mit der Zunge und ließ die Pferde antraben. Ein letztes Winken, und dann blieb das Castello Biancavallo hinter ihr zurück. Weder sie noch Assumpta hatten auf dieser Fahrt das Bedürfnis zu reden. Nach den aufreibenden Wochen auf dem Schloss schien ihnen die Kutsche wie ein Ort der Verbannung. Vincenzo hatte es verstanden, ihnen beiden

das Reisen angenehm zu machen, und hier vermissten sie ihn ganz besonders. Doch weder Giulia noch Assumpta wagten es, seinen Namen auszusprechen.
Die Straßen, die das Schloss des Comte mit Verona verbanden, waren so schlecht, dass die Kutsche drei Tage für die Reise benötigte. Bei der letzten Rast hielt ihr Wagen neben einem anderen Gefährt, das bereits ausgespannt worden war. Dennoch hielt sich jemand in seinem Innern auf. Giulias Gedanken kreisten so sehr um Vincenzo, dass sie den derbgesichtigen jungen Mann nicht einmal bemerkte, der vorsichtig das Fensterleder zur Seite schob und ihr nachstarrte. Assumpta aber sah ihm zufällig ins Gesicht und rieb sich nachdenklich die Stirn. Aber da ihr nicht einfallen wollte, wieso ihr der Mann so bekannt vorkam, vergaß sie ihn schnell wieder.
Ludovico ließ Giulia nicht aus den Augen, bis sie in die Herberge trat. Dann streckte er die rechte Hand ins Freie und winkte einen Mann in der Kleidung eines Kutschers zu sich. »Hast du den weibischen Mann gesehen? Das war Casamonte. Jetzt bist du an der Reihe.«
Der nickte und ging auf die Herberge zu. Giulia, die sich eben den Reisestaub von Gesicht und Händen wusch, sah unwillig auf, als der Kutscher vor ihr stehen blieb. »Was willst du?«
»Seid Ihr der Kastrat Giulio Casamonte?«
»Wenigstens nennt man mich so.«
Der Kutscher zog seinen Hut und verneigte sich vor ihr. »Der Prior von San Lassaro schickt mich. Ich sollte Euch eigentlich in Biancavallo abholen, da mein Herr nicht wusste, ob Euch der Graf ein Gefährt zur Verfügung stellen würde.«
»Wie du siehst, hat er es getan.« Giulia begriff nicht, worauf der Mann hinauswollte. Er verbeugte sich noch einmal und erklärte, dass er den Wagen des Grafen zurückschicken würde, da er ab hier für sie zuständig sei.
Giulia wunderte sich zwar über die unübliche Fürsorge des Pri-

ors, doch sie war zu müde, um darüber nachzudenken. So nickte sie nur und war froh, als der Mann wieder ging und sie mit Assumpta allein ließ. Zur Erleichterung ihrer Dienerin aß sie eine Kleinigkeit und legte sich bald zu Bett. Als sie am nächsten Morgen im Frühstückszimmer saß, kam der Kutscher des Grafen noch einmal herein, um sich zu verabschieden. Giulia gab ihm ein Geldstück und wünschte ihm eine gute Fahrt. Ein Blick durch das Fenster zeigte ihr, dass der andere Wagen für sie bereitstand. Die beiden Helfer des Kutschers waren gerade dabei, ihr Gepäck aufzuladen.

Seufzend wandte sie sich ab. »Ich hoffe, in Verona erwartet uns eine Nachricht von Vincenzo.«

Assumpta winkte ab und schüttelte den Kopf. »Erhoffe dir nicht zu viel. Er ist zwar ein vortrefflicher junger Mann, aber ich fürchte, dass wir ihn nie wiedersehen werden. Du hast ihn schwer gekränkt, und Männer vergessen nicht so leicht wie Frauen. Das liegt in ihrer Natur.«

Giulia schob den noch halb vollen Teller beiseite. »All die Wochen in Biancavallo habe ich mich mit dem Gedanken aufrechterhalten, dass Vincenzo uns in Verona erwartet oder uns wenigstens eine Nachricht hinterlassen hat.«

»Dort hätte er erfahren, wo du dich aufhältst, und wäre zum Castello gekommen. Nein, nein, je früher du dich mit dem Gedanken abfindest, ihn verloren zu haben, umso besser ist es für deinen Seelenfrieden.« Assumpta tat es Leid, Giulias Hoffnung zerstören zu müssen. Es erschien ihr jedoch besser, wenn ihre Herrin ohne Erwartungen in Verona eintraf. Die Enttäuschung würde sonst umso schlimmer sein.

Giulia schüttelte sich und beendete das Gespräch, indem sie aufstand und ihre Zeche beim Wirt beglich. Kurz darauf stieg sie in die wartende Kutsche und half Assumpta, ihr gegenüber Platz zu nehmen. Auf den ersten Meilen hingen beide stumm ihren Gedanken nach. Schließlich erreichte der Wagen eine Wegkreuzung und bog dort nach Süden ab. Giulia achtete nicht darauf, doch Assumpta fragte sich, warum der Kutscher nicht Richtung Verona fuhr. Sie öffnete die Fensterklappe und steckte den Kopf hinaus. Als sie sich wieder Giulia zuwandte, stand ihr die Verblüffung ins Gesicht geschrieben. »Ich glaube, da stimmt etwas nicht. Bei uns sind nicht nur der Kutscher und zwei Gehilfen. Ein weiterer Mann sitzt auf dem Bock, und sechs Reiter folgen uns dichtauf.«

Giulia zuckte mit den Schultern. »Vielleicht gibt es hier besonders gefährliche Räuber. Da will uns wohl der Prior von San Lassaro nicht ohne Begleitschutz reisen lassen.«

Assumpta ließ sich nicht so leicht beruhigen. »Das mag schon sein. Trotzdem habe ich ein ungutes Gefühl.« Sie blickte erneut hinaus und starrte angestrengt auf den Meilenstein, der an der nächsten Wegkreuzung auftauchte. Sie konnte zwar nicht besonders gut lesen. Doch sie war sich nun sicher, dass sie nicht nach Verona fuhren.

Angsterfüllt stieß sie Giulia an und deutete hinaus. »Schau doch selbst, Liebes. Wir werden entführt. Wahrscheinlich sind wir Räubern in die Hände gefallen, die dir ein hohes Lösegeld abpressen wollen.«

Giulia schüttelte ungläubig den Kopf, spähte dann aber vorsichtig hinaus. Im ersten Augenblick gab sie Assumpta Recht, doch auf den zweiten Blick wirkten die Reiter weniger wie Banditen als wie Soldaten, auch wenn sie keine Uniformen trugen. Um Klarheit zu erlangen, klopfte sie gegen die kleine, jetzt verschlossene Luke zum Bock. Der Kutscher reagierte nicht. Unruhig geworden versuchte sie, den Schlag zu öffnen, fand ihn jedoch von außen verriegelt.

Giulia fluchte leise vor sich hin. »Ich verstehe nicht, was das bedeuten soll.«

Am wahrscheinlichsten erschien ihr nun doch Assumptas Vermutung, dass sie Räubern in die Hände gefallen waren. Wenn sie aus dieser Situation heil herauskommen wollte, brauchte sie vor allem kühles Blut. Als sie sich kurze Zeit später einem Dorf näherten, hoffte sie, die Leute auf sich aufmerksam machen zu können. Doch kurz vor dem Dorfeingang schlossen die Reiter auf. Einer zielte unmissverständlich mit einer Pistole in die Kutsche und schnauzte Giulia an. »Kopf zurück!«

Giulia dachte an ihre eigene Waffe, die wieder einmal nutzlos im Koffer lag, und zog die Schultern hoch. Gegen zehn Männer war jeder Versuch des Widerstands von vornherein zum Scheitern verurteilt. Sie konnte nur abwarten, was geschah, und hoffen, dass sie die Situation halbwegs unbeschadet überstehen würde. Wichtiger als das Geld, das man ihr abnehmen konnte, war es, unter allen Umständen ihr Geheimnis zu wahren. Also musste sie ganz ruhig bleiben und durfte sich nicht provozieren lassen. Mit Tomasi war sie ja auch fertig geworden.

Die Kutsche fuhr den ganzen Tag durch. Man hielt nicht einmal an, um ihnen die Möglichkeit zu geben, sich zu erleichtern. Als Assumpta rief, dass sie in die Büsche müsste, erklärte ihr ein Reiter, dass sie dafür den Nachttopf benützen solle, der sich in einem kleinen Verschlag unter dem Sitz befand. Es blieb den beiden Frauen nichts anderes übrig, als diese Möglichkeit zu nutzen. Als Assumpta jedoch versuchte, das Gefäß so zu entleeren, dass auch die Reiter vom Inhalt getroffen wurden, schlossen diese blitzschnell auf und verriegelten die Fensterluken.

Giulia fuhr verärgert auf. »Jetzt hast du die Leute verärgert und dafür gesorgt, dass wir überhaupt nichts mehr sehen können. Halt dich bitte ab jetzt zurück.«

Assumpta bleckte jedoch nur die Zähne. »Mindestens einer von den Kerlen wird heute Abend seinen Mantel waschen müssen, wenn er nicht will, dass er morgen nach Rinnstein riecht. Die sollen ruhig wissen, dass sie mit uns nicht alles machen können.«

Giulia hielt diese Art der Gegenwehr für kindisch, sagte aber

nichts mehr, um ihre erboste Dienerin nicht noch mehr in Rage zu bringen.
Als die Kutsche bei Sonnenuntergang anhielt, zwangen zwei Männer Giulia und Assumpta mit vorgehaltenen Pistolen auszusteigen. Ohne ein Wort zu sagen führte man sie zu einer kleinen, aus wuchtigen Sandsteinquadern erbauten Kapelle, stieß sie hinein und schloss hinter ihnen ab.
In das Innere der Kapelle passten gerade zwei kleine Betstühle, auf denen man sich nicht zum Schlafen ausstrecken konnte. Während sich Assumpta erschöpft hinsetzte, sah Giulia sich nach einer Fluchtmöglichkeit um. Doch die einzige Tür war aus festem Holz, und durch die schmalen Fenster hoch oben unter der Decke hätte höchstens eine Katze hinausklettern können.
Assumpta folgte Giulias verzweifelten Blicken und knurrte wie ein bissiger Kettenhund. »Ich bin gespannt, ob man uns verhungern und verdursten lässt.«
Wie als Antwort auf ihre Frage wurde die Tür geöffnet, und ein Mann reichte ein Tablett mit Brot, Wein und Käse herein. Ein Zweiter stellte den im Bach ausgespülten Nachttopf in den Raum. »Damit Ihr nicht die Kapelle beschmutzt.«
Giulia spürte, wie sich ihre Haare im Nacken aufrichteten. Räuber hätten sich kaum darum gekümmert, ob sie ihre Notdurft in der Kapelle verrichteten oder nicht, und sie wären auch nicht den ganzen Tag so offen über die Landstraßen geritten. Die Obrigkeit aber hätte sie ganz offiziell verhaftet und sie von Soldaten in Uniform eskortieren lassen. Es war ein Rätsel, das Giulia nicht lösen konnte. Aber anders als Assumpta, die pausenlos ihrer Empörung Luft machte, ohne den Ernst der Situation zu begreifen, spürte sie die nahende Gefahr.
Einige Zeit später kamen die beiden Männer zurück und warfen ihnen Decken hin. Bevor sie wieder gingen, schob sich ein weiterer Mann durch die Tür. Assumpta erkannte den jungen Burschen mit dem vierschrötigen Gesicht, den sie am letzten Abend

aus der Kutsche hatte herausstarren sehen. »Das ist der Räuber, der uns abgepasst hat«, raunte sie Giulia zu.
Es war nicht leise genug. Der Mann verzog seine Lippen zu einem bösartig-zufriedenen Grinsen und winkte den beiden anderen Männern, die Tür hinter ihm zu versperren. Während einer ihm sofort gehorchte, zögerte der andere. »Wir wurden angewiesen, dem Kastraten kein Haar zu krümmen oder ihm irgendwie zu nahe zu treten. Das gilt auch für dich, Ludovico.«
Der Ludovico genannte Mann winkte ärgerlich ab. »Ich kenne die Befehle und bin Seiner Eminenz gegenüber für ihre strikte Durchführung verantwortlich. Also verschwinde jetzt. Ich weiß genau, was ich zu tun habe.«
Der andere zuckte mit den Schultern und schloss wie befohlen die Tür. Ludovico stellte sich mit dem Rücken zum Holz, verschränkte die Arme vor der Brust und musterte Giulia mit hasserfüllten Blicken. Ihre selbstbewusste Miene, die sorgfältig geschneiderte Kleidung aus teuren Stoffen und ihre gesamte Haltung erinnerten ihn daran, dass eigentlich ihm die Stellung in der Gesellschaft zustand, die sie für sich beanspruchte. Das kleine Opfer in Form seiner Hoden, das er dafür hätte bringen müssen, überging er großzügig.
»Darf ich erfahren, von wem ich hier festgehalten werde und warum?« Die Klangfülle in Giulias Stimme traf Ludovico wie ein Schlag. Dieses Hexenweib verkörperte auf perverse Art alles, was er so gerne gewesen wäre und doch niemals sein konnte. Der Hass in ihm ließ ihn alle Befehle und Ermahnungen vergessen, die della Rocca ihm nachdrücklich erteilt hatte. Der Bischof hatte darauf bestanden, dass der Kastrat Casamonte nicht erfuhr, wer ihn gefangen genommen hatte und warum. Doch die Person vor ihm war Giulia Fassi, dessen war Ludovico sich absolut sicher. Für diese Hexe gab es nur das Feuer und die ewige Pein der Hölle, und die sollte sie heute wenigstens in ihrer Vorstellung zu kosten bekommen. »Buona notte, Giulio Casamonte. Oder soll-

te ich besser Giulia Fassi sagen?« Ludovico sonnte sich im Gefühl seiner Macht und genoss das Entsetzen, das sich in Assumptas Gesicht abzeichnete. Als er Giulia ansah, ballte er vor Wut die Fäuste. Statt sich vor Angst zu winden, sah sie ihn so gleichmütig an, als habe er über das Wetter gesprochen.

Er konnte nicht wissen, dass es nur die Macht jahrelanger Gewohnheit war, die Giulia äußerlich ruhig bleiben ließ. Hinter ihrer Stirn aber brodelte es. Verzweifelt überlegte sie, wer ihre Identität aufgedeckt haben konnte. Vincenzo konnte es nicht sein, denn der wusste selbst nicht, dass sie in Wirklichkeit eine Frau war. Vielleicht hatte ihr Vater den Mund nicht halten können und sich verplappert. Oder seine neue Frau hatte ihm das Wissen abgeluchst und an wen auch immer verkauft. Etwas anderes konnte sie sich im Augenblick nicht vorstellen. Dennoch war sie nicht bereit, sich auch nur mit einem Wimpernschlag zu verraten.

Sie holte tief Luft und schob das Kinn vor. »Ich will wissen, wer mich gefangen hält.«

Ludovico verbarg seine Verblüffung hinter einem hässlichen Lachen. »Die Behörden des Heiligen Vaters, die dich deiner gerechten Strafe entgegenführen werden, du Teufelshure.«

Jetzt ist alles aus, dachte Giulia. Vor ihrem inneren Auge sah sie den Scheiterhaufen um sich herum auflodern und glaubte schon die Flammen zu spüren. Ihr schlimmster Albtraum begann Gestalt anzunehmen. Während ihre Gefühle wie ein Sturm durch ihr Innerstes tobten, suchte ihr Verstand einen Ausweg. Aber es schien keinen zu geben. Sie befanden sich zwar noch auf dem Gebiet der Venezianischen Republik, doch die nördlichen Grenzen des Kirchenstaats lagen nicht mehr allzu fern, und sie konnte auf keinerlei Hilfe von außen hoffen. Es würde ihr nichts anderes übrig bleiben, als zu versuchen, ihren Häschern zu entkommen. Die Präzision aber, mit der ihre Gefangennahme geplant worden war, erstickte jede Hoffnung im Keim.

Ludovicos Miene verdüsterte sich. Er hatte einen entsetzten Aufschrei erwartet, flehentliche Bitten, sie zu verschonen, Tränen und einen Kniefall. Doch das Weib vor ihm schien noch genauso starrköpfig zu sein wie als kleines Mädchen. Damals hatte sie lieber Prügel von ihrer Mutter in Kauf genommen, als ihm einen harmlosen, kleinen Gefallen zu tun und ihren Kittel zu heben. Wenn er sie statt des Chorknaben Ambrogio hätte benutzen können, um seinen erwachenden Trieb zu erproben, wären ihm etliche Erniedrigungen erspart geblieben. Auch dafür würde er sie zahlen lassen.
Dieser Gedanke brachte ihn auf eine Idee. Die Fassi war zwar keine Schönheit, besaß aber ein angenehmes Äußeres und eine gute Figur, die von ihren Männerkleidern kaum kaschiert wurde. Er machte schon den Mund auf, um ihr anzubieten, sie freizulassen, wenn sie sich ihm freiwillig hingab. Er spürte den Drang, sie unter sich spüren, sie zu schlagen, zu demütigen, bis sie ihn um Gnade anwinselte und vor ihm kroch. Dann konnte er sie immer noch hohnlachend den Schergen der Inquisition in die Arme drücken und sich an ihrer Angst weiden.
Ein Blick auf ihr beherrscht wirkendes Gesicht sagte ihm jedoch, dass er seine Pläne so schnell nicht verwirklichen konnte. Zuerst musste das Weibsbild im eigenen Saft schmoren, bis sie gar gekocht und bereit war, sich ihm auf jedes noch so kleine Versprechen hin in die Arme zu werfen. Jetzt, wo er sie festgesetzt hatte und beweisen konnte, dass sie kein Kastrat sondern nur eine gotteslästerliche Hexe war, würde della Rocca ihm keinen Wunsch mehr versagen. Ludovico stellte sich vor, wie er ihr vor dem zaudernden Bischof die Kleider herunterriss, und grinste sardonisch.
Giulia mochte sich ja noch im Zaum halten, ihre Magd aber zitterte am ganzen Körper, und ihr Gesicht war so grau wie der abgetretene Fußboden. Die alte Vettel schien genau zu wissen, was die Stunde geschlagen hatte. Anders als die kleine Fassi, die sich

so stark verändert hatte, dass sie nur jemand, der schon damals ihre Stimme vernommen hatte, mit dem kleinen Mädchen aus Saletto in Verbindung bringen konnte, hatte er die alte Assumpta auf den ersten Blick erkannt.
Auf einmal wusste auch Assumpta, mit wem sie es zu tun hatten. »Ludovico! Ludovico Moloni, deine Mutter hätte dich nach deiner Geburt ersäufen sollen.«
Diesmal ließ auch Giulia ihre Gelassenheit im Stich. Bei Assumptas Ausruf zuckte sie zusammen und starrte ihr höhnisch lachendes Gegenüber an. Ja, es war der ehemalige Solosänger des Knabenchors von San Ippolito di Saletto. Sie konnte sich nicht erinnern, ihm je wieder begegnet zu sein. Doch anscheinend hatte er sie und Assumpta irgendwann einmal erkannt und sie an die päpstlichen Behörden verraten.
In diesem Augenblick wurde ihr klar, dass es kein Entkommen mehr gab. Am Ende dieser Reise warteten das Gefängnis der Inquisition auf sie und der Scheiterhaufen, falls sie die Folter überleben sollte. Sie sah Flammen vor ihrem inneren Auge hochlodern und fühlte eine nie gekannte Schwäche. Unwillkürlich ballte sie die Fäuste. Solange sie noch ein Quäntchen Kraft besaß, würde der schmierige Verräter da vor ihr sie nicht mutlos sehen.
Ludovico grinste Assumpta an. »Du kennst mich also doch noch, du alte Hexe. Nun, du wirst dich noch mehr an mich erinnern, wenn du in den Kerkern des Papstes verfaulst. Deine Strafe, Giulia Fassi, wird hingegen weitaus schlimmer sein. Ich kann bezeugen, dass du mich damals verhext hast, so dass ich vor der Zeit in den Stimmbruch geriet und nicht mehr singen konnte. Du bist schuld, dass ich heute nur ein kleiner Lakai bin und kein geachteter Signore, und dafür wirst du ebenfalls bezahlen. Ich werde dabei sein, wenn du dich in den Flammen windest, und jeden einzelnen Augenblick genießen.«
Da Giulia nicht auf seine Worte einging, sondern ihn hochmütig anstarrte, trat er auf sie zu, um sie zu schütteln und zu schla-

gen, bis sie schrie. Doch dann dachte er an seine Befehle und ließ die Hände sinken, verärgert darüber, dass er seine Karten so voreilig aufgedeckt hatte. Es hätte weitaus mehr Spaß gemacht, mit ihr zu spielen, ihr Versprechungen zu machen und diese dann doch nicht zu halten. Jetzt hatte er die Chance vertan, sie freiwillig zu sich ins Bett zu bekommen. Gerade das aber hätte seinen Sieg vollkommen gemacht. Wütend wandte er sich ab und klopfte gegen die Tür, damit er ins Freie gelassen wurde. Draußen winkte er den Anführer der Reiter zu sich. »Sende einen Kurier zu Seiner Eminenz, dem Bischof della Rocca, damit dieser von der Gefangennahme Giuli...o Casamontes erfährt.« Ludovico hätte sich fast versprochen und Giulia Fassi gesagt. Doch della Roccas Befehl, dass niemand aus der Begleitmannschaft das wahre Geschlecht des Gefangenen erfahren dürfte, war auch für ihn bindend.

## VIII.

Es war Vincenzo aufgrund seiner Sprachkenntnisse gelungen, als Schreiber in den päpstlichen Behörden unterzukommen. Doch man gab ihm keine wirklich interessante Arbeit, sondern ließ ihn nur langweilige Steuer- und Inventarlisten kopieren. Die langen Arbeitszeiten machten ihm ebenso zu schaffen wie die anderen Schreiber, die ihn vom ersten Tag an schnitten. Seine Vorgesetzten stammten zumeist aus niedrigeren Schichten und schienen den Edelmann in ihm förmlich zu riechen. Daher schikanierten sie ihn mit Hingabe und waren mit nichts zufrieden, was er tat. Seine Kollegen nutzten das aus, stichelten boshaft und ließen ihn ständig spüren, wie unerwünscht er war. Das einzig Positive, das er seinem neuen Posten abgewinnen konnte, war die Tatsache, dass hier sämtliche Neuigkeiten zusammenliefen und er ohne Probleme nach Giulio Casamonte fragen

konnte. Er würde sofort erfahren, wenn dieser sich Rom auch nur auf fünfzig Meilen näherte. Aber die Wochen vergingen, ohne dass er etwas von seinem Freund hörte.
An einem jener schrecklichen Tage, die Vincenzo nicht einmal seinem schlimmsten Feind wünschte, überlegte er ernsthaft, die Stellung aufzugeben und doch lieber vom Würfelspiel zu leben. Irgendjemand hatte seine Tinte mit Mehl versetzt, so dass nur noch eine dicke, schwarze Paste im Fass gewesen war. Als er an den Brunnen ging, um sie auszuwaschen, hielt ihn sein direkter Vorgesetzter auf und tadelte ihn mit ätzenden Worten, weil er nicht an seinem Platz weilte, und schließlich musste er noch die vergeudete Tinte bezahlen, bevor sein Fass wieder aufgefüllt wurde. Vincenzo überlegte bereits, welchem der anderen Schreiber er am nächsten Morgen auf dem Weg zur Arbeit auflauern und eine Tracht Prügel verpassen sollte, als es im Raum plötzlich unruhig wurde. Da er durch seine unfreiwillige Pause einiges aufzuholen hatte, kümmerte er sich zunächst nicht darum.
Plötzlich fiel ein Schatten über ihn. Er blickte auf und sah einen Offizier der päpstlichen Garde vor sich stehen. Es dauerte einen Moment, bis er Paolo Gonzaga erkannte. Das früher fast mädchenhaft hübsche Gesicht des Mannes wurde durch eine breite, wulstige Narbe verunstaltet, die sich von der Stirn über die Nase bis zum Kinn zog. Auch schien er das rechte Auge verloren zu haben, denn er verbarg die Höhle hinter einer schwarzen Binde.
Vincenzo erinnerte sich, von Unruhen in Mantua gehört zu haben, die der bucklige Herzog Guglielmo jedoch rasch unterbunden hatte. Gerüchten zufolge sollte Paolo Gonzaga dabei eine tapfere, aber recht unrühmliche Rolle gespielt haben. Vincenzo senkte den Kopf, damit der andere sein boshaftes Lächeln nicht bemerkte.
Paolo Gonzaga hatte erst an diesem Morgen von seinem Auftrag erfahren und wusste nicht genau, um was es ging. Man hatte

ihm nur knapp mitgeteilt, dass der Kastrat Giulio Casamonte wegen einiger Verbrechen festgenommen worden war und dieser Tage nach Rom geschafft werden sollte. Er selbst hatte den Befehl erhalten, Vincenzo de la Torre, Casamontes langjährigen Begleiter, zu arretieren. Gonzaga ahnte nicht, dass Bischof della Rocca eigentlich einen anderen Offizier der Garde mit dieser Aufgabe hatte betrauen wollen. Doch dieser war erkrankt, und so war Gonzaga bei della Rocca erschienen, um seine Befehle entgegenzunehmen. Ein Schreiber des Bischofs, der etwas mitteilungsfreudiger gewesen war als sein Herr, hatte ihm gegenüber ein paar dunkle Andeutungen über Hochverrat, Hexerei und Sodomie fallen lassen. Der Vorwurf, dass Vincenzo de la Torre einen fetten Kastratenhintern der von Gott geschaffenen natürlichen Öffnung einer Frau vorzog, und die Tatsache, dass ein de la Torre hier als kleiner Schreiber arbeitete, brachten Paolo Gonzaga zum Lachen und ließen ihn della Roccas Befehl vergessen, die Verhaftung so unauffällig wie möglich durchzuführen. Er winkte die vier Gardisten, die ihn begleiteten, nach vorne und baute sich vor Vincenzo auf. »Siehe da, da sucht man nach einem Edelmann und findet einen elenden Tintenkleckser.«

»Nicht jeder ist skrupellos genug, eine reiche Erbin zu heiraten und sie einige Monate später wegen irgendwelcher erfundenen Beschuldigungen in ein Kloster zu sperren.« Vincenzo spielte dabei auf Giovanna Gonfale an, deren Traum, die Ehefrau eines bedeutenden Mannes zu werden, sich früh in Tränen und Verzweiflung aufgelöst hatte.

Paolo Gonzaga zuckte nur mit den Schultern. »Frechheit hilft Euch jetzt auch nichts mehr.«

Jetzt erst begriff Vincenzo, dass Paolo Gonzaga seinetwegen gekommen war. Er fragte sich, ob ihn einer seiner Kollegen bei den Behörden angeschwärzt hatte. Doch welche Beschuldigung konnte so schlimm sein, dass ein päpstlicher Hauptmann sich persönlich der Sache annahm? Vincenzo legte seine Schreibfe-

der beiseite und schloss das Tintenfass. »Was willst du von mir?« In diesem Augenblick war er der würdige Spross seiner adligen Familie, die bereits Ehren und Würden besessen hatte, als die Gonzagas noch simple Bauern gewesen waren.
Gonzaga entblößte die Lippen zu einem höhnischen Grinsen. »Ihr seid festgenommen, Vincenzo de la Torre. Oder soll ich besser Torelli zu Euch sagen? Ihr hättet Euch einen anderen Namen wählen sollen. Er beschmutzt das Wappenschild Eurer Familie.«
»Während Ihr dem Wappen Eurer Familie zur Zierde gereicht.« Vincenzo gab sich gelassen, aber seine Augen versuchten, die gesamte Situation zu erfassen.
»Zumindest kann man mir nicht nachsagen, dass ich meinen Nagel ins falsche Loch getrieben habe«, biss Gonzaga zurück. Die Schreiber im Raum, deren Zahl sich mittlerweile um eine stattliche Zahl von Schaulustigen vergrößert hatte, stießen sich grinsend an. »Ich sagte doch, dass mit dem Kerl was nicht stimmt«, erklärte einer von ihnen selbstzufrieden.
Vincenzo schüttelte unterdessen belustigt den Kopf. »Dieser Vorwurf ist aber arg an den Haaren herbeigezogen.«
Gonzaga spielte seinen nächsten Trumpf aus. »Man hat Zeugen, dass Ihr es mit Casamonte getrieben habt. Der Krüppel befindet sich bereits im Gewahrsam der Inquisition. Er wurde bei Verona verhaftet und wird in wenigen Tagen nach Rom gebracht. Na, vielleicht ist der Kerkermeister so großzügig und sperrt euch in dieselbe Zelle.«
Gonzagas Worte trafen Vincenzo wie ein Schlag. Giulio in den Händen der Inquisition!, hallte es in seinen Gedanken. Es schien undenkbar. Giulio war der liebste Mensch auf Erden und tat keiner Fliege etwas zu Leide. Und doch war er in die Fänge der weltlichen und kirchlichen Gerichtsbarkeit Roms geraten. Vincenzo stellte sich vor, wie die Folterknechte den Kastraten quälen würden. Nicht einmal ein kräftiger, gesunder Mann

konnte diese Tortur lange ertragen, ohne alles zu gestehen, was man ihm vorwarf.

Nein, nicht Giulio, dachte er verzweifelt. In Bruchteilen von Sekunden kehrte sein kühles Blut zurück. Er sah Gonzaga an, der genüsslich die Arme vor der Brust verschränkt hielt und sich in seinem Triumph sonnte. Die vier Gardisten hatten zwar ihre Hände auf die Schwertgriffe gelegt, grinsten jedoch über das Ganze wie über einen gelungenen Scherz, und die Schreiber hatte Vincenzo noch nie ernst genommen. Er wusste das Fenster hinter sich. Es war nicht vergittert und groß genug für einen entschlossenen Mann. Wenn er Pech hatte, würde er sich bei dem Sturz sämtliche Knochen brechen, aber das war auch nicht schlimmer, als sich wie Vieh zur Schlachtbank führen zu lassen.

Vincenzo ließ die Schultern hängen und streckte die Hände nach vorne, so als würde er sich in sein Schicksal ergeben. Gonzaga trat einen Schritt zurück und winkte ihm, aufzustehen. In dem Moment schoss Vincenzo wie von einer Stahlfeder getrieben hoch, stieß den Offizier gegen seine Gardisten und sprang mit der Schulter zuerst durch das geschlossene Fenster. Das Glas zerbarst, und die Bleifassung krachte ohrenbetäubend. Vincenzo wirbelte durch die Luft und fiel in einem Splitterhagel zu Boden. Wie durch ein Wunder blieb er fast unverletzt. Noch im Schwung des Aufpralls kam er wieder auf die Beine und sah Gonzagas Pferd vor sich, das ein völlig konsternierter Gardist am Zügel hielt. Vincenzo reagierte instinktiv. Während der Soldat ihn noch idiotisch grinsend anstarrte, riss er ihm den Zügel aus den Händen, sprang in den Sattel und stieß dem Pferd die Fersen in die Weichen. Den Aufschrei des Mannes vernahm er erst, als das Tier die nächste Ecke im vollen Galopp nahm.

Wenn er nicht auffallen wollte, musste er allerdings das Risiko eingehen, das Tier zu zügeln und im leichten Trab oder sogar im Schritt weiterzureiten. Daher schlug er in den nächsten Minuten mehrmals eine andere Richtung ein, bis er sich schließlich

ganz gemächlich durch die Menge treiben ließ und sich dabei vorsichtig der Porta del Popolo näherte. Er war froh, nicht jenseits des Tibers im Vatikan gearbeitet zu haben. Von dort aus wäre ihm die Flucht wohl kaum gelungen. Auch jetzt war er noch lange nicht in Sicherheit. Wahrscheinlich ließ Paolo Gonzaga schon die Gardisten ausschwärmen und die Tore sperren. Bei diesem Gedanken wurde Vincenzo schneller. Er ignorierte das empörte Schimpfen einiger Passanten ebenso wie die Gefahr, dass sie ihn anhand seiner Beschreibung wiedererkennen und den Gardisten die Richtung seiner Flucht nennen konnten. Kurz bevor er das nördliche Stadttor erreichte, sah er nach, was Gonzaga bei dem Pferd zurückgelassen hatte. Die beiden geladenen Radschlosspistolen in der Satteltasche kamen ihm gerade recht, ebenso der mit dem päpstlichen Wappen versehene Reitermantel, den Gonzaga wohl wegen des heißen Tages zusammengerollt und an den Sattel geschnallt hatte.
Vincenzo löste die Riemen, warf sich den Mantel über und trabte frech auf das Tor zu. Die Gardisten, die es bewachten, schwatzten miteinander und warfen dem Reiter nur einen flüchtigen Blick zu. Vincenzo grüßte sie lachend und ließ Gonzagas Rappen mit einem Zungenschnalzen antraben. Draußen vor der Stadt konnte er ihn eine Weile galoppieren lassen. Doch so würde er seine Verfolger auch nicht los. Daher zügelte er das Pferd, sowie er außer Sichtweite des Tores war, und lenkte es querfeldein, bis er auf einen Feldweg stieß, der parallel zur Straße nach Norden führte. Dem folgte er in leichtem Trab und begann, über seine Situation nachzudenken.
Eines stand für ihn fest: Er würde Giulio befreien. Nur über das Wie war er sich noch nicht im Klaren. Da er von Gonzaga erfahren hatte, wo man Giulio verhaftet hatte, wusste er, über welche Straße man ihn nach Rom bringen würde. Er konnte seinen Häschern noch ein Stück entgegenreiten und dann auf seine Chance lauern. Vincenzo rechnete auf das Überraschungsmoment,

denn niemand, noch nicht einmal Gonzaga, würde annehmen, dass er den Kastraten befreien wollte, anstatt so schnell wie möglich aus dem Machtbereich des Papstes zu verschwinden. Vorher musste er sich allerdings noch etwas zu essen besorgen und vor allem andere Kleider. Ein Mann, der mit leichten Schuhen und barhäuptig zu Pferd saß, fiel auf, besonders, wenn sein Mantel und das Sattelzeug so prächtig waren wie das, was er Gonzaga abgenommen hatte.

Ganz in Gedanken versunken ritt Vincenzo auf eine Gruppe bewaldeter Hügel zu und tauchte in deren kühlem Dämmerlicht unter. Hier war es so still, als gäbe es keine anderen Menschen auf der Welt, und zum ersten Mal nach seiner Flucht fühlte er sich wirklich sicher. Zu sicher, wie er bald feststellen musste. Als er dicht vor sich einen Ast knacken hörte, war es schon zu spät. Ein halbes Dutzend grinsender Galgenvögel umringte plötzlich sein Pferd und richtete Flinten auf ihn. »Ich sagte Euch doch, dass wir heute Glück haben werden. Wir mussten noch nicht einmal bis zur Landstraße laufen«, rief ein kleiner, glatzköpfiger Bursche, der Vincenzo irgendwie bekannt vorkam. Dann erinnerte er sich an ihn. Es war Benedetto, die rechte Hand des Räuberhauptmanns Alessandro Tomasi.

Vincenzo stieß einen obszönen Fluch aus und hob die Hände. »Jetzt bin ich vom Regen in die Traufe geraten.«

Die Kerle packten ihn an den Beinen, zogen ihn vom Pferd und fesselten ihn mit einer Schnelligkeit, die langjährige Übung verriet. Als sie seine Satteltaschen durchsuchten und die Pistolen entdeckten, erinnerte sich auch Vincenzo wieder an die Waffen und ärgerte sich, dass er sich ohne den Versuch einer Gegenwehr hatte gefangen nehmen lassen. Vielleicht wäre es ihm gelungen, sich durchzukämpfen. Doch ein Blick in die Gesichter der Räuber und auf ihre Flinten sagte ihm, dass er keine Chance gehabt hätte. So blieb ihm nichts anderes übrig, als sich auf sein Verhandlungsgeschick zu verlassen. »He Leute, was wollt ihr

denn vor mir? Ich bin ein armer Kerl, der keinen einzigen Dukaten besitzt.«
Benedetto lachte höhnisch auf. »Sehr wahrscheinlich, bei dem Gaul, den du reitest. Der Hengst ist aus bester spanischer Zucht, wenn du mich fragst.«
»Den habe ich mitgehen lassen, als ich ganz schnell aus Rom verduften musste.« Vincenzo hoffte, sie milder zu stimmen, wenn er sich gleich ihnen als Gesetzlosen ausgab.
Seine Worte schienen Eindruck zu machen. Benedetto musterte das voll gesattelte und gezäumte Pferd und warf einen schiefen Blick auf Vincenzos Kleidung. »Du siehst wirklich nicht so aus, als hättest du die Absicht gehabt, heute auszureiten. Was hat dich denn in den Sattel getrieben, ein eifersüchtiger Ehemann oder eine vor Wut kochende Ehefrau?«
»Keines von beiden. Aber ich glaube, darüber sollte ich besser mit deinem Hauptmann sprechen.«
Vincenzo war eben ein Gedanke gekommen, der ihm so verrückt erschien, dass er selbst davor erschrak. Um Giulio zu befreien, hätte er sich jedoch selbst mit dem Satan verbündet, und Tomasi stand der Meinung der meisten Leute zufolge dem Teufel kaum nach. Doch er hatte Giulio gegenüber zumindest eine gewisse Sympathie gezeigt, und darauf wollte Vincenzo bauen.
Benedetto sah die anderen Räuber kurz an und tippte Vincenzo mit dem Lauf seiner Flinte an. »Also gut, wir bringen dich zu Tomasi. Beschwere dich jedoch nicht, wenn er dir die Ohren abschneidet.«

## IX.

Als Vincenzo in das Räuberlager geführt wurde, hatte er nicht den Eindruck, dass es Tomasis Leuten besonders gut ging. Sie saßen missmutig auf dem Boden, stritten sich mit gedämpf-

ten Stimmen und bedachten ihren Hauptmann mit verschlagenen Blicken, die ihre Unzufriedenheit verrieten. Gerade, als die Gruppe mit Vincenzo auftauchte, trat einer der Männer mit wiegenden Schritten auf Tomasi zu und verlangte lautstark, dass die Beute aufgeteilt werden sollte. »Wenn du nichts mehr anschaffen kannst, ist es das Beste, wenn wir uns trennen.«
»So steht es also?«, fragte Tomasi ganz ruhig. Dennoch lag eine Drohung in seiner Stimme, die die meisten der Räuber zusammenzucken ließ. Als Benedetto seinen Fang nach vorne schob, schienen die meisten froh um die Ablenkung zu sein. Einige zeigten auf Vincenzo und lachten hämisch. »Wo habt Ihr denn dieses gerupfte Herrchen aufgetrieben?«
In dem Moment sprang Tomasi auf. »Das ist doch der Gaul dieses verdammten Gonzaga!«
Benedetto nickte grinsend. »Der Bursche hier will ihn gestohlen haben.«
»Das stimmt«, rief Vincenzo schnell. »Paolo Gonzaga wollte mich festnehmen. Ich konnte ihm jedoch entwischen, und damit ich schneller vorwärts kam, habe ich mir sein Pferd geborgt.«
Einige Leute lachten darüber. Tomasi hingegen sah Vincenzo scharf an. »Dich Burschen kenne ich doch. Warst du nicht der Lautenspieler, der damals den Kastraten begleitet hat?«
»Genau der bin ich. Vincenzo de la Torre zu Diensten.« Vincenzo deutete eine Verbeugung an, so weit seine Fesseln es zuließen. »Ihr erinnert Euch also noch an meinen Freund Casamonte?«
Der Räuber nickte, und Vincenzo fühlte, wie ihm ein Stein vom Herzen fiel. »Ich habe Euch zwar nicht direkt gesucht, bin aber jetzt froh, Euch gefunden zu haben. Ihr könntet mir, vor allem aber Casamonte einen großen Gefallen erweisen.«
Einer der Männer zog sein Messer aus dem Gürtel und warf es so, dass es dicht vor Vincenzos Füßen in der Erde stecken blieb.

»Gefunden hast du uns, ob es dich aber freuen wird, ist zu bezweifeln.«
Tomasi winkte ab und funkelte Vincenzo misstrauisch an. »Was willst du von uns? Denke ja nicht, dass wir uns von einem wie dir einwickeln lassen. Es wäre nicht das erste Mal, dass die päpstlichen Behörden versuchen, uns hereinzulegen.«
Vincenzo atmete tief durch, bevor er zu sprechen begann. »Ich werde selbst von den Behörden verfolgt. Mein Freund Casamonte und ich haben uns irgendwie die Feindschaft der hohen Herren in Rom zugezogen. Ich konnte bei meiner Verhaftung entkommen, doch Casamonte ist ihnen bei Verona in die Hände geraten und soll dieser Tage nach Rom gebracht werden.«
Tomasi lachte kurz und trocken. »Und was hat das mit uns zu tun?«
Vincenzo zwinkerte ihm vertraulich zu. »Ihr haltet doch auch sonst gerne Kutschen auf.«
»Du bist verrückt. Die Soldaten des Papstes sitzen uns schon fast im Nacken, und da sollen wir auch noch einen Gefangenentransport überfallen, der von etlichen Reitern begleitet wird?«
Benedetto machte eine wegwerfende Handbewegung und sah seinen Hauptmann auffordernd an. »Hängen wir den Kerl auf, dann müssen wir uns sein dummes Gequatsche nicht länger anhören.«
»Nicht so hastig, mein Freund.« Tomasi warf einen Blick auf die Männer, die um ihn herumstanden. »Wir sind vierundzwanzig verwegene Kerle, und an Pulver und Blei mangelt es uns nicht. Bevor wir unsere Bande auflösen, sollte ein letzter, verwegener Streich den Päpstlichen zeigen, dass wir uns nicht wie feige Hunde vor ihnen verkrochen haben.«
Der Mann, der ihn vorhin angesprochen hatte, lachte höhnisch auf. »Was soll uns das bringen, außer ein paar Unzen Blei zwischen die Rippen? Die päpstliche Garde schießt verdammt gut.«
Tomasi verzog sein Gesicht zu einem breiten Grinsen und stieß

Vincenzo den Zeigefinger in die Rippen. »Genau das ist die Frage. Was springt für uns dabei heraus?«
»Ihr würdet den Soldaten noch einmal kräftig in den Hintern treten …«, begann Vincenzo zögernd. »Und uns dabei die Zehen verstauchen«, unterbrach ihn ein Räuber. »Nichts da. Für so einen Scherz sind wir nicht zu haben.«
»Noch bin ich der Hauptmann und entscheide«, sagte Tomasi leise, aber in einem Ton, der selbst Vincenzo die Haare aufstellte. Ihm wurde klar, dass er ein stärkeres Lockmittel benötigte, um die Räuber zu überzeugen. »Wie wäre es mit einem Haufen Geld? Giulio Casamonte ist kein armer Mann. Er würde Euch reich belohnen.«
Das Wort Geld ließ die Räuber aufhorchen. Sie drängten sich enger um Vincenzo und forderten ihn auf, die Katze aus dem Sack zu lassen. Einer schnitt ihm sogar die Börse ab, was Benedetto bislang versäumt hatte, und blickte hinein. Als er ein paar Münzen von geringem Wert vorfand, verzog er säuerlich das Gesicht. »Besonders reich kannst du ja nicht sein, wenn du deine Flucht mit ein paar Soldi angetreten hast.«
Vincenzo lächelte übermütig. »Ich hätte mir beim nächsten Bankier genügend Geld besorgt.«
»Wie viel?«, fragte Tomasi plötzlich. »Genug, um außer Landes zu kommen«, antwortete Vincenzo. »Das meine ich nicht«, fuhr ihn der Hauptmann an. »Ich will wissen, wie viel deinem Freund Casamonte die Freiheit wert ist. Und natürlich auch die deine. Denn ohne ein hübsches Lösegeld lassen wir ein Vögelchen wie dich nicht wieder fort.«
Während die anderen Räuber lachten, überschlugen sich Vincenzos Gedanken. Ab welcher Summe mochte der Bandit bereit sein, ihnen zu helfen? Es durfte auf alle Fälle nicht mehr sein, als Giulio besaß. Vincenzo versuchte sich an die Gagen und Geldgeschenke zu erinnern, die der Kastrat im Laufe der letzten Jahre erhalten, und an die Summen, die er für ihn den Bankiers an-

vertraut hatte. Würde es reichen? Schließlich drehte er den Kopf, so dass er Tomasi in die Augen sah. »Zehntausend Dukaten.«
Der Hauptmann nickte anerkennend. »Ein hübsches Sümmchen. Lege es mir auf den Tisch, und ich werde dein Singvögelchen befreien.«
Vincenzo schluckte mit trockenem Mund. »Wie soll ich das Geld hier auftreiben? Bei unserem Bankier in Rom darf ich mich nicht sehen lassen, weil man mich schon am Tor verhaften würde.«
Die Räuber hörten die Angst in seinen Worten und lachten. Einer winkte ab und machte die Geste des Halsabschneidens. »Dann haben du und dein Nichtmann aber arges Pech gehabt.«
Tomasi hob die Hand und scheuchte die, die Vincenzo bedrängten, weg. »Kannst du das Geld von einem Boten abholen lassen?«
»Dazu bräuchte ich gutes Briefpapier, mein Siegel, das Ihr mir gerade abgenommen habt, gute Tinte und vor allem einen Boten, den man nicht sofort als Räuber erkennt.« Vincenzo holte tief Luft. »Ja, das wäre möglich.«
Tomasi kaute auf seinem Schnurrbart herum und starrte einige Augenblicke lang in die Ferne. »Papier und Tinte sind kein Problem. Wir haben noch genug Spenden von früheren Gästen. Und was den Boten betrifft … Nun, das werden wir auch noch hinbekommen.« Der Hauptmann drehte sich zu seinen Männern um und befahl ihnen, mitzukommen. »Wir gehen alle zur Höhle. Da wir uns nach diesem Streich ohnehin trennen wollen, brauchen wir nicht mehr darauf zu achten, ob wir Spuren hinterlassen. Setzt diesen ehrenwerten Signore auf sein Pferd, haltet aber die Zügel gut fest. Er ist immerhin zehntausend Dukaten wert.«
Das Lachen der Räuber zeigte, dass sie ihre gute Laune wiedergefunden hatten. Auch Tomasi schien sich darauf zu freuen, den

Soldaten des Papstes einen letzten, großen Streich spielen zu können. Vincenzo hingegen wurde von den widerstrebendsten Gedanken gequält. Was war, wenn Giulio in der Zeit, in der sie getrennt gewesen waren, eine größere Summe ausgegeben hatte, und daher nicht mehr genug Geld übrig war, um die Gier der Räuber zu befriedigen? Vielleicht hatte er ihm auch längst die Verfügungsgewalt über das Konto gestrichen. Dann würde Tomasis Bote nicht nur kein Geld erhalten, sondern vielleicht sogar festgehalten und gefangen genommen werden. Jetzt, da Vincenzo die Räuber überzeugt zu haben schien, kamen ihm all die Schwierigkeiten und Probleme in den Sinn, die einem guten Ausgang entgegenstanden. Er konnte sich ausmalen, was Tomasi und seine Leute mit ihm anstellen würden, wenn etwas schief ging. Aber es konnte nicht halb so schlimm werden wie das, was Giulio durchmachen musste, wenn er in der Hand der päpstlichen Behörden blieb. Vincenzo fragte sich, was man ihnen wirklich vorwarf. Die Anschuldigung, Sodomie betrieben zu haben, schien ihm nur ein Vorwand zu sein, denn mit der gleichen Beschuldigung konnte man Dutzende von hochrangigen Männern innerhalb der Kirche und der herrschenden Aristokratie verhaften, die er persönlich kannte, und etliche andere noch dazu. Nein, da musste etwas anderes dahinterstecken, etwas, was den Behörden schwer wiegend genug war, einen bekannten Kastratensänger auf dem Gebiet der Republik Venedig abzufangen und zu entführen. Bei den nicht gerade freundschaftlichen Beziehungen zwischen dem Kirchenstaat und der Dogenstadt konnte ein Zwischenfall wie dieser zu bewaffneten Auseinandersetzungen führen.

Vincenzos Zweifel und Ängste wuchsen, je weiter der Tag fortschritt, und als die Räuber kurz vor Einbruch der Nacht ihre Höhle erreichten, die gut versteckt in den Bergen lag, war er einem Zusammenbruch nahe. Die Räuber sperrten ihn in eine halb zerfallen und windschief aussehende, in Wirklichkeit äußerst robust gebaute Hütte. Das Mobiliar war unter den Umständen sogar üppig zu nennen, denn es bestand aus einem Strohsack, zwei Hockern und einem roh gezimmerten Tisch.

Kurze Zeit später kam Tomasi herein und legte Vincenzo ein in Leder gehülltes Bündel hin. Als er es öffnete, fielen ihm etliche Bogen Papier entgegen, wie sie von den Bankiers für ihre Korrespondenz benützt wurden. Sogar die Stempel und Wasserzeichen waren echt.

Tomasi lachte über Vincenzos verblüfften Gesichtsausdruck. »Wir benutzen diese Blätter, wenn unsere unfreiwilligen Gäste uns das Lösegeld auszahlen lassen wollen.« Er wartete, bis er sicher war, dass kein anderer Räuber ihn hören konnte, und beugte sich über Vincenzo. »Ich will das Geld nicht in bar. Du wirst es mir auf eine Bank in Genua anweisen, die ich dir nennen werde. Hast du verstanden?«

Vincenzo nickte, obwohl er nicht begriff, worauf der Räuber hinauswollte. Er befolgte jedoch dessen Befehl und betete innerlich zur Jungfrau Maria und allen Heiligen, dass das Losungswort, mit dem er sich bei dem Bankier ausweisen konnte, immer noch galt.

Tomasi nahm das fertige Schreiben entgegen, las es durch und rollte es mit einem zufriedenen Nicken zusammen. Dann hieß er Vincenzo, die Hülle, die er ihm reichte, mit der Adresse des Bankiers zu versehen und das Ganze zu versiegeln, und rief Benedetto herein.

Der klein gewachsene Räuber hatte sich auffallend verändert. Eine üppige, aber sehr echt wirkende Perücke saß auf seinem kahlen Schädel, und seine graue Kleidung ließ jede modische Neuerung der letzten Jahre vermissen. Wie er jetzt aussah, würde ihn jeder für einen älteren, zwischen Pergament und Tinte vertrockneten Kommis einer Bank oder eines Handelshauses halten. Anscheinend hatte der Mann sich schon öfter als Bote

ausgegeben, denn er hatte auch die devote, aber wichtigtuerische Haltung eines Angestellten angenommen.
Tomasi reichte ihm das Schreiben und verabschiedete ihn mit einem aufmunternden Klaps. »Genua«, sagte er nur, doch Benedetto schien zu verstehen, denn er ging wortlos zu seinem Pferd und verließ das Räuberlager trotz der sinkenden Nacht.
Für Vincenzo begann die schlimmste Zeit seines Lebens. Von Zweifeln zerfressen wälzte er sich auf dem Strohsack hin und her und fand nur für wenige Augenblicke Schlaf, in denen er von schrecklichen Albträumen heimgesucht wurde. In der ersten Dämmerung stand er zerschlagen und gereizt auf und wanderte in der Hütte auf und ab. Durch das winzige Luftloch konnte er beobachten, dass die Räuber ihre in der Höhle versteckte Beute herausholten und vor der Hütte aufstapelten. Ihn schienen sie beinahe vergessen zu haben, denn sie brachten ihm erst sehr spät etwas zu essen und zu trinken. Als er wieder allein war, quälten ihn erneut düstere Gedanken. In seiner Phantasie sah er Giulio bereits nach Rom gebracht, während die Räuber noch auf Benedetto warteten. Dann hätte er seinen Freund der Möglichkeit beraubt, mit seinem Geld ein paar Vergünstigungen bei den Kerkermeistern zu erlangen. Nach allem, was man hörte, hatten sogar die Folterknechte eine offene Hand und minderten für Geld die Qualen ihrer Opfer.
Schließlich hielt Vincenzo es nicht mehr aus und hämmerte mit beiden Fäusten gegen die Tür. Als Tomasi den Kopf in die Hütte steckte, hätte er ihn am liebsten gepackt und geschüttelt. »Wieso dauert das so lange? Was ist, wenn die Soldaten mit Giulio Casamonte bereits die Straße passiert haben, bevor ihr etwas unternehmt?«
»Sie haben die Straße noch nicht passiert«, antwortete der Hauptmann gelassen, schloss die Tür und legte den Riegel wieder vor. Stunden vergingen, in denen Vincenzo fast verzweifelte.

Schließlich kam Benedetto zurück und schwenkte einen großen Umschlag, noch ehe er vom Pferd stieg.
Vincenzo konnte seine Stimme bis in die Hütte vernehmen. »Es ist alles gut gegangen. Die Bank hat die Anweisung anstandslos ausgeführt. Es war aber knapp, denn die Einlage war nur dreißig Dukaten höher als die geforderte Summe.«
»Wo hast du das Geld?«, fragte ihn einer der Räuber misstrauisch. »Ich habe es auf eine Bank anweisen lassen, die nur ich kenne«, erklärte ihm Tomasi lächelnd. »Es ist mein Anteil an unserer Beute. Ihr anderen bekommt das, was in der Höhle liegt.«
Der andere wollte aufbegehren. Doch nach einem Blick auf den Schmuck und die Münzen, die auf einer Decke lagen, und seine Kameraden, die gierig näher drängten, besann er sich anders. Rasch teilten die Männer alles unter sich auf. Einige von ihnen schienen das Lager am liebsten gleich verlassen zu wollen. Das bösartige Grinsen Benedettos, der seine Pistolen gezogen hatte, und die verkniffenen Augen einiger anderer Räuber, die noch auf der Seite des Hauptmanns standen, machten ihnen klar, das sie mit einer Kugel im Rücken enden würden, und so hockten sie sich murrend und schimpfend um das Feuer.
Nach einer weiteren Nacht befahl Tomasi schließlich den Aufbruch. Benedetto und weitere Räuber hatten Pferde. Tomasi wählte für sich selbst Paolo Gonzagas Hengst, so dass Vincenzo zu Fuß laufen musste. Er beschwerte sich nicht, denn er hätte den Weg auch auf Knien oder gar den Händen zurückgelegt, wenn am Ende Giulios Befreiung stand.
Unterwegs tauchte einer der Räuber auf und unterhielt sich leise mit Tomasi. Der Hauptmann nickte sichtlich zufrieden und winkte Vincenzo heran. »Renzo hat eine Kutsche ausgemacht, in der der Kastrat und eine Dienerin sitzen. Vier Männer sind auf dem Wagen, und sechs Berittene bilden die Eskorte. Nun, wir werden sie gebührend empfangen.«
Vincenzo hätte den Hauptmann vor Freude am liebsten

umarmt. Einige der Räuber stießen sich jedoch an den zehn Männern, die ihnen entgegenstanden. »Das kann verdammt hart werden«, murrte einer.
Tomasi lachte hart auf. »Wenn du ein Feigling geworden bist, kannst du ja zurückbleiben. Die anderen folgen mir zum Hohlweg vor San Giustino. Dort haben wir die beste Deckung ...«
»... und können die Straße leicht mit ein paar Büschen blockieren, damit sie anhalten müssen«, ergänzte Benedetto, der sich schon die Hände rieb.

## X.

Ludovico Moloni hätte eigentlich vollkommen zufrieden sein müssen. Immerhin war es ihm gelungen, Giulia Fassi festzunehmen und ohne Probleme auf das Gebiet des Kirchenstaats zu bringen. Spätestens morgen würden sie Rom erreichen, wo ihn reiche Belohnung erwartete. Doch irgendwie hatte er sich seine Rache anders vorgestellt. Er ballte seine Fäuste und wünschte sich, er könne sie um den Hals der sturen Hexe legen und ganz langsam zudrücken. Ihre beherrschte Ruhe und der Stolz, den sie immer noch an den Tag legte, machten ihn rasend. Egal was er auch sagte, es schien wie Wasser an ihr abzuperlen.
Er ärgerte sich auch, weil er seinen Triumph, sie entlarvt zu haben, zu früh gezeigt hatte. Stattdessen hätte er ihr zu Beginn den Freund aus den Kindertagen vorspielen und für vage Versprechungen handfeste Dienste von ihr fordern sollen. Jetzt war es zu spät. Er überlegte immer noch, ob er seinen Begleitern gegenüber ihr wahres Geschlecht aufdecken und sie ihnen als bequeme Beute überlassen sollte. Wenn sie erst einmal unter zehn Männern gelegen hatte, würde von ihrem Stolz nicht mehr viel übrig sein. Doch della Rocca hatte sehr viel Wert darauf gelegt, dass niemand die wahre Identität des Kastraten erfahren dürfe,

auch die Begleitmannschaft nicht. Der Bischof hatte sich sogar dazu verstiegen, ihm ein hochnotpeinliches Verhör anzudrohen, wenn er nicht den Mund hielte. Ludovico kannte della Rocca mittlerweile gut genug, um zu wissen, dass dessen leutselige Miene nur eine Maske war, hinter der er seinen Ehrgeiz und die Entschlossenheit verbarg, mit der er über Leichen ging.
Der überraschte Aufschrei des Kutschers riss ihn aus seinen Gedanken. Er blickte auf und sah, dass sie in einem Hohlweg steckten, der vor ihnen mit Zweigen und Ästen blockiert war. Für einen Moment dachte er an die Räuber, die in der Umgebung Roms ihr Unwesen trieben, dann lachte er böse auf. Selbst dieser Unhold Tomasi würde es nicht wagen, einen Wagen anzugreifen, der von sechs Gardisten des Papstes beschützt wurde.
Die beiden Gehilfen des Kutschers stiegen ab, um das Gestrüpp beiseite zu räumen. Im selben Augenblick erscholl ein scharfer Ruf. Flintenläufe zielten von oben auf die Kutsche und die Reiter, und ein Mann in einem weiten, dunklen Mantel und einem federgeschmückten Schlapphut auf dem Kopf grinste auf sie herab. »Hände weg von den Waffen!«, rief er.
Ludovico hörte die Reiter fluchen. Jeder von ihnen hatte eine Flinte über der Schulter und zwei geladene Pistolen in den Satteltaschen stecken. Solange sie jedoch die Räuber nicht sehen konnten, war es Selbstmord, die Waffen zu ziehen.
Der Kutscher und seine beiden Helfer hoben die Hände über den Kopf. Ludovico aber sah sich gehetzt um. Aus den Wortfetzen, die von oben herabdrangen, konnte er entnehmen, dass die Räuber die Absicht hatten, den Kastraten zu befreien, und erstickte beinahe an seinem Hass. So kurz vor Rom durfte die Hexe ihm nicht entkommen. Sein Blick fiel auf die Flinte des Kutschers, die nur wenige Handbreit neben seiner linken Hand auf der Sitzbank lag. Ohne sich darüber im Klaren zu sein, ob er auf die Banditen schießen oder Giulia umbringen wollte, packte er

die Waffe und riss sie hoch. Noch bevor er begriff, dass die Lunte nicht angezündet war, reagierten die Räuber. Drei, vier Flinten krachten los, rissen Ludovico hoch und schleuderten ihn von der Kutsche.
Der im Hohlweg widerhallende Knall der Schüsse ließ die Pferde scheuen. Als die Reiter ihre Tiere endlich wieder in der Gewalt hatten, waren die Räuber bei ihnen und richteten ihre Flinten auf sie. »Absteigen!«, befahl der Anführer.
Die Gardisten starrten ihren Hauptmann an, der vor Wut schier platzte. Als seine Befehle ausblieben, stiegen sie von den Pferden und ließen sich von den Räubern fesseln. Schließlich sah auch der Hauptmann ein, dass er dem Papst tot weniger nützen würde als lebend, und ergab sich.
Benedetto war unterdessen zu dem verkrümmt neben der Kutsche liegenden Ludovico getreten und stieß ihn mit der Fußspitze an. »Der Kerl ist mausetot. Was musste er auch so dumm sein, die Waffe zu heben, wenn er ein halbes Dutzend Flintenläufe auf sich gerichtet sah.« Lachend stieg er über den Toten und öffnete die Kutsche. »Willkommen, Singvögelchen. Ich bin sicher, du wirst es nicht bedauern, dass deine Reise nach Rom hier ein so abruptes Ende nimmt.«
Giulia hatte jedoch nur einen Blick für den schlanken jungen Mann mit wirren, dunkelblonden Haaren, der sichtlich bewegt auf die Kutsche zueilte und dabei so aussah, als wüsste er nicht so recht, was er sagen sollte. »Vincenzo! Madonna mia! Was bin ich froh, dich zu wiederzusehen! Ich … ich habe dir so viel zu sagen.« Erst Assumptas mahnendes Räuspern gemahnte sie daran, dass sie in ihrer Freude die Räuber vergessen hatte. Tomasi und seine Männer grinsten zwar recht selbstzufrieden, aber sie kannte die Männer gut genug, um zu wissen, dass ihre Stimmung jederzeit umschlagen konnte. Wenn sie erfuhren, dass der Kastrat, den sie befreit hatten, in Wirklichkeit eine Frau war, würde es ihr übel ergehen. Daher reichte Giulia Vincenzo nur

kurz die Hand und verschob ihre Beichte auf eine Zeit, in der sie beide allein waren.
Vincenzo spürte Giulios Anspannung, dachte jedoch, dass es wegen seiner Gefangenschaft sei, und lächelte seinem Freund aufmunternd zu. »Ich freue mich auch, dich zu sehen, Giulio. Es war nicht einfach, dich zu befreien, aber wie du siehst, ist es mir geglückt.« Es war zwar etwas viel Eigenlob, aber er wollte sich Giulio im besten Licht zeigen.
Die Räuber ließen ihm die Freude. Ein Teil von ihnen räumte die Barrikade aus Zweigen beiseite. Benedetto stieg auf den Kutschbock und schnalzte mit der Zunge. Tomasi forderte Vincenzo und Giulia zum Einsteigen auf und gab den Befehl zum Aufbruch. Den toten Ludovico ließ er unbeachtet im Graben neben der Straße liegen, die Gardisten aber befahl er mitzunehmen. Nach einer knappen Meile bogen sie von der Straße in einen Feldweg ab und erreichten nach etlichen Stunden die Räuberhöhle. Den Gardisten, dem Kutscher und seinen Gehilfen hatte der harte Marsch arg zugesetzt. Sie stolperten in ihren schweren und unbequemen Stiefeln auf die Hütte zu und ließen sich stöhnend in ihrem Schatten nieder. Vier Räuber, die ebenso wie Benedetto bei Tomasi bleiben wollten, bewachten sie, während der Rest seine Sachen packte.
Tomasi rief Giulia zu sich, die sich bisher mit Assumpta im Hintergrund gehalten hatte. »Ich glaube, es ist Zeit, unseren kühnen Streich zu feiern«, rief er laut genug, damit ihn auch die Gefangenen hören konnten. Dabei reichte er Giulia einen Becher Wein. »Kein Glas, wie du siehst. Dafür ist mir deine Stimme doch etwas zu mächtig. Ich würde mich freuen, etwas von dir zu hören. In meinem Stand hat man selten die Gelegenheit, einem großen Künstler lauschen zu können.«
Giulia verstand, dass sie singen musste, um den Räuber bei Laune zu halten. Diesmal tat sie es jedoch weitaus freudiger als beim ersten Zusammentreffen. Als sie Vincenzos liebevollen Blick

auf sich gerichtet sah, vergaß sie die Schreckensbilder, die sie während ihrer Gefangenschaft gequält hatten, und sie begann mit jenem Lied, das Vincenzo für sie geschrieben und Galilei vertont hatte.
Die Räuber setzten sich um sie herum und hörten ihr zu. Sogar die Gefangenen vergaßen für einige Augenblicke ihre missliche Lage. Dies änderte sich jedoch sofort, als Tomasi nach einer Weile die Hand hob und Giulia zum Schweigen brachte. Er wandte sich grinsend den Gardisten zu und befahl seinen Leuten, ihnen die Rüstungen und Kleider auszuziehen. Gleichzeitig bestimmte er sechs seiner Männer, welche die entsprechende Größe besaßen, die Sachen an sich zu nehmen. Obwohl die Räuber schon auf dem Sprung standen, Tomasi zu verlassen und sich über diesen Befehl wunderten, gehorchten sie ihm.
Die Gardisten fluchten wüst, als ihnen auch noch das Unterzeug abgenommen wurde und sie nackt und bloß vor den Räubern standen. Dem Kutscher und seinen Leuten erging es nicht anders.
Tomasi winkte Benedetto heran. »Schleppt die Kerle ein paar Meilen durch die Hügel und lasst sie auf der Hauptstraße frei. Danach kommt ihr zum vereinbarten Treffpunkt.«
Der kahlköpfige Räuber nickte und rief ein paar Kameraden zu sich, die die Gardisten wie Vieh vor sich hertrieben. Die Zurückbleibenden sahen ihnen nach und wussten nicht so recht, was sie tun sollten. Ihr Sprecher, der keinen Zweifel daran gelassen hatte, dass er mit einigen Männern eine neue Bande aufbauen wollte, drehte sich mit verkniffener Miene zu Tomasi um und tippte mit dem Fuß gegen die Rüstungsteile, die vor ihm lagen. »Was soll das eigentlich? Ich habe keine Lust, als päpstlicher Gardist durch die Gegend zu laufen.«
Tomasi lachte schallend. »Wirf das Zeug in den nächsten Tümpel. Die Gefangenen sollten nur glauben, dass wir es benützen wollen. Sie werden es mit Sicherheit weitermelden. Damit wird

man kleineren Soldatengruppen einige Tage lang misstrauen und uns damit die Flucht erleichtern.«
Der neue Räuberhauptmann starrte die Gardistenrüstung an und schien zu überlegen, ob er sie nicht doch brauchen könnte. Schließlich hob er sie auf und bedeutete seinen Männern, ihm zu folgen. Obwohl sie jahrelang mit Tomasi und seinen Getreuen zusammen gelebt und viele Gefahren gemeinsam bestanden hatten, gingen sie ohne Abschied.
Tomasi wusste, dass ihn einige seiner alten Bande für eine Hand voll Dukaten verraten würden, aber es kümmerte ihn nicht. Er trat noch einmal in die Höhle und kam mit einem großen Bündel zurück, das er Giulia und Vincenzo vor die Füße warf. »Der Kastrat soll sich als Frau verkleiden. Da fällt er weniger auf. Du solltest ebenfalls ein anderes Gewand anziehen. Sonst erkennt dich jeder päpstliche Soldat auf hundert Schritt.«
Assumpta bückte sich und öffnete das Bündel. Ein hellblaues Kleid und eine blonde Perücke lagen obenauf. Sie raffte es an sich und wies auf die Hütte. Giulia nickte zustimmend und folgte ihr hinein. Als sie fertig waren, musterte die Dienerin Giulia prüfend. Als Frau sah sie für einen Kastraten viel zu gut aus. Die langen Haare gaben ihrem Gesicht eine weiche Note und betonten die großen, dunklen Augen. Zum Glück war das Kleid nicht tief dekolletiert, so dass Giulia ihr Brustband anbehalten konnte. Trotzdem wirkten ihre Formen beinahe perfekt.
Vincenzo und die Räuber hatten sich bereits fertig umgezogen, als die beiden Frauen wieder ins Freie traten. Vincenzo trug ein grünes Wams mit gelben Hosen, während Tomasi ganz in Schwarz gekleidet war. Sie beide würden als Edelleute auftreten, während die restlichen Räuber die Livreen trugen, die sie als hochherrschaftliche Diener auswiesen. »Wir werden jetzt ein Stück über Land reiten«, erklärte der Hauptmann. »Renzo wird die Alte vor sich in den Sattel nehmen und …«
»Casamonte nehme ich«, rief Vincenzo dazwischen. Er wollte

sich die Chance nicht entgehen lassen, Giulio endlich einmal im Arm zu halten. Da der Kastrat nicht protestierte, hob er ihn aufs Pferd und schwang sich hinter ihm in den Sattel. Sofort sprachen seine Sinne auf Giulio an, und er musste an sich halten, um nicht in wollüstiges Stöhnen zu verfallen. Ohne die Räuber und zu einer anderen Zeit hätte er Giulio in die Hütte geschleppt, ausgezogen und ihn erst freigegeben, wenn sich der schmerzhafte Drang seiner Lenden entladen hätte. So aber musste er diesen Augenblick auf später verschieben. Er berührte nur kurz Giulios Nacken mit seinen Lippen und spürte, wie der Körper seines Freundes erschauderte. »Jetzt wirst du mir nicht mehr entkommen«, flüsterte er ihm ins Ohr. »Vielleicht will ich es auch gar nicht«, antwortete Giulia leise. Dabei wusste sie überhaupt nicht, was sie wollte. Die Stelle im Nacken, an der Vincenzo sie geküsst hatte, brannte wie Feuer. Es war jedoch nicht unangenehm, ebenso wenig wie der feste Griff seiner Arme. Irgendwie berauschte seine Nähe sie. War dies Liebe, fragte sie sich, oder forderte nur ihre lange geknechtete Weiblichkeit ihr Recht?

Der Ritt führte über bewaldete Hügel in ein Tal, an dessen Ende ein kleiner Bauernhof lag. Dort stand ein großer, alter Reisewagen mit einem kaum noch zu erkennenden Wappen auf der Tür. Zu Giulias Verwunderung näherten sich die Räuber dem Gebäude ohne jede Vorsicht. Als sie ankamen, steckte ein Mann den Kopf heraus und grinste sie an. »Ich habe alles fertig, Hauptmann, genau so, wie du es befohlen hast.«

Tomasi nickte zufrieden und winkte seine Begleiter nach vorne. »Spannt den Wagen an. Sobald Benedetto hier ist, fahren wir los.« Darauf wandte er sich Giulia und deren Begleitung zu. »Wir werden noch einige Tage zusammenbleiben und uns als Landadlige aus Savoyen ausgeben, die nach einem Besuch in Rom nach Hause unterwegs sind. Sobald wir das Patrominium Petri hinter uns gelassen haben, könnt ihr eurer eigenen Wege gehen.«

Giulia und Vincenzo sahen sich etwas beklommen an. Beiden war es unangenehm, noch länger bei den Räubern bleiben zu müssen. Sie hatten allerdings keine andere Wahl, als sich zu fügen. Und Tomasis Taktik zeigte Erfolg. Als sie nach der Rückkehr Benedettos und dessen Begleitern aufbrachen, gönnten ihnen die päpstlichen Patrouillen, auf die sie unterwegs trafen, nur einen beiläufigen Blick. Sie konnten nicht ahnen, dass Francesco della Rocca das Wissen um Giulias wahres Geschlecht für sich behalten hatte und nur nach einigen Räubern fahnden ließ, die den Kastraten Giulio Casamonte entführt haben sollten. Ludovicos Tod nahm der Bischof eher mit Erleichterung zur Kenntnis, denn es war seiner Karriere in jedem Fall förderlicher, wenn gewisse Dinge unter dem Deckel gehalten wurden.

## XI.

An einer Weggabelung kurz vor Piombino trennten sich die Räuber von Giulia, Assumpta und Vincenzo. Tomasi wollte zum Hafen reiten, um ein Schiff nach Genua zu nehmen, da er sich dort sein Geld auszahlen lassen konnte. Wie Giulia aus beiläufigen Gesprächen seiner Begleiter erfahren hatte, plante er, mit dem Rest seiner Bande in die spanischen Besitzungen in Amerika zu ziehen und dort als Großgrundbesitzer zu leben. Sie war froh, als sie die Räuber endlich in einer Staubwolke verschwinden sah, denn bis zum letzten Augenblick hatte sie in der Angst gelebt, von ihnen als Frau erkannt und vergewaltigt zu werden. Zu ihrer Erleichterung hatte Tomasi auch darauf verzichtet, ihre Koffer zu durchwühlen, so dass der Beutel, den sie von dem alten Grafen bekommen hatte, immer noch unangetastet in seinem Fach lag.

Auch Vincenzo atmete nach dem recht förmlich ausgefallenen Abschied der Räuber sichtlich auf. Sie hatten ihnen den Reisewagen und sogar einen Teil des Proviants zurückgelassen. Vincenzo kletterte widerwillig auf den Bock und schlug Giulia vor, die schwere Kalesche in der nächsten Stadt gegen ein leichteres Gefährt einzutauschen, da es auffallen würde, wenn ein Mann von Stand selbst den Kutscher spielte.

Giulia stimmte zu und merkte an Vincenzos bedrückter Miene, dass er noch etwas anderes auf dem Herzen hatte. »Was ist los? Gibt es Schwierigkeiten? Wir haben allen Grund zur Freude, und du ziehst ein Gesicht, als wäre deine Mutter gestorben.«

Vincenzo stieg ab und blieb mit hängenden Schultern vor ihr stehen. »Ich wollte es dir schon unterwegs sagen, aber ich mochte dich nicht noch dem Spott der Räuber aussetzen. Tomasi hat dich nicht ohne Gegenleistung befreit. Ich musste ihnen zuerst das ganze Geld geben, das du zu deinem Bankier in Rom geschickt hattest.«

Assumpta hatte neugierig zugehört und klatschte nun begeistert in die Hände. »Das war wirklich gut angelegtes Geld! Was sind schon ein paar Dukaten gegen all das Schreckliche, was die Kermeister der Inquisition unserer ... unserem lieben Giulio angetan hätten. Unter der Folter werden sogar aus Engeln Teufel gemacht – so heißt es doch.«

Vincenzo schenkte Assumpta ein freundliches Lächeln und blickte Giulia ängstlich an. »Du bist mir also nicht böse deswegen?«

»Um Gottes willen, nein. Du hast das einzig Richtige getan. Ich bin sehr stolz auf dich, Vincenzo. Niemand anders wäre so mutig gewesen, mit diesem Teufel Tomasi zu verhandeln und ihn dazu zu bewegen, mir zu helfen. Du hast dein Leben riskiert, um mich zu befreien, und das werde ich dir nie vergessen. Vincenzo, ich ... ich bin so froh, dass du wieder da bist. Ich habe dich schrecklich vermisst. Bitte verlass mich nicht noch einmal. Ich will dir auch keinen Grund mehr dazu geben, glaube mir ...« Sie breitete die Arme aus, um Vincenzo zu umarmen, sah dann aber

einen Bauern, der vom Feld aus zu ihnen hinüberstarrte, und ließ sie wieder sinken. Mit einem künstlich heiter klingenden Lachen fuhr sie fort. »Und ganz so arm sind wir dann doch nicht. Ich besitze noch die Belohnung, die mir Comte Biancavallo zukommen ließ. Die Summe reicht aus, um irgendwo weit jenseits des Kirchenstaats neu anfangen zu können.«
Während Vincenzo sichtlich aufatmete, wies Assumpta nach Westen, wo die Sonne nur noch wenige Fingerbreit über dem Horizont stand. »Zuerst müssen wir uns nach einer Unterkunft umsehen. Ich habe nämlich wenig Lust, auf der Straße zu übernachten.«
»Ich auch nicht.« Vincenzo schwang sich lachend auf den Bock und trieb die Pferde an. Etwa zwei Meilen weiter kam ein großes Gebäude in Sicht, dessen Herbergsschild gutes Essen und Unterkunft versprach. Bevor sie es erreichten, öffnete Vincenzo die Klappe zum Kutscheninneren. »Als was sollen wir in der Herberge auftreten, Giulio, als Bruder und Schwester oder als Mann und Frau?«
»Als Ehepaar«, bestimmte Assumpta, bevor Giulia etwas sagen konnte. »Wenn ihr euch als Geschwister ausgebt, könnten die Leute womöglich glauben, ihr wärt ein Liebespaar auf der Flucht.«
»Und was meinst du, Giulio?« Vincenzo wollte nicht über den Kopf des Kastraten hinweg bestimmen, obwohl er Assumptas Vorschlag für den besten hielt.
Giulias Gedanken überschlugen sich. Als Ehepaar aufzutreten, bedeutete ein gemeinsames Zimmer für sie und Vincenzo, etwas, das sie gleichermaßen fürchtete wie herbeisehnte. Doch Assumpta hatte Recht. Als Ehepaar würden sie keinerlei Neugier erregen, und irgendwann musste Vincenzo sowieso die Wahrheit erfahren. Sie hoffte nur, dass er sich dann nicht enttäuscht von ihr abwenden würde. »Also gut, spielen wir eben Mann und Frau«, sagte sie mit einem gepressten Auflachen.

Vincenzo nickte zufrieden und zog den rechten Zügel stramm. Die Pferde bogen gehorsam auf den Hof der Herberge ein, wo ihnen ein Stallknecht diensteifrig entgegenkam. »Willkommen in der Goldenen Sonne«, begrüßte er die Reisenden, als er von Vincenzo den Zügel übernahm. »Ihr erhaltet hier alles, was Euer Herz begehrt.«

Vincenzo ließ seinen Blick über den Hof schweifen und entdeckte weiter hinten einen kleinen, zweirädrigen Wagen, der groß und bequem genug für drei Leute schien. Er deutete darauf. »Ist das Gefährt dort zu verkaufen?«

Der Knecht schob seine Mütze in den Nacken. »Da muss ich den Patron fragen. Aber möglich wäre es schon.«

»Dann hole den Wirt«, forderte Vincenzo ihn auf.

Er stieg vom Bock und öffnete den Schlag des Reisewagens. Giulia und Assumpta kletterten ein wenig steifbeinig ins Freie. Die Dienerin jammerte über ihre schmerzenden Glieder, folgte dann aber zusammen mit Giulia einer Magd ins Haus. Während Vincenzo mit dem Wirt über den Tausch ihrer Kalesche gegen den kleineren Wagen verhandelte, half Assumpta ihrem Schützling aus den ungewohnten Frauenkleidern und löste ihr zuletzt die Brustbinde, die sie aus Angst vor den Räubern seit Tagen nicht mehr hatte ablegen können.

Die Dienerin tätschelte erleichtert den Busen der jungen Frau. »Wollen wir hoffen, dass du diese Pracht nicht noch einmal so grausam einschnüren musst. Das ist auf Dauer nicht gesund.«

Giulia ging nicht darauf ein. Sie schnüffelte ein paarmal und verzog das Gesicht. »Endlich kann ich mich wieder richtig waschen. In der Gesellschaft der Räuber war es ja leider unmöglich.«

Assumpta nickte lächelnd, so als sei ihr ein guter Gedanke gekommen. »Ja, Kind, das solltest du tun. Warte einen Augenblick. Ich laufe schnell in die Küche und hole dir warmes Wasser.« Ehe Giulia noch etwas sagen konnte, hatte sie den Wandschirm vor sie gestellt und verließ eilig das Zimmer, ohne die

Tür abzuschließen. Unten in der Küche erhielt sie von einer Magd einen Eimer heißes Wasser. Als sie stöhnend und ächzend die Treppe erklomm, trat Vincenzo, der eben mit dem Wirt handelseinig geworden war, in den Flur. Er hörte Assumptas Gejammer und bot ihr sofort seine Hilfe an.
Ein listiger Ausdruck huschte über das Gesicht der Dienerin. »Ich danke dir, Vincenzo. Du bist ein guter Junge. Bitte bring den Eimer in euer Zimmer. Es ist das erste dort, gleich bei der Treppe.«
Vincenzo nahm ihr den Eimer ab. »Waschwasser für Giulio? Er ist sehr auf sich bedacht, nicht wahr?«
Assumpta nickte eifrig und wandte sich ab. Doch als er die Hälfte der Stufen hochgestiegen war, kam sie flink wie ein Wiesel hinter ihm her und hielt ihn am Ärmel fest. »Bitte geh ganz vorsichtig mit ihr um. Giulia ist noch Jungfrau!«
Vincenzo starrte die Alte an, ohne das Geringste zu begreifen. Ein auffordernder Stoß traf ihn und trieb ihn weiter bis in das Zimmer, das er mit Giulio heute Nacht teilen würde. Er sah dessen dunklen Haarschopf hinter dem Paravent und trat wie in Trance näher.
Giulia sah nicht auf, da sie nach alter Gewohnheit Assumpta erwartete. »Stell das Wasser hier auf den Waschtisch, und leg mir ein Tuch heraus.«
Vincenzo schob sich an dem Wandschirm vorbei, stellte den Eimer neben die Waschschüssel und musterte den vermeintlichen Kastraten neugierig. Was er sah, verschlug ihm den Atem. Diese wundervoll geschwungene Rückenpartie mit der schlanken Taille und dem formvollendeten Po konnten unmöglich einem Mann gehören.
In dem Augenblick begriff Giulia, dass nicht Assumpta hinter sie getreten war, und drehte sich um. Bei Vincenzos Anblick presste sie eine Hand auf die Lippen, um nicht aufzuschreien, und versuchte, mit der anderen ihre Blöße zu bedecken.

Vincenzo holte tief Luft. »Das ist … Träume ich oder bist du ein Geist?« Er wirbelte herum, schloss die Tür ab und kam dann mit ausgebreiteten Armen auf sie zu. »Also das hat Assumpta gemeint.«
Auf Giulias Gesicht spiegelten sich die widerstrebendsten Gefühle. Vincenzo lächelte ihr beruhigend zu, nahm aber ihre Hände und zog sie sanft, aber unbeirrt von den Stellen weg, die sie zu verdecken suchte. Ja, vor ihm stand tatsächlich eine Frau – und eine wunderschöne dazu. Vincenzo fühlte sich so erleichtert, dass er schallend zu lachen begann.
Giulia fauchte wie ein kleines Kätzchen und funkelte ihn zornig an. »Ich wüsste nicht, was an mir lächerlich wäre.«
»An dir ist überhaupt nichts lächerlich.« Vincenzo riss sie in die Arme und drückte sie so fest an sich, dass sie kaum mehr atmen konnte. »Ich bin nur so glücklich, dass du eine Frau bist. Ich habe an mir gezweifelt und schon mit Gott und der Welt gehadert, weil ich mich in einen Kastraten verliebt habe. Du weißt nicht, wie sehr ich dagegen ankämpfte. Doch das Gefühl war einfach stärker als ich. Irgendetwas in mir muss immer gewusst haben, dass du nicht das warst, was du vorgegeben hast. Ich Trottel habe es nur nicht bemerkt.«
Giulia senkte beschämt den Kopf. »Ich hätte es dir früher sagen müssen, doch ich hatte Angst, dass du mich dann verlassen würdest. Schließlich habe ich Dinge getan, die die Kirche streng verboten hat, und ich wollte dich nicht zum Mitwisser meiner Sünde machen.«
»Hattest du so wenig Vertrauen zu mir?« In Vincenzos Stimme schwang kein Vorwurf mit. »Nein, das ist es nicht! Ich wusste, dass ich dir vertrauen konnte. Doch andere hätten durch unser Verhalten die Wahrheit erfahren können, und ich hatte viel zu viel Angst, auf dem Scheiterhaufen zu enden – was ja auch beinahe passiert wäre, wenn du mich nicht gerettet hättest.«
Vincenzo führte ihre Hände an die Lippen und küsste sie sanft.

»Es ist vorbei, Giulia. Jetzt kannst du endlich wieder du selbst sein. Liebst du mich denn ein wenig? Genug, um meine Frau zu werden?«
Giulia nickte verschämt, während seine Hände liebkosend über ihren Rücken glitten und nie gekannte Gefühle in ihr auslösten. Doch plötzlich quiekte sie erschrocken auf. »Ich bin doch ganz schmutzig. Ich muss mich waschen.«
Vincenzo nahm lächelnd die Seife und einen Lappen zur Hand, tauchte sie ins Wasser und begann dann vorsichtig, Giulias Brüste abzureiben. »Ich helfe dir beim Waschen, und danach wirst du das Gleiche bei mir tun.«
Giulia blickte etwas erschrocken zu ihm auf, gab sich aber dann den wunderbaren Gefühlen hin, welche die Berührung seiner Hände in ihr entfachten.
Einige Zeit später lagen sie erschöpft, aber glücklich auf dem Bett, die Körper fest gegeneinander gepresst, und hielten sich bei den Händen. Mit einem Mal sah Giulia Vincenzo unsicher an. »Ich hoffe, du wirst es nicht bereuen, die Tochter eines kleinen Dorfkapellmeisters gewählt zu haben.«
»Ich habe mehr gewonnen, als ich mir jemals erträumte, nämlich nicht nur eine Frau, sondern auch eine Gefährtin mit der herrlichsten Stimme Italiens. Du wirst doch weiterhin singen?«
»Aber nicht mehr als Giulio Casamonte.« Giulia schüttelte sich, als sie an die letzten Tage und Wochen ihres Lebens als Kastrat dachte. Dann atmete sie tief durch und blickte Vincenzo an. »Oh ja, ich werde singen, aber nicht in Italien, wo die Frauen es nur zu Hause oder als bessere Huren auf dem Jahrmarkt tun dürfen.«
Vincenzo richtete sich neugierig auf. »Was hast du denn jetzt wieder im Sinn?«
»Wir werden nach Württemberg gehen. Assumpta wird es zwar wenig gefallen, noch einmal über die Alpen reisen zu müssen. Aber darauf können wir keine Rücksicht nehmen. Herzog

Christoph schuldet mir noch einen Gefallen, also soll er mich als Sängerin und Komponistin einstellen. Ich glaube, er wird es gern tun und sich über die Tatsache, dass eine Frau den Papst und die klügsten Köpfe der katholischen Christenheit an der Nase herumführen konnte, köstlich amüsieren.«

»Also auf nach Württemberg«, sagte Vincenzo lachend und fand, dass es noch ganz andere Dinge gab, mit denen man sich amüsieren konnte. Giulias Brustwarzen zum Beispiel, die unter der sanften Berührung seiner Finger wieder hart und fordernd aufragten.